사골의사의
주식투자란
무엇인가

시골의사의 주식투자란 무엇인가 1 : 통찰 편

초판 1쇄 발행 2008년 10월 1일
초판 40쇄 발행 2011년 12월 6일

지은이 박경철 **발행인** 최봉수 **총편집인** 이수미 **사업단장** 박성인
편집인 이홍 **편집주간** 이선화 **편집장** 최서윤·박희연·한성수 **책임편집** 최서윤
제작 한동수 **마케팅** 이영인 김남연

발행처 (주)웅진씽크빅 **출판신고** 1980년 3월 29일 제406-2007-00046호
임프린트 리더스북그룹 **주소** 서울시 종로구 동숭동 199-16 웅진빌딩
주문전화 02-3670-1570~1 **팩스** 02-747-1239
문의전화 02-3670-1163(편집) 02-3670-1017(영업)
홈페이지 http://www.wjbooks.co.kr

ⓒ 2008 박경철, 저작권자와 맺은 특약에 따라 검인을 생략합니다.
ISBN 978-89-01-08846-4 (13320)
ISBN 978-89-01-08845-7 (세트)

시골의사의
주식투자란
무엇인가

통찰편 1
시장의 거짓을 이기는 통찰

박경철 지음

리더스북

투자, 기본 지식을 갖춘 후 시작하라

처음 주식투자에 관한 책을 쓰기로 마음먹은 것은 지난 2000년 말이었습니다. 시장은 IT 거품 이후 주가가 폭락하여 암울한 어둠으로 뒤덮여 있었고, 불과 1년 전의 화려한 축포 소리는 온데간데없이 9시 뉴스에서는 주가 폭락을 비관한 투자자들의 자살 소식이 연일 보도됐습니다. 당시 사람들의 가슴에는 '부조리함에 대한 분노'가 가득했습니다.

IMF 이후 정부가 해결책으로 택한 것은 벤처기업 육성과 기업 구조조정 정책. 당시로서는 불가피한 선택이었을 수 있지만 운영과 집행의 미숙으로 인한 후유증은 너무나 깊고 컸습니다. 은행은 문을 닫고 알짜 기업들은 외국 자본에 헐값으로 팔려나갔으며, 그곳에서 근무하던 근로자들은 실업자가 되어 길거리에 나앉았습니다. 그리고 그들은 몇 푼의 퇴직금으로 자영업을 시작하거나 전업 투자자가 되어 주식시장에 들어왔습니다.

머지않아 거품은 붕괴되었습니다. 펀더멘털의 위기를 투기적 가수요로 극복하려 한 정책에 대한 부작용이었습니다. 그때 많은 사람들이 고민했습니다. 내 나라 정부가 과연 무엇을 위해 존재하는가에 대한 근본적인 고민이 시작된 것입니다. 과거 우리 정부는 늘 강자가 초래한 위기를 약자의 희생으로 막아왔습니다. 사회적 강자로 인해 위기에 처한 경제는, 늘 사회적 약자의 일방적 희생을 담보로 회생했기 때문입니다.

벤처기업 육성정책은 즉흥적으로 진행됐고 아무런 체계도 없었습니다. IMF 시절 고금리로 엄청난 이자수입을 올린 현금 보유자들은 새로운 먹잇 감이 필요했고, 정부는 일자리 창출과 가시적인 경제지표가 필요했을 뿐이었습니다. 거기에 검은 정치자금이 필요했던 권력자들의 욕망이 뒤엉켜 벤처열풍을 일으킨 것입니다. 심지어는 조폭들마저 벤처육성 정책에 편승했습니다. 작은 중소기업을 사들여서 코스닥에 상장하고 그 대가를 정치자금으로 제공했다는 흉흉한 소문까지 들려왔습니다.

그 결과 사전에 벤처기업에 투자한 자본들은 천문학적인 자본수익을 얻었고, 벤처정신을 갖고 출발했던 건전한 벤처사업가들도 그 맛을 보고 기성재벌을 흉내내는 데 급급했습니다. 하지만 파티의 진행 비용은 뒤늦게 뛰어든 어리석고 힘없는 백성들의 몫이었습니다. 나 역시 그 과정을 지켜보면서 아무것도 할 수 없는 것에 대해 인간적 무력감을 느꼈습니다. "이건 아니다. 이건 틀렸다." 싶었지만 개인의 힘으로 할 수 있는 것은 아무것도 없었습니다.

그래서 내 작은 경험을 바탕으로 주식시장을 돌아보고, 아무것도 모르고 뒤를 따라오는 사람들의 길잡이가 되고자 하는 바람에서 책을 쓰기 시작했습니다. 하지만 원고는 마무리되면 되는 대로 두 번씩이나 서랍 속으로 들어가고 말았습니다. 왜냐하면 처음 원고를 마무리할 때쯤 시장의 속성이 바뀌었고, 다음 원고를 마무리할 때쯤에는 투자자의 구성이 바뀌었기 때문입니다.

당시 우리나라 기업들은 정상적인 회계기준이나 기업관행 대신 엉터리 재무제표와 분식회계로 이루어진 가짜 장부들을 태연하게 제출했습니다. 그래서 시장은 기업의 실적을 제대로 평가할 수 없었고, 때문에 한국시장에서 정상적인 기업 분석을 한다는 것은 너무나 어리석은 일이었습니다. 그래서 2000년대 초까지만 해도 주식시장을 분석하는 유일한 대안은 단지 경기순환에 의지한 투자나 기술적 분석뿐이었습니다.

처음에는 '기술적 분석'이라는 주제를 담아 책으로 세 권이 넘는 분량의 원고를 탈고했지만, 원고가 마무리될 무렵 서서히 기업관행이 바뀌었고 투자관행도 바뀌기 시작했습니다. 도리 없이 이번에는 '기업 분석'을 주제로 다시 책을 마무리지었습니다. 하지만 그것 역시 탈고하고 보니 여전히 미진했습니다. 한국식 투자문화에서 원론을 이야기한다는 것은 시기상조라고 여겨졌기 때문입니다. 결국 이것도 저것도 모두 답이 아니었던 셈입니다. 그러고는 한동안 책 쓰기를 포기했습니다. 한편으로는 어차피 이론은 무의미한 것이라 여긴 탓도 있습니다. 제아무리 이론을 가르치려 해도 그것은 문자일 뿐이고, 문자를 통해 온전한 의미를 전달할 수는 없었습니다.

그러다가 2006년쯤 이제는 정말 책을 써도 되겠다고 생각했습니다. 개인들의 자산투자가 늘어났고 시장이 서서히 상승추세로 접어들었지만 이대로 가면 다시 한 번 과거의 전철을 밟을 수도 있을 것이라는 우려가 들었기 때문입니다.

먼저 기초 편으로 《시골의사의 부자경제학》을 썼습니다. 주식투자를 시작하기 전에 필요한 기본적인 지식을 짚고 넘어가야 한다고 생각했기 때문인데, 어쨌건 그 바람에 서랍 속에 있던 두번째 원고가 일부 부활했습니다. 《시골의사의 부자경제학》은 당시 두번째 썼던 원고가 바탕이 되었다.

다시 2년의 시간이 흘러 이제 주식투자에 관한 책을 마무리지었습니다.

하지만 이 책은 과거에 쓴 원고를 바탕으로 하지 않았습니다. 이제는 쓸모 없는 기술적 분석 이론들은 대부분 버리고, 반드시 전달하고 싶은 내용만 중점적으로 정리했습니다. 이번에는 시장에 관한 이야기를 모두 담되 불필요한 것은 과감히 버리고 가기로 결심한 탓입니다. 그래서 그동안 언론이나 잡지 등에 기고하던 칼럼들도 이 책의 원고로 삼겠다는 전제로 썼고 방송을 할 때도 그것을 감안했습니다.

그런데 대부분은 새로운 원고가 하나씩 추가되면서 채워졌습니다. 그렇게 정리를 하고 보니 원고지로 무려 5,000매가 넘는 분량이 되었습니다. 컴퓨터 앞에 앉아 한 권의 책을 쓰기 위해 계속 작업을 한 것이 아니라 순간 순간 필요하다고 생각되는 부분들을 불연속적으로 쓰다보니 분량이 늘어난 것입니다. 설상가상으로 책의 일관성이 떨어지고 곳곳에 동어반복이 일어났습니다. 그래서 마지막에 다 쓴 원고를 한 번 더 과감히 덜어냈습니다. 일 없이 분량만 늘리는 것은 예의가 아닐 뿐더러 독자들에게 해가 될 수 있습니다.

그 결과 이 책이 나왔습니다. 여기에는 이런 내용들이 담겨 있습니다. 지금까지 내가 경험한 시장 이야기, 그동안 읽었던 결코 적지 않은 양의 전문 도서와 논문의 내용을 정리한 노트, 최소 100년간 시장을 분석하고 먼저 공부했던 사람들의 이론과 이야기, 그리고 시장을 보는 방법과 기법에 대한 제 의견들이 그것입니다. 하지만 그동안의 주식 책에서 흔히 볼 수 있거나 다른 책을 한 권 읽으면 알 수 있는 이야기들은 가능하면 배제했습니다.

특히 기술적 분석 부분에서 이미 다들 아는 이야기들은 굳이 이 책에서 반복할 필요가 없다고 여겨 상당 부분을 생략했습니다. 이 책에서 그런 부분을 기대한 독자들은 다소 허전할 수도 있습니다. 하지만 내 생각으로는 이 책에서 다룬 내용 이상의 것을 공부하는 것은 낭비입니다.

세상에 칼은 많습니다. 그러나 요리사가 요리할 때 쓰는 칼은 수많은 칼 중 단 하나입니다. 요리사는 가장 잘 드는 칼 하나만 잡고 요리를 합니다. 투자자들도 마찬가지입니다. 독자 여러분은 이 책에서 소개하는 범위 내에서 한 개의 칼을 선택하길 바랍니다. 그래도 정말 아쉽고 더 많은 칼이 필요하다면, 시중에 나와 있는 책을 한 권 골라 추가로 읽으면 됩니다.

기본적 분석에 대해서도 마찬가지입니다. 요새는 과거와 달리 투자자들이 상당히 전문화되어서 어지간하면 기업 분석이나 기본적 분석을 하는 책들을 한두 권은 읽었고 또 많이 알고 있습니다. 그래서 이 부분 역시 동어 반복할 필요는 없다고 생각하여 상당 부분을 생략했습니다.

때문에 책이 정돈이 덜 된 느낌입니다. 하지만 그것은 그대로 두었습니다. 굳이 세련된 구성이나 일목요연한 이론처럼 보이기보다 이런저런 이야기와 고민거리들을 던져 독자들이 따로 생각할 여지를 두는 것이 낫겠다고 여긴 탓입니다. 또 내가 시장을 잘 알고 항상 시장을 이길 수 있는 사람이라면 그러지 않았겠지만, 나 역시 일개 개인 투자자 중의 한 사람이고 내일을 예측할 수 없습니다. 그러니 괜히 하늘천장이라도 뚫은 양 구는 것보다 겸허하게 같이 고민하는 형식을 취하는 것이 옳으리라 여긴 것입니다.

어쨌거나 주식투자에는 정답이 없습니다. 세상 사람들이 어떤 기업의 주식을 싸게 사두면 언젠가는 오른다고 하지만 그것은 오를 때까지 드는 시간과 노력의 기회비용은 생각하지 않고 말하는 것입니다. 또 무슨 종목이 오를지 알 수 있다고 말하는 사람들도 많지만 그것은 애당초 전제조차 성립하지 않는 거짓말입니다. 그래서 이 책에서는 굳이 정답을 찾으려 하지 않았습니다.

하지만 한 가지는 꼭 얘기하고 싶습니다. 이 책을 정독하면 내가 얘기하고자 하는 핵심이 무엇인지 이해할 수 있으리란 점입니다. 그 핵심을 제외한 나머지 이야기들은 핵심을 이야기하기 위한 장치에 지나지 않습니다. 특히 그 핵심에는 기술적 분석, 재무이론, 그리고 가치분석의 교집합이 만들어지는 부분이 있고 그 부분만은 정말 독자들이 이해했으면 하는 것이 욕심입니다. 하지만 그게 쉽지만은 않을 것이라 생각됩니다. 앞서 말한 대로 이건 책으로 설명할 수 있는 범주의 이야기가 아니기 때문입니다.

아울러 이 책은 초보 투자자들에게는 좀 어려울 것입니다. 사실 책을 쓰는 사람의 입장에서는 이 점이 늘 고민입니다. 눈높이를 어디에 두어야 하는가라는 점 때문입니다. 외람되게도 투자자라면 이 책에 있는 내용 정도는 모두 이해해야 한다고 생각합니다. 이 책을 이해했다면 이제 주식투자를 할 수 있는 면허증을 획득했다고 생각하면 됩니다. 안타깝게도 너무 많은 투자자들이 준비 없이 시장에 들어서고 있습니다. 직접투자든 간접투자든 간에 투자자가 시장에 들어올 때는 최소한의 준비를 해야 합니다. 그런데 많은 사람들이 애써 모은 소중한 자산을 시장에 맡기면서 거의 아무런 준비도 하지 않습니다.

투자란 배우면서 하는 것이 아닙니다. 자동차 운전처럼 최소한의 능력을 갖추어야 시작할 수 있는 것입니다. 그래서 이 책을 읽으면서 이 정도 수준밖에 쓰지 못한 저를 비웃을 수 있어야 합니다. 그리고 이 책의 내용을 모두 이해했다면, 이제야 겨우 주식투자 면허증을 획득했다고 생각하기 바랍니다.

전에도 그랬듯이 내가 쓴 책은 별로 친절하지 않지만 사실은 그것이 내가 독자들에게 가진 '선의'의 표시입니다. 그리고 이 책의 군데군데에 오류도 있고 부족한 부분도 많겠지만, 그래도 너그럽게 이해해주시리라 믿습니다.

끝으로 불편하고 두서없는 원고를 정리하고 출판해주신 리더스북 식구들에게 감사드립니다. 아울러 사랑하는 가족과 블로그를 통해 만난 네트워크 세상의 친구들에게도 깊은 사랑과 감사의 마음을 전합니다.

시골의사 박 경 철

시장을 알아야 시장을 이길 수 있다

이 책은 두 권으로 나뉘어져 있습니다. 책을 나누는 이유는 한 권에 담기에는 분량이 넘치기 때문입니다. 분량도 분량이지만, 1권과 2권의 성격을 달리할 필요가 있을 때도 책을 나눕니다. 이 책의 경우에는 이 두 가지 이유가 다 해당됩니다.

사실 책을 쓸 때 한자리에 앉아 집필 작업만 하는 경우나 일정 기간을 정해서 내쳐 쓰는 경우에는 대략 감을 잡고 흐름을 조율하게 되지만, 이번 경우처럼 거의 7년 전에 시작해서, 부정기적으로 쓰다 말다 한 원고들을 모으다 보니 구성상의 어려움을 안게 되었습니다. 어쩌면 이 부분이 이 책의 큰 문제점 중의 하나일 것입니다.

하지만 정작 더 큰 문제는 다른 데 있습니다. 프롤로그를 쓰는 지금 이 순간에도 과연 내가 이 책을 써도 되는지 자신이 없다는 것입니다. 투자란 세상의 어느 누구도 이치에 닿을 수 없는 것임을 잘 알고 있으면서, "투자란 이런 것이다."라고 말하는 것은 위선이기 때문입니다. 또한 나 스스로 투자에 대해 얼마나 알고 있는지 자문해볼 때 머릿속이 하얘지는 느낌입니다.

　더욱이 1권은 투자의 방법론이 아닌 투자의 이면, 좀 거창하게 말하면 투자 철학이나 원론에 가까운 이야기들을 다루고 있습니다. 그리고 이런 이야기를 책으로 정리하기 위해서는 방대한 경제학적 지식, 시장 경험, 그리고 운용 경험과 기관 투자가로서의 경륜까지 고루 갖춰야 하며, 그런 사람만이 "주식투자란 무엇인가"를 논할 자격이 있습니다. 그런데 저는 경제학에 대해 체계적인 교육을 받은 사람도 아니고, 그저 투자에 필요한 경제 이론들이나 책들을 읽어 아전인수와 견강부회(牽强附會)로 해석해온 사람입니다.

　그래서 경제학적 지식은 일천하고, 논리적 일관성이나 논제에 대한 이해도 역시 떨어집니다. 이것은 겸손의 말이 아니라 실제로 현실에서 내가 부닥치는 문제들입니다. 물론 경제학적 지식이나 기업 분석이 투자성과를 결정짓는다면, 세상의 모든 경제학자와 공인회계사가 투자의 일인자가 되어야 합니다. 그러나 현실은 그렇지 않으니 그것을 논거 삼아 모면하려 들 수 있겠지만, 그것 역시 위선입니다. 투자가 경제학적 이론으로 이루어지는 것은 아니지만 현상을 설명하는 데는 분명히 필요하기 때문입니다. 그래서 이 책에서 말하는 많은 이야기들이 때로는 부적절하고, 때로는 터무니없는 강변으로 구성되어 있다는 사실을 먼저 자복합니다.

　《시골의사의 주식투자란 무엇인가 1》'통찰 편'에서 내가 말하고자 하는 이야기들은 "시장이란 이런 것이다."입니다. 즉 상대가 어떻게 생겼는지, 힘은 어느 정도인지, 속성은 어떤지를 이해하고자 합니다. 2권에서 다룰 우리가 어렴풋이 알고 있는 적을 상대하기 위한 방법론을 마련하기 위한 교량으로 1권을 준비했습니다. 전작인 《부자경제학》이 자산시장 전반에 대한 이해를 담고 있다면 1권은 그 바탕 위에서 주식시장의 성질을, 그리고 2

권은 결론적으로 투자를 한다면 "어떻게 할까?"로 이어지고 있다고 할 수 있습니다. 그래서 1권은 다소 지루하고 진부한 얘기가 많이 들어 있고, 때로는 "이런 이야기까지 알아야 하나?"라는 의문이 들 수도 있습니다. 하지만 우리가 사람을 판단할 때 신언서판(身言書判)을 모두 보고 판단하듯이, 시장을 이해할 때도 구석구석 요모조모를 모두 보고 판단해야 한다고 생각합니다.

물론 여기에 이 모든 내용이 담겨 있지는 않습니다. 하지만 이 책은 다음 2권을 이해하기 위한 필수적인 교량 역할을 하므로, 진지하게 고민하면서 읽어주시기를 당부드립니다. 물론 전부 옳지는 않을 것입니다. 나는 단지 이 책을 통해 화두를 던졌을 뿐, 독자들이 내가 던진 화두를 듣고 내린 고민의 결과물들은 이 책과 달라야 할 것입니다. 생각은 모두가 다를 수 있고 결론은 제각각일 수 있으며, 오히려 내가 부족하고 어리석은 답을 내놓은 부분이 더 많을 것입니다. 이 책은 독자 여러분들이 이런 주제들을 진지하게 생각하고 시장에 접근하는 하나의 도구로 삼을 때 진정한 의미를 얻을 수 있을 것입니다.

나는 세상의 공진화를 믿습니다. 함께 나아가는 진보를 믿는다는 뜻입니다. 그 점에서 책이라는 형태를 통해서도, 저자와 독자가 함께 발전하고 서로 문제를 던지고 고민하면서 그것들을 해결해나가는 소통의 방식이 있을 것이라고 믿습니다. 그러기 위해서는 내가 먼저 독자들의 비판과 지적을 겸허하게 받아들이고 스스로 고쳐나갈 준비가 되어 있어야 할 것이라 생각하고, 그렇게 할 작정입니다.

어두운 먹구름이 밀려드는 2008년 9월, 무거운 마음으로 1권 프롤로그를 씁니다.

1 주식시장의 본질

2 주식시장의 이해

3 주식투자의 통찰

시장은 혹독하다. 우리가 시장에서 이길 가능성은 제로에 가깝다. 많은 사람들이 받아들이려 하지 않겠지만 엄연히 사실이다. 교만에 빠지는 순간 투자자는
로만 삼아야 할 것이다. 가끔 개인 투자자들이 참여하는 증권 관련 게시판을 보면 아집과 독선에 사로잡힌 투자자들이 많다는 걸 느낀다. 그들은 내가 말하는
명히 되새겨야 한다. 누구도 시장을 이길 수 없다. 투자자는 시장에 맞서려 하지 말고, 늘 시장 앞에 겸손해야 한다. 투자자는 시장을 상대로 먼저 쳐서 이기ㅣ
겨라. 그것만이 개인 투자자가 시장에서 살아남는 유일한 방법이다.

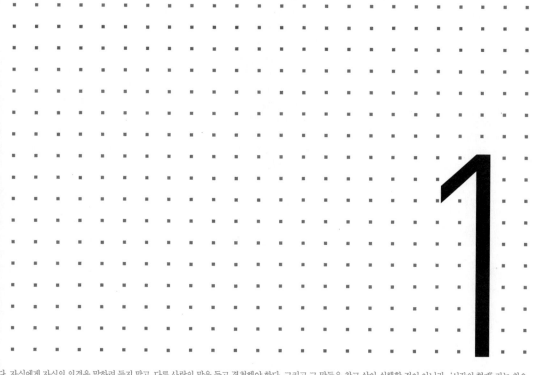

다. 자신에게 자신의 의견을 말하려 들지 말고, 다른 사람의 말을 듣고 경청해야 한다. 그리고 그 말들을 참고 삼아 실행할 것이 아니라, '시장의 현재' 라는 창으 인정하려 들지 않을 것이다. 하지만 당신 또는 그들이 그 게시판에 들어가서 글을 쓰고 읽고 있다는 것만으로 당신 또는 그들은 이미 승자가 아니라는 사실을 분 치려는 마음을 가져야 하고, 결이나 옹이를 베려하지 말고 옹이를 피해서 결을 따라 쳐야 한다. 시장의 목소리에 귀를 기울이고, 시장의 흐름에 조용히 몸을 맡

주식시장의 본질

chapter 1

시장의 진짜 얼굴은 무엇인가

정직한
시장은
없다

물극필반(物極必反), 차면 넘치는 것이 세상의 이치라는 말이다. 우리가 주식을 사고파는 일도 그와 다르지 않다. 주식은 가격이 정해진 물건을 슈퍼에서 사는 일과는 달리, 마치 경매처럼 소비자 스스로가 가격을 정하는 특성이 있다. 때문에 주식 투자자는 승자의 저주에 빠질 수도 있고, 패자의 나약함을 보이며 손톱을 물어뜯기만 할 수도 있다.

많은 사람들이 과연 어떤 기준으로 주식투자를 하는 것이 옳은지에 대해 고민해왔다. 하지만 아직까지 뾰족한 답을 찾지 못하고 있으며 앞으로도 영원히 찾지 못할 것이다. 왜냐하면 주식투자를 통해 연 20% 이상의 수익을 지속적으로 올린 사람은 전세계에서 단 한 사람밖에 없었고, 단기적으로는 엄청난 수익을 냈더라도 장기적으로 평균 이상의 성적을 거둔 사람은 거의 없었기 때문이다.

투자자가 죽고 금융회사가 사는 이유

그럼에도 사람들은 주식시장에서 평균을 넘어 큰 성공을 거둘 수 있으리라 꿈꾼다. 하지만 세상은 그리 단순하지 않다. 사람들은 바둑을 열심히 배운다고 해서 누구나 이창호나 조훈현 같은 최강의 고수가 되는 건 아님을 알고 있다. 아침마다 조깅을 하고 마라톤 대회에서 완주한다고 해서 황영조나 이봉주가 될 수 없는 것 또한 잘 알고 있다. 그런데 워렌 버핏(Warren Buffett)은 될 수 있다고 믿는다. 이것이 주식시장의 아이러니다.

세상은 거대한 거짓말에 의해 지탱되고 있다. 영화 〈씬 시티〉에서 주인공은 "실제 세상을 지배하는 힘은 돈도 배지도 아닌 거짓말"이라고 말한다. 이는 중요한 통찰이다. 우리가 살아가는 세상의 규율도 모두 거짓말 투성이다. 그리고 그 거짓말은 종종 권력을 창출한다. 정치인은 온갖 화장술을 동원해 자신의 무능과 탐욕을 감추려 들고, 대중은 그들의 기만 섞인 연설과 몸짓을 보며 그들이 우리 세상을 한발 더 나아가게 할 것이라고 믿는다. 심지어는 케네디, 처칠, 박정희가 역사를 발전시켰다고 믿는다. 하지만 역사는 그렇게 믿는 대중의 힘으로 이루어졌으며, 그들은 대중 승리의 상징에 지나지 않는다.

Zoom In　**승자의 저주**　유전개발권을 두고 경쟁을 벌이던 복수의 사업자들이 있을 때, 이들이 지나치게 치열한 경쟁을 하면 개발권의 가격은 적정가치 이상으로 올라가게 된다. 이때 경쟁자를 물리치고 가까스로 사업권을 따낸 사람은 겉으로는 승리했을지 모르지만 실제로는 너무 높은 비용을 감당해야 하므로 결국 손해를 보게 되는 현상을 가리킨다. 주식투자에서도 지나치게 높은 가격에 주식을 사는 경우 곧잘 승자의 저주에 빠지게 된다.

국가 체제는 국민들을 속인다. 국가는 항상 무엇인가 노력하고 있고 국리민복을 위해 일로매진하고 있으며 경제는 항상 좋다. 경제가 좋지 않을 수 있다고 고백한다는 것은 무엇인가 위기를 감추기 위한 기만이거나 이미 경제가 치유 불가능한 상태에 이르렀음을 의미한다. 국가가 발표하는 모든 통계는 유권자들의 표심을 사로잡기 위해 가공되고, 정부 대변인의 발언은 부실기업의 재무제표에 달린 주석만큼이나 복잡하다.

기업은 어떤가. 그들은 늘 나아지고 있으며 위기는 항상 일시적이다. 기업이 스스로 위기라고 말한다면 노동조합을 압박하거나 배당을 덜 주려는 음모이고, 그것이 아니라면 조만간 망하게 생겼다는 의미다. 기업이 파는 물건은 교묘하게 하자가 감추어지고, 소비자의 권리는 기업의 이익 앞에 무력하다. 실적 발표는 늘 합법과 탈법 사이를 오가고, 기업의 IR은 교묘하게 편집된 다큐멘터리에 지나지 않는다.

언론은 늘 그것을 받아적고 그들의 이익을 위해 복무한다. 기업은 광고를 통해 언론을 길들이고, 언론은 특정 기업의 광고비를 조금이라도 더 빼앗아야 하기 때문에 기업과 적당한 긴장 관계를 유지한다. 언론은 기사를 써서 죽이고, 기사를 빼서 죽인다. 논조는 언론의 이해에 따라 움직이고 독자는 그 결과를 사회적 공기의 합리적 시선으로 오해한다. 언론과 기업, 정부는 서로 상생하고 상극하며 길항하고 상승한다. 그 과정에 그들의 거짓말은 거대한 허상을 만들고, 이렇게 삼자합의에 의해 만들어진 거짓말은 거짓 권력을 지탱한다.

금융시장도 그렇다. 세상의 모든 금융기관은 당신을 속인다. 그들이 내세우는 '신뢰와 믿음'이라는 말도 사실은 당신에게 거짓말을 들키지 않을 자신감이 충만하다는 상징이다. 은행은 소액을 맡기는 당신에게 눈곱만큼의 이자를 지불한다. 그리고 1%도 안 되는 예금이자를 받고도 불만을 표시할 수 없도록 이체수수료나 대출금리 할인과 같은 사탕을 내놓는다.

고작 0.5%의 대출이자를 감면받기 위해 맡긴 돈의 이자를 최소 5%는 희생하고 있다는 사실을 깨닫지 못하게 하기 위해 고객 등급을 나누고, 높은 등급의 고객이 되어 은행원의 정중한 배웅을 받으려면 얼마나 더 많이 기여해야 하는지를 세뇌시킨다.

보험사도 마찬가지다. 보험사의 '원본'이라는 개념은 '당신이 낸 보험금'이 아니다. 그들이 사업비로, 설계사의 마진으로, 보험사의 이윤으로 챙길 돈을 뺀 나머지 돈을 두고 당신의 원본이라고 부른다. 하지만 당신은 손에 잡히지도 않을 미래의 로또(그것도 당신이 죽어야만 당첨되는)에 현혹되어 오늘도 보험사가 내민 계약서에 사인을 하고 있다.

이 정도는 약과다. 투자금융의 세계는 훨씬 더 사악하다. 금융시장의 거대한 네트워크는 우리가 살고 있는 이 거대한 매트릭스가 현실이라고 믿게 만든다. 계좌에는 실시간 잔고가 찍히고, 계좌 수익률은 지금 당장이라도 숫자로 확인할 수 있지만, 금융투자상품 계좌에 돈을 맡긴 이상 그들은 당신의 이익을 위해서가 아니라 철저하게 자신의 이익을 위해서만 움직인다.

금융사가 "고객을 위하여!"라고 건배한다면 그 말은 곧 "호구들을 위하여!"라는 말과 같고, 고객을 위해 친절하게 빌려주는 신용거래자금은 고리대금이나 다름없다. 하긴 그래도 고리대금보다는 이자율이 낮다고 믿는 당신을 위해 "주식을 담보로"라는 말은 뒤로 숨겨버린다.

그들이 당신에게 빌려주는 돈은 고리대금업자가 신용등급이 낮은 사람에게 현금을 빌려주는 고위험 대출은 아니지만, 주가가 떨어지면 언제라도 반대매매를 해버릴 준비가 되어 있는 설정권자의 횡포가 권리로 부여되어 있는 것이다. 그들은 당신이 신용으로 산 주식으로 인해 가정이 파탄이 나든 이혼을 하든 전혀 관심이 없다. 그들이 당신을 평가하는 기준은 단지 "당신의 주식을 언제 내다팔면 자신들이 이자도 챙기고 원금도 전부 회수할 수 있는가?"라는 것뿐이다. 금융시장에는 피가 흐르지 않는다. 설령 흐른다 하더라도 그것은 차가운 녹색을 띤 에일리언의 피일 뿐이다.

금융회사는 돈을 번다. 하지만 개인은 잃는다. 개인이 돈을 잃지 않는 유일한 방법은 사고팔지 않는 것이고, 내가 산 주식이나 펀드가 수익이 날 때까지 죽도록 버티는 것뿐이다. 지금까지 투자에 성공한 몇 안 되는 사람들은 전부 금융회사에서 수백억, 수천억 달러를 움직이는 펀드매니저들이었다. 드물게 탈레반처럼 힘겹게 싸워가며 게릴라전을 벌이는 일부 개인 투자자도 존재하지만, 그들의 수익이나 규모는 너무나 미미하다.

역사적으로 금융회사는 어마어마한 성장을 거듭했다. 메릴린치나 골드만삭스와 같은 거대 금융회사는 시장이 좋든 나쁘든 항상 돈을 번다. 이들은 거의 매년 엄청난 이익을 배당하고, 내부에 유보시켜 자본금을 키운다. 특히 유럽의 메가뱅크와 달리 미국의 투자은행은 불가사리처럼 덩치를 키운다. 그것은 증권시장이 호황을 보여서도 아니고, 그들이 훌륭해서도 아니다. 투자은행은 기업이 탄생할 때 투자자금을 빌려주고, 기업이 성장기에 이르면 증권 발행을 알선하며, 기업이 성숙기에 이르면 여신을 일으켜 자본을 제공한다. 그리고 기업의 쇠퇴기에는 서슴없이 팔아치우거나 지분을 사들여 경영권에 개입하고, 구조조정과 청산에 영향을 끼친다.

이 때문에 투자은행에게 있어서 기업은 흥망성쇠에 이르는 전 과정에서 영원한 봉이다. 기업은 생로병사를 거듭하고 투자자들은 이익과 손실을 반복하지만 투자은행들은 그래서 늘 이익을 낸다. 물론 때론 그들의 탐욕이 과도해서 서브프라임 모기지(비우량주택담보대출) 사태와 같은 위기를 맞기도 하지만, 이들에게 이것은 언젠가 한번쯤 주기적으로 닥치는 해일에 불과하다. 투자은행의 이름은 바뀔지라도 기능은 살아남고, 그와 관련한 거대한 이권은 불멸이다. 그래서 미국식 투자은행은 금융 시스템이 만들어낸 최고의 괴물이다.

그뿐 아니다. 기업뿐 아니라 투자은행(한국의 경우 은행, 증권사)에게 도 돈을 벌든 잃든 수수료를 부담하는 호구들이 있고, 펀드가 수익을 내든 손실을 내든, 꼬박꼬박 수수료를 내는 투자자들이 있다. 그래서 그들은 무엇인가 놀라운 무기로 무장하고 세상의 모든 거래를 꿰뚫고 있는 양 위장하지만 사실 그들이 알고 있는 것은 아무것도 없다. 그들은 앞으로 6개월 후에 한국시장의 주가가 오를지 내릴지, 미국 다우지수가 하락할지 상승할지 모른다. 다만 투자자들이 왜 금융상품을 사야 하는지, 왜 그들에게 수수료를 내고 자문을 구해야 하는지를 보여주기 위해 공작새의 꼬리를 치장하는 일에만 관심이 있을 뿐이다.

애널리스트들도 마찬가지다. 앞으로 설명해나가겠지만 애널리스트들은 업종의 전문가들이다. 그들은 업종이 앞으로 호황을 누릴지 불황에 빠질지를 예측하고, 기업의 실적과 성장을 분석한다. 그들이 살피는 자료는 실로 방대하다. 거기에다 기업 탐방과 면담까지 덧붙은 그들의 자료는 마치 기업의 내일을 모두 알 수 있는 것처럼 포장된다. 하지만 증권시장에서 이들의 분석은 구조적인 결함을 가질 수밖에 없다. 기업의 실적은 기업 자체뿐 아니라 업황이나 시황에 영향을 받는다.

그리고 기업은 자신들이 보여주고 싶은 것만 그들에게 보여준다. 기업의 IR 담당자가 설마 애널리스트에게 '우리 회사가 처한 구조적 문제점' 같은 보고서를 내놓을 리는 없잖은가. 더구나 기업이 분기마다 내놓는 실적보고서와 반기 연간보고서, 재무제표는 오랜 세월 노력해왔음에도 불구하고 온갖 거짓과 오류로 가득하다. 주석은 모호한 수식어들로 가득하고 지금의 감가상각이 왜 적절한가에 대한 가증스러운 변명들이 넘쳐난다. 그래서 애널리스트의 예측은 빗나가기 일쑤고, 그것을 믿고 투자한 투자자들은 그만큼 쪽박을 차기가 쉽다.

펀드매니저들도 마찬가지다. 이 역시 뒤에 설명하겠지만, 펀드매니저들도 자신의 펀드를 운용하면서 스스로가 시장을 알고 있다고 믿는다. 아니 알 수 있다고 믿는다. 그래서 자신감이 넘치면 시장과 일체감을 갖기도 한다. 하지만 역사적으로 시장평균 이상의 수익을 낸 펀드매니저는 고작 10%도 안 된다. 그나마 나은 수익을 낸 펀드매니저도 궁둥이가 무거운 개인 투자자의 수익을 넘기가 어렵다.

그럼에도 시장은 그들의 전적을(물론 장세가 좋을 때의 실적을) 화려하게 포장한다. 그 얼마나 멋있는 단어인가? 금융시장의 총아, 펀드매니저! 하지만 펀드매니저의 수익은 알고 보면 당신이 만들어준 것이다. 당신이 펀드에 돈을 집어넣으면 주가는 오르고, 펀드의 수익은 증가하며, 펀드매니저의 연봉은 로켓을 달고 하늘로 올라간다. 하지만 당신이 더 이상 주머니에서 나올 돈이 없다면 당신은 펀드를 환매해야 하고, 그 결과 펀드매니저들의 수익률은 그보다 더 빠른 속도로 떨어진다. 당신의 계좌에서 손실이 난다고 해서 펀드회사의 수수료가 줄어드는 것은 아니다. 그래서 투자자는 죽고 금융회사는 산다.

우리는 이렇게 구조적인 거짓말과 함께 살아가고 있다. 우리가 알고 있는 정보의 상당 부분은 거짓말이다. 우리는 무수하게 생산되는 거짓 정보들을 체로 걸러내야 한다. 하지만 한 기업에 대한 정보만 해도 수천 가지가 되는 상황에서 우리는 무엇을 선택하고 무엇을 버려야 할지 고민하지 않을 수 없다.

이때 우리에게 가닥을 잡아 들려주는 목소리는 언론이나 증권사가 가공한 정보다. 대중은 이에 따라 군집화된다. 하나로텔레콤이 고객정보를 빼내 팔았다는 뉴스에 기업의 가치가 20%나 공중분해되는 것이 과연 합리적인가 하는 문제는 중요하지 않다. 그렇게 해서 제재를 받으면 실적이 나빠질 것이라는 공포 어린 시선 하나면 족하다. 군집은 집단과잉 정서를 잉태한다. 시장은 늘 그렇다. 거짓말을 듣는 것에 익숙해지고, 거짓말이 거짓말이라는 사실을 알아도 전혀 놀라지 않는다. 으레 그렇다고 여기기 때문이다.

하지만 통찰력 있는 투자자들은 다르다. 거짓 세상에서 중요한 맥락을 읽고 다른 사람이 놓친 사실들을 포착한다. 이렇게 집단이 놓친 진실 하나를 포착한 사람은 그 진실이 현실화될 때 큰 이익을 낸다. 그래서 굳이 그들과 싸울 필요가 없다.

그것이 시장이다. 정직한 시장은 존재하지 않는다. 일찍이 벤저민 그레이엄(Bengamin Graham)이 설파한 미스터 마켓(Mr. Market)은 살아 움직이는 생물이다. 그 생명체는 우리의 지성과는 다른 체계로 움직이고 우리와는 다른 언어로 말을 한다. 미스터 마켓이라는 괴물이 우리에게 다정한 목소리로 "기분이 좋아."라고 말한다면 그놈의 마음은 사실 "나 지금 자살을 준비하고 있어."라고 소리치고 있는 것이고, "나 지금 불편해."라고 말하면 사실은 그놈이 열 쌍둥이를 출산하기 위해 입덧을 하고 있는 것인지도 모른다. 우리는 이처럼 현상 이면의 것을 볼 줄 아는 직관을 키워야 한다. 어쩌면 투자란 그것이 전부일지도 모른다.

Zoom In　　　**미스터 마켓**　　벤저민 그레이엄이 시장을 지칭한 용어. 시장은 살아 움직이는 거대한 생명체와 같아서 우리가 무슨 짓을 할지 모두 알고 있으며, 우리가 절망하면 오르고 우리가 탐욕에 휩싸이면 내려간다. 이 미스터 마켓이라는 가상의 생명체는 우리가 무슨 생각을 하는지 너무나 잘 알고 있다. 그래서 시장에서 이기기 위해서는 더 이상 내려갈 수 없는 저평가된 주식을 사서 바닥에 웅크리고 있으면 된다. 그러면 결국 미스터 마켓이 움직일 곳은 위쪽뿐인 것이다. 중간층에 있는 엘리베이터는 어디로 갈지 모르지만, 제일 아래층에 있는 엘리베이터는 올라가는 것 외에는 방법이 없다. 물론 이 경우에도 언제 움직이느냐 하는 것은 미스터 마켓 마음대로다.

예측 불가능한 시장

시장은 집단지성이다. 시장을 구성하는 세포는 곧 나일 수도 있고 당신일 수도 있다. 하지만 시장 전체는 나와 다른 놈이다. 시장은 단일지성으로 이해할 수 없고 규정된 시각으로 규격화할 수도 없다. 시장은 무섭고 두려운 놈이고 예측할 수 없는 괴물이다. 우리가 그의 진로를 알려고 하면 그놈은 다른 데로 달아난다. 우회전 깜빡이를 켜면 좌회전을 하고, 전진기어를 넣고는 후진해버리는 끔찍한 놈이다. 그래서 우리는 시장을 이해하려 들지 말고 그냥 느끼는 수밖에 없다.

경제성장과 증시성장에 대한 오해

그런데 이런 시장의 원리를 이해하는 투자자들 혹은 운용자들이 있다.

이 글을 쓰는 도중에 몇몇 금융계 인사들과 점심을 함께했는데, 그들은 이렇게 말했다.

"한 나라의 경제가 성장할 때 주식시장이 함께 움직인다면 우리나라는 지금 1만 포인트다. 어차피 성장 과정에서는 경쟁이 일어나고, 그중에 살아남은 기업들로 안정화될 때까지는 경제성장과 주식시장은 서로 엇갈리게 마련이다."

중요한 통찰이다. 중국과 동아시아의 신흥시장들이 성장을 거듭한다고 해서 경제성장률이 선진국의 3배, 우리나라의 2배나 된다고 해서 그 나라의 증시에 투자하면 큰돈을 벌 기회가 올 것이라는 생각은 통찰이 아니라 망상이다. 한 나라의 경제성장률과 증시의 성장은 장기적으로는 괴리가 좁혀지겠지만 동행하지는 않는다. 경제성장률과 주가상승률은 내재가치와 시장가격이 따로 움직이는 것과 비슷하다. 때로는 성장률을 상회하는 주가 상승이 일어나다가, 때로는 성장률에 비해 터무니없이 낮은 수준으로 상승하거나 혹은 급락을 맞는 것이 시장이다. 중국, 베트남 그리고 인도가 그 대표적 사례다. •

이때 우리는 눈에 보이는 성장률이라는 수치로 미스터 마켓이라는 놈의 심기를 살피지만, 놈은 우리와 종이 다르고 생각이 다른 녀석이다. 성장률, 증가율 따위의 수치가 주식을 사야 하느냐 말아야 하느냐를 결정한다면, 세상의 어떤 바보가 선진국 주식을 사겠는가? 하지만 세상 자금의 90%는 선진국 증시에 투자되어 있다. 그럼에도 여기에서 "왜 그럴까?"라는 생각을 할 수 없다면, 우리가 바보이거나 시장이 바보다.

다시 생각하자. 중국의 경제성장률이 앞으로도 매년 10%씩 20년간 계속된다면 그때 과연 중국의 GDP는 얼마쯤 될까? 아마도 전세계 자본의 90%는 중국이 쥐게 될 것이다. 현대중공업의 실적이 향후 몇년 간 매년

20%씩 증가한다면, 앞으로 현대중공업은 전세계의 배를 모두 혼자서 만들고 있을 것이다. 그렇게 되면 최종적으로 현대중공업의 시가총액은 도대체 얼마가 되어야 적절하단 말인가? 하지만 우리는 그렇게 될 것이라고 믿는다. 최근 3년간 그래 왔으니 앞으로 3년, 혹은 10년 뒤에도 그렇게 되지 않을 이유가 무엇이냐고 스스로를 세뇌하는 것이다.

결국 우리가 맞서고 있는 시장은 늘 그럴듯한 지표와 수치를 제시하고, 앞으로도 그렇게 좋아지거나 혹은 나빠질 것이라고 우리에게 말하지만 정작 주식의 가격, 즉 주식시장의 흐름을 결정하는 것은 그런 수치들이 아니다. 단순히 시장 수급으로 주가가 하락하거나 상승하면 그 수치들이 그에 맞게 갑자기 변한다.

오늘의 최고 실적을 보면 앞으로 5년은 더 성장할 것이라고 멀쩡하게 전망했다가 이제 최고 실적을 냈으니 다음부터 나빠질 것이라며 갑자기 돌변하고, 주가가 오르면 좀 전까지 최악의 실적에 절망하던 시장이 그렇기 때문에 앞으로는 나아질 것이라고 말한다. 그래서 사실은 우리가 믿고 있는 기업의 실적이나 성장률 같은 신호들이 시장을 움직이는 것이 아니라, 오히려 시장의 움직임이 이들 신호를 바꾸는 것이라고 해도 과언이 아니다. 그렇기 때문에 투자는 늘 차분하게 관조하고, 시장의 언어를 침착하게 해석해야 하는 것이다.

초심자의 행운에 숨겨진 함정

개인 투자자가 주식투자에서 실패하는 이유는 대개 초심자의 행운 때문이다. 노름을 하는 도박꾼들이 처음 노름을 시작하는 동기는 별 생각

없이 우연히 참여한 도박에서 돈을 따기 때문이다.

주식 투자자도 마찬가지다. 수많은 투자방식 중 주식투자를 선택한 동기나 명분을 따지거나 투자에 앞서 미리 준비를 하지 않고, 대다수의 사람들은 주변의 분위기에 취해서 발을 들인다. 주식시장이 격렬하게 상승하고 주식투자에 대한 이야기가 화젯거리로 떠오르면, "나도 한번 해보자."라는 마음으로 시작한다. 소중한 내 자산을 그렇게 쉽게 던진 것에 대한 고민은 결여되어 있다.

지금 이 책을 읽는 당신도 돌이켜보면, 주식투자에 뛰어든 동기가 매우 당혹스러운 것일지도 모른다. 신문이나 방송 혹은 주변 사람들의 이야기에 현혹되어 아무런 준비도 없이 객장에 가서 계좌를 트거나 은행 창구 직원의 권유로 즉흥적인 투자를 시작한 경우가 대부분일 것이다. 돌아보면 이것이 얼마나 무모한 일인지 등골이 서늘해질 것이다.

그마나 즉흥적으로 시작하면서 전재산을 투자하는 사람은 아무도 없다. 우선은 작은 자금으로 시작한다. 하지만 초심자의 행운은 이내 비극으로 다가온다. 대개 초보 투자자가 주식시장에 뛰어드는 순간은 늘 시장이 활화산처럼 끓어오를 때다. 주식시장이 침체에 빠져 연일 신저가를 경신하고 매스컴에 우울한 전망이 나올 때 주식시장에 들어서는 초보 투자자는 없다.

활황장에 뛰어든 초심자들의 경우 대개 수익을 낸다. 그럴 수밖에 없는 것이 브레이크가 고장난 자동차가 언덕을 빠른 속도로 굴러 내려오는데, 그 자동차가 내 앞에서 갑자기 멈추는 경우는 없기 때문이다. 그 자동차는 관성과 가속도에 의해 내 앞을 지나 더 달리게 된다.

이때 초심자가 내는 수익은 그야말로 행운이다. 차라리 그가 이런 행운을 맛보지 않았다면 다시 준비를 해서 시작하거나, 아니면 영원히 주식시장을 돌아보지 않을지 모른다. 그러나 일단 처음에 수익을 낸 행운에 도취된 사람은 더 많은 돈을 시장에 쏟아붓는다. 그리고 더 많은 수익을 내기 위해 공부를 시작한다.

차분한 마음으로 준비를 할 때와 자신감에 넘쳐 흥분된 상태로 하는 공부는 다르다. 그는 얼마 되지 않아 밤마다 증권 채널 앞에 앉아 있는 시간이 늘기 시작하고, 서점에서 주식투자에 관한 책을 한두 권 사 보게 될 것이다. 좀더 나아가면 서로 같은 마음을 가진 사람들끼리 정보를 교환하기 위해 증권정보를 공유하는 네트워크 세상을 탐험하기도 한다.

이때 그에게 보이는 세상은 무엇일까. 그의 눈에 들어오는 책들은 대개 주식시장의 원리를 모두 깨우쳤다는 대박고수들의 비법을 담은 책이다. 그리고 증권방송에서도 대박주 거래의 원리를 가르쳐주겠다는 사람들의 이야기만 듣게 된다. 그가 들락거리는 네트워크 세상의 증권 게시판은 모두 그와 같은 부류들이고, 같은 처지에 놓인 사람들이다. 서로 정보를 주고받고 의견을 교환하지만, 사실은 의견이 많으면 많을수록 그는 점점 더 자신의 합리적이고 비판적인 이성을 잃어버리게 된다.

인간이 이성을 잃는 것은 너무도 단순한 과정을 거친다. 뭉치면 그것으로 끝이다. 나와 다른 세상과 교류하지 않고, 나와 같은 세상의 이야기만 주고받으면서 이성은 점점 마비되고 감정만 증폭된다. 그러면서 초심자는 하나둘 용어를 배우고, 언어를 이해하게 된다. 처음에는 무슨 뜻인지도 몰랐던 거래용어들을 이해할 수 있게 되면서 자신만의 판단이 생긴다. 하지만 정작 초심자가 위험한 상황에 빠지는 것은 바로 이때다. 그 과정에서 그가 가장 먼저 배우는 이론들은 시장에 대한 합리적 비판과 회의가 아니라 시장에서 가장 성공했다는 허황한 성공담이다. 이때부터 그는 진정 위험에 빠지는 것이다.

개인 투자자들이 주식투자에 관한 이론을 배울 때 가장 걱정스러운 부분은 기술적 분석에 대한 맹신이다. 물론 기업 분석에 대한 이야기도 마찬가지이지만, 그나마 그 정도로 보면 상대적으로 나은 편이다.

기술적 분석 이론의 가장 큰 맹점은 바로 지나간 발자국으로 다음 발자국을 예측한다는 데 있다. 여기서 말하는 기술적 분석은 단순히 차티스트의 논리뿐 아니라 재무제표를 보고 실적을 분석하는 소위 기본적 분석까지도 포함한다. 넓은 들판에서 누군가가 걸어온 발자국을 보고 다음 발자국을 예측한다는 것은 기본적으로 불가능한 일이다. 하지만 기술적 분석은 그것이 가능하다고 주장하고 있다. 나는 기술적 분석을 무조건 부정하려는 것이 아니다. 독은 잘 쓰면 약이 될 때도 있지만 대개는 생명을 위협하듯이, 통계적인 입장에 기반을 둔 기술적 분석의 일반적인 적용들은 대개 독성이 강하다는 말을 하려는 것이다.

야구에 '클러치히트(Clutch hit)'라는 용어가 있다. 결정적인 순간에 한방을 날린다는 뜻이다. 비록 타율이 낮더라도 주자가 루상에 나가 있거나 꼭 득점해야 하는 상황에 결정적인 한방의 안타를 날리는 타자가 있고 타율이 높은데도 결정적인 순간에 늘 병살타를 치는 타자도 있다. 이때 선수의 타율만 보고 타자를 내보내는 감독은 위기의 순간에 클러치히트를 할 선수를 가려내지 못한다.

기술적 분석이 바로 이와 같다. 기술적 분석은 확률적으로 보면 최소 60~70% 이상은 합리적인 것이 사실이다. 주식시장 거래기간의 약 70%는 늘 박스권이고, 결정적인 구간은 30%, 더 결정적인 구간은 5% 정도 남짓이다. 다시 말하면 30년간 주식투자를 계속한 투자자라도 불과 5년 정도의 결정적 상승기에 투자를 하지 못한다면 손실을 입거나 이익이 나지 않는다는 말이다.

미국 증시의 다우지수가 1,000포인트에서 1만 포인트에 이른 기간은 전체 거래기간의 불과 7%밖에 되지 않는다. 결국 기술적 분석은 이렇게 의미 없는 구간에서는 안정적인 결과를 보여주지만, 통계의 틀을 벗어나는 결정적 구간에 이르면 거짓 신호를 보낸다는 데 함정이 있다. 그것이 차트든 주가수익배율(PER)이든 당신이 무슨 도구를 사용하든 간에 당신이 알고 있는 거래수단은 늘 그럴 수밖에 없다.

결국 일반인이 주식투자에서 살아남는 가장 유리한 방법은 너도나도 주식시장에 뛰어들어 시장의 흥분이 최고조에 이를 때 주식을 사서 일정 수익이 나면 그만두고, 다시 그런 시기가 오기를 기다리는 것뿐이다. 하지만 인간의 탐욕은 그것으로 만족하지 못하고 나도 언젠가는 버핏처럼 시장의 승자가 되겠다는 욕망을 억제하지 못한다.

하지만 안타깝게도 근대시장을 기준으로 미국시장 100년사에서 주식투자로 장기적인 성공을 거둔 사람은(끝없이 자본이 들고나는 펀드가 아닌 투자자 기준으로) 고작 10여 명 남짓이다. 물론 작은 수익을 낸 알려지지 않은 투자자들도 많겠지만, 실제적으로 시장을 이겼다고 말할 수 있는 사람은 그 정도가 고작이다. 대개 우리가 알고 있는 신화적 인물들은 어느 한순간 시장을 이겨 화제가 되지만, 스스로 시장을 떠나지 않는 한 결국 시장을 이기지 못하고 패배자로 전락한다. 이유는 탐욕은 눈덩이처럼 증가하고 작은 성공은 더 큰 교만을 낳기 때문이다.

가치 투자자들이 그리스도처럼 숭배하는 그레이엄도 사실은 주식투자의 실패자였고, 기술적 분석의 교조에 해당하는 조셉 그랜빌(Joseph Grainville)도 그랬으며, 오늘날 시장의 승자로 불리는 윌리엄 오닐(William

O'Neil)도 마찬가지였다. 그들은 말년에 시장에서 도태되거나 패배를 시인했다. 우리는 그들의 한순간만을 알 뿐이다. 이유는 그들의 이름을 빌려 책을 팔아야 하는 출판사나 그들의 이론으로 맥을 이어가야 하는 계승자들이 한순간의 위용만 보여줄 뿐 그들의 패배는 감추기 때문이다.

시 장 의 흐 름 에 몸 을 맡 겨 라

시장은 혹독하다. 우리가 시장에서 이길 가능성은 제로에 가깝다. 많은 사람들이 받아들이려 하지 않겠지만 엄연히 사실이다. 교만에 빠지는 순간 투자자는 죽음의 길로 들어선다. 자신에게 자신의 의견을 말하려 들지 말고, 다른 사람의 말을 듣고 경청해야 한다. 그리고 그 말들을 참고삼아 실행할 것이 아니라, '시장의 현재'라는 창으로만 삼아야 할 것이다.

가끔 개인 투자자들이 참여하는 증권 관련 게시판을 보면 아집과 독선에 사로잡힌 투자자들이 많다는 걸 느낀다. 그들은 내가 말하는 이 구절을 두고도 인정하려 들지 않을 것이다. 하지만 당신 또는 그들이 그 게시판에 들어가서 글을 쓰고 읽고 있다는 것만으로 당신 또는 그들은 이미 승자가 아니라는 사실을 분명히 되새겨야 한다. 누구도 시장을 이길 수 없다.

투자자는 시장에 맞서려 하지 말고, 늘 시장 앞에 겸손해야 한다. 투자자는 시장을 상대로 먼저 쳐서 이기려 하지 말고 이겨서 치려는 마음을 가져야 하고, 결이나 옹이를 베려하지 말고 옹이를 피해서 결을 따라 쳐야 한다. 시장의 목소리에 귀를 기울이고, 시장의 흐름에 조용히 몸을 맡겨라. 그것만이 개인 투자자가 시장에서 살아남는 유일한 방법이다.

계량적 분석이 투자의 정도는 아니다

　가치투자에 대한 이해가 높아지고 성장주에 대한 변동성이 커지면서, 수많은 투자자들이 기업을 분석하고 이해하려 하고 있다. 두말할 필요 없이 좋은 일이면서도 한편으로는 걱정스럽다. 기업의 재무제표를 보고 잉여 유동성을 살피고 기업의 내재가치가 시장가격보다 낮게 평가된 주식을 찾는 일이 투자의 전부라면 주식투자를 가장 잘하는 사람들은 공인회계사일 것이다.

　기업의 상태를 분석하는 일은 숙련되고 노련한 의사의 그것과 같다. 혈액검사 결과나 CT 사진 결과를 두고 병을 고칠 수 있는 의사와 그렇지 않은 의사가 있는 이유는 수치 이상의 판단과 경험이 중요하기 때문이다. 의사는 이러한 자료들을 두고 방정식에 대입해서 결과를 수치로 도출하지 않는다. 그것들이 주는 정보와 환자를 보고 판단한 영감이 정확한 진단을 내리게 한다.

기업도 마찬가지다. 자산과 부채, 잉여 현금흐름, 매출액 증가율, 주당 순이익 증가율, 배당 등을 보고 무엇이 기업의 운명에 결정적인 역할을 할지, 지금의 기업가치가 무슨 이유로 저평가되어 있는지, 그리고 기업의 성장이 다시 시작되려면 무엇이 필요한지를 판단하는 것은 재무적인 일이 아니다. 그것은 고도의 직관이다.

소형주나 소외주를 장부상의 저평가라는 이유만으로 사서 바이앤홀드(Buy&Hold)를 한다면, 당신의 자산을 단순히 운에 맡기는 것과 다름없다. 가치투자란 기업의 수많은 정보 중에서 다른 투자자들이 놓친 정보를 찾는 행위를 가리킨다. 내가 쉽게 찾을 수 있는 모든 정보는 이미 타인에게도 알려져 있고, 심지어 그런 주식만을 전문으로 매입하는 펀드들이 사들인 뒤라 당신에게까지 매입할 기회가 돌아가지 않는다.

아무리 뛰어난 개인도 자산운용사의 인력과 시스템 분석력을 이길 수 없다. 그들은 무시로 기업을 방문할 수 있고, 당신이 취득하는 공개된 정보보다 더 많은 정보를 취득할 수 있다. 뿐만 아니라 증권사들은 각 업종에 정통한 산업 전문가들을 거느리고 있어서, 반도체산업의 사이클이나 선박운임지수의 변동에 대해 당신보다 최소한 100배는 더 잘 알고 있다.

그럼에도 불구하고 많은 투자자들이 "잘 아는 주식에 투자하고, 그 주식을 깊이 연구하면 최고의 수익을 낼 수 있다."는 피터 린치(Peter Lynch)의 말을 그대로 따르고 있다. 통계에 의하면 세상의 많은 개인 투자자들은 자신이 다니는 회사의 주식을 보유하고 있고(자사주와 우리사주), 당신이 가장 잘 아는 주식 역시 당신 회사의 주식이다.

'○○ 옥수수 수염차'를 좋아한다고 해서 그것이 잘 팔린다는 영감으로 해당 회사의 주식을 살 때는, 이미 많은 전문 투자자들이 그 회사의 영업이익과 재고, 생산량의 변화를 실시간으로 파악하고 있는 시점이다. 개인 투자자들이 자신이 가장 잘 아는 주식을 보유하는 현상은 거꾸로 다른 좋은 주식을 살 기회를 빼앗기는 것과 같다. 즉 당신이 자신이 종사하는 업종의 주식만 바라보고 있을 때, 업종 리스크를 벗어난 다른 업종들이 하늘 높이 치솟고 당신이 알고 있는 업종은 부진에 부진을 거듭하고 있을 가능성도 크다.

주식투자는 '노이즈'를 이용하는 것이다. 대중이 우박처럼 쏟아지는 불특정의 정보 속에서 혼란을 느끼고 우왕좌왕할 때, 당신은 그들이 놓친 최고의 정보를 낚아챌 준비가 되어 있어야 한다. 현명한 투자자는 독수리의 눈, 사자의 심장, 숙녀의 손길로 시장을 바라보는 사람이다.

내가 알지 못하는 주식을 잘 알려고 노력하는 것이, 내가 아는 주식을 더 잘 알려고 노력하는 것보다 훨씬 더 많은 기회를 준다는 사실을 기억하라. 하지만 그 노력이 고통스럽고 번거롭다면 차라리 돈을 맡겨라. 당신을 대신해서 그것을 알아내줄 펀드매니저들이 여의도에 1개 연대는 대기하고 있다. 다만 당신이 돈을 맡길 펀드매니저가 통찰력과 직관을 갖춘 사람이기를 빌 뿐이다.

1997년 미국투자관리연구협회(AIMR, Association for Investment Management and Research)로부터 최고투자가상을 받은 피터 번스타인(Peter L. Bernstein)은 다음과 같은 유명한 말을 남겼다.

"파스칼은 가치 투자자다. 그는 《팡세 Pensées》에서 '무신론자가 신을 믿지 않아서 처하는 위험은 신이 존재할 경우 영원한 저주에 빠져 평생을 지옥불에 사는 것이지만, 유신론자가 신을 믿음으로써 생기는 위험은 주말에 크리켓을 즐기는 시간에 교회에 나가야 하는 것뿐이다.'라고 말했다."

이 말은 곧 이런 뜻이다. 극적으로 하락한 주식이 이제 나아질 것이라고 판단한 가치 투자자의 생각이 틀릴 경우 주식이 더 하락할 가능성이 없으므로 위험이 최소화되지만, 그의 생각이 맞는다면 큰 이익을 내게 된다. 하지만 기업의 이익이 증가할 것이라 기대하고 주가가 오르는 성장주를 산 투자자는 그 생각이 틀리면 낭패를 당하고, 생각이 맞다 하더라도 이미 그 상황이 주가에 반영된, 즉 비싼 가격의 주식을 산 것이 된다.

계량분석의 아버지, 바 로젠버그(Barr Rosenberg)는 주식시장에 대해 재미있는 비유를 했다.

"만약 당신이 중고차 시장에 가서 중고차를 산다고 가정하자. 중고차 시장의 딜러는 연식과 주행거리에 별 차이가 없는 자동차에는 비슷한 가격을 붙여놓는다. 이때 당신에게는 좀더 가치있는 자동차를 살 기회가 있다. 당신의 노력 여하에 따라, 관리가 잘 되고 연비가 좋은 자동차 혹은 추가로 수리할 필요가 없는 상태가 좋은 자동차를 살 수 있다. 이때 당신의 자동차 지식은 빛을 발한다. 발품을 팔면 팔수록 더 좋은 성능을 가진 가치있는 자동차를 고를 수 있다.

하지만 만약 자동차 딜러가 자동차 전문가들과 일류 정비사들을 동원하여 이런 사항들을 계량화하고 그에 따라 가격을 달리 매겨두었다면 당신이 중고차 시장에서 같은 가격으로 더 좋은 자동차를 살 가능성은 거의 없다. 이미 좋은 자동차에는 비싼 값이 매겨지고, 그렇지 못한 자동차에는 싼 값이 매겨져 있을 것이기 때문이다. 전자를 시장의 비효율성이라고 하고 후자를 시장의 효율성이라고 본다면, 주식시장은 이 두 가지

시장의 중간쯤 위치하고 있다."

바로 이 점이 투자자들을 매혹시키기도 하고, 때로는 곤혹스럽게 만들기도 한다. 때에 따라 시장은 비효율적이기도 하고 효율적이기도 하기 때문이다. 그래서 시장이 비효율적이라고 믿는 투자자들은 괜히 쓸데없는 데 힘쓰지 말고 포트폴리오를 잘 관리하면서 시장의 평균 수익을 누리는 데 최선을 다하라고 이야기한다. 그래서 펀드시장에서도 전자는 액티브펀드로, 후자는 인덱스펀드로 궤를 달리한다.

이 글을 읽는 사람들은 모두 시장이 비효율적이라고 믿을 것이다. 그래서 노력하면 누구나 충분히 큰 이익을 낼 수 있다고 생각할 것이다. 게다가 시장은 이런 기대에 자주 부응하곤 한다. 그러니 냉정하게 말해보자. 장기적으로 볼 때 당신이 주식시장의 평균 수익률을 상회하는 수익을 낼 가능성은 거의 전무하다.

지금 독자들이 이 책을 읽는 이유도 사실은 평균 이상, 솔직히 말하면 평균을 훨씬 뛰어넘는 수익을 얻고자 하는 마음에서일 것이고, 독자들이 내게 거는 기대 역시 그럴 것이라고 생각된다. 하지만 내가 시장에서 아직은 폼을 잡고 있지만, 나 또한 시장을 공부한 지 20년 정도에 불과하고 적극적으로 참여한 것은 10년이 좀 넘었을 뿐이다. 지금 시장에서 공전의 히트를 기록하고 있는 금융사의 최고 펀드나 나의 호기도 앞으로 10년, 혹은 20년 후에는 어떤 운명을 맞을지 모르는 일이다. 그러니 그런 환상은 일찌감치 접어두고 이 책을 읽는 것이 좋다.

앞에서도 비슷한 얘기를 했지만 사람들은 자기가 테니스나 달리기를 다른 사람보다 조금 더 잘한다고 해서 자신이 윔블던에서 우승을 하거나 마라톤에서 금메달을 딸 것이라고 생각하지는 않는다. 그러나 주식투자에 있어서는 다른 사람을 누르고 우승할 수 있을 거란 기대를 가진다.

그 이유는 주식투자가 시험도 아니고, 어느 정도 운에 따른다고 믿기 때문이다. 그것은 당신이 로또를 사는 심리처럼 주식투자에서도 의외의 수익을 기록할 것 같은 환상에 사로잡혀 있기 때문인데, 도박을 하거나 복권을 사면서 느끼는 가벼운 흥분이 바로 그런 생각의 뿌리라는 사실을 알아두는 것이 좋다.

두번째로 주식투자는 비법이 존재하고 그 비법은 보물찾기와 같아서, 노력을 하면(좀더 숲을 뒤지면) 보물지도를 발견할 수 있을 거라는 기대가 존재하기 때문이기도 하다. 하지만 당신이 아무리 노력해도 그런 보물지도는 없다. 내가 아는 한 보물지도를 가진 투자자는 예전에도 없었고 앞으로도 없을 것이며, 이 책 어디에도 그런 보물지도에 대한 이야기는 없다.

계량화된 수익률의 환상

당신이 확률적으로 시장평균 이상의 수익을 낼 가능성은 거의 없다. 그리고 그 가능성은 시간이 지나면 지날수록 더 없어진다. 앞서 지적했듯 초보자가 처음 주식을 사는 시점은 시장이 불이 붙어서 미친 듯이 오르는 시점이다. 이를테면 1999년이나 2007년 같이 신문지상에 매일같이 주식시장 관련 기사가 등장해 더 이상 견디지 못한 당신이 계좌를 개설하는 그 순간은 시장이 이미 과열에 접어들거나 꽤 상승을 기록한 이후다.

운이 좋다면 그 중간 즈음에 시장에 들어올 것이고, 운이 나쁘다면 1999년 12월에 들어섰거나 2007년 9월쯤 시장에 처음 들어갈 것이다. 그렇다고 당신이 주식을 사는 그 순간이 주식시장 역사에서 꼭지일 확률은 대박을 맞을 확률보다 더 낮다. 만약 그날부터 주가가 급락하고 그것이 상승의 끝이었다면, 당신은 그날 로또를 사는 것이 더 나았을지도 모르는 일이다.

이렇게 시장에 들어서면 처음에는 이익을 낸다. 상승하는 시장에 뛰어들었으니 이익이 나는 것은 당연지사다. 하지만 당신이 그 이익을 미처 챙기기도 전에 혹은 이익이 커서 어쩔 줄 모르는 어느 순간 주가는 하락운동을 시작하고, 당신은 초심자의 행운을 누린 기쁨만큼이나 주가 하락의 고통에 시달리게 된다.

하지만 승리의 기쁨은 기억에 오래 남고, 패배의 아픔은 쉽게 지워진다. 인간의 의식구조는 그렇게 생겨먹었다. 당신은 그 이후로 시장에 남게 되고 그것을 만회하기 위해 뒤늦게 공부를 하고 시장을 이해하려는 시도를 하지만 때는 이미 늦었다. 이후로도 당신은 이러한 패턴을 반복하게 될 것이다. 이유는 지극히 단순하다. 시장에는 초절정 전문가들이 넘쳐난다. 그들의 경쟁이 치열해질수록 시장에서 이익을 낼 기회는 그만큼 줄어들기 때문이다.

평균이란 개념은 이런 것이다. 이를테면 한 무리의 투자자들이 있다고 가정하자. 그리고 그 무리들이 향후 10년간 낼 수익은 연 20%라고 가정하자. 이때 무리의 절반은 인덱스펀드, 즉 지수를 그대로 따르는 펀드에 가입했고, 그들은 10년 후 연 19%의 수익을 챙기게 된다. 이유는 수수료가 1% 존재하기 때문이다.

결국 무리의 절반은 시장 수익률을 따르지 못한다. 나머지 자신의 판단으로 주식을 사고 판 투자자들의 수익률은 얼마일까? 그것은 연 20%다. 절대 그 선을 넘을 수 없다. 전체의 평균 수익이 20%라면 나머지 투자자들의 수익이 그것을 넘기면서 전체 수익률도 같이 올라간다. 즉 액티브펀드나 개별 투자자들의 이론상 평균 수익은 20%일 뿐이다. 그것은 무슨 짓을 해도 변하지 않는다. 하지만 이들의 실제 평균 수익은 최대 연 17.5% 이하다. 이유는 액티브펀드의 수수료가 연 2.5% 정도 지출되었고, 경우에 따라서 잦은 거래를 한 상당수의 거래비용에 의해서 이 그룹의 투자수익률은 이보다 훨씬 더 낮아지기 때문이다.

어떤가? 그럼에도 불구하고 평균 이상의 수익을 낼 수 있다고 믿는가? 물론 당신에게 그럴 가능성이 없지는 않다. 왜냐하면 나머지 그룹의 평균이 그렇다는 것이지, 그 중에는 40%를 번 소수의 투자자도 있고 반대로 40%를 손해 본 투자자도 존재할 것이기 때문이다. 그런데 당신은 이렇게 거래비용을 지불하고도 이익을 낸 소수에 설 수 있다고 확신하는가?

아쉽지만 드물게 평균 이상의 수익을 낸 투자자들도 운에 좌우된다는 사실이 여러 방법에 의해 검증되었다. 처음 10년간 이익을 낸 투자자들을 모아 다시 10년간 투자를 시키면 이들 중에 극히 일부만 처음의 수익률을 낼 뿐, 대부분의 투자자들은 언제 그랬냐는 듯이 시장에서 쓰러져 간다. 이것이 주식시장의 본질이다. 또한 우리는 오늘도 역시 그 소수에 끼는 꿈을 꾼다. 그것이 현실이다.

당신이 자동차 경주 마니아라고 가정하자. 경기에 나올 자동차의 엔진과 튜닝 능력, 과거 해당 자동차 회사의 성적, 드라이버의 실력과 우승 실적 등을 모두 계량화한 데이터를 갖고 있다고 해보자. 아니면 당신이 경마장에 간 경마 팬이어도 좋다. 출주한 말의 과거 이력과 기수의 능력에 대해 모든 상황을 꿰뚫고 있다고 가정하자. 그러나 그 경주에서 예상 승률은 당신이 예측한 대로 되지 않을 것이다.

당신이 가진 엄청난 정보에도 불구하고, 사실은 그보다 못한 초보적인 정보를 가진 사람들보다 우승자를 맞힐 확률은 늘어나지 않는다. 물론 경마 초보자나 아우디나 BMW가 자동차 회사라는 사실조차 모르는 사람보다는 나을지 모르지만, 당신의 운은 일정 한계 이상으로 나아지지 않는다. 그것은 계량적인 데이터를 정량적으로 분석할 수 있을지는 몰라도 정성적인 부분까지 계량화할 수는 없기 때문이다. 그날 아침 드라이버의 기분이나, 도로 상황, 기상, 스타트 등을 미리 계량할 수 없고, 그것은 작은 차이임에도 불구하고 당신의 예측을 치명적으로 빗나가게 하는 요인으로 작용할 것이다.

주식시장의 분석도 마찬가지다. 당신이 가진 모든 계량적 정보들은 이미 모두에게 노출되어 있고, 항목이 늘어나면 늘어날수록 잘못된 수치가 입력될 가능성은 더 높아진다. 그래서 당신이 분명히 공개된 실적과 재무제표를 갖고 판단한 매입과 매도는 엉뚱한 결과를 낳기 일쑤다. 왜냐하면 기업의 실적은 방정식에 따라 움직이지 않기 때문이다. 과거 수익성에 대한 평가나 미래실적에 대한 기대치, 기업의 영업활동에 대한 안정성, 기업의 독점적 지위의 가치 등은 질량이 아닌 성질에 해당하는 것이다.

어떤 사람의 무게를 달고 키를 잰다고 해서 그 사람의 미래를 알 수 없듯이, 기업 역시 지표를 완벽하게 알고 있다고 해서 경영자가 어떤 선택을 할지, 신규투자의 성과가 어떻게 결론이 내려질지, 기업의 보유자산이 부동산 가치 하락으로 급락할지 혹은 급증할지를 알 수는 없기 때문이다. 지표를 보고 계량을 할 수는 있다. 그러나 그 기본적인 성질을 이해하지 못하는 한 계량화된 지표는 모르는 것보다 나쁘다. 결국 기업의 현금흐름표나 재무제표는 당신이 그 기업의 성질을 파악하는 직관을 보유하고 있지 않는 한 오히려 합리적인 판단에 장애로 작용할 것이라는 뜻이다.

유연성과 효율성이 개인 투자자의 장점이다

다시 논점으로 돌아가보자. 기업의 성질에 대한 이해는 당신이 더 잘할 것이라고 생각하는가? 아니면 밥만 먹으면 그 기업을 분석하는 업종 애널리스트가 더 나은 판단을 하겠는가? 결국 이 부분이 개인 투자자들의 맹점이자 약점이 된다.

이 때문에 일부에서는 개인 투자자가 기업 분석을 통해 이익을 내기 위한 조건은 단지 소외주나 유동성이 적은 중소형주에 투자하는 것뿐이라고 말한다. 기본적으로 금융회사나 큰 규모의 펀드들은 자산을 편성하기에 유리한 대형주나 업종대표주를 선호하고 소외주에 대해서는 관심을 두지 않아 개인 투자자의 이삭 줍기가 가능하다고 여겨지기 때문이다.

펀드들은 바로 그 점을 파고든다. 세상의 모든 펀드에 마젤란펀드나 디스커버리펀드만 있는 것은 아니다. 소규모 자산 운용가나 투자 자문가들이 이런 종목에 집중하고 선점하기 위해 이 순간에도 불철주야 사무실의 불을 밝히고 있다.

그렇다면 개인 투자자들이 선점 가능한 저평가 주식은 어디에 있는가? 이론상으로는 이들마저 외면한 종목에 있을 것이지만, 안타깝게도 그런 종목들은 대개 건강하지 못한 대주주들이 주가조작을 위해 호시탐탐 노리고 있거나, 작전꾼들이 소액 투자자들의 돈을 갈취하기 위해 기다리는 덫이 되어 있다.

이쯤 되면 개인 투자자들이 주식투자를 통해서 이익을 내기가 왜 그렇게 어려운지가 이해될 것이다. 개인 투자자들은 기관 투자가나 전문가들이 선점해서 가격을 올려놓은 주식만 사들이든지, 아니면 이들이 아직

관심을 기울이지 않는 업황이 나빠지고 희망이 없어 보이는 주식을 몇 년 먼저 선점하고 기다리는 방법밖에 없다는 결론에 이른다. 그렇다면 차라리 주식투자를 그만두는 것이 낫다.

하지만 마음을 좀더 열고 적극적으로 접근하면 방법이 아주 없는 것은 아니다. 금융회사들은 시스템화되어 있고, 펀드매니저들은 아집에 사로잡혀 있다. 주식시장이 존재한다는 것은 시장이 완전히 효율적이지 않다는 것을 증명하고, 역사적으로 완전하게 시장을 이긴 투자자라곤 겨우 워렌 버핏 정도를 꼽을 수 있을 뿐(그 역시도 완전 검증을 위해서는 아직 시간이 더 필요한지 모른다) 냉정하게 보면 시장은 어느 누구도 특별하게 승리하도록 두지 않는다. 만약 시장을 이길 수 있는 원리가 계량적인 것이라면 시장은 이미 가격이 정지되어 더 이상 움직이지 않을 것이다.

부동산시장에서 돈을 벌고 잃는 사람들이 엇갈리는 이유도 마찬가지다. 개발정보를 공유하는 정도가 다르고, 이미 알고 있는 정보를 두고도 해석하는 입장이 다르다. 이 때문에 혜안을 가진 사람은 다른 사람들이 보지 못하는 가치를 발견하고, 반대의 경우에는 다른 사람들이 모두 판단하는 사실조차 제대로 판단하지 못한다. 그래서 누구는 이익을 내고 누구는 손해를 본다.

주식시장은 훨씬 심하다. 정보량은 부동산과는 비교도 되지 않을 만큼 많고, 그것을 분석하는 사람도 별처럼 많다. 하지만 그것이 많으면 많을수록 우리는 그것을 단순화할 수 없고, 해석하는 데 어려움을 겪는다. 금융회사들은 이러한 판단을 시스템에 의존한다. 이익을 내건 손해를 보건 투자자들의 이해를 구할 수밖에 없는 금융사들은 자신의 판단을 계산기로 증명할 수 있어야 한다. 수치로 증명되지 않는 판단은 금융회사에서는 죄악에 가까운 것이기 때문이다. 바로 여기에 틈이 있다.

개인 투자자들이 금융회사와 같은 방식을 그대로 모방한다는 것은 앞서 말한 대로 자멸하는 것과 같다. 경비행기 한 대를 몰고 가서 블랙호크 군단에 맞서 싸울 수 없고, 혈혈단신으로 일개 사단과 맞설 수 없다. 결국 개인 투자자들이 이 시장에서 이기기 위해서 필요한 것은, 아집을 벗어나 금융회사가 갖고 있지 못한 유연성과 효율성을 활용하는 방법밖에 없다. 그것이 아니라면 차라리 그들과 한편이 되는 것이 가장 좋은 전략이다.

다음 〈연합뉴스〉의 2008년 6월 29일자 기사를 한번 보자.

국내 여행업계 1위 하나투어가 외국계 증권사들의 호평 속에서도 끝없이 추락하고 있다. 26일 오전 11시 40분 코스닥시장에서 하나투어는 전날 대비 3.04% 하락한 3만 3,500원에 거래되고 있다. 이 회사 주가는 작년 8월 증권시장의 활황과 여행성수기를 맞아 10만 1,000원까지 오르며 시가총액 '1조 원 클럽'에 가입했으나 이후 원·달러 환율 상승, 국제유가 급등, 여행객 감소 등 악재들이 겹치며 급락세를 거듭하고 있다. 지난 19일에는 심리적 지지선이었던 4만 5,000원 선이 무너지며 외국인과 기관에서 동시에 손절매 물량이 쏟아지고 있으며 향후 3만 원 선 초반까지 밀릴 것이라는 관측이 나오고 있다. 이 회사 주가는 손절매가 손절매를 부르는 악순환이 이어지는 상황이어서 섣불리 저점을 예측하기 힘들지만 유가증권시장 평균 PER 11배 수준인 3만 원이면 하락세가 멈출 가능성이 있다는 분석이다. 하나투어는 작년까지만 해도 성장성이 기대되며 PER 25~30배에서 목표주가가 산정됐으나 최근 대내외 상황 악화로 PER을 낮춰야 한다는 지적이 나오는 가운데 외국계 증권사들이 목표주가를 대폭 하향 조정하고 있다. CLSA증권은 최근 하나투어에 대해 부정적인 요소들이 너무 많이 남아 있다며 투자의견을 '비중축소'로 하향 조정하고 목표주가를 4만 9,300원에서 4만 7,000원으로 내렸다. 골드만삭스는 하나투어에 대해 아직 매수에 나설 시점이 아니라며 투자의견 '중립'을 유지하고 12개월 목표주가는 5만 8,000원에서 3만 7,000원으로 낮췄다. 메릴린치는 하나투어의 성수기 예약 상태가 부진하다며 목표주가를 4만 3,000원에서 3만 5,000원으로 하향하고 투자의견은 '비중축소'를 유지했다. 국내 증권사들은 하나투어의 주가가 너무 급락하는 바람에 일단 관망하고 있으나 향후 성장성을 고려할 때 목표주가의 하향 조정은 불가피하다고 보고 있다. 다만 하나투어의 성장성이 대외 악재들로 인해 약화된 것은 사실이지만 4~5월 매출액 339억 원, 영업이익 32억 원을 기록, 2분기 실적은 작년 대비 소폭 증가하거나 비슷할 것으로 전망돼 최근 주가 하락은 과도하다는 지적이 있다. 또 최근 여행업계의 불황으로 중소 항공권 직판 여행사들이 어려운 상황에 있어 향후 1년~1년 6개월 정도 지나면 대형 여행사 중심으로 시장이 재편되며 하나투어가 다시 빛을 발하게 될 것이라는 관측도 있다. 굿모닝신한증권 심원섭 애널리스트는 "하나투어는 주가만 보면 부도난 기업 같지만 실제는 지속적으로 이익을 창출하고 있어 기관들이 저점매수 시점을 저울질하는 것으로 안다."며 "성수기 해외여행객 감소가 예상돼 3분기 실적도 부진하겠지만 장기적으로 관심을 가질 만하다."고 말했다.

이 기사는 금융회사의 투자방식에 어떤 문제가 있는지를 적나라하게 보여주고 있다. 금융회사들은 이 기업의 주가수익배율을 처음에는 25배 수준까지 높여 잡았다. 이는 이론상 다음해 실적이 2배가 될 것이라는 기대가 반영되어야 가능한 수치였다. 하지만 금융회사들은 2007년 이 기업의 실적이 2006년보다 좋았다는 이유로 2008년 실적도 좋을 것으로 예상했다. 실적 전망이란 늘 이렇게 관성에 의존하는 셈이다.

아니면 어떤 애널리스트들은 분명히 2008년 올림픽 특수를 겨냥해서 이 기업의 실적이 2008년에 더 좋아질 것이라고 예측했을 것이다. 하지만 주가는 거의 60% 하락했다. 이유는 단순하다. 어차피 이 기업 주가에는 내년 실적이 좋아질 것이라는 기대가 반영되어 있을 터이기 때문이다. 모든 사람들이 이 기업의 실적이 좋아질 것으로 기대하고 있는데, 주가가 더 오를 여지가 있다면 그것은 2009년 실적이 다시 그만큼 좋아질 것이라는 기대가 있어야만 가능하다. 하지만 금융회사들은 2009년 혹은 2010년의 실적을 거론하는 경우는 없다. 한치 앞도 모르는 상황에서 더 멀리까지 내다본다는 것은 위험한 일이기 때문이다.

이때 현명한 투자자들이 개입할 여지가 생긴다. 어떤 펀드매니저는 이런 애널리스트들의 분석 결과를 본 후 아직 충분히 주가가 매력적이라고 여기고 10만 원대에서도 주식을 샀을 것이고, 어떤 애널리스트들은 이미 주가에 반영되어 있다고 여기고 팔았을 것이다. 하지만 그들 중에는 인플레이션, 유가상승 등을 감안하여 경기침체를 예상하고, 그것이 결과적으로는 여행 수요를 감소시킬 것이라는 예상을 한 사람도 있었을 것이다. 만약 당신이라면 어떻게 했겠는가? 지금 이 시점에서 애널리스트의 코멘트처럼 장기 성장성을 믿고 투자를 하겠는가?

나라면 결단코 아니다. 이유는 단순하다. 금융회사처럼 펀더멘털이나 실적 전망을 중심으로 설명 가능한 매매를 해야 하는 경우도 있지만, 이미 이 종목이 10만 원을 고점으로 하락하는 동안 층층이 쌓인 손해를 본 투자자들이 주가가 반등하면 비중을 줄이려고 기다리는 것이 눈에 선한데, 굳이 이 종목을 사지는 않을 것이다. 물론 이 책이 발간될 즈음에는 이 종목의 주가가 급등해서 다시 10만 원이 될지도 모른다. 하지만 진짜 투자자는 오르는 종목 모두를 놓치지 않는 사람이 아니라, 모든 조건에서 내게 맞는 종목을 고르고 그 기준에 맞지 않으면 그것은 나와 전혀 상관없는 종목이라고 버릴 자유가 있는 사람이다.

"주식은 투기를 하는 것이다."라고 말하면 모든 사람들이 동의하지 않을 것이다. 시장은 "주식은 투자다. 투기가 아니다."라고 말하지만 솔직히 말하면 주식투자는 원래 투기행위다.

일단 주식투자를 하는 이유는 '돈을 벌기 위해서'다. 이 부분을 부정한다면 당신은 위선자다. 하지만 돈을 버는 기회는 주식투자가 아닌 다른 곳에 훨씬 더 많다. 특히 노동은 세상에서 가장 확실하면서도 가장 리스크가 적은 방법이다. 하지만 사람들은 노동 이외의 투자행위를 한다. 그것이 주식이든 부동산이든 사람들이 투자하는 이유는 노동으로 받는 대가를 기피하기 위해서고, 혹은 노동으로 벌 수 있는 이상의 돈을 벌기 위해서다. 하지만 이치는 공평하다. 세상에 어떤 것도 노동만큼 정직하지 않고 노동만큼 확실하지 않다.

노동이 없는 투자는 기본적으로 도박이다. 좀더 직설적으로 말하면 놀고먹는 것, 거저먹는 것은 전부 도박이다. 우리가 우아한 말과 철학으로 포장하는 재테크는 일을 덜하면서 더 잘먹고 잘살자는 것이 목표다. 이것을 부정할 수 없다. 따라서 이 말에 긍정을 하든 부정을 하든 투자자들은 기본적으로 투기꾼들이다.

그럼 투기꾼이 승리하기 위한 방법에는 무엇이 있을까? 화투판이든 카드판이든 도박판에서 돈을 벌기 위해서는 타짜가 되는 수밖에 없다. 놀이가 아니라 정말 돈을 벌기 위해서라면 그래야 한다. 그래서 우리는 타짜와는 도박을 하지 않는다.

그럼에도 주식투자는 한다. 이유는 상대가 눈에 보이지 않기 때문이다. 내 눈에 보이지 않는 한 상대의 패를 볼 수 없고 상대가 얼마나 교묘하게 나를 속이는지도 모른다. 또 상대가 경험이 풍부한 타짜인지, 아니면 초짜인지도 모른다. 단지 상대를 모른다는 것, 그것이 바로 당신이 주식시장을 우습게 보도록 만드는 이유다.

하지만 주식투자가 투기라는 사실을 인정하면 그 판에서 타짜가 되어야 한다. 그리고 그러기 위해서는 스스로 노력해서 그만큼 능력을 키우는 길밖에 없다. 화투라면 화투 전문가가, 포커라면 포커 전문가가 되는 것이다. 그리고 타짜가 되는 유일한 방법은 기술을 익히는 것이다. 다른 사람은 눈치챌 수 없는 나만의 기술, 다른 사람의 패를 일거에 뒤집을 수 있는 결정적인 재주를 익혀야 한다.

주식시장에서는 그런 도구가 바로 기준이다. 나만의 기준, 시장을 바라보는 기준, 사고파는 기준 등. 이 기준은 나만의 것이어야 하고 타인은 몰라야 하며, 결정적인 순간 내가 구사할 수 있는 필살기여야 한다. 이때 내 기준을 세우기 위해 필요한 것이 바로 도구와 연장이고, 그 연장이 바로 분석이다. 통찰과 직관, 그리고 기업을 분석하는 보편적 도구, 이를테면 실적이나 재무제표를 살피는 방식 등 기본 바탕 위에 나만의 필살기를 구사하게 하는 최후의 일격, 그것이 바로 기술적 분석의 도구다.

하지만 사람들은 그것을 반대로 사용한다. 기업을 볼 줄 모르고 시장을 이해할 줄 모르면서 도구와 연장만을 들고 싸움에 나선다. 이것은 마치 전장에 나설 때 최소한 적군의 규모는 어떤지, 혹은 아군의 전력은 어느 정도인지도 모른 채 나가서 총질만 하는 것이나 다름이 없다. 일부 학계와 업계 사람들이 기술적 분석을 무시하고 그것을 사술(詐術)이라고 하는 것은 바로 이런 점만 보기 때문이다. 기술적 분석은 전략과 전술을 세운 사람이 마지막에 들고 나서는 총이자 칼이다. 그것만으로는 절대 이길 수 없다. 이것이 기술적 분석의 딜레마다.

투자자가 기술적 분석의 도구를 선택할 때 무엇을 선택할 것인가는 개인의 취향이다. 그것은 누구를 따라할 필요도 없고 정답도 없다. 그저 그 순간 내가 사용하기에 가장 좋은 도구를 사용하면 된다. 얼음을 깰 때 드라이버가 아닌 송곳을 이용하고 못을 박을 때 송곳이 아닌 망치를 사용하듯, 투자자들이 선택하는 기술적 분석의 도구는 각자 다르고 국면마다 다르다. 그래서 투자자들은 기술적 분석에 대해 충분히 이해해야 하고, 또 익혀야 한다. 하지만 그것에 매몰돼서는 안 된다. 기술적 분석의 한계를 인정하지 않으면 그것은 독배가 된다. 산 너머 적을 공략하기 위해서는 총이 아닌 대포가 필요하듯, 무모하게 그것을 이용하려 들면 파멸을 초래할 뿐이다.

특히 개인 투자자들이 현혹되는 가장 큰 문제는 기술적 분석으로 미래를 재단하는 것이다. 기술적 분석은 과거에 기반을 두므로 현재의 자료를 갖고 과거를 분석하면 당연히 맞는다. 투자자들이 가장 범하기 쉬운 실수는 바로 이 점이다. 소위 매매신호를 살펴보면 이 점은 명백해진다.

시장 매매신호 개발자들은 모두 자신의 발명품에 탄성을 지른다. 성공률이 거의 90%에 육박하기 때문이다. 하지만 그 신호를 내일부터 적용해보면 겨우 50%의 승률을 올릴 뿐이다. 과거 자료를 바탕으로 시장을 100% 이길 수 있는 방법을 개발해도 내일부터 틀리는 이유는 바로 시장의 변화를 무시했기 때문이다. 시장은 매일 변하고 있고, 오늘 시장은 어제와 그 속성이 다르다. 그래서 오늘 현재까지의 자료로 분석한 과거 자료는 반드시 높은 승률을 기록한다. 하지만 내일 시장은 어제와 전혀 다르다. 바로 이것이 중요하다.

한번은 어떤 개인 투자자가 찾아와서 매매기법에 대한 검토를 요청한 적이 있다. 과거에 내가 MBN에서 강의한 기술적 분석 강좌를 보고 2년

동안 죽을 각오로 매달려서 개발한 기법이라고 했다. 그의 얼굴은 흥분으로 상기되어 있었고, 그는 세상을 제패했다는 자신감으로 들떠 있었다.

그가 내놓은 기법은 이런 것이었다. 15일 이동평균선을 기준으로 이격이 125가 되면 종가에 사서 다음날 1%의 수익을 내는 수준으로 매도를 하면 반드시 수익이 난다는 것이다. 즉 15일 이동평균선보다 25% 이상 급등한 주식을 종가에 추격매수하면, 다음날 매수가보다 1% 위의 가격에는 반드시 체결된다는 것이다. 그의 말을 들어보면 과거 자료를 찾아보아도 그랬고, 지금도 무려 두 달간이나 이 방법으로 수익을 내고 있는데 백전백승이라고 했다.

논지는 지극히 당연했다. 과열권에 든 주가는 다음날 시초가에 이미 추가로 몇 퍼센트 높이 출발하는 경우가 많고(이 경우에는 아침 동시호가에 1% 위의 가격으로 매도 주문을 낸 자신에게 단번에 초과수익을 준다는 것이다), 만약 시초가에 목표가격보다 하락 출발하더라도 장중에 반드시 그 정도 가격까지는 올라와서 매도가 된다는 것이다. 즉 종가기준으로 다음날 아침 동시호가에서 가격이 하락할 수는 있어도 장중 한 번은 최소 1%, 운이 좋으면 동시호가에서 바로 몇 퍼센트의 이익을 매일같이 누적적으로 안겨준다는 것이었다.

나는 그에게 문제점을 제기했지만 그는 귀기울여 듣지 않았고 우려를 심각하게 받아들이지 않았다. 그러고는 자신의 비법을 누설하지 않겠다는 약속을 해달라는 요청만 남기고 떠났다. 그리고 한참의 시간이 흐른 후 그가 다시 메일을 보내왔다. 내용은 물론 시장에서 실패했다는 것이었다. 한동안 그렇게 잘 들어맞아 조만간 재벌이 될 것 같았는데 어느 날부터는 승률이 50%로 떨어지더니, 나중에는 갑자기 종가에 산 주식이 다음날 아침 동시호가부터 폭락으로 시작하고 장중에도 매도가에 들어

오지 않았으며, 결국 그렇게 산 주식들은 엄청난 손실을 안고 손절매하는 일이 반복되었다는 것이다.

그는 그 이유를 모르고 있었다. 다만 시장이 이해가 되지 않는다고 말했고, 시장을 원망하는 마음만 가득해 보였다. 그렇다면 그가 실패한 원인은 과연 무엇일까?

그가 매매기법을 개발한 시점은 시장이 강한 상승을 보이고 있을 때였다. 그래서 사실 그가 산 종목들은 그가 다음날 기계적으로 매도를 한 가격 이상으로 올랐지만, 그는 늘 1% 수익에 만족했다. 상승장에서 그는 고작 1%, 아니면 아침 동시호가에서 추가로 얻은 이익으로 만족했던 것이다. 승률상으로는 이익이 났을지 몰라도 이익률은 시장 평균치를 이기지 못했다. 하지만 그것이 지속적으로 가능했다면 그래도 그는 큰 부자가 되었을 것이다.

하지만 얼마 지나지 않아 그가 산 종목들은 다음날 아침 동시호가에 가장 먼저 폭락했다. 그리고 그것을 만회할 기회를 잡지 못하고 속절없이 큰 손해를 반복해서 입어야 했다. 즉 수익은 2~3%였지만, 손해는 7~8%를 입는 일이 반복된 것이다. 이유는 시장이 조정에 들어갔기 때문이다. 시장이 하락할 때는 전날 강하게 이격을 벌리며 상승한 종목들이 갭하락하는 경우가 속출했고, 시장이 상승할 때는 그런 종목들이 오히려 그가 목표한 수익보다 훨씬 더 상승해버린 것이다. 그러니 그는 이익을 낼 때 제대로 내지 못하고 손해는 크게 보는 일을 한 것이다.

그가 초보 투자자였다고 생각하면 오산이다. 그는 최소 5년 이상 시장에서 잔뼈가 굵은 투자자였고, 1990년대 말 한때는 나름대로 주변에서 선망의 대상이 되었던 성공한 투자자였다. 그럼에도 그는 시장의 함정에 빠졌다. 이유는 기술적 분석의 한계를 알지 못했고, 시장을 이해하지 못한 데 있었다.

　그는 메일을 통해 이렇게 말했다.

　"나중에는 환청이 들렸습니다. 시장이 나를 조롱하고 있다는 생각이 들고, 시장이 내 계좌를 들여다보고 있다는 두려움마저 들었습니다. 누군가가 내가 거래하는 것을 보고 일부러 주식을 팔아버리고, 일부러 하락시키는 것이라는 생각마저 들더군요."

　주식시장은 이렇게 무서운 곳이다. 대학을 졸업하고 몇 번의 성공 끝에 전업 투자자가 된 지 5년, 그리고 그 5년간 주식시장을 이기는 법을 연구하기 위해 매달린 자신에게 보이지 않는 힘이 작용하고 심지어 감시당하고 있다는 생각까지 들게 만드는 무서운 곳이다.

　그는 결국 자살을 생각했다. 시장에 대한 그의 환상과 망상을 깨고 그에게 시장을 이해시키는 데는 상당한 노력이 필요했다. 지금 그는 주식시장을 떠나 성실한 가장으로 살아가고 있지만 그가 입은 상처와 금전적 피해는 상상을 초월할 정도로 컸다. 개인 투자자가 기술적 분석에 집착할 때 생기는 위험한 일들이 바로 이런 것이다.

　당시 나는 그에게 다음과 같은 조언을 했다.

　"내가 당신의 방식대로 검색해보니, 상승기에는 그런 종목이 하루에 200개가 넘는데, 하락기에는 그 조건에 들어오는 종목이 하루 20개도 안 되더군요. 당신의 매매 조건에 들어오는 종목이 수백 개씩 될 때는 무엇을 사든 이익을 내는 강세시장이었고, 불과 1~20개밖에 되지 않을 때는 당신이 무얼 사든 손해를 보는 시장이었습니다. 그러니 당신은 큰 이익을 낼 수 있는 지점에서는 조그만 이익만 냈고, 큰 손실이 날 수 있는 시장에서는 고스란히 손실을 입은 셈이죠. 그 매매기법은 주식을 사서 매매하는 방법이 아니라, 지금이 주식투자를 해야 하는 국면인지 아닌지를 알려주는 지표로서는 좋은 것 같습니다. 그랜빌이 개발한 OBV라는 지표도 마찬가집니다. 과거 주식시장에서는 신고가 종목과 신저가 종목을 비교해서 그 비율이 얼마인가로 강세장과 약세장을 가늠하곤 했습니다. 하지만 신고가, 신저가라는 개념은 실제 시장 강도를 직접적으로 비교할 수 없는 단점이 있었는데, 당신이 개발한 그 지표를 수치화해서 매매신호가 포착되는 종목 수의 변동을 보면 시장의 강세나 약세, 혹은 전환 국면을 이해하는 데 도움이 될 것 같습니다. 기술적 분석은 그런 것이지요."

결국 그의 논리를 실제 시장에 대입해보면 '고점매수 저점매도'의 원리가 극명하게 드러난다. 즉 시장은 상승장에서 오르는 종목을 매수해야 이익이 나고, 하락장에서는 가장 많이 하락한 종목을 골라서 장기투자해야 이익이 난다는 것이다. 주식투자에서는 투자자가 자신만만하고, 이 종목을 사면 꼭 이익을 낼 것 같은 생각이 들어 마음이 편한 종목을 사면 절대 이익이 나지 않는다. 더 나빠질 것 같아 두렵고, 그래서 도저히 매수할 수 없는 종목을 골라 투자하는 경우에 이익이 난다.

강세장에서 고점을 돌파하고 파죽지세로 오르는 종목은 도저히 겁이 나서 살 수가 없지만, 수익은 여기서 난다. 또 하락장에서 바닥을 뚫고 끝없이 하락해서 곧 망할 것 같은 주식도 도저히 살 수 없지만, 그 기업을 이해하고 내용을 판단해서 저평가라는 확신이 서면 두려운 마음을 억제하며 그것을 살 수 있는 마음만이 시장을 이길 수 있게 하는 것이다.

주식투자는 선악의 기준으로 보면 악이다. 냉정하게 보면 주식시장은 자본가들이 손쉽게 자본을 조달하고, 상장 전에 자금을 투자한 투자자들이 이익을 회수하는 불균형 시장이다. 시장은 늘 불공정하고, 시장의 승부는 늘 대자본의 승리로 끝이 난다.

그 과정에서 지극히 일부의 개인 투자자들도 승리를 거두지만, 그것은 시장이 공정하게 보이도록 위장을 한 고도의 기만책일 뿐이다. 좀더 신랄하게 말하면 코 묻은 돈을 뺏는 곳이 바로 시장이다. 부자는 절대로 지지 않는 곳이 시장이다. 로또도 마찬가지다. 부자는 절대 로또를 사지 않는다. 가진 돈이 귀찮아서 그걸 버리려고 로또를 사는 사람은 없다. 다들 부푼 꿈으로 로또를 사지만 로또 역시 서민들의 피 같은 돈을 빼가는 합법적 매음굴이다. 사람들은 알면서도 한다. 하지만 주식시장이 무서운 것은 그것을 모르고 한다는 점이다.

　그래서 이 험악한 주식시장에서 살아남는 길을 가르치려면 듣기 싫은 소리를 할 수밖에 없다. "공부해라." "장기투자해라." "분산투자해라." "우량주에 투자해라." "투기주를 사지 마라." 등 끝없는 잔소리의 연속일 수밖에 없다. 이런 말은 혹은 이런 방식은 독자들에게 매력이 없다. 또 안전한 투자도 매력이 없다. 그들에게는 큰 리스크를 안고 큰 이익을 주는 것이 매력적이다. 그래서 오늘도 로또는 수백 억씩 팔리고, 도박장은 번창하며, 주식시장에서 대운하 관련주들이 들썩거린다.

　당신은 도박판에 앉아 있다. 당신이 이 책을 읽는다는 것은 이미 큰 수익을 노린다는 뜻이고, 그것은 당신이 도박판에 앉아 있음을 인정해야 한다는 의미이기도 하다. 성공 확률은 100분의 1도 안 된다. 1만 분의 1도 아니다. 수십만 분의 1, 아니 수백만 분의 1이다.

　당신이 이 시장에서 승리하는 유일한 길은 돈을 들고 처음 증권사를 찾아갈 때의 마음으로 투자하는 것이다. 즉 아무것도 모르고 그저 두렵고 떨리던 당시의 마음, 그것을 평생 유지하는 것만이 유일한 방법이다. 그때 당신이 객장에 처음 찾아가서 생애 첫 투자라는 사실을 밝히고 증권사 직원에게 무엇에 투자할까 물었을 때 그가 처음 권하는 투자종목은 가장 안정적이고 가장 우량한 종목이었을 것이다. 물론 그 순간이 강세장임은 말할 필요도 없다. 그럼 당신은 첫 투자에서 이익을 냈을 것이다. 혹은 펀드를 가입해서 처음 몇 달은 수익이 났을 것이다.

바로 이 마음, 강세장에서, 우량주를, 떨리는 마음으로 투자하는 이 심경을 그대로 유지해야 한다. 시간이 지나서 조금 알게 되고, 스스로 판단하게 되고, 합리적인 조언이 우습게 들리고, 그것을 얕잡아보게 될 때 당신은 위험에 빠진다. 이런 위험에 빠지지 않으려면, 다 알면서 바보처럼 행동하고 공부하고 이해할수록 더 두려워하고 겸손하게 고개를 숙여야 한다. 그렇게 해야만 살아남는 곳이 시장이다.

진정한 투자자는 돈의 흐름을 읽는다

필자가 만나본 사람 중 일군의 탁월한 투자자들이 있었다.

그들은 1990년대 말 IT 열풍으로 불린 자산을 어디에 다시 투자할지 논의하고 있었다. 그 중 한 부류는 주식시장이 과도한 저평가 상태에 이르렀으므로 주식시장에 재투자할 것을 주장했고, 또 다른 한 부류는 저평가되었다고는 하지만 주식시장의 변동성이 선진국 수준에 이르기에는 미흡하므로 저금리시대에 합당한 부동산 투자를 할 것을 주장했다.

의견은 팽팽하게 맞섰고 한동안 합의점을 찾지 못했다. 이때 한 사람의 발언이 모두의 지지를 이끌어냈다. 그는 이렇게 주장했다.

"미국 국방 전략의 변화를 주목할 시점이다. 미군의 해외배치 전략의 변화를 가볍게 여겨서는 곤란하다. 지금 해외에 배치된 미군은 후선배치가 기본 전략이다. 미군은 후선에서 대기하다가 전선에 투입되는 신속대응군 위주로 재편될 것이고, 개전시 일선 미군이 즉각적으로 피해를 입는 기존의 전략은 폐기될 것이다.

따라서 지금 유럽의 미군이 후방으로 배치되는 현상은 겉으로는 민족주의의 영향으로 물러나는 것처럼 보이지만 미군의 기본 전략이 변했음을 보여주는 것이다. 이런 관점에서 봤을 때 가장 논쟁이 일어날 수 있는 지역은 어디일까? 바로 우리나라다. 우리나라에 주둔한 미군은 인계철선(trip wire, 한반도에서 위기상황이 발생할 경우 주한 미군이 자동 개입하는 것) 역할을 하고 있다. 이 전략은 기본적으로 미군의 생명을 담보로 타국의 방위를 책임지는 형태로서 가장 심각하게 논의될 것이다. 나는 기본적으로 휴전선의 미군이 후퇴할 것으로 본다. 그리고 전방 미군뿐 아니라 용산의 미군기지 역시 후방배치될 것이다.

북한군 방사포가 불을 뿜는다고 가정하면 미군의 관점에서는 용산 미군기지 역시 인계철선과 다름없기 때문이다. 더욱이 지금 사회 분위기도 미군을 반기지 않는 분위기다. 미군은 이런 분위기를 명분으로 내세워서 반드시 후방으로 물러날 것이다. 그렇다면 미군은 어디로 갈까? 이것이 핵심이다. 그리고 미군이 빠진 지역은 어떤 식으로 변할까? 이것이 두번째 핵심이다. 또한 그 시점이 온다면 언제일까? 이것이 세번째 핵심이다."

좌중은 그의 주장에 전폭적인 지지를 보냈고, 다만 시점에 대해서만 더 많은 보충 설명을 요청했다. 이때부터 그들은 제인연감(Jane's Yearbooks, 런던의 제인출판사가 발행하는 세계에서 가장 권위있는 군사전문지)을 뒤지며 '인계철선'이라는 단어를 이 잡듯이 뒤지기 시작했다. 그리고 "미국은 주한미군을 단계적으로 철수 및 감축하며 주한 미군은 궁극적으로는 주한 미공군으로 대치한다. 동아시아 전략 차원에서는 알래스카의 엘멘도프에서 일본 그리고 괌을 잇는 방어선을 구축하고 궁극적으로는 호주군을 연합군으로 편성하는 전략으로 바꾼다. 그러기 위해서 주한 미육군은 반드시 재배치가 필요하고, 이로써 한국의 인계철선 역할로만 제한되어 있는 미군의 전략적 유연성을 높인다."는 기본적인 전략 개념을 이해하게 되었다.

실제 2000년 6월 남북정상회담 이후 반미감정이 높아지면서, 2000년 10월 리처드 아미티지(Richard Armitage) 당시 국무부 부장관이 주도해 초당파적으로 작성한 '아미티지 보고서'에는 주한 미 지상군 감축 때문에 발생할 동북아의 안보 공백을 일본 자위대 군사력으로 메운다는 구상이 들어 있었다. 부시 행정부 출범 이전에 이미 미국 군사 전략가들 사이에는 주한 미 지상군의 미래에 대한 합의가 준비되고 있었다는 것이다.

전 미 국방장관이 2001년 2월 6일 도널드 럼스펠드(Donald Rumsfeld)가 국방부 최종평가국 평가분석관이자 국방부 수석 전략기획가인 앤드루 마셜(Andrew Marshall)에게 미군 쇄신을 검토하라고 지시했을 때, 그가 만든 '마셜 플랜'은 매우 파격적이었다. 럼스펠드가 마련한 미국의 신국방정책 4원칙 중에는 '해외 기지 등 전방배치 전력 감축'과 '군사 기동성 강화 및 경량화'가 들어 있었다. 전진배치되어 있는 미군을 후방으로 이동해놓고 세계 어느 곳이라도 즉각 투입할 수 있는 기동성을 갖춘 경량화된 부대로 개편한다는 안이었다.

이런 구상은 적국의 공격무기가 더욱 대량파괴적이고 정밀해지고 사정거리가 길어진 상황에서 나온 것이며, 지금처럼 기동성이 낮고 기습공격에 취약한 기지 중심의 미군 부대를 그냥 둔다면 미군 병사의 안전을 지키기 힘들다는 결론을 내렸다.

그 결과 파주, 의정부, 동두천의 미군은 후선으로 이동하고, 용산의 경우도 논란 끝에 방사포 사거리를 벗어나는 지점, 즉 최소 오산이나 평택 지역까지는 물러날 것이다. 다음 수순은 의정부, 파주, 동두천 중에서 미군이 후퇴할 경우 가장 활용도가 높은 지역을 선택하는 것이었지만 그 문제는 쉽게 결론이 났다. 고속도로와 서울의 남북 축을 잇는 강변도로를 연결하고 개성과 닿으며, 인천에서 가깝고 경의선 개발과 맞물릴 수 있는 곳은 바로 파주였기 때문이다. 그리고 그들의 결론은 파주와 용산 일대의 부동산에 대대적인 투자를 한다는 것이었고, 이후 실제 투자가 이루어졌으며 결국 그 판단은 얼마 지나지 않아 대단한 성과로 이어졌다.

이 그룹은 주식, 부동산 그리고 지금은 금시장에까지 관심을 보이며 상황과 맥락에 따른 투자 판단을 하고 있다. 이들이 금에 관심을 가진 이유에 대해 들어보자.

"지난 10년간 모든 투자자산의 가치가 상승했다. 하지만 그 중 상대적으로 수익이 낮았던 자산은 금이다. 금은 인플레이션과 달러 가치에 대한 헤지 성격을 띠고 있으며 자산시장의 변동성이 커지거나 투자자들이 도취보다는 위기에 빠져 있을 때 유효한 수단이기 때문이다. 비록 중국과 인도의 경제성장으로 금 수요가 늘어난 것이 금 가격의 상승을 이끌어내기는 했지만, 그것은 지난 10년간 누적복리 금리수익 이상의 가격 상승은 없었다. 결국 금은 미국시장과 화폐가치에 대한 불안이 증대될 때 가장 유효한 투자수단이기 때문이다.

세계시장은 단기적인 부담은 존재했으나 장기적으로는 우상향 추세에서 변동성이 낮았고 저인플레이션이 지속되었다. 하지만 지금은 중국과 인도의 임금 상승, 미국의 금융시장 불안, 부동산에 대한 위험회피 심리가 만연해 있으며 달러 가치에 대한 불안도 커지고 있다. 각국 중앙은행은 금 매도보다 보류를 선택할 것이고, 그동안 억제되었던 인플레이션은 중국과 인도의 소비심리 증가와 함께 폭발할 것이다. 다만 그 시점이 문제일 뿐 현재로서 금 이상의 자산가치를 가지는 투자 대상은 없다."

그들은 연초부터 부동산에 대한 이익실현과 아울러 금에 대한 투자를 늘리기 시작했다. 금시장에 대한 그들의 판단이 옳았는지 여부는 5~10년이 지나야 알 수 있을 것이다. 또한 그들은 주식시장에서는 '거래'가 아닌 '투자'의 개념으로 상당한 수의 바이오벤처기업에 투자했는데 그 역시 결과는 상당 기간이 지나야 알 수 있을 것이다. 이들의 투자판단을 들으면 "투자자의 영감은 예술가의 그것과 같다." 혹은 "투자는 예술이다."와 같은 말을 떠올리게 된다.

여기서 투자를 '예술'이라고 평하는 본래의 의미는 무엇일까? 바로 투자를 바라보는 관점의 차이를 말한다. 우리는 대개 '투자(investment)'와 '거래(trading)'를 구분하지 못하는 경우가 많다. 전자는 투자자가 타인과 다른 안목과 영감을 가지고 자신의 자산을 거대한 레버리지에 의탁하는 경우를 말하는 것이고, 거래는 물리적 해법과 감각에 의지하여 차익을 취하는 행위를 가리킨다.

그렇다면 '진정한 투자자'의 조건은 무엇인가? 먼저 투자자는 '돈' 혹은 '자산'이라는 맥락을 살피는 사람이다. 진정한 투자자는 주식, 부동산 혹은 채권과 같은 수단에 몰입하지 않고 돈이 흐르는 방향을 관찰하며 그것이 내달리는 물길을 바라보는 사람이다.

대개 사람들은 주식투자건 부동산투자건 자신이 상대적으로 잘 알고 있다고 생각하는 수단에만 몰두한다. 부동산 전문가는 부동산에, 주식 전문가는 주식시장에만 모든 관심을 쏟고, 돈 자체의 흐름에는 둔감하다.

하지만 진정한 투자자는 다르다. 그들은 돈의 흐름을 주시하여 '결'을 이해하고 결을 따라 움직인다. 그들이 빼어든 칼은 옹이를 베지 않고 결을 따라 베며, 그들이 탄 배는 바람을 거스르지 않고 물결을 따라 순항한다. 그들에게 투자는 자산을 운용하는 것이지 주식에 투자하거나 부동산에 투자하는 것은 오로지 그 순간에 합당한 수단에 지나지 않는다. 이것이 '예술'과 '기술'의 차이다.

chapter 2

주식투자의 본질은 무엇인가

시장은
살아있는
유기체

1970년 이후 미국의 펀드매니저들에게 주당순이익이나 ROE, 배당, 자산가치, 현금흐름 등 시장을 판단하는 여러 가지 기준들 중에 어느 것을 가장 중요하게 생각하느냐는 설문조사를 시행했더니, 재미있는 결과를 발견할 수 있었다. 1980년대와 1990년대 펀드매니저들은 자산 대 부채 비율, 배당수익률, 장부가치 등을 가장 중요한 요소로 꼽은 반면, 1990년대 이후부터는 수익증가율, 현금흐름, 자기자본이익률 등을 가장 중요한 요소로 꼽았다.

시 장 은 고 정 되 어 있 지 않 다

이는 시대에 따라 자산의 가치를 평가하는 기준이 어떻게 달라지는지를 보여주는 사례다. 1980년대는 기업을 인수한 다음 그 기업의 자산을 담보로 대출을 받거나 신주를 발행해서 인수자금을 조달하는 투자가 활발하던 시기다. 그래서 기업의 가치는 M&A에 유리한 자본구조를 갖고 있느냐에 따라 결정되었다. 반면 1990년대 이후에는 기업의 현금흐름이나 경영 수익성, 즉 투하된 자본을 갖고 얼마나 효율적으로 경영을 하느냐에 더 비중을 두었음을 알 수 있다.

이렇게 자산가치의 기준이 변한 원인은 여러 가지다. 이는 1980년대 말 미국증권거래위원회(SEC)가 부적절한 방식의 기업 인수합병에 제동을 건 탓도 있지만, 금융기법은 진화하게 마련이며 그에 따라 투자에 대한 투자자들의 시각도 계속 달라진다는 것을 증명한다. 즉, 자본시장은 살아 움직이는 생물처럼 스스로 살아남기 위해 진화하고 항상성을 유지한다.

이 말은 곧 우리가 갖고 있는 투자에 대한 교조적인 자세들이 얼마나 그릇된 것인지를 여실히 보여준다. 투자란 과거 10년 전 혹은 5년 전의 방식을 배워서 그대로 적용하는 것이 아니다. 인간과 사회 그리고 자본시장이 스스로 진화하듯 투자자들도 시장을 유연하게 바라보고 늘 시각을 달리해야 한다.

여기서 좀더 시야를 넓혀서 생각해보자. 1930년대와 1940년대는 대공황 이후 허황한 성장성에 대한 반성이 지배하던 시기여서 확실하고 손에 잡히는 것을 중시했다. 따라서 이 시기에는 장부가치에 대한 가중치가 가장 중요한 요소로 작용했다. 뒤에 더 설명하겠지만 벤저민 그레이엄의 말대로 '장부가 대비 할인'된 주식을 찾되 그것도 최소 40% 이상 할인되어 안전마진(Margin of safety)을 확보한 주식에 투자하는 방식이 주목을 받았던 것이다.

두번째 1940년대 후반에서 1950년대 말까지 투자자들은 인플레이션을 감안했을 때 주식시장이 여전히 대공황기의 주가를 회복하지 못하고 있다는 사실에 불만을 품었다. 따라서 무작정 자산을 보유한 채 오르기만을 기다리기보다는, 현금을 손에 쥐어주는 기업에 매력을 느끼고 고배당주를 찾아 투자를 하기 시작했다. 이때 배당할인모형은 특히 채권투자에서 재미를 보지 못한 투자자들에게 안정성과 수익성을 겸비한 매력적인 투자 수단으로 비치기에 충분했다.

이후 1960년대에는 다우지수가 급격히 상승하기 시작하면서 주식투자를 통해서 교환가치(매매차익)를 획득하는 것이 큰 수익을 낸다는 사실에 주목했고, 투자자들은 주식투자에서 시세차익이 배당보다 훨씬 매력적인 것임을 알게 되었다. 따라서 이때부터는 성장성에 주목하고 성장성을 중심으로 한 모형을 주류 모델로 삼았다. 하지만 투자자들은 이러한 성장주 투자와 관련한 많은 이론들이 결과적으로는 길어야 5년, 대개는 3년 안에 오히려 손실을 가져오고, 성장주 투자모델은 대중의 군집화를 부추겨 비이성적인 시장을 형성한다는 사실을 배웠다.

1980년대 들어서서는 성장주에서 시세차익을 기대하되 좀더 확실한 성장모델을 찾는 데 주안점을 두었다. 즉 감성적 성장모델이 아니라 논리적 성장모델을 추구하게 된 것이다. 이것이 바로 최근의 현금흐름에 대한 과도한 사랑과 현금흐름할인모형이 주류 이론으로 떠오르게 된 배경이다. 하지만 이 부분도 문제가 있었다. 현금흐름할인모형은 얼핏 논리적이고 합리적인 것으로 보였지만 이것 역시 결국은 허황한 논리에 불과하다는 사실이 드러난 것이다.

1990년대 이후 투자자들은 자기자본이익률에 주목한다. 즉 '투자자본에 대해 얼마나 적정한 이익을 내는가?'라는 이용가치 측면을 중시한 것이다. 미국 주식시장의 역사는 '이용가치 → 교환가치 → 이용가치'의 형태로 논점을 계속 바꾸었고 수단도 계속 진화했다.

2000년대 들어서서는 제자백가, 춘추전국시대가 열렸다. 1990년대 말, 네덜란드의 튤립투기를 연상케 하는 거품을 경험한 후 때마침 발달한 컴퓨터와 금융공학 기술에 기반을 둔 새로운 기술적 분석이론과 거품 붕괴에서 비롯된 자기반성, 즉 내재가치 중시로의 회귀 성향이 혼합되면서 새로운 흐름이 형성된 것이다. 현재, 이러한 두 가지 관점이 적절히 녹아 있는, 통찰력과 직관 등을 중시하는 모델로 바뀌어가고 있는 중이라고 볼 수 있다.

유연성 있는 원칙

결국 우리가 생각하는 투자모형은 지속적으로 바뀌며, 그 저변에는 산업구조의 변화와 자본 잉여 수준의 변동이 깔려 있다. 이 때문에 우리가 갖고 있는 투자모형은 어제와 오늘이 달라야 하고 또 내일은 시장 상황에 맞게 변화되어야 한다.

투자자의 입장에서 보면 원칙적으로 그레이엄 이후 가치투자라는 개념이 가장 합리적인 듯 보이지만 그렇게 가치를 주창하는 투자자들이 최종적으로 승리를 굳히지 못하는 이유가 바로 여기에 있다. 또한 워렌 버핏이 승리를 하는 이유는 바로 원칙을 바탕으로 대응방식을 유연하게 바꾸는 통찰에 있다는 사실을 기억해야 한다.

2002년 이후 세계의 투자자들이 세계 성장 엔진인 중국에 기대를 갖고 시장을 바라보았다면 그로부터 5년이 지난 2007년 이후에는 중국이 가진 문제점들을 점검해봐야 했다. 이를테면 원자재 수입국인 중국에서 원자재 가격 상승으로 인한 인플레이션이 발생했을 경우 과도한 부채비율

튤립투기   역사상 최초의 자본주의적 투기는 '네덜란드인의 튤립 투기'라고 한다. 16세기 중반 터키에서 전래된 튤립은 유럽인들 사이에 선풍적인 인기를 끌었으며, 17세기 초반에는 귀족과 부호들 사이에 희귀 튤립 변종을 소유하는 것이 유행해 꽃값이 솟구쳤다.

마침내 1630년대 초반, 이 열기는 가격상승 기대심리가 작용하면서 투기적 광기로 변질되기에 이른다. 1624년 '황제튤립'은 당시 암스테르담 시내의 집 한 채 값과 맞먹는 1,200플로린에 거래됐다. 서열이 매겨진 다양한 변종 튤립 가운데 칠더급 튤립은 1635년 1,615플로린까지 가격이 치솟았다. 당시 네덜란드에서 네 마리 황소가 끄는 수레 값이 480플로린이었고, 치즈가 1,000파운드의 120플로린이었다.

튤립 가격은 상승세를 멈추지 않았다. 1630년대 네덜란드의 경제 상황은 투기적 안락감이 퍼지기에 아주 좋은 조건을 갖추고 있었다. 스페인의 군사적 위협이 사라졌고 네덜란드의 직물산업은 호황을 맞고 있었으며, 자카르타 지역을 차지한 동인도 회사의 주가는 최고의 상승세를 타고 있었다. 당시 1인당 국민소득이 가장 높았던 네덜란드인들은 앞다투어 교외에 대저택을 짓는 등 호황을 만끽했고, 풍요와 오만에 젖은 네덜란드인들은 과시욕과 더 큰 부를 안겨줄 대상을 찾았는데, 그것이 바로 튤립이었다.

튤립은 1635년 '셈페르 아우구스투스(Semper Augustus)'라는 희귀종이 6,000플로린에 매각되며 최고가를 기록했다. 6,000플로린은 당시 네덜란드인의 평균 연간수입 150플로린의 40배로, 오늘날 우리나라 돈으로 환산하면 약 6억 원에 달한다.

마침내 1637년 2월 튤립 시장이 붕괴했다. 튤립 거래의 중심지였던 하를렘에는 부도가 줄지어 발생했다. 튤립 시장의 불안은 1년 뒤인 1638년 5월까지 지속됐다. 당시 네덜란드 정부는 매매가격의 3.5%만을 지급하는 것으로 모든 채권, 채무를 정리하도록 명령하는 극단적인 조치를 취했다. 1,000길더를 받기로 하고 튤립을 팔았던 사람은 35길더만을 받을 수 있었다.

오늘날 네덜란드가 튤립으로 유명한 것은 이미 400년 전부터 튤립 광풍이라고 할 만큼 다양한 색깔과 품종의 튤립이 개발됐기 때문이다. 그렇다면 왜 네덜란드에서만 튤립 버블이 생겨난 것일까? 계속된 전쟁으로 많은 귀족들이 죽은 네덜란드에서 튤립은 부와 사회적인 지위의 상징이 됐으며, 상공업으로 부를 축적한 새로운 시민계급들이 서로 앞다투어 더 귀하고 특이한 튤립을 소유하려고 애썼기 때문이다.

을 가진 중국기업들이 얼마나 버틸 수 있을 것인가에 주목해야 한다는 말이다. 그런데도 여전히 장기적인 시각만을 고수한다면 중국은 늘 발전하는 곳일 수밖에 없다. 때문에 중국에 대한 사랑이 식어서는 안 된다는 사고방식을 갖고 투자한다면 당신의 투자는 엉망진창이 되고 말 것이다.

대신 2008년 어려움을 겪고 있는 중국이 이를 오히려 과도한 경쟁을 해소하는 계기로 삼아 부채비율이 높은 부실기업을 정리한다면 얘기는 달라진다. 2010년 이후에는 마지막까지 살아남아 체력을 갖춘 기업을 중심으로 다시 성장을 이룰 것이라는 점을 미리 고려한다면 나중에 새로운 기회로 작용할 것이다. 즉, 장기적으로 중국의 미래를 낙관하는 시각에도, 과거의 틀을 기준으로 판단하여 장기전망을 하는 경우와 단기적인 어려움 후에 살아남을 수 있는 기업에 대한 낙관적인 가능성을 보고 기회를 탐색하는 경우는 본질적으로 차이가 있다는 말이다.

결국 시장은 유연성과 합리성을 겸비하고 아집과 독선을 버린 현명한 투자자의 손만을 들어주는 까다로운 심판과 같다.

모래성 같은
주식시장의
자기조직화

덴마크 출신의 물리학자 페르 바크(Per Bak)는 "셀 수 없는 다양한 요소들이 결합된 하나의 조직은 조직을 통제하는 한 특정한 요소에 의해 움직이지 않는다."는 자기조직화에 대한 결정적이고 훌륭한 통찰을 남겼다. 그는 이것을 주식시장에 비유해서 다음과 같이 설명했다.

커다란 널빤지에 모래를 한 알씩 떨어뜨리는 장치를 만들었다고 가정하자. 처음에는 한 알의 모래가 널빤지에 떨어지고 다음 알맹이도 그럴 것이다. 어느 순간이 되면 널빤지에는 모래가 일정 면적을 중심으로 깔리게 될 것이고, 그 다음에는 조금씩 모래가 쌓이기 시작할 것이다. 그러다가 모래가 점점 쌓이면 원뿔모양의 모래성을 이루고, 그 모래성은 언젠가는 아슬아슬한 형태의 첨탑을 만들게 될 것이다. 그 상태에서 모래를 한 알 더 떨어뜨리면 모래가 경사면을 따라 굴러 떨어지겠지만 어느 순간에는 모래알 하나가 결국 모래성을 일거에 붕괴시킬 것이다.

그 다음에는 어떻게 되겠는가? 무너진 모래성은 모두 바닥에 흩어지는 것이 아니라 위쪽의 일부분은 무너져내리지만 중간 부분 이하는 그대로 남게 될 것이다. 즉 바탕은 넓어지고 높이는 낮아지는 것이다. 여기에 또 계속 모래알을 쌓으면 모래는 다시 탑을 만들 것이고 또 무너질 것이다. 이 과정이 반복되면서 모래성은 바닥이 점점 넓고 높이는 점점 높아지는 거대한 탑을 쌓을 것이지만, 그렇게 장기적으로 탑을 쌓아가는 과정 속에서도 중반부가 무너져내리는 일은 계속 반복될 것이다.

모래성이 무너지는 진짜 이유

이 이야기는 주식시장을 설명하는 가장 적절한 비유가 아닌가 싶다. 장기적으로 보면 주식시장, 즉 자본시장이라는 탑은 시간이 흐르면 점점 커져간다. 인류가 존재하는 한, 그리고 문명이 발전하는 한(모래를 떨어뜨리는 장치가 건재한 동안) 모래성은 점차 높아질 것이다. 그 과정에서 가장 높은 데 있던 모래가 바닥으로 가고 새로운 모래가 다시 첨탑을 쌓아가는 현상은 반복될 것이다.

바크가 자기조직화를 설명하기 위해 비유를 든 모래성은 사실은 주식시장의 특성을 설명하는 것이 아니라 그 속에 포함된 모래의 성격을 규명한 것이다. 즉, 모래는 시장을 구성하는 각각의 요소다. 기관 투자가, 개인 투자자, 과부와 고아, 데이트레이더, 내재가치 투자자 등 다양한 투자자와 경기, 금리, 환율, 실적 등의 변수들이 각각 하나의 모래알이다. 이때 모래성을 무너뜨리는 것은 이러한 요소 중 하나가 아니라, 어느 순간 작용하는 누적된 역학관계의 붕괴일 뿐이다. 따라서 특정 요소를 원인으로 지적하는 것은 어리석은 것이라는 뜻을 담고 있기도 하다.

다시 말해 모래성이 무너질 때 표면적으로는 마지막에 떨어진 한 알의 모래가 원인인 것처럼 보이지만, 모래성이 무너진 이유는 성을 구성하는 각각의 모래알들이 버틸 수 있는 마지막 균형점을 넘어섰기 때문이다. 결국 모래성 붕괴의 원인은 모래알 전체라는 말이다. 예를 들어 급등하던 주가가 하락하면 기관 투자가들은 개인의 신용 미수거래와 그 청산 혹은 데이트레이더들의 탐욕이 재앙의 원인이라고 말한다. 하지만 사실이는 벤처 투자자, 사기꾼, 건강한 투자자, 기관 투자가, 모두가 작용하는 힘의 붕괴일 뿐이다.

모래는 개별로서는 전혀 응집력을 발휘하지 못하고 모래성을 구성하는 어떤 인력(引力)도 만들지 못한다. 모래성의 모래알들은 서로 같은 힘으로 상호작용하지만 사실은 각자가 별개이며 서로를 붙드는 힘은 결국 전체가 인력과 싸우는 과정에서 발생한다. 그래서 주식시장에서 특정 원인만이 주가를 부양하거나(이를테면 적립식펀드 열풍) 하락시키지는 않으며(이를테면 외국인 투자자의 매도), 시장은 항상 동일한 사이클로 반복된다.

물론 장기적으로 보면 결과적으로 모래성의 높이는 높아진다. 이 부분을 확대해석하면 이렇게 볼 수도 있다. 시장 투자자를 모멘텀 투자자와 내재가치 투자자로 크게 분류할 경우 내재가치 투자자는 주가가 내재가치보다 싸면 주식을 사고 비싸면 팔아버린다. 하지만 모멘텀 투자자는 주가가 오르면 사고 내리면 판다. 이 둘의 행태는 어떤 시기에는 서로 동행하지만 어떤 시기에는 서로 반대 방향으로 간다.

주가가 저점일 때, 내재가치보다 주가가 싸면 이때는 내재가치 투자자가 모래성의 대부분을 구성한다. 모래성의 바닥은 주로 내재가치 투자자들로 구성되는 것이다. 하지만 이때 주가가 오르면서 모멘텀 투자자가 가세하기 시작하고, 이들의 동행은 모래성이 중턱에 이를 때까지 지속된다. 모래성이 중간 정도 쌓아 올려질 때 이들의 비중은 균형을 이룬다. 거기서 더 모래가 쌓이면 내재가치 투자자들은 주가가 비싸다고 판단하여 주식을 팔아버리고 이탈한다. 하지만 오르는 주가는 모멘텀 투자자들을 더욱 끌어들이고 주가는 계속 상승한다. 결국 중턱 이후부터 내재가치 투자자들의 비율이 감소하고 최종적으로 모래성이 뾰쪽한 첨탑을 만들면 모멘텀 투자자들만 존재하게 된다. 균형이 무너진 것이다.

이제 남은 것은 무너져내리는 것뿐이다. 모래성이 무너져내리면 다시 내재가치 투자자들이 진입하여 또 균형을 이루고 탑을 쌓아 올린다. 즉 내재가치 투자자들은 큰 수익의 기회를 놓치는 대신 무너진 모래에 희생될 가능성은 낮다. 하지만 모멘텀 투자자들은 쉽게 수익을 올리지만 언젠가는 무너져내린다.

이것은 결국 자기조직화된 계(界)가 균형을 이루지 못할 때 붕괴를 하고 균형을 이루면 가장 안정된 구조를 가진다는 말이 된다. 이때 어느 쪽이 훌륭하다는 정답은 없다. 단지 각자의 선택과 통찰과 안목에 달려 있을 뿐이다. 결국 현자는 모래성이 첨탑을 이루고 있는지, 혹은 이제 몇 알의 모래가 더해지면 성이 무너져내릴 것인지를 한발 멀리서 지켜보고 그 시점에 중단하는 사람일 것이지만 우리에겐 그런 안목이 없다.

왜냐하면 주가는 4차원적 세계이기 때문이다. 2차원적 동물인 개미는 벽을 오르면서도 심지어 사람의 다리를 타고 오르면서도 그것을 평면으로 인식한다. 마찬가지로 3차원적 인식구조를 가진 우리는 그것이 벽인지 바닥인지는 구별할 수 있지만 다중지성과 다중요소로 결합된 고도의 상징과 기호적 세계인 주식시장을 인식한다는 것은 불가능하다. 즉 시공

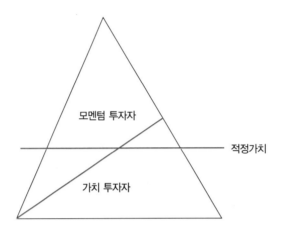

간을 뛰어넘는 특출난 안목의 소유자가 아니라면 첨탑의 존재를 인식하는 것은 거의 불가능하다는 뜻이다.

　그럼 어떻게 해야 할까? 그것은 당신에게 달린 문제다. 당신이 모멘텀 투자자라면 정상을 정복하기보다는 적당한 지점에서 하산하는 것이 현명한 길이고, 당신이 내재가치 투자자라면 산을 오르기보다는 차라리 등산로 초입에 자리잡은 사찰을 둘러보는 것으로 만족하는 것이 낫다. 선택은 당신의 문제다.

기 업 성 장 의 동 력

　또 다른 사례를 대입해보자. 시장의 붕괴가 일어나고 투자자들이 증시를 외면하며 경제가 죽을 쑤고 있는 상황이 지속된다고 가정해보자. 돈은 저축에만 쌓일 것이고 투자시장으로는 움직이지 않는다. 경제란 초과이익을 낼 수 있다는 믿음이 존재할 때에만 투자가 발생하는 구조이므로 초과수익에 대한 기대가 없는 상황에서 투자에 나서는 바보는 없다. 돈을 빌리든 내 돈을 동원하든 간에 그것은 비용이다. 빌리면 이자 손실이 나고 내 돈을 동원하면 이자에 해당하는 만큼 기회비용 손실이 있다. 물론 이는 증시뿐 아니라 산업 투자에서도 마찬가지다.

그렇게 저축이 증가하면 혹은 자금 수요가 줄어들면 이자율은 낮아진다. 물론 스태그플레이션 하에서는 좀더 심각하지만 스태그플레이션 역시 결과적으로는 같은 행로를 밟게 된다. 인플레이션과 디플레이션이 반복되는 흐름에서 가끔 원자재 가격의 상승 등으로 스태그플레이션이 올 수 있지만, 이 역시 경기악화가 지속되면 원자재 수요가 줄어들면서 최종적으로는 디플레이션과 마찬가지 국면으로 마무리될 것이다.

이때 불황이 길면 길수록 깊으면 깊을수록 모래성의 바닥에는 흩어진 모래알만 보일 뿐이다. 모래 공급기에서 모래알이 떨어지는 속도가 느려지고 천천히 떨어진 모래는 아직 모아질 수준이 안 되는 국면이다. 더구나 불황의 기간이 길어지고 골이 깊어질수록 사람들의 마음은 경기회복을 불신하고, 경기회복에 대한 기대감을 완전히 접어버린다.

이때 이 구조를 타파할 수 있는 유일한 행로는 단 한 가지다. 바로 기회비용이나 이자비용보다 높은 수익을 낼 수 있는 사업이다. 이것은 전쟁, 혁명, 혹은 극단적 사회불안 이후의 질서 재편(과거 동유럽과 러시아의 사례) 같은 것일 수도 있고, 반대로 신기술의 발명이나 새로운 산업의 등장과 같은 희망일 수도 있다.

대개 경기호황 사이클이 문제가 되는 것은 그 반대의 상황이다. 이를테면 신기술이 생기고 신기술에 대한 과잉기대가 쏠리면서 우후죽순처럼 비슷한 투자가 쏟아지면 종국에는 설비 과잉의 폭탄을 맞는다. 이런 상황에서 1990년대 이후 연방준비제도이사회의 정책처럼 유동성을 공급하는 방식으로 접근하면 상황이 심각해진다. 사람들은 기회비용보다 더 큰 수익을 낼 것으로 생각되면 투자에 나선다. 새로 등장한 산업이 미래의 부를 가져다줄 것으로 생각되면 너도나도 저축을 인출해서 투자에 나서는 것이다. 하지만 대개 이익은 초기에 혜안을 가진 창의적인 자들의 몫으로 돌아간다. 일찌감치 그들이 새로운 사업에 눈을 돌리고 그것에 뛰어드는 동안 희망을 잃어버린 대부분의 사람들은 그 사실을 인지조차 하지 못한다.

인간은 0.1%의 창의적인 인간과 그것을 알아볼 수 있는 0.9%의 안목 있는 인간, 그리고 그것을 처음에는 인지하지 못하다가 모두의 눈에 보일 때에야 볼 수 있는 잉여인간, 이렇게 세 종류로 나뉜다. 창의적 인간들의 머리에서 나온 돌파구는 안목있는 인간, 즉 직관적 인간들에 의해 본격적으로 펼쳐진다. 그리고 이것을 알아보는 순서에 따라 결과물은 다시 나눠진다.

이것도 모래성 구조다. 처음 모래알이 떨어질 때 창의적 인간들의 아이디어가 산개하는 것이다. 차차 그것을 알아본 인간들이 자금을 인출해서 그곳으로 옮기면서 산업이 서서히 궤도에 오르고 모래성은 절반 정도의 높이를 이룬다. 그때쯤이면 처음 산업을 창조한 사람들과 초기에 가담한 사람들이 서서히 이탈하기 시작한다. 자본을 회수하는 것이다. 이때부터 쌓인 모래성은 다른 사람들의 눈에도 보이고 모래성은 점점 높이를 더해간다. 마지막 절정에 이르면 처음에 투자한 사람들은 경쟁을 인식하고 자본을 회수하거나 남아 있다 하더라도 더 이상 문제 삼지 않는다. 왜냐하면 무너지는 모래성은 위쪽의 절반이기 때문이다.

뒤늦게 경쟁구도에 뛰어드는 자들은 불나방이다. 그들은 너도나도 화려한 미래에 도취되어 대출을 일으킨다. 뒤늦게 뛰어든 자본가들은 차입을 통해 신규진출 러시를 이루고, 증시에서는 저축에서 꺼낸 자금, 저축할 자금, 신용차입을 통해 조성한 자금까지 동원하여 주식을 사들인다. 이런 구조는 '부채의 전이'라는 차원에서 위기를 만든다. 첨탑을 완성한 모래성의 상단 2분의 1은 뒤늦게 뛰어든 잉여인간들이 구축한 셈이지만, 진짜 심각한 것은 모래성의 붕괴로 입을 손실이 아니라 그로 인해 일어날 채권권리 관계의 왜곡이다.

잘 생각해보자. 창의적 인간들이 아이디어를 내고 안목있는 직관적 인간들이 초기투자를 결행하면 이때 초기자본 형태는 현금이다. 창의적 인간들의 호주머니 돈과 직관적 인간들의 잉여자금이 투자의 초기자본을 만드는 셈이다. 하지만 이것이 점차 시장에 받아들여지고 새로운 기술, 산업, 변화로 인정받고 주목받기 시작하면 그 다음에 밀려들어오는 돈도 지분을 형성한다. 다시 말해 이 새로운 기업이 성장하는 데 필요한 자금을 은행이 아닌 다른 투자자들이 제공하는 것이며, 이것은 결국 투자자(주주)들의 부채에 해당된다.

기업은 10배수, 20배수, 나중에는 50배수, 100배수에 해당하는 투자금을 받고 종국에는 증권시장에 상장되어 증자를 거듭하며 성장에너지를 끌어들인다. 이렇게 기업의 초기에는 증권시장이 중요한 역할을 하는데 (그것이 곧 증권시장의 역할이지만), 이 구조는 자본의 구조에서는 무서운 왜곡이다. 즉, 초기자본들은 자신들의 투자금에 비해 수십 혹은 수백 배에 이르는 자본차익을 거두지만, 그들이 자본차익을 거두는 만큼 뒤에 출자되는 자금들은 모두 기업이 짊어져야 할 부채를 대신해서 감당하는 희생양이 되기 때문이다.

기업성장의 동력은 이렇게 출발한다. 시장이 형성되기도 전에 만들어진 신기술, 신산업들은 시장의 성숙기까지 차입과 자기자본만으로는 견딜 수 없다. 필요한 자본을 충당할 수 없는 것이다. 그래서 증시가 대규모 자금을 무이자로 차입해주는 과정이 바로 기업공개(IPO, Initial Public Offering)다. 기업공개는 이같이 벤처기업을 일으키는 중요한 지렛대 역할을 하지만, 그것이 마지막에 이르면 거대한 무덤으로 변한다. 신기술의 가능성이 현실화될수록(사실 그것은 자본조달의 힘에 의거한 부분이 크지만) 많은 사람들이 현혹된다. 신산업의 파이는 늘 과잉공급을 초래하고 결국에는 대규모 구조조정을 유발한다.

이 구조조정에서 도산하는 회사의 주주들은 모두 파산하지만 최초의 자본 조달자들은 그렇지 않다. 그들은 이미 기업의 미래를 알고 경쟁을 인식하며 미래가 암담할 것임을 스스로 알기 때문이다. 그래서 이들은 그런 경쟁격화 국면에서 투자자들이 흥분하면 자신의 지분을 시장에 매도한다. 물론 시장에는 여전히 흥분에 들뜬 매수자들이 기다리고 있다. 그래서 창의적 인간들과 직관적 인간들은 대규모 자금을 획득한 후 시장에서 빠지고, 나머지 투자자들은 시체가 되어 그들의 피로 강을 이루는 것이다. 이것이 모래성이 붕괴될 때의 비극이다.

단순히 투자자들의 투자 손실이 문제가 아닌 것이다. 우둔한 일반인, 특히 개인 투자자들이 마지막에 기업의 지분을 주권으로 보유할 때 그것은 모두 휴지가 되고 부(富)는 순식간에 일반 서민들의 구매력을 앗아가 버린다. 그러면 경제는 저절로 불황에 빠진다. 이런 식이 지속되면 증시는 혹은 투자시장은 부를 재편하는 것이 아니라 오히려 양극화를 심화시키게 된다. 부의 양극화는 경제를 최악의 상황으로 몰고 가며 사실상 불황의 가장 큰 원인이 된다. 어리석은 사람들은 부자가 많아지는 것이 좋은 것이라고 하지만 경제의 순환이라는 측면에서 보면 절대 그렇지 않다. 과거 1920년대의 미국 대공황도 과거 한국시장의 20년 장기횡보와 급등 폭락의 반복도 마찬가지다. 심지어 2008년 중국 증시의 급락도 같은 맥락에서 이해할 수 있다.

기업의 생산성이 높아지고 신규산업이 태동하면 그것을 소비할 주체가 필요하다. 저소득층은 수입의 대부분을 소비에 사용하지만 고소득층일수록 소비보다는 잉여가 많다. 즉 100억이 부자 한 사람에게 가면 그중 10억은 소비되고 90억은 잉여자산이 되어 유동성으로 떠돌게 된다. 하지만 100억이 저소득층 1,000명에게 1,000만 원씩 주어지면 그것은 바로 소비로 이어지고 중산층 100명에게 1억씩 주어지면 50억이 소비되고 50억은 잉여가 된다.

이때 잉여자본은 새로운 투자를 위해 기웃거리고 이 자금들은 창의적 인간들의 신규산업 진출에 동참하는 자본으로 전용된다. 그리고 그것이 흥분과 탐욕에 물드는 시점이 오면 이 자금들은 엄청난 이익을 챙긴 후 다시 빠져나가고 중산층과 일반인들은 저축한 돈을 이동해서 그들에게 배분하는 소득전이가 일어나고 경기는 침체하며 소비는 줄어든다.

즉 자산시장의 초기 급등은 분명히 부의 효과(Wealth effect)를 이끌어내고 소비를 진작시키지만, 그 소비 진작이 과잉투자를 만들고 결과적으로는 역(逆)부의 효과(Reverse wealth effect)를 유발하는 것이다. 그러고 보면 모래성의 하부에는 부자와 창의적 인간들이, 모래성의 상부에는 대중과 어리석은 투자자들이 자리잡고 있음을 알 수 있다. 그것이 붕괴되고 다시 쌓이는 과정에서 슈퍼부자들이 등장하며 부는 점점 더 편중되는 형상을 만들어간다.

이 점은 국가 간의 문제에서도 똑같이 적용된다. 부국과 빈국의 문제도 이와 같은 맥락이다.

"부국의 부는 좀더 나은 생산성을 찾아 빈국으로 흐른다. 빈국에 투자된 자금들은 빈국의 성장을 촉진한다. 그리고 빈국에서 저임금으로 생산된 상품은 다시 부국으로 흘러 인플레이션 없는 경제성장의 선순환을 이끌어낸다."

이것이 소위 세계화의 논리다. 하지만 이 경우 우리는 이중의 문제에 봉착한다.

첫째, 부국의 저소득층은 일자리가 사라지고 구매력이 감소함으로써 부익부빈익빈 현상이 점점 더 심화된다. 빈국의 경우 1차산업에서 2차산업으로 이동하면서 삶의 질은 개선된다. 하지만 일정 부분 생산성이 증가하면 빈국의 근로자들이 과거보다 나아진 환경에서 축적한 자산으로 투자에 나선다. 결국 부국에서 빈국으로 투자된 자금들은 빈국의 근로자들에게 지불한 임금을 다시 회수하면서 일정 부분 빠져나간다. 그리고 빈국의 대중들은 다시 극도의 과잉투자와 불황에 시달린다. 이때 많은 사람들은 그래도 어쨌거나 빈국의 절대적 경제상황이 나아졌다고 말한다. 하지만 그것은 부국이 가져간 이익에 비하면 상대적으로 수탈을 당하는 구조와 같다.

결국 부국의 불황은 빈국의 불황을 초래한다. 빈국의 기업은 실적이 악화되고 부국은 부국대로 불황에 빠진다. 세계화 역시 해결책이 아니다. 순환의 논리에서 벗어나지 못하는 것이다. 하지만 필자는 종속이론에 빠진 허무주의자는 아니다. 이런 순환이 결국 지구의 경제시스템의 절대적 가치를 증가시킨다는 것에는 동의한다. 하지만 이는 상대적 체제를 말하는 것이고 일단 빈국의 투자자들의 위험에 주목해야 한다.

다시 불황의 탈출기를 생각해보자. '닥터 둠(Dr. Doom)'이라 불리는 세계 투자시장 예측 전문가 마크 파버(Marc Faber)는 경기순환을 설명하면서 불황 탈출을 위해서는 '일대 사건'이 필요하다고 말했다. 인류사에 기록된 모든 투자는 새로운 사건으로부터 발화된 것이다. 산업혁명과 증기기관의 발명 이후 철도, 방적기, 소형 내연기관, 자동차, 라디오, 무전기, 트랜지스터, 컴퓨터, 반도체, 바이오, 이동통신 등 대개 10년 단위로 새로운 산업이 등장했다. 그리고 이러한 신산업은 대규모 투자를 유발하면서 새로운 호황을 이끌어냈다. 투자시장에서도 기존 산업의 구조조정 후 재반등과 같은 소(小)사이클이 아닌, 깊은 불황에서의 반등은 이런 신산업과 신경제가 주도했다.

1920년대 미국은 자동차 회사가 200여 개나 생겨났지만 자동차를 1만 대를 만들건 10만 대를 만들건 소비자가 소비하지 않으면 아무 소용이 없다. 이때 산업의 재편과 치열한 경쟁 속에 살아남은 기업을 중심으로 조정이 되면 시장은 다시 한 번 흥분한다. 그러나 그것은 새로운 불황을 예비하는 신호탄에 불과하다. 결국 시장은 다시 새로운 신산업을 필요로 하는 것이다. 즉 자동차 100대가 아닌 비행기 한 대, 비행기 100대가 아닌 우주선 한 대와 같은 새로운 산업의 출범인 것이다. 이에 대한 기대가 새로운 수요를 만들고 그것은 다시 저축과 투자의 균형을 깬다.

이제 저축과 차입이라는 문제로 들어가보자. 사실 투자의 핵심은 여기에 있다. 앞서 설명한 대로 불황기에 신산업이 주목을 받으면 처음에는 일부 통찰력 있는 자본가들이 참여한다. 이후 시간이 흘러 가능성이 보이기 시작하면 대중이 참여하기 시작한다. 하지만 이 국면에서는 자본시장에 대중의 참여만 이루어지는 것은 아니다. 처음에는 부정적이던 기존 자본들이 가능성에 대한 확신을 하면서 참여하기 시작한다.

그 다음에는 대규모 차입이 일어난다. 초기 선구자들은 증권시장을 통해 자본을 확충하고 투자자들도 자본시장에서 투자금을 회수하지만, 후발주자들은 자기자본으로 훨씬 비싼 대가를 치르며 진입한다. 그리고 이 사업의 가능성이 크다고 모두가 믿는 순간 그 투자는 공격적인 행보를 펼친다. 선발회사에서 기술자를 스카우트하고 대량의 신규투자를 감행하고 선발주자를 극복하기 위해 더 많은 압도적 자본을 투입한다. 그 과정은 전격적이고 즉흥적이다. 따라서 막대한 투자금이 필요해진다. 하지만 미래 성장성을 낙관한 투자자들은 그에 대한 일말의 회의도 없다. 대대적인 차입을 통해 경쟁자들이 속속 등장하는 것이다.

이쯤 되면 투자자들도 바빠진다. 초기에 소수의 산업에 투자하던 상황에서 우후죽순처럼 등장하는 기업들을 보며 어디에 참여해야 할지 시선을 두기가 어렵기 때문이다. 결국 기업들은 투자자들에게 강력한 유혹의 페로몬을 뿌려댄다. 무상증자를 남발하고 액면분할과 인수합병을 상시적으로 시행하는 것이다. 투자자들의 흥분은 고조되고 차입금의 규모는 점점 커진다. 결국 저축을 능가하는 차입이 이루어지게 된다.

그러다 어느 시점이 오면 한계에 봉착한다. 모두가 긍정적이라고 생각하던 환경에서 슬슬 현실에 대한 두려움이 생기는 것이다. 내부자가 먼저 이탈하고 대주주들이 매도하기 시작하지만 대중은 이를 눈치채지 못한다. 그리고 시장은 무너져내린다. 이때부터 차입한 자본들의 비극이 시작된다. 주가는 하락하고 자산가치는 점점 급락한다. 이런 이유로 합리적 가격으로 청산하기도 힘들어진다.

자산을 담보로 한 대출은 점점 위기에 빠지고 금융기관은 차입금의 상환을 재촉하기 시작한다. 악순환이 벌어지는 것이다. 대출금을 갚으려 자산을 팔면 자산가격이 하락하고, 자산가격이 하락하면 청산가치는 더욱 하락한다. 결국 부채에 대한 자산가치의 비중은 생각보다 쉽게 정상화되지 않고 경제를 길고 긴 터널 속으로 끌어들이게 된다.

결론적으로 세상의 모든 거품은 자산가치 대비 차입금의 증가로 시작되고, 차입금의 증가가 최고점에 이르면 더 이상 자산가치 상승을 이룰 수 없는 지점에 도달한다. 이즈음에서는 차입금에 의해 부풀려진 채로 유지되던 자산과 기업의 설비투자가 부메랑이 되어 돌아오며 눈치가 빠른 순서대로 자산시장의 이탈이 일어난다. 그 결과 자산가치의 하락이 초래된다. 그리고 이것은 차입금에 대한 상환부담으로 이어진다. 차입금 상환을 위해 자산을 매도하려 할 때 자산가치 하락으로 헐값에 처분돼버리고 실제가치보다 자산가치가 저평가되는 침체가 유발된다.

두 바 이 신 화 는 왜 불 안 한 가

신흥시장의 흐름도 크게 보면 이와 다르지 않다. 예를 들어 우리나라의 1970~1980년대 성장은 거대한 외자도입으로 시작됐다. 우선 대일 청구권 자금이 기초자산이 되었고 일본계 투자가 급증했으며 일본은 본국의 설비를 한국에 이전했다. 초기 이러한 자금은 원조의 성격인 듯하지만 실상은 그렇지 않았다. 사실상 설비를 유지·보수·확장하기 위해 오히려 일본의 유휴시설을 비싼 값에 사들였고, 자본재를 수입하며 돈을 빌려 추가 확장에 나섰던 것이다. 이것은 결국 경제 자체를 종속시키는 결과를 초래했다.

그렇다고 해서 손해만 본 것은 아니었다. 굶어죽는 것보다는 남의집살이가 낫듯이 외자도입과 경제종속화가 안타깝기는 해도 한 나라의 경제가 1차에서 2차로 나아가는 과정에서는 불가피한 일이며, 절대적 부의 증가도 보장하기 때문이다.

이어서 기초가 닦여진 시장에 미국을 비롯한 선진국 자본이 추가로 들어왔는데 2단계 외자도입은 사실상 자산투자에 가깝다. 미국은 1980년대 이후 신흥시장에 눈을 떴고 피터 린치, 마크 모비우스(Mark Mobius)와 같은 펀드매니저들은 과감하게 아시아로 투자의 눈길을 돌렸다. 급격한 경제성장과 인구증가율은 조만간 자산시장의 활황을 예고하는 것이기 때문이다. 이렇게 선진국의 자산투자 자금이 본격적으로 유입되면 국내 자산시장의 규모가 커지고 외국인들을 위한 시스템도 정비하게 된다.

하지만 이러한 단기적인 자금유입은 단기적인 회수를 예고하는 것과 같다. 더욱 심각한 점은 자산시장이 가져다준 부의 효과와 급격한 경제성장의 이면에는 시설투자에 따른 자본재 수입과 가계소득 증가에 따른 소비재 수입의 확대가 숨어 있다는 것이다. 이것은 결국 가공산업에서 수출해 완성품을 수입하는 결과를 낳았고, 주기적으로 나타나는 자본시장의 불안과 경제위기, 심지어 외환위기로까지 이어지는 부작용을 초래했다.

중국의 경우도 마찬가지다. 2000년 중반과 같은 중국의 급격한 경제성장이 만약 10년 이상 지속되면 중국은 세계경제의 절반 이상을 점하는 공룡이 된다. 하지만 경제는 그렇게 녹록하지 않다. 경기는 순환을 하고 순환하는 경기는 필연적으로 침체를 가져오며, 중국의 주요시장인 선진국의 침체는 중국 기업의 실적 악화와 차입금 부담의 압박으로 이어진다. 더구나 중국의 가계소득 증가는 기대심리와 함께 소비 수준을 높여서 수입을 증가시키는 요인이 된다. 이렇게 될 경우 중국은 그리 머지않아 무역수지 흑자국에서 무역수지 적자국으로 전환될 것이다.

중국이 대대적으로 투자했던 철강, 조선, 화공, 전자와 같은 산업은 스스로 공급과잉에 빠지게 되는데, 경제 체질을 개선하기 위해 새로운 시스템을 정비하려면 다시 대대적으로 자본재를 수입해야 한다. 결국 중국은 자본재 수입과 소비재 수입의 이중고를 겪다가 어느 시점에 외환이 급격히 줄어들면서 위기를 맞이할 공산이 커지는 것이다. 이렇게 경기는 순환하고 시장은 그것을 선반영한다. 하지만 투자자들은 그것을 간과하고 당장의 호황에만 시선을 고정하고 있다.

같은 맥락에서 두바이의 신화는 바벨탑과 같은 전철을 밟을 위험이 있다. 두바이의 성장 신화는 고유가를 통해 무한 공급되는 오일달러의 산물이다. 두바이는 오일달러를 통해 거대한 변신을 시도하지만 그것은 조만간 암세포가 숙주를 죽이고 공멸하듯 같이 무너져내릴 것이다. 두바이의 신화는 끊임없이 공급되는 자본에 의해 유지된다. 만약 생산시설이나 2차산업이 빈약한 중동에서 유가가 하락하는 상황이 발생하면 두바이가 필요로 하는 모든 상품들은 수입에 의존하고 버즈 두바이는 거대한 흉물로 전락할 위험이 크다.

단순히 라스베이거스를 방문하기 위해 미국을 떠나는 여행자가 없듯 단순히 두바이를 즐기기 위해 그곳으로 가는 관광객은 없다. 거대한 열사의 나라에 존재하는 실내스키장은 호기심의 대상일 뿐 일차적인 소비의 대상은 아니기 때문이다. 더구나 그곳에서는 어떤 부가가치를 창출할 수 있는 여건도 없다.

중동의 정치적 불안, 중동 지역의 금융시스템, 그리고 지정학적 위치를 고려하면 두바이가 상상하는 금융허브는 석유자금이 흥청거릴 때의 정거장에 불과하다. 또한 단순히 MIT 분교를 다니기 위해 중동으로 떠날 학생이 없다는 점, 종교적 환경으로 엔터테인먼트나 3차 서비스업이 성장하기 어렵다는 점, 두바이를 지탱하는 근로자들의 70%가 외국인이라는 점 등을 봤을 때 두바이가 꿈꾸는 교육이나 엔터테인먼트는 예상보다 심각한 결과를 몰고 올 것이다.

중동의 고민은 바로 그것이다. 중동은 석유 이후의 2차산업, 그리고 2차산업의 성장에 기반을 둔 3차산업으로 갈 수 있는 정상적 절차를 무시하고 돈잔치를 벌이고 있지만, 그것의 종말은 예고되어 있다는 점에서 자못 비극적이다.

이런 거시적인 상황을 바라볼 줄 아는 것, 그리고 그것을 시장에 적절히 대입하여 구사할 수 있는 것, 이것이 바로 주식투자의 본질이다.

화폐가치 하락과 시장붕괴

2008년 현재, 베트남의 외환위기 가능성, 그리고 우리나라의 외환위기론, 중국의 핫머니 유출 위험과 같은 외환위기에 대한 경고들이 잇따르고 있다. 실제 우리나라도 1997년 외환위기를 겪은 바 있고, 2008년 세계경제는 부풀어진 신용 유동성에 대한 우려가 점점 커지면서 심지어는 대공황과 같은 경제위기 발발 가능성까지 점쳐지고 있다.

그렇다면 외환위기란 무엇일까? 외환위기는 문자 그대로 '한 나라의 통화가치가 갑자기 급락하는 현상'을 말하는데 이 경우 대개는 통화가치 하락을 방어하기 위해 외환보유고를 대량으로 방출하거나 금리를 급격하게 인상하게 된다.

최근 일어난 외환위기로는 국제 핫머니의 공격으로 촉발된 1992년 영국, 이탈리아, 스페인 외환위기, 다음으로 재정적자를 방치한 결과 나타난 1994년 멕시코 외환위기, 중국 위안화 절하와 바트화 폭락으로 촉발된 1997년 동아시아 외환위기, 그리고 역시 재정적자가 원인이 된 1998년의 러시아 외환위기 등을 들 수 있다.

이렇게 외환위기가 일어나는 원인에 대해서는 많은 이론들이 있지만 그 중에서 가장 의미 있는 이론들을 몇 가지 소개하면 다음과 같다.

첫째, 남미 외환위기를 설명한 폴 크루그먼(Paul Krugman)의 제1세대 위기모형이다. 국가정책의 난맥상으로 통화가 팽창하고 재정적자가 발생할 경우 정부는 외환보유고만으로는 해결이 불가능하다고 인식하게 된다. 이 사실이 국제 외환시장에 알려지는 순간 손실을 방지하기 위한 자국화폐 매도와 외국자본의 이탈로 외환위기가 촉발된다는 모형이다.

둘째, 모리스 옵스펠트(Maurice Obstfeld)에 의해 발전된 제2세대 외환위기 모형이다. 이것은 유럽의 외환위기를 설명하는 모델이다. 정부가 고용과 물가안정이라는 두 가지 목표를 좇는 경우 결국 적정환율을 유지하기 위해 고정환율을 채택하게 된다. 이때 고정환율을 유지하기 위해 이익보다 정부가 치르는 대가가 커지면 결국 정책을 포기하게 되는데, 정부의 포기 시점을 예측한 국제 투기자본이 집중적으로 환투기를 벌이면서 외환위기를 유발시킨다는 모델이다. 정부가 화폐가격을 지지하기 위해 고정가격으로 화폐를 유지하는 것은 시장의 불균형을 정부자금으로 막아주고 있는 것이다. 이때 특정 화폐를 공략하면 그 방어선이 무너지는 지점에서 큰 이익을 볼 수 있으므로 그것을 노리고 투기자금이 몰려든다.

셋째, 폴 크루그먼의 모럴해저드 모형은 동아시아 외환위기를 설명하는 모델이다. 투자 촉진을 위해 금융부실을 정부가 눈감아주고 금융권은 탐욕으로 부실대출을 계속하며 이후 증권시장의 거품에도 불구하고 정부는 계속해서 부실은행에 자금을 공급한다. 증권시장의 붕괴와 은행의 부실이 위험하다는 것이 감지되면 자산가치 하락을 걱정하는 외국자본들이 일거에 자본을 회수하기 때문에 외환위기가 발생한다. 정부, 기업, 그리고 금융권의 도덕적 해이가 원인이라고 보는 모형이다.

넷째, 제프리 삭스(Jeffrey Sachs)의 현대적 금융공황 모형이다. 이것은 다른 시각으로 동아시아의 외환위기를 바라보고 있다. 해외 투자자들의 도덕적 해이에 주목하는 이론으로 국제 유동성의 미스매치, 즉 국제 유동성의 둑이 한곳이 막히면 일거에 가장 위험해 보이는 시장의 자산을 회수하게 되고 그것이 동아시아와 같은 취약한 나라의 위기를 몰고 온다는 모델이다.

마지막으로, 자본자유화와 붐 버스트(Boom bust) 사이클 모델이 있다. 자본자유화가 이루어지고 글로벌 경제의 자본이동이 원활해지면 모든 돈은 이익을 따라 움직이게 된다. 한 나라, 특히 신흥국과 같은 작은 규모의 국가에 자본이 급격히 유입된다. 그러면 그 나라의 자본시장에는 거품이 끼고 유입된 외화로 인해 자국의 통화가치가 상승하며 외자유입을 더욱 부추긴다. 그러나 이런 통화가치 상승은 수출시장에서 가격경쟁력 약화를 불러일으키고, 최종적으로는 그 나라의 무역적자를 유발시킨다. 결국에는 해당국의 미래에 대한 불안과 통화가치 안정성에 대한 회의로 이어져, 이번에는 자본이 이탈하면서 화폐가치가 하락하고 자산시장은 붕괴하며 경기가 침체되어 위기가 닥친다는 가설이다.

이 부분에서 우리는 과연 어떤 지점을 고민해야 하는지, 돈이란 어떻게 흐르고 그것이 어떻게 기회를 만들고 위기를 불러오는지를 알 수 있다. 그렇다면 2008년 신흥국들의 고민은 붐 버스트 모델의 현실화일 것이고 주택 관련 파생상품의 위기로 고민하는 미국은 오히려 과거 신흥국이 겪었던 모럴해저드 모형의 위기에 있다고 볼 수 있다. 투자자는 늘 거시와 미시, 시장과 정책을 서로 씨줄과 날줄로 엮어 바라보고 판단해야 하고, 기업의 가격을 살피면서도 때로는 환율이나 무역수지, 금리 등을 최우선순위에 두고 시장을 판단하기도 해야 한다.

달리는 말에
올라타야
시장을 이긴다

　　주식시장의 또 다른 본질은 달리는 말에 올라타야 한다는 것이다. 사실 그 이상의 주식투자 방법은 없다. 관성이라는 것이 있다. 한참 열심히 뛰면 그 속도 때문에 갑자기 멈출 수가 없어지는 것이다.

　　시장에서 6개월 이상 계속 오르는 종목이 있다고 하자. 이 종목은 계속 오르기 때문에 사지 못한다. 시장의 추세가 상방향으로 계속 치고 나가면 심리적으로 이제 곧 고점 같기 때문에 못 산다. 여기서 사면 돈을 많이 벌 수 있을지도 모르는데 무서워서 못 사는 것이다.

　　그런데 6개월 동안 주가가 오르다가 하필이면 내가 산 날 천장에 이를 확률이 얼마나 될까? 거꾸로 주식이 떨어질 때 매입했는데 그때가 바닥이 된다는 게 말이 될까?

　　예를 들어보자. 옛날에 몇십 만원 하던 주식이 지금 5,000원이 되면 바닥이라고 생각하고 그 종목을 사는 게 사람 심리다. 40만 원짜리가 5,000

원이 되면 바닥이라고 생각하고 사는 게 마음은 편하다. 그런데 반대로 5,000원짜리가 5만 원이 되면 고점이라 여겨져서 도저히 살 수가 없다. 하지만 이걸 알아두자. 당신이 역사상 최고의 고점에서 주식을 사게 되는 일은 평생 몇 번 없을 것이다. 만약 주식을 확률게임이라고 생각한다면 어떻게 해야 하는가? 올라가는 종목을 사야 되는 것은 확실하다. 그런데 그렇게 되지 않는다. 간단한 사례를 통해 이를 알아보자.

〈차트 1〉은 그냥 일봉을 좁혀놓은 굉장히 단순한 차트다. 차트에서 시장의 주식을 판단하는 방법은 여러 가지가 있다. 이동평균선으로 보는 법, 파동론으로 보는 법, 일목균형표를 보는 법 등. 그 외에도 좀더 복잡하게 분석하는 사람은 지표를 약 30가지 이상 해석하면서 생각할 것이다.

일단은 단순하게 이동평균선 하나만 생각해보자. 이것은 내가 가장 즐겨하는 패턴인데, 나는 보통 시장을 이렇게 본다. 사실 단순하게 이것밖

차트 1   삼성전자의 40일 이동평균선과 180일 이동평균선

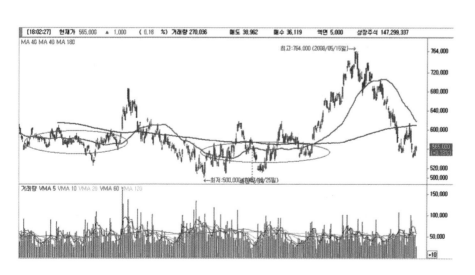

에 안 본다. 그림을 보면 180일 이동평균선과 40일 이동평균선이 그려져 있다. 위에 40일 이동평균선과 중간에 180일 이동평균선이 있으면 그냥 눈에 확 들어오는 부분이 있다. 단기적으로 40일 이동평균선 위에 있으면 이러한 평균선을 무너뜨리기 전까지는 그쪽으로 들고 가면 된다. 40일 이동평균선이 무너지면 약세 국면이다. 그래서 나는 시장이 단기라는 개념으로 볼 때 40일 이동평균선 상단에 주가가 있을 때는 단기 강세라고 보고 하단에 주가가 있을 때는 단기 약세라고 생각한다.

보통 200일 이동평균선을 많이 얘기하는데, 한국시장에서는 180일 이동평균선의 수치를 세어보면 가장 정확한 정보를 얻을 수 있다. 이 180일 이동평균선을 놓고 볼 때 180일 위에 주가가 있을 때는 강세 국면, 아래쪽에 있을 때는 약세 국면이라고 생각하면 된다. 이 차트는 막 약세 국면에 진입해서 까닥거리는 양상을 보이고 있다.

주식투자 방법은 지극히 단순하다. 〈차트 1〉에서 원이 그려져 있는 지점처럼 오늘은 40일 이동평균선을 넘었다가 내일 밑으로 갔다가 다음날 위로 올라갔다가 그 다음날은 또 밑으로 가는 식으로 약 20일간 계속되었다고 가정해보자. 우리는 그동안 매매수수료를 계속 주면 된다. 그것을 아까워할 필요가 없다. 40일 이동평균선을 무너뜨리면 수수료 주고 팔고, 돌파하면 또 샀다가 다음날 팔고 하는 행위를 계속하면서 그때마다 매번 수수료를 내고 상승세에 따라 쭉 올라가면 된다. 그런데 팔아야 할 때 못 팔고, 주가가 무너질 때 들고 있어버리면 계속 밀린다.

내게 이 차트를 보여주고 2008년 하반기 이후 향후 삼성전자 주식시장이 어떻게 될 것이냐고 물었을 때, 3분기 이후 반등해 4분기에 조정을 겪고 내년 1분기에 강력반등할 것이라고 답했다고 가정해보자. 이것이 맞으면 나는 영웅이 되겠지만, 틀리면 그런 말은 한 적이 없다고 할 것이다. 하지만 냉정하게 보면 지금은 이 주식을 사면 안 된다. 하지만 내 경우 이 글을 쓰는 시점에서는 저평가이므로 주식을 사라는 평가들이 나왔다. 분명히 몇 달 전인 2007년 말에는 삼성전자 주식이 좋다고 했지만 이 지점에서는 그냥 웃으면서 안 산다. 다만 지금 들고 있는 게 있으면 그것을 팔아야 할지 말아야 할지 조금 고민이 될 것이다.

다시 말해 2008년 8월 지금 이 순간 내게 와서 앞으로 시장이 어떻게 될 것 같은지 묻는다면 당신에게 해줄 수 있는 가장 확실한 대답은 이렇다.

"주가가 어디가 바닥이 될지 모르겠다. 그런데 그것을 예측할 필요가 있는가?"

바닥이 어디가 될지 묻는다는 건 그 바닥에서 주식을 사겠다는 뜻일 것이다. 아니면 묻는 이는 나를 높은 데 있는 대단한 사람으로 착각하고 있을 것이다. 나를 세계경제를 좌지우지하는 그런 사람이라고 믿지 않는다면 바닥이 어디냐고 묻는 것은 의미가 없다.

예를 들어 내가 2008년 8월인 지금 주식이 바닥이고 하반기 반등할 것이라고 예측한다고 치자. 이는 문자 그대로 립서비스다. 그것은 아무런 의미가 없다. 설령 내가 예상했던 저점에 그것이 일치한들 어떻고 일치하지 않은들 어떻겠는가. 주식투자를 할 때마다 무조건 바닥에서 사고 천장에서 팔고 해서 삼성그룹을 능가하는 재벌이 될 거라면 몰라도. 바닥을 생각하지 않고 언제 사야 하는지 묻는다면 나는 이렇게 답변을 하겠다.

40일 이동평균선 위쪽에 있으면 단기 강세 국면, 아래쪽에 있으면 단기 약세 국면, 180일 이동평균선 위쪽에 있으면 중장기 강세 국면, 아래쪽에 있으면 중장기 약세 국면인데, 여기서 약간 반등하면 여러분들이 좋아하는 수렴이라는 것을 할 것이다. 그러면 40일 선과 180일 선이 비숫하게 모여 있는 지점이 오는데, 그 지점을 돌파하면 그냥 아무 생각하지 말고 사면 된다.

그때 기술적 반등에 지나지 않는다거나, 혹시 이것이 기술적 반등이 아닐까 하며 고민할 필요가 없다. 혹시 기술적 반등은 아닌지 질문하는 사람은 좀더 다쳐야 한다. 이것이 기술적 반등이 아닐지 진짜 오를지 내릴지 고민할 이유가 없다. 그냥 사라. 그 다음날 떨어지면 다시 팔면 되고, 그 다음에 돌파하면 또 사면 된다. 주식투자는 단순하게 생각해야 한다. 복잡하게 생각하면 스스로 함정에 빠진다.

주식시장은
대중심리가
지배한다

투자심리에 대해선 후에 '제3의 길, 투자심리학'(194쪽 참조)에서 본격적으로 다시 다룰 예정이지만 우선 주식투자의 본질을 이해하기 위해 대중심리에 대해 간략하게 짚고 넘어가자.

당신은 동전 던지기에서 9번 연속으로 앞면이 나오더라도 다음 확률은 반반이라는 사실을 알고 있다. 왜냐하면 당신은 이성적이기 때문이다. 하지만 정작 당신은 다음에 뒷면이 나올 것이라는 데 돈을 걸 가능성이 크다. 이유는 당신에게 감정이 존재하기 때문이다.

1년 전 같은 날에 산 두 종목의 주식 중 한 종목은 5%, 다른 한 종목은 20%의 수익을 냈는데 갑자기 돈이 필요해서 한 종목을 팔아야 한다면, 당신은 20%의 수익을 낸 종목을 팔 것이다. 왜냐하면 당신은 논리적인 사람이기 때문이다. 하지만 당신의 이런 행동은 틀렸을 가능성이 크다. 이유는 당신의 논리는 합리적이지 않기 때문이다.

주식시장에서는 이런 심리적 요인들이 무수하게 개입한다. 사람은 항상 자신을 과신한다. 특히 지적 능력의 경우에는 더 그렇다. 사람들에게 자신의 예상 아이큐를 물으면 대부분의 사람들은 평균 이상이라고 대답한다. 하지만 그 중 절반은 평균 이하다.

혹여 당신이 다른 사람보다 무엇인가 기능이 떨어진다면 당신은 반드시 다른 데서 이유를 찾는다. 이를테면 나처럼 달리기를 못하면 운동할 시간이 부족해서이고, 전화번호를 잘 외우지 못하면 단축번호에 익숙해서이며, 심지어 경마장에서 돈을 잃어도 그날의 일진이 나빠서라고 이유를 댄다. 그래서 사람들은 도박에 빠져든다. 심지어 도박이라는 절대적인 열세 확률에서조차도 자신의 지적인 개입이 이루어지면 나는 다를 것이라는 기대가 작용하기 때문이다.

시 장 을   지 배 하 는   대 중 화   현 상

이런 현상들은 단독보다는 집단일 경우 더욱 두드러진다. 세상의 모든 민족은 자신의 문화가 가장 뛰어나며 자기 민족의 두뇌가 더 우수하다고 여긴다. 특히 계량적으로 열세일 수밖에 없는 일들이 증명된다면 개인은 수긍하지만 집단은 수용하지 않는다. 집단의 힘에 자신의 약점을 녹일 수 있기 때문이다. 반대의 경우도 성립한다. 우수하고 똑똑한 사람들도 집단에 놓으면 우둔해진다. 아무리 재능이 출중한 아이도 열등한 집단에 두면 저절로 열등해지고, 아무리 능력 있는 마라톤 선수도 페이스메이커가 없으면 기록이 떨어진다.

프랑스의 의학자 귀스타브 르 봉(Gustave Le Bon)은 1895년 자신의 저서 《군중심리 *La Psychologie des foules*》를 통해 이런 현상을 규명하려고 노력했다. 그는 이렇게 말한다.

"대중, 특히 어떤 조건에서 집합된 특정한 사람의 무리는 무리를 구성하는 개인의 특성과는 전혀 다른 감정적 특성을 나타낸다. 집단화된 군중은 각각의 감정과 사고를 지워버리고 단순하고 동일한 방향으로 모아서 행동한다. 즉 개인의 의식과 특성이 대중에 의해 소멸되어버리는 것이다."

여기서 말하는 '단일화된 군중'은 특수한 목적이나 동일한 이해를 공유하는 대중을 말한다. 아무 특성과 교집합이 없는 사람들 1,000명이 모인다 해도 그들은 각각의 인격체일 뿐이지만 비록 100명이라도 목적과 이상을 공유한다면 그들은 개별자가 아니라 단순화된 군중으로 바뀌어버리는 것이다.

주식시장에서는 이런 대중화 현상이 아주 극명하게 나타난다. 주식시장에서 대중의 수는 셀 수 없이 많고, 또 그들은 광장에 모여 있는 것도 아니다. 그들은 시장이라는 가상의 광장에 모여 주식으로 돈을 벌겠다는, 분명하고도 강력한 목표를 공유한다. 그래서 주식시장에는 강력한 대중심리가 작용한다. 아무리 강한 이성을 가진 개인이라도 이런 집단화로부터 완전히 자유로울 수는 없는 것이다.

이런 종류의 집단의식은 종교, 민족, 계급, 이데올로기를 목적으로 공유하는 집단에서 두드러지게 나타나지만 그중에서도 투자자들의 대중심리는 나치나 파시스트의 그것을 능가하는 양상으로 표면화된다. 이 순간 대중은 하나의 명령체계에 복종하고 의문을 품을 수 없는 지적 마비 상태에 빠지게 된다. 대중심리의 영향력은 강력하다.

이유는 첫째, 개인이 대중에 포함되면 그 수가 많다는 사실만으로도 자신의 능력을 뛰어넘는 강력한 힘을 갖고 있다고 믿기 때문이다. 데모대가 경찰력을 두려워하지 않고 강하게 맞설 수 있는 심리기제가 이와 같다.

둘째, 대중심리는 전염성을 갖기 때문이다. 군중이 점차 하나의 생각으로 모이기 시작하면 그 힘은 급속히 개인에게 전파된다. 그리고 각 개인이 스스로 군중의 결론을 도출하는 과정에 참여하고 개입했다고 믿는다.

셋째, 군중이 가진 피암시성은 마약처럼 강력하다. 처음에 군중과 반하는 의사를 가진 개인조차도 군중 속에 노출되면 대중의 힘이 갖는 강력한 매력에 이끌린다. 그리고 대중은 스스로 암시를 주고 그 암시에 이끌려 집단최면에 빠진다. 이때 개인은 비판의식을 잃고 순종적인 태도를 보인다.

이러한 요인들은 군중 속에서 개인의 의식이 사라지고 주관이 희석되며 동일한 판단과 즉각적인 행동력을 가질 수 있게 만든다. 집단에 속한 개인은 충동적이고 과장적이며, 편협하며 독선적인 존재가 된다. 이때 군중은 논리를 정하는 데 있어 이성의 작동을 점차 배제한다. 군중의 주장이 전체에게 전달되기 위한 조건은 단순화된 메시지다. 대중의 수가 많으면 많을수록 단순화는 점점 강화된다. 그래서 대중의 논리는 취약하지만 강력하다.

군중은 이성적인 단계를 거쳐 결과를 도출하지 않는다. 지극히 표면적인 연관성을 가진 정보만으로 논리를 구축하며, 그것의 함정을 재해석하거나 비판하려는 노력을 보이지 않는다. 그러기 위해서 대중은 강력하고 짤막한 단순하고 명료한 기호를 필요로 한다.

이를테면 'R(recession, 경기침체)의 공포'라는 짧은 한마디는 대중의 모든 이성을 마비시키고 강력한 공포를 전파한다. 그 다음 'S(stagflation, 스태그플레이션)의 공포'라는 말은 불꽃에 기름을 퍼부어 금방이라도 대공황이 올 것 같은 강력한 두려움을 유발시킨다. 이 부분에서 반론이나 합리적인 생각들은 쉽게 묻혀버린다. 수많은 정보 속에서 대중의 관심을 유발할 수 있는 가장 강력한 무기는 바로 단순화된 기호다.

추론뿐만이 아니다. 상상력의 경우는 좀더 복잡한 양상을 띤다. 대중의 상상력은 비유적이고 은유적이며 다이나믹하고 감성적이다. 개인의 상상은 논리의 비약이 금세 간파되지만, 대중의 상상은 그것을 뛰어넘어 기정사실화를 해나간다. 대중의 상상은 불가능한 것들마저 가능케 한다. 수많은 종교의 기적들은 모두 대중이 모인 자리에서 나타난다. 대중의 비판력, 추론, 논리적 비판 등이 마비되는 극적인 순간에는 불가능한 모든 것들이 가능한 일로 바뀌어버린다. 그래서 주식시장에 많은 투자자가 참여하면 할수록 그들은 불가능한 것들을 가능하게 만들어버린다.

세계경제가 침체되고 인플레이션이 엄습하며 중국의 주가가 폭락해도 우리나라의 실적은 좋을 수 있다는 생각이 현실이 된다. 전세계 주가의 하락 기조 속에서도 몇 달 내에 2,000포인트를 재돌파할 것이라는 이야기도 어느새 사실이 되고 신화가 된다. 대중은 토론이나 반론을 허용하지 않고 비판을 받아들이지 않는다. 그리고 그들이 내린 결론은 가능한 한 빨리 실행에 옮겨진다. 이미 결정된 일을 두고 시간을 지체할 이유가 없기 때문이다.

투자시장에서 대중심리가 작동하는 메커니즘은 상당히 복잡하지만, 가장 기초적인 부분은 시장의 순환이다. 시장에서는 호황과 불황이 하나의 순환고리를 형성하고 있다. 언젠가는 그 반대가 될 수 있겠지만 장기적으로 불황의 바닥이 높아지고 호황의 천장도 높아진다. 이러한 이론적인 바탕이 바로 '장기투자는 곧 승리'라는 명료한 결론을 이끌어내는 원인이다. 하지만 이렇게 순환고리에서 고점은 높아진다는 부분은 대중심리에서 함정으로 작용한다. 고점이 높아진다면 어디가 한계인가가 명료하지 않기 때문이다. 언젠가는 상승이 마무리되고 다시 하강할 것인데 그 순간을 알 수 없다는 것은 치명적이다.

또한 시장이 하락할 것이라는 절망은 대중들에게 기정사실로 받아들여진다. 다만 일정 수준에 이르면 고점에 대한 지속적 기대와는 달리 과거에 비해 높은 저점이라는 보호막이 작동한다. 그래서 시장이 하락하면 투자자들의 심리는 일거에 사실을 인정하고 급격하게 빠른 하락 속도를 보이지만, 일정 수준 하락하고 나면 반대로 강화적인 암시가 작동함으로써 추가적인 악화는 방어되고 시장도 쉽게 이 부분을 인정한다. 그래서 상승은 하락에 비해 짧지만 고점을 인식하기 어렵고, 하락은 빠르고 길지만 저점에서 인식하는 기제는 쉽게 작동하기 때문이다.

대중심리가 작동하는 두번째 공간은 투자자의 구성이다. 시장이 저점에서 상승을 시작할 때, 그리고 시장이 고점에서 하락을 시작할 때는 투자자의 총 수가 변화한다. 주가가 바닥권에 머무를 때는 상당수의 투자자가 시장에서 이탈한다. 하지만 이때 총 발행주식 수가 감소되지는 않는다. 다시 말해 주식 수는 동일한데 보유자가 감소한다는 것은 투자자 1

인당 보유주식 수가 많아졌다는 의미다.

이것은 저점에서 주식을 보유하는 사람들은 대주주, 특수 관계인, 자사주, 자국시장에 대비한 상대적 메리트를 보고 투자한 차익거래성 외국인 투자자, 시장을 바닥으로 인식하는 합리적 투자자, 가치가 싸다고 판단하는 가치 투자자, 자산 규모가 커서 상대적으로 주식에 일정 자산을 할애하는 부유한 투자자가 주종을 이룬다는 뜻이기도 하다. 물론 그 외에도 주가가 오르건 내리건 항상 매매에 참여하는 무의미한 거래자들이 섞여 있기는 하지만, 상대적으로 발행주식당 투자자의 수는 현저히 적다.

이것은 대중심리가 작동할 환경으로 적당치 않다. 이때의 투자자들은 각자의 개별지성이 작동하고 있으며, 개별적 이성과 합리적 판단으로 시장에 투자하고 있다. 그리고 이들에게 당장 주가가 급등할 것이라는 자기확신이나 암시는 주어지지 않은 상태다. 결국 이때는 주식시장에서 각각의 투자자들이 개별지성으로 활동하고 있다는 의미가 된다. 그래서 주가는 일정한 추세를 형성하지 않고, 바닥권에서 머무르는 시간은 길어진다. 주가가 고점에 다다랐을 때 반전은 짧은 시간에 일어나지만, 바닥에 이른 주가는 긴 기간 서로의 힘을 테스트하며 바닥을 다지게 된다. 의사가 하나로 모이지 않기 때문이다.

하지만 일정 시간이 지나 과거 고점에서 보유하고 있던 손실 거래자들이 보유피로를 느끼며 주식을 내다팔아 고점 매수자들이 거의 사라지게 되면, 팔려는 사람은 없고 매수 기회를 신중히 탐색하는 매수자의 시장이 된다. 균형이 깨지는 것이다. 이때 균형을 깨는 암시가 주어진다. 작은 순환이라면 경기회복론이, 대순환이라면 신기술의 발명 등이 암시성을 띠는데, 투자자들이 그 암시를 조금씩 받아들이기 시작하면 감염 바이러스가 시장 밖으로 퍼져나가기 시작한다.

그 결과 시장에는 발행주식 대비 투자자의 수가 증가하기 시작하고, 주주당 보유주식 수는 희석된다. 즉 주가가 오를수록 투자자는 늘어나고, 투자자당 지분은 희석되며, 초기 보유자들의 지분은 더 비싼 값에 신규 진입자들에게 팔려나가는 것이다. 이렇게 주주들의 수가 늘어나면 암시는 더욱 강해진다. 시장에는 논리가 생기기 시작하고 많은 논리들 중에서 어떤 것이 대표성을 획득할 것인지에 대한 치열한 암투가 벌어진다.

앞서 말한 대로 시장의 암시는, 단순하고 짧고 인상적이며 명료하고 표면적인 것일수록 강하다. 시장은 영웅을 만들고 동시에 희생양을 배출한다. 주식당 가격이 오르면서 점점 진입장벽을 만들기 때문에 신규 진입자를 유입하려면 비싸진 주식을 더 비싼 값으로 사게 만드는 동기를 부여해야 한다.

2007년 초라면 차이나 스토리가 동기였을 것이다. '성장하는 중국', '13억 인구의 구매력'은 더할 나위 없이 좋은 논리다. 이때 합리적 비판은 뒤로 숨는다. 표면적인 논리들이 연결되어 더 강한 암시성을 획득한다. 예를 들어 '13억 중국인이 냉장고를 한 대씩만 산다면?', '중국의 중산층은 아직 겨우 1%', '중국인들이 선호하는 숫자는 8(그래서 주가지수가 8,888포인트를 넘긴다는 주장이 난무했다)'과 같은 표면논리들이 대중을 자극하는 것이다. '하일 히틀러(Heil Hitler, 히틀러 만세)'가 아닌 '하일 차이나'인 셈이다. 하지만 나치 독일이 유대인에게 그랬듯이 흥분은 증오를 낳는다.

중국의 부각은 중국 관련 중화학공업주식에 대한 사랑으로 연결되었지만, 상대적으로 중국과 무관한 주식들은 배척되고 배격되었다. 중국 관련 주들은 주가수익배율이 300, 주가순자산배율(PBR)이 10을 넘어섰지만, 그 반대쪽에 있는 주식들은 신저가를 갱신했다. 대중은 합리적인 판단보다 암시에 도취되어 비판능력을 잃어버렸다.

일부 냉정을 유지하는 투자자들은 그들이 보유한 주식을 버리고 시장에서 한발 물러난다. 예를 들어 버핏이 매도한 페트로차이나 주식은 수십만 투자자들의 손에 나뉘어졌을 것이고, 합리적 견해를 봉한 초기 투자자들의 보유 지분은 흥분한 대중의 손에 각각 흩어질 것이다. 따라서 정점에 이르면 주주의 수는 증가한다.

대중의 광기는 빠르게 전염된다

바이러스가 강하게 전파되어 모든 사람이 그곳에 뛰어들면 이제 바이러스는 더 이상 퍼지지 못한다. 이 바이러스는 이성을 마비시켜 더 비싼 값에 사줄 다음 바보가 있을 것이라는 믿음을 바탕으로 성장했지만, 대중이 모두 바이러스에 감염되는 순간, 즉 살 만한 사람은 모두 주식을 보유하고 있다는 사실을 알게 되는 순간이 온다. 못 사서 안달이던 주식이 팔리지 않고 더 비싼 값을 치르지 않아도 주식을 매수할 수 있게 되면, 시장은 정점에 이른 것이다.

대중심리에 휩싸인 대중들이 제자리로 돌아가는 속도는 그야말로 전광석화와 같다. 초기에 바이러스에 감염되었던 사람들부터 뒤늦게 가담한 사람들의 순으로 면역력을 획득하면서 그동안 무시해왔던 논리적 기반이 얼마나 취약했던가를 깨닫기 시작한다. 마비된 이성이 회복되는 것이다.

주식을 보유한 사람의 수가 적정치를 기록하고 그 수가 줄어들기 시작하면 대중의 믿음은 급속도로 약화된다. 광장에 매일 같이 늘어나던 군중의 무리를 보며 확신을 강화해왔던 사람들이, 어느 날 광장 한쪽이 비어 있는 것을 발견하면 믿음이 약해진다. 대중은 단번에 광기에 휩싸인다. 돌아가는 길을 걱정하기 시작하면서 일거에 출구로 몰려든다. 좁은 출구는 서로 빠져나가려는 사람들로 아비규환을 이루고, 서로 밟히고 넘어지며 비극을 연출한다.

출구가 보이지 않는 뒤편의 사람들은 한시라도 더 빨리 출구에 도착하기 위해 전력을 다하지만, 정작 그들의 뒤를 쫓는 불길은 없다. 다만 그들의 망상 속에서만 뜨거운 불길이 뒤쫓고 있을 뿐이다. 그래서 대중의 강화된 심리는 극명하게 반대로 뒤집히고, 흥분은 공포로 광기는 절망으로 변한다. 무너지는 주가가 폭포처럼 떨어지는 이유다.

거품을 일으킨 대중은 무조건 광장을 벗어나야 한다. 이번에도 그들의 판단에는 아무런 이유가 없다. 모두가 빠져나갈 필요는 없다. 축제인파뿐 아니라 평소 산책을 즐기는 이들마저 영문도 모르고 분위기에 휩쓸려 광장을 벗어나기에 급급하다. 그래서 광장은 텅 비고 불과 얼마 전에 즐겼던 축제의 밤은 사라지고 다친 부상자들의 절규만 가득하다. 거품이 낀 주가는 적정가치를 벗어나 저평가로 내달린다. 사람들은 광장에서 벗어나는 순간까지 그렇게 떼를 지어 몰려다닌다.

결국 거품이 터지면 저평가도 커지지만, 내재가치를 중심으로 움직이는 소순환은 적정가치 부근에서 지지점을 찾는다. 그래서 대순환은 극도의 저평가를 연출하고, 소순환은 적절한 수준에서 조정을 마치고 다시 진로를 모색한다. 광장에 일상적 군중이 남아 있는 것과 그것마저 사라진 사이, 페스트가 휩쓸고 간 자리와 독감이 유행한 자리는 그렇게 다른 것이다.

결국 우리가 시장에서 판단해야 할 것은, 대중의 광기가 과연 얼마나 치명적이고 얼마나 많은 사람들을 감염시키는가 하는 것이다. 그 위력이 얼마나 큰지에 따라 다음을 대비해야 한다. 주가가 이유 있는 확신을 근거로 일시적 고평가에 이른 것이라면 조정은 기회다. 그러나 모두가 "코스닥 주세요." "중국펀드 주세요." 하고 있는 상황은 그 다음에 올 조정이 비정상적일 것이라는 사실을 강하게 암시하고 있다.

대중심리를 주식시장에 반영할 때 중요한 논점은 정보의 정확성이다. 정보는 다양한 경로를 통해 침투한다. 대중심리에서 감염력을 가진 바이러스는 정보의 소통이고, 그 매개는 언론이다. 언론은 바이러스 전파의 결정적 매개자다.

심지어 험프리 네일은 신문에서 주식시장에 대한 언급의 빈도를 분석해서 주가의 고점과 저점을 판단하는 모형을 개발했다. 주가가 상승할 때 신문에 언급되는 뉴스의 양을 보고 흥분도를 측정한 것이다. 우리가 주로 소통하는 전파 경로는 인터넷의 발달로 매우 다양해졌다. 언론으로 통칭되는 정보의 공식전달, 증권사 홈페이지를 통한 직접전달, 인터넷 게시판 등을 이용한 대중들 간의 수평전달, 소위 입소문으로 불리는 말의 전달 등이 그 경로다.

감염 경로가 다양할수록 방역은 거의 불가능해진다. 과거 정보전달 창구가 신문과 '레터'라 불리는 정보지, 증권사 객장, 개인의 입이 전부였다면, 지금은 그 경로를 짐작도 할 수 없을 정도로 다양하고 실시간으로 전파되기까지 한다.

이러한 전달 방식과 속도의 증가는 어이없는 대중의 반응을 유발한다. 예를 들어 911테러 이후 미국 국회의사당에 배달된 탄저균 편지는 전국을 공포로 몰아넣었다. 탄저로 사망한 사람은 그해 감기로 사망한 사람의 10분의 1도 되지 않았지만, 탄저의 공포는 모든 공공기관의 우편물을 집게로 집어들도록 만들었다. 또 911 항공기 테러는 이후에도 비행기를 타야 할 수많은 사람들을 길고 긴 버스여행을 하도록 만들었다. 합리적 이성은, 테러 이후 역사상 가장 철저한 항공 검색이 이루어지고 있는 지금이 가장 안전한 시기라고 말하고 있었지만, 사람들이 그 공포로부터 벗어나는 데는 오랜 시간이 걸렸다.

그뿐만이 아니다. 아시아의 사스 공포는 그야말로 상상을 초월했다. 사스로 인해 여행객과 세계 교역량이 10분의 1로 줄어들면서 전문가들은 연일 TV에서 전세계 경제가 공황에 빠질 것이라고 걱정했다. 각국 중앙정부는 정체도 모르는 사스 공포에 질려 수백만 명이 투여할 수 있는 분량의 항바이러스제를 비축하려 들었다. 심지어 전국의 의사들에게 사스 발생시 행동요령과 치료지침이 전달되었고, 사스를 진료하려는 의료기관이 없어 국방부 산하 야전병원을 사스 전용병원으로 지정하는 호들갑을 떨었다.

대 중 광 기 의 지 배

공포는 공포를 몰고 온다. 인터넷은 두려움을 증폭시킨다. '만약에'라는 말만큼 무서운 말은 없다. 특히 희망을 담은 바이러스는 강한 면역에 속속 무릎을 꿇지만, 절망이라는 바이러스는 대중을 일거에 휘감아버린다. 그만큼 인간은 공포에 취약하다.

공포 국면에 있어서 언론은 중요한 역할을 한다. 언론은 무수한 정보

중에서 그나마 합리적인 준거를 제공할 것이라고 기대하기 때문이다. 하지만 언론은 비합리적이다. 사회면의 사건과 사고는 일과성을 갖는다. 집단 살해범이 잡혔다고 해서, 모두가 길거리에 나서기를 두려워하지는 않는다. 하지만 정치 경제적 요소는 단속적이 아니라 연속적이다. 충격은 충격을 낳고 대중은 더 강한 공포를 요구한다. 대중은 마조히스트이며 언론은 사디스트다.

대중심리가 작동할 때 언론은 두 가지 행태를 보인다. 하나는 초기에 합리적인 논조가 대세이던 언론이 대중의 주장에 매몰되어버리는 것이고, 다른 하나는 언론이 대중의 표면적 어젠다를 선점하며 대중을 끌고 가는 것인데, 이 둘은 동시에 작용한다.

특히 경제에서는 이 문제를 피할 수 없다. 언론은 뉴스를 다룬다. 하지만 그 뉴스는 사건과 사고가 중심을 이룬다. 대중은 사악해서 희망적인 뉴스에는 반응하지 않지만 절망적인 뉴스에는 열광하는 속성이 있다. 주가가 저평가되어 있을 때 저평가의 목소리를 전하거나, 대중이 광기에 사로잡혀 있을 때 이성적인 목소리를 전하는 기사는 대중으로부터 지지를 얻지 못한다. 반면 대중이 원하는 기사를 싣는 순간 언론은 어젠다를 선점하게 된다.

주가가 상승할 때 상승 이유는 대중이 먼저 알고 있고 대중이 어젠다를 선점하고 있다. 상승하는 시장에 상승의 이유를 설명하는 것은 배부른 사람에게 밥상을 들이미는 것과 같다. 하지만 하락하는 시장에 출구로 몰려 서로 짓밟는 대중을 비추는 기사는 출구 쪽 상황을 몰라 초조해하던 대중들의 간절한 욕구를 충족시킨다.

주가의 하락은 언론의 입장에서는 사건과 사고다. 더욱이 그런 종류의 사건과 사고는 점점 극치점을 높이며 더 강한 자극을 요구하고, 실제로 그런 일이 현실에서 일어난다. 거품이 터진 상황에서 정보 전달자는 어젠다를 선점한다. 대중은 우왕좌왕하며 언론과 정보가 가리키는 방향으로 내달린다. 이때 대중이 정보로부터 얻을 수 있는 것은 아무것도 없다. 현명한 투자자는 대중의 목소리와 대중의 요구를 반영하는 언론과 정보들을 냉정하게 바라보고 그 끝이 어디인지를 짐작하는 사람들이다. 결국 언론은 소수를 위해 복무하는 셈이다.

개별주식에서 대중심리가 작동하는 메커니즘은 이보다 훨씬 더 복잡하다. 개별주식 특히 중소형주식에서는 대중심리의 전파자가 명확하다. 진원이 확실하게 존재한다는 말이다. 개별주식 역시 주가가 바닥에 있을 때 보유자는 소수이며 일인당 보유주식 수는 편중되어 있다.

바이러스를 전파하는 요령은 지극히 단순하다. 매개자들이 유통주식 수를 감소시킬수록 대중의 관심은 높아진다. 이를테면 특정 기관 투자가가 10% 이상의 지분을 확보하면, 기존 대주주 지분과 기관 투자가의 지분, 그리고 소수 중간 대주주들의 지분만으로도 유통주식의 상당수는 이미 수면 아래로 숨어버린다. 약간의 매수자만 등장해도 주가는 민감하게 반응하고, 기술적 분석가들은 매집이 완료되었다는 이런 주식을 찾기 위해 혈안이 되어 있다.

이제 질병이 전파될 최적의 조건을 모두 갖춘 것이다. 하지만 장기적으로 소외됐던 개별주식에 대중의 관심을 끌어들이기 위해서는 명료한 논리가 필요하다. 이때는 시장 전체의 구호와는 달리 훨씬 거칠고, 실현 불가능한 것이어도 상관없다. 시장 전체를 감염시키기 위해서는 몇 개의 논리가 서로 충돌하고 그 중 살아남는 것만이 주도권을 행사할 수 있지만, 개별주식의 경우에는 소수의 사람들만 동의해도 충분하다. 그래서 때로는 물로 가는 자동차나 제조비용이 제품 값의 5배나 되는 냉각캔과 같은 요소들만으로도 충분하다.

합리적인 대중은 외면하지만, 기술적 분석에 주력하는 투자자들은 그것이 진실인지 여부를 확인할 필요가 없다. 그것이 현재의 수급불균형 상황을 무너뜨리는 명분이 된다면 그만인 것이다. 우리는 이런 바이러스들을 가리켜 '테마'라고 부른다. 다만 이 테마는 시의성을 갖추고 논리적 허점을 공략해야 한다. 대중에게 공상은 수용되지만 망상은 받아들여지지 않는다. 그리고 앞서 말한 대로 대중의 수가 중요한 것은 아니다. 하나의 표어로 뭉치지 않은 대중은 100만 명이라 해도 개별이성이지만, 하나의 논리로 무장한 대중은 1,000명밖에 안 된다 해도 강력한 방향성을 가진다.

대중은 스스로를 속이고 남을 속인다. 개별주식 초기 보유자들에게 비싼 값을 치른 대중들은 그 진실이 드러나기를 원치 않는다. 참여한 대중은 공범이 된다. 물로 가는 자동차에 기름 탱크가 따로 숨겨져 있다는 사실을 발견했다손 치더라도 그들은 애써 물이 담긴 연료통만 바라본다. 자신들의 공상이 스토리를 상실하는 순간 바보로 전락하기 때문이다.

마치 에이즈 감염자가 에이즈를 퍼뜨리듯 이들은 오히려 적극적으로 나서서 더 많은 사람들을 끌어들이기 위해 노력한다. 마음 한구석에 그것을 부정하는 이성이 숨어 있더라도 공동의 이익과 나의 이익을 수호하기 위해 그러한 이성은 흔적도 없이 감춰버린다. 참여한 대중은 새로운 참여자를 확보해야 한다. 그러면 그럴수록 그들이 보유한 주식의 가치는 높아지고, 또 그것들을 비싼 값에 매도할 수 있기 때문이다. 이렇게 해서 피라미드 구조가 형성되는 것이다.

피라미드 사기가 드러나는 것은 증가율이 감소하는 순간이다. 개별주식이 무너지는 이유는 추가매수자가 없어서가 아니라 추가매수자가 늘어나는 속도가 둔화하기 때문이다. 주식의 가격이 비싸지는 만큼 주가를 올리는 데는 엄청난 돈이 필요하다. 피라미드 구조에서 하부로 갈수록 사람이 증가해야만 이익이 나는 구조와 같다.

하지만 테마의 논리적 취약성이 드러나는 데는 그리 오랜 시간이 걸리지 않는다. 참여자 모두가 공범으로 바이러스를 전파했기 때문에 상승과 하락은 훨씬 가파르고 치명적이다. 주가가 10배, 20배 오르는 것은 예사이고 그 사이 주식의 주인은 열 번이나 바뀐다. 개별주식의 흥분이 정점에 이르면 초기보유자는 한 명도 남지 않는다. 다른 사람의 손에 이끌려입소문에 감염되어 들어온 수많은 사람들이 '정보'의 취약성과 무서움을 깨닫고 나면 광란은 끝이 난다.

정리하자면 대중심리가 시장을 지배하는 과정은 이렇다. 먼저 대중이 절망적인 상황에 빠져 있을 때 그 상황을 돌파하고 구원하는 희망의 씨앗이 잉태된다. 그 다음 그것은 전염성을 갖고 대중에게 전파된다. 처음에는 동의하지 않던 합리적인 사람들도 동의하게 된다. 다음으로 대중이 공유하고 있는 논리가 다수의 것임을 증명하며 점차 확산되어가고 암시는 더욱 강화된다. 자신이 믿고 있던 사실을 의심하던 사람들도 강화되는 암시에 회의를 거두며 자기확신이 더욱 강력해진다.

이러한 대중의 확신은 점점 분열하면서 비슷한 논리들을 수용하고, 점점 더 많은 새로운 주장과 논리들을 흡수하며 자기발전을 거듭한다. 하지만 이렇게 연결된 논리들의 연계가 점차 근거를 상실한다. 불확실성을 증폭하는 자기붕괴 과정을 거쳐 이탈이 유발되며, 소수의 이탈은 치명적인 자기붕괴로 이어진다.

모든 대중적 열광은 이렇게 형성되고 소멸된다. 그 대상이 튤립이든 주식이든 땅이든 석유든 간에 상관없이 대중의 환상은 순식간에 부풀었다가 드라마틱하게 사라지고 만다. 그리고 대중은 다시 새로운 연대를 모색하며 초인을 기다린다.

이런 과정에서 벗어나 현명한 입장을 취한다는 것은 대단히 어려운 일이다. 과거를 분석하고 돌이켜보면 어리석기 짝이 없는 일이지만, 막상 그 순간에 광장에 서면 자신도 모르게 대중의 논리에 빠져들어 이성이 마비된다. 아무리 냉철한 사람이라고 해도 그것을 피하기는 어렵다.

무엇보다 진짜 문제는 이런 대중 광란의 지속성이다. 대중의 광란은 빠져나갈 때는 전광석화처럼 빠르게 소멸하지만, 부풀어오를 때는 훨씬 오랜 시간 동안 확장되는 속성을 지닌다. 때문에 그 순간 냉철한 사람들이 대중의 광기에 대해 빠르게 확신한다 하더라도 광기가 부풀어올라 인지되는 시점은 그보다 훨씬 나중이 된다.

현명한 판단력을 가진 사람이 대중으로부터 한발 물러나서 그것을 대중심리라고 규정했다 하더라도, 그는 예상보다 장기간 대중으로부터 소외되어 외로운 시간을 보내야 한다. 이렇게 힘든 혼자만의 번민에 빠져 있다보면 결국 지쳐서 판단력이 흐려지고, "이번에는 다르다."는 논리의 함정에 매몰된다.

이것이 대중의 광기가 무서운 진짜 이유다. 대중의 광기는 타이머가 달린 기폭장치가 아니다. 정해진 시간에 정확하게 폭발하는 시한폭탄처럼 그 끝이 보인다면 아무도 그곳에 동참하지 않을 것이다. 대중의 광란을 담은 폭탄은 시간이 지나 경계심이 흐트러지고, 많은 사람들이 불발탄이라고 확신할 때 갑자기 폭발한다. 어떤 방비나 대비할 시간도 주지 않고 일거에 휩쓸어버리는 것이다.

광기의 끝은 시계로 계측할 수 없다. 어부가 바람의 냄새를 맡고 폭풍우를 예측하듯 대중의 광란을 포착하려면 예민한 감각을 소유하는 길밖에 없다. 현명한 투자자는 광란을 기피하지만 영민한 투자자는 그것을 이용한다. 하지만 그것을 이용할 수 있다고 믿는 자신감이 때로는 함정에 빠뜨리기도 한다는 걸 알아야 한다.

대중의 광란에서 벗어나는 법

그렇다면 어떻게 하면 대중의 광란으로부터 벗어날 수 있을까. 그 방법은 생각보다 어렵지 않다.

우선, 어떠한 정보나 소문을 접했을 때 대중의 주장이나 그 정보를 전달하는 사람의 권위에 기대지 말아야 한다. 우리는 그것이 유명 학자나 대학교수의 입에서 나오면 더욱 신뢰하는 경향이 있다. 1929년 대공황이 왔을 때, 당대의 경제학자 어빙 피셔(Irving Fisher)가 한 말을 기억하라. 당시 그는 "주가는 더 이상 하락할 수 없는 높은 고지에 도달했다. 생산성은 강화될 것이고 주가의 하락은 대중의 일시적 공포에 불과하다."고 선언했다. 그의 말은 대중의 광란을 부정하는 사람들까지 광란의 참여자로 만들고 말았다. 하지만 진실은 그 너머에 있었다.

결국 정보가 광란을 유발하는 마지막 순간에는 오히려 확정적인 권위의 힘을 빌려 입고 그 모습을 드러내는 경우가 있다. 그러므로 우린 항상 개별자이고 독립된 이성이라는 사실을 잊지 말아야 한다. 현재 내가 서 있는 자리가 어디인가가 중요한 문제이지, 누가 같이 서 있는가는 실상 전혀 중요한 문제가 아니다.

두번째는 합리적 추론이다. 대중의 광란이 무조건 틀린 것은 아니다. 때로는 대중의 비이성적 행동이 실체화하는 경우도 있다. 특히 긍정적인 것보다는 부정적인 것들의 경우에 더 그렇다. 대중은 쉽게 흥분하기 때문에 실체화될 수 있는 정보에 지나치게 빠르게 반응한다. 긍정적 정보나 신호들이 때로는 먼 미래에 사실로 나타나기도 하지만 대개 그 순간은 거품을 이룬다. 유전, 기차, 자동차, 전자, 바이오, IT까지 어쩌면 우리가 경험한 혁명적 진보들은 거의 모두 그런 과정을 거쳤다.

하지만 대중이 현명한 경우도 있다. 이를테면 대중의 불안이 결과적으로 IMF로 확인된 우리나라의 사례나, 대공황 당시 주가가 처음 급락할 때 달리는 기차에서 뛰어내린 사람들이 결과적으로는 현명했던 사실 등을 보면 더욱 그렇다. 어쨌든 대중은 위험신호에는 회의하지 않고 빠르게 반응하지만, 긍정적 소식에는 회의하며 더디게 발전한다. 탑을 쌓기는 어려우나 무너지기는 쉬운 것이다.

따라서 대중의 광란에 대해 좀더 합리적으로 추론하는 과정이 필요하다. 특히 대중이 전하는 소문들은 자가발전을 거듭하기 때문에 빠른 속도로 무너지는 광기의 폭락이 복잡한 강화과정을 거친 거품의 형성보다는 훨씬 사실적이고 정확한 경우가 많다. 이를테면 신문이 전하는 정보보다는 내 귀에만 들려주는 속삭임을 훨씬 더 신뢰하는 것과 같다. 또 책에서 얻은 정보보다는 특정인의 홈페이지에서 습득한 정보를 우월시하고, 나에게만 전달되는 비밀스럽고 음습한 정보의 가치를 더 높이 치는 경향이 있다.

심지어 내가 그 정보를 들었을 때, 그것을 전하는 심리는 스스로 권력을 부리는 자기만족과 자신이 알고 있는 정보를 타인이 공유하게 함으로써 자기확신을 더욱 강화하려는 이중적인 심리가 작동하는 것이다. 그래서 우리는 내가 얻은 정보를 타인에게 흘리고, 그것은 다시 다른 사람의 귀에 흘러들어가며, 그 과정에서 소문은 점점 부풀려지고 부정확해지며 논리에는 결함이 생긴다. 소문의 실체를 덩어리만 보지 말고 양파껍질처럼 까 들어가며 하나하나 해체해보면 대중의 터무니없는 확신은 그 실체를 드러내게 마련이다.

골드만삭스의 로버트 멘셜(Robert Menschel)은 《시장의 유혹, 광기의 덫 *Markets, Mobs & Mayhem*》이라는 책에서 미국의 사회학자 에드워드 올스워스 로스(Edward Allsworth Ross)의 입을 빌려 광기에 대해 다음과 같이 정의한다.

첫째, 광기가 마지막 고원에 도달하는 데는 예상보다 훨씬 더 긴 시간을 필요로 한다. 둘째, 전염이 강해지면 강해질수록 그것이 확산되는 범위가 커지면 커질수록 광기에 동참하는 지성들의 수준도 점점 더 높아진다. 셋째, 광기가 정점으로 치달을수록 그 논리는 점차 부조리해지며 주의주장에서는 비합리적인 허점들이 속속들이 발견된다. 넷째, 광기가 고조될수록 그에 따른 행동은 점점 즉각적이고 강력해진다. 다섯째, 광기는 또 다른 광기를 불러오며 처음과는 서로 다른 논리들을 연결해서 본질이 변화된다. 여섯째, 냉철하며 합리적인 사회보다는 정열적이고 역동적인 사회가 광기에 전염되기 훨씬 쉽다. 일곱째, 참여하는 대중의 동질성은 광기의 강도를 높이는 중요한 요소가 된다. 이를테면 같은 인종, 같은 민족, 같은 주식 투자자, 같은 이데올로기 등의 동질성은 광기의 핵심적 요인인 것이다.

이제 대중이 쌓아올리는 흥분의 탑과 대중이 무너뜨리는 탑은 같은 탑이다. 하지만 그에 작용하는 원리는 서로 다르다. 이럴 때 투자자는 어떤 선택을 해야 할 것인가?

당신이 시장의 변덕에 관심이 없고 장기적인 순환에 가치를 부여하고 있으며 공짜점심에는 흥미를 느끼지 못하는 냉정한 투자자라면, 대중이 도취하는 주제가 현실화 가능성이 있건 없건 멀리할 일이다. 그것에 대해 미리 궁금해하지 말고, 그것이 현실화된 다음 그 가치만 평가하는 것으로 만족해야 한다.

　당신이 초과수익에 관심이 있고 성장이 주는 유혹으로부터 멀어질 수 없다면, 또 그로 인해 감당할 수밖에 없는 위험을 얼마든지 감내할 수 있다면, 대중의 광란에 주목하라. 하지만 대중의 광란이 갖는 특성을 잘 이해하고 주변에 회의론자가 사라지고, 마지막에 남은 당신의 이성마저 그것을 사실로 인정하려 들 때, 과감하게 망치로 자신의 머리를 내려치며 흥분에서 깨어나 그곳을 빠져나오라. 광기는 악마의 술잔이다. 그것을 가까이하다보면 당신도 어느새 도취되어 악마가 내미는 술잔을 거침없이 받아 마시게 될지도 모른다는 사실을 항상 기억하라.

불완전경쟁의
딜레마,
게임이론

〈뷰티풀 마인드〉는 게임이론으로 유명한 수학자 존 내시(John Nash)의 드라마틱한 삶을 그린 영화다. 그 영화 중 다음과 같은 장면이 있다.

주인공은 친구들과 함께 술집에 갔다가 비슷한 또래의 여자들을 만난다. 친구들의 시선은 그 중 가장 아름다운 한 금발여인에게 집중된다. 만약 친구들 모두가 그 금발여인과 커플이 되기를 원한다면, 한 명은 금발여인과 파트너가 되겠지만 자신이 그 행운아가 된다는 보장은 없다. 더구나 모두가 금발여인에게만 관심을 보인다면, 이후 선택받지 못한 사람들이 나머지 여인들에게 접근했을 때 자존심이 상한 여인들의 거절로 모두가 파트너를 구하지 못하게 될 수도 있다.

애덤 스미스(Adam Smith)의 말대로 개개인이 최선을 다할 경우 전체가 이롭다는 명제를 여기에 적용할 수 있다. 즉, 모두가 금발여인에게 최선을 다한다면 단 한 명의 승리자 외에는 모두가 패배자가 되는 것이다. 하지만 이때 금발여인을 포기하고 나머지 여인에게 눈길을 돌리면 성공할 가능성이 커지고, 이 균형은 모두를 행복하게 할 수 있다. 금발여인과 파트너가 되는 최대이익은 거두지 못하지만, 파트너를 구하지 못하는 최악의 상황을 피하게 되는 균형을 이루게 된다는 말이다. 수학이나 경제학에서는 이런 균형을 '내시균형(Nash equilibrium)'이라고 부른다.

주식시장을 움직이는 게임이론

게임이론을 좀더 깊게 파고들면 '죄수의 딜레마' 이론이 나온다. 죄수의 딜레마는 경제학과 경영학에서는 고전적인 게임이론 중 하나다. 우연히 공범이 된 두 명의 죄수가 각각의 취조실에 따로 앉아 있다. 이때 조사관이 자백을 얻어내기 위해 다음과 같이 제안한다.

"첫째, 만약 당신이 죄를 자백한다면 3년형으로 감형시켜주겠다. 둘째, 하지만 당신이 자백하지 않고 옆방의 공범이 자백한다면 당신은 모든 죄를 뒤집어쓰고 혼자서 10년형을 살게 될 것이다. 셋째, 당신과 동료가 둘 다 자백을 하면 두 사람은 모두 3년형을 살 것이다. 넷째, 둘 다 끝까지 자백하지 않으면 모두 무죄가 된다. 어떻게 하겠는가?"

이 경우 최선은 두 사람 다 침묵하는 것이다. 하지만 이들은 우연히 공범이 된 경우이므로 상대를 불신하게 된다. 따라서 죄수는 자신에게 가장 유리한 전략을 생각해야 한다. 이때 상대가 어떤 태도를 취하든 자신에게 이익이 되는 방법은, 상대가 자백을 하든 안 하든 내가 자백을 하는 것이다. 게임이론에서는 이것을 가리켜 '지배균형 전략'이라고 부른다.

두번째는 상대가 태도를 바꾸지 않는 한 나도 바꾸지 않는 것이다. 즉 상대가 배신하면 같이 배신하고, 상대가 침묵하면 자신도 침묵하는 것이다. 이런 전략을 가리켜 '내시균형 전략'이라 부른다. 하지만 여기서 두 사람은 서로의 의견을 알 수 없는 상태기 때문에 둘 다 자백을 택하고 3년형을 살게 된다. 최악인 10년형을 피하기 위해서는 최대이익, 즉 무죄가 될 수 있는 기회를 버려야 하기 때문이다.

이는 둘 다 자백하지 않는 것이 최선이지만 결국은 비합리적인 차선을 택할 수밖에 없고, 사실은 그것이 가장 합리적인 결정임을 극명하게 보여준다. 물론 이것은 소수만이 참여하며 단 1회의 게임에 의해 결정된다는 성질을 갖고 있어서, 다수가 반복적 게임을 펼친다는 주식시장의 성질과는 차이가 있다. 그러나 주식시장의 경우도 이 게임의 양상과 크게 다르지 않다. 기본적으로 서로에 대한 정보가 확실하지 않은 불완전 경쟁인 주식시장에서도 죄수의 딜레마는 실시간으로 일어나며, 우리는 최대의 이익을 누리기보다는 결국 차선을 선택하는 것이 가장 안전한 방법임을 이해해야 한다. 이 부분을 좀더 자세히 이해하기 위해서는 다음 이야기를 살펴볼 필요가 있다.

공멸을 부르는 공유지의 비극

어떤 농촌에 일정 규모의 목초지가 있다. 이 농촌의 농가들은 사이가 좋지 않아 서로 왕래를 하지 않는다. 그래서 젖소를 키우는 각 농가는 제한된 목초지 안에서 최대한 많은 소를 키우려고 할 것이다. 목초지는 사료 값이 들지 않는 환경이므로 많이 키우면 키울수록 이득이다.

그런데 각 농가가 모두 소가 늘어나서 목초지가 황폐해지면 결국 농가가 최종적으로 입는 손실은 각 농가가 나누어 가지게 된다. 즉 손실은 나누고 이익은 혼자서 차지한다. 그래서 너도나도 소를 늘리게 된다. 그 이유는 무엇일까?

경제적으로 생각하면 모든 사람은 기대비용과 기대이익을 두고 판단한다. 일단 최대한 소를 늘려서 얻는 기대이익은 내 것이다. 하지만 소가 늘어나서 우유 생산량이 떨어짐으로써 발생하는 손실은 각 농가가 공동으로 지게 된다. 즉 손실은 나누고 이익은 커지는 것이다. 그래서 너도나도 빨리 소를 늘리게 된다. 농민들이 합리적이라면 가구당 소의 적정 수를 정해서 모두가 최대이득을 얻을 수 있도록 하겠지만 그들은 그렇게 행동하지 않는다. 즉 정보를 공유하고 합리적으로 행동할 수 있는 시장이 아닌 경우 사람들은 각자 자신의 이익을 위해 내달리게 되고, 그것은 곧 공멸을 가져온다. 이것을 '공유지의 비극(Tragedy of commons)'이라고 부른다.

주식시장도 마찬가지다. 서로 주식을 사들이면 언젠가는 금고의 돈이 바닥난다. 그리고 언젠가는 주가가 하락할 것이라는 사실을 모두가 알고 있다. 그러나 주가가 하락한다고 해도 다른 이의 금고 돈이 바닥나는 시점을 알 수 없기 때문에 지금 주식을 사면 조금 더 수익을 낼 수 있을 것이라고 믿는다. 만약 모든 사람들이 서로의 계좌를 체크하고 금고의 잔액을 알 수 있다면 주가는 어느 수준에서 상승을 멈추고 거래가 중단될 것이며, 각각의 금고에 돈이 다시 쌓이기를 기다렸다가 게임을 계속할 것이다.

결국 여기서 균형을 찾으려면, 내가 주식을 사고 싶은 만큼 다른 사람도 그럴 것이고, 내가 가진 돈을 전부 써버리면 다른 사람 역시 그럴 것이라는 사실을 전략적으로 생각할 수 있어야 한다. 즉 내가 갖고 있는 기대심리는 다른 이들도 갖고 있다고 판단하는 것이 옳다.

하지만 사람들은 그런 선택을 하지 않는다. 모두가 자신이 죽는다는 사실을 알고 있지만, 내일 죽을지 모레 죽을지를 모른다는 이유로 오늘 이 순간에도 그 귀한 시간들을 흥청망청 보내버리는 어리석은 짓을 한다. 그리고 그와 같은 심리로 우리는 시장을 바라보고 있는 것이다.

투자의 승률은
누구에게나
반반이다

과거 개인 투자자들이 주식투자를 시작할 때 가장 먼저 배우는 것은 소위 기술적 분석이었다. 많은 사람들이 그것으로 대박을 냈다는 이야기를 들었고, 또 증권방송이나 인터넷에서 가장 많이 접할 수 있는 도구도 그것이다. 기업 분석을 하기에는 턱없이 정보가 부족한 개인 투자자들이 접근할 수 있는 유일한 방법이기도 하다.

그런데 이 기술적 분석이라는 것이 주식시장이나 주가를 예측할 수 있는 기능이 있을까? 즉, 이 '분석'이라는 말은 문자 그대로 현상을 해체해서 그것이 무엇인지를 알고자 하는 것일까, 아니면 그것을 바탕으로 미래를 예측하자는 것일까? 그런데 과연 이 예측이라는 것이 존재할 수 있긴 한 걸까? 지금부터 이 부분에 대해 생각해보자.

정확한 주가 예측은 불가능하다

1800년도 후반부터 약 200년간 자본주의 시장에 주식시장이 열려 있었지만, 지난 200년의 역사 속에서 기술적 분석으로든 다른 방법으로든 자기 돈으로 주식투자를 해 부자가 되었다는 얘기는 별로 들어본 적이 없다. 가끔 피터 린치나 워렌 버핏처럼 큰 수익을 올렸다는 전설적인 투자자들에 대한 이야기들이 있긴 하지만, 이 사람들 역시 자기가 운영하는 기금이나 펀드가 역할을 해주었기에 개인 투자자라고 보긴 어렵다.

주식시장이란 주가를 연속적으로 약 30번 내지 50번만 정확히 예측할 수 있으면 바로 수만 배의 수익이 날 수 있는 구조다. 2배가 4배, 4배가 8배가 되고, 신문지를 30번만 접어도 달나라까지 갈 수 있는 길이가 되는 것처럼 무서운 수익을 낸다. 만약 주가가 예측이 가능하다면 이렇게 엄청난 수익을 거둔 사람이 나와야 하는데 지금까지 그런 사람은 없었다.

과거 미국시장에서도 주식시장을 예측해보겠다며 천재들이 등장했고, 심지어는 로켓 과학자들까지 나와서 각종 어려운 수학이론과 함수이론을 대입해서 주식 분석을 시도하고 이론을 만들었지만 번번이 깨지고 말았다. 존 케인즈(John Keynes)를 비롯한 노벨경제학상 수상자들마저도 주식투자에서 손실을 보고 물러설 수밖에 없었으며, 세계적인 명사들이나 우리가 알고 있는 대단한 천재들도 주식시장을 예측하지 못했다.

그런데도 왜 우리는 주식시장을 예측할 수 있다고 생각할까? 어찌 하여 "내가 가르치는 이론을 배우면 돈을 벌 수 있다. 내가 쓴 책을 보면 부자가 될 수 있다."는 이야기들이 횡행하는지 생각해보아야 한다. 단언하건대 주식시장의 움직임을 예측할 수 있는 사람은 지구상에 없다. 주가는 예측할 수 없고 시장의 방향성도 예측이 불가능하기 때문에 시장이 존재하는 것이다.

만약 시장의 방향이 예측 가능하다면 혹은 누군가에 의해 예측된다면, 그것은 우리가 알고 있는 시장과 다를 것이다. 이미 예측되는 결과가 있다면 치열하게 전쟁할 필요가 없고, 누군가에 의해서 알려진 시장이라는 것은 지금의 모습과 다르기 때문이다. 시장에서는 모두가 정보에 대해 불완전하고 이들이 서로 부딪치고 튕겨나가는 과정을 통해 적정 가격이 결정되므로 주식을 떠나 근본 경제체제 속에서 행해지는 가격결정론은 불가능하다는 것이 정답이다.

그런데도 불구하고 왜 우리는 시장이 예측이 가능한지 아닌지의 논제를 놓고 아직도 날을 세우는가? 왜 대부분의 투자자들이 논쟁 정도가 아니라 아예 예측 가능하다고 생각하는가? 여기에 대한 근본적인 의문부터 풀어야 이 문제를 해결할 수 있다. 가끔 나는 플라톤이라는 철학자가 말했던 '동굴의 비유'라는 이야기를 한다.

바위섬에 동굴이 있고 동굴 밖으로 세상이 펼쳐져 있다. 이 동굴은 깊고 끝은 벽으로 막혀 있으며, 그 동굴의 끝에는 죄수들이 앉아 있다. 그들은 동굴 벽면을 향해 얼굴을 고정시킨 채 쇠사슬에 묶여 있다.

그런데 동굴 바깥에는 태양이 뜨고 달이 뜨고 화려한 세상이 펼쳐져 있다. 평생 동굴의 벽만 봐온 죄수들은 자신들의 등 뒤에서 빛이 들어와 자기들을 관통해서 만들어진 그림자가 세상이자 우주인 것으로 확신하고 있다. 즉 실제 모습이 아닌 우상화된 모습이나 비친 모습이 '진실'이라고 믿고 있다. 자기들이 본 것이 전부이기 때문이다.

그런데 그 중 한 사람의 죄수가 우연찮게 쇠사슬을 풀고 동굴 밖으로 탈출하게 되었다. 밖에 나가 보니 세상에는 양, 소, 사람, 들판, 해, 달, 별 등이 있었다.

그는 그동안 자신이 보아왔던 것이 실은 거짓임을 알게 된다. 빨리 돌아가 동료들에게 진실이라고 믿고 있는 것이 거짓이었다는 사실을 알려주고 싶었다.

그는 애타는 마음으로 동굴에 갇힌 죄수들에게 말한다. 세상은 여기 비치는 그림자가 아니고 해가 뜨고 달이 뜨고 동물과 사람과 식물이 어울려 사는 아름다운 곳이라고.

하지만 동굴의 죄수들은 그의 말을 믿지 않는다. 동료들이 그의 말을 믿게 하는 방법은 어두운 동굴 밖으로 나와 세상을 보여주는 것뿐이다. 동굴의 죄수들에게 세상의 진실을 알려주려면 그가 백 마디 말을 전하는 것보다 쇠사슬을 끊고 실제로 목격하도록 하는 방법밖에 없는 것이다.

플라톤이 이 동굴의 비유를 통해 말하고자 했던 것은 진실은 믿어왔던 우상들에 의해 가려질 수 있다는 것이다. 실제로 인간은 어리석어서 자기가 믿고 있는 관념을 깨기가 매우 어렵다. 감히 단언하건대 주가가 예측 가능하다고 믿는 것은 바로 우상이고, 그런 어리석은 믿음은 동굴 벽에 비치는 그림자를 보고 바로 그것이 세상이라고 생각하는 것과 같다.

나는 솔직히 말해, 이 책을 처음부터 끝까지 읽은 후 그 내용을 머릿속에 담고 완전하게 이해한 사람의 투자 성과나, 전혀 그렇지 않은 사람의 투자 성과가 크게 다르지 않으리라 생각한다. 이것이 바로 당신이 찾고자 하는 대박의 황금률이고, 주식투자의 왕도이고, 비법의 허상이다.

그럼 왜 이 책을 쓰고 있는가? 이율배반적으로 들릴 것이다. 하지만 나는 당신이 지금까지 얼마나 많은 것을 공부했건 주식투자에 성공하지 못했다면, 그 같은 결과는 앞으로도 마찬가지라는 것을, 그러한 결과는 달라지지 않는다는 것을 지금 이 책을 통해 증명하고 싶을 뿐이다. 이 말은 직접 주식시장에서 처절하게 깨지고 거의 저승 문턱까지 가봐야 깨닫게 된다.

지금 당신이 이 말의 의미를 이해하고 "저 친구 말이 맞아."라고 무릎을 칠 수 있다면, 굳이 저승까지 갔다 오지 않더라도 저승은 저렇게 생긴 곳이므로 저쪽으로 가면 안 된다는 옳은 판단을 하게 될 것이다. 하지만 이 말을 믿지 않으면 직접 저승에 가서 고난을 겪고 되돌아와야 저승이 무엇인지를 알게 될 것이다. 즉 나는 이 책을 통해, 수십 년의 세월 동안 엄청난 고통을 겪고 난 다음에야 비로소 깨닫게 되는 그 사실을, 그런 긴 고통과 세월의 허비 없이 깨닫게 하려는 것이다.

내일의 시장을 맞힐 수 있는 확률

그렇다면 주식투자는 아무것도 공부할 필요가 없으며, 어떤 수단도 다 쓸모가 없다는 말인가? 결론을 말하자면 그렇다. 전부 쓸모없고 필요없다. 그러면 어떻게 해야 하는가? 결론은, 주식투자는 하면 안 된다. 단언컨대 주식투자는 보편적인 개인 투자자가 해서는 안 된다. 지금까지 큰 손실이 없었던 사람들은 앞으로 다른 사람들이 주식투자로 떼돈 벌었다는 소리를 들어도 주식투자를 하면 안 되고, 주식시장이 지금의 10분의 1로 폭락해서 주권 한 장이 담배 한 개비의 가격밖에 되지 않더라도 투자를 해서는 안 된다. 최소한 논리적으로는 그렇다.

하지만 이미 투자에 깊숙이 발을 들이고 있거나 앞으로 자기관리를 잘해서 악마의 입속으로 걸어 들어가지 않을 자신이 있는 사람들이 주식투자를 시작하겠다면, 지금부터 내 이야기에 귀를 기울이길 바란다. 대답을 찾는 방법을 가르쳐줄 수도 없고 대답을 찾는 방법도 없고 주식시장의 비법과 왕도는 없음을 분명히 전제하고 말을 하자면, 주식투자는 다음과 같이 해야 한다.

주식시장을 무서운 적이라고 생각하라. 그것도 내가 무슨 생각을 하는지, 내가 어떻게 하려고 하는지, 내 속을 훤히 꿰뚫어보는 천리안과 같은 무서운 적이다. 시장은 내 머릿속에 들어앉아 내 마음을 읽기 때문에 아무리 잔머리를 굴려도 시장을 상대로 이길 수는 없다. 그래서 이런 무서운 적을 상대로 싸워서 이길 수 있는 방법을 찾는 것은 어리석기 짝이 없다. 애초에 상대가 안 되기 때문이다.

그러면 나는 어떻게 해야 하는가? 성공의 방법을 찾기 위해서는 최소한 시장이 무엇인지, 그것이 왜 무서운지에 대한 이해가 필요하다. 단언컨대 천하의 고수든, 평범한 투자자든, 오늘 처음으로 주식투자를 하는 사람이든, 이 책을 쓴 나와 같은 사람이든 내일의 주식시장을 맞힐 수 있는 확률은 반반이다.

언젠가 모 방송에서 주가를 예측할 수 있는 확률은 반반이며 어느 누구도 50% 이상의 확률을 가질 수 없고 다만 대응할 뿐이라고 말한 적이 있다. 당시 아주 신랄한 비난이 쏟아졌다. 그런데 내일 시장이 오를지 내릴지 알 수 있는 확률이 반반이라는 나의 말에 아직까지 공감하지 못한다면, 당신은 아직 주식투자를 하면 안 된다. 그런 사람은 주식투자를 하면 큰일난다.

최소한 내일의 주가를 알 수 있는 확률은 신이 아닌 이상 50%에서 ±1%의 차이도 나지 않는다는 사실을 이해하고 고개를 끄덕일 수 있는 사람만이 주식투자를 해도 된다는 면허증을 가진 셈이다. 최소한 이 말을 이해해야 주식시장의 계좌를 트고 거래버튼을 누를 수 있는 것이다. 시장은 그만큼 무서운 존재다.

승률 50% 시장에 대처하는 자세

　승률은 고작 50%라는 것을 전제로 하자. 그러면 이 50%의 시장에서 우리는 어떻게 대응해야 할까? 더구나 이론적 확률로는 50%지만 슬프게도 실제로는 그마저도 되지 않는다. 주식이 거래되는 과정에서 한 번 거래할 때마다 수수료, 세금 등이 뜯겨져 나가기 때문이다. 결국 실제 주식투자에서 승률이 50%라 해도 이런 경비를 제외하면 49% 이하의 확률을 가질 수밖에 없다. 그러므로 주식투자를 50번, 100번 반복하면 결국 내가 갖고 있는 것은 언젠가는 0이 된다. 그러면 우리는 주식투자에 대해 어떤 생각을 가져야 할까?

　당신이 범인을 쫓는 형사라고 해보자. 어떤 건물의 지하실에 5명의 도둑이 있다는 정보를 얻고 지하실 입구를 혼자 지키면서 지원병을 요청했다. 지원병이 오는 데는 시간이 걸린다. 그런데 이 도둑들이 경찰이 왔다는 것을 눈치채고 달아나려고 한다. 그때 당신이 할 수 있는 최선의 선택은 어차피 5명을 다 잡을 수는 없으므로 두목만 잡는 것이다. 그런데 당신이 이 두목에 대해 알고 있는 정보는 단 한 가지, 5명 중 키가 제일 크다는 것뿐이다. 도둑들이 지하실에서 한 명씩 튀어나오는 상황이다. 자, 당신이라면 어떻게 하겠는가?

　먼저 첫번째 나온 도둑을 보니 키가 커서 잡아다 수갑을 채웠다. 그런데 다음번에 키가 더 큰 도둑이 나올 수도 있다. 반대로, 맨처음 나온 도둑이 키가 작아서 두목이 아니라고 생각했는데 나머지 도둑 4명이 모두 그보다 더 작을 수도 있다. 이럴 때 가장 승률이 높은 선택은 무엇일까?

　일단 1번으로 나오는 도둑은 키가 크든 작든 도망가게 내버려두고, 2번으로 도망가는 도둑도 키가 크든 작든 내버려두고, 3번 도둑부터 확인한다. 3번이 앞의 1번과 2번보다 키가 크면 무조건 두목이라고 생각하고, 3번이 1번과 2번보다 키가 작으면 다음에 나올 4번이 두목이라고 생각하는 것이다. 통계적으로는 3번, 4번, 5번 중에 1번과 2번보다 키가 큰 녀석이 두목일 확률은 60%이다. 물론 이미 두목은 달아나버렸을 수도 있다.

이것을 주식시장에 대입해보자. 한국인 남자의 평균 신장은 약 173센티미터다. 그렇다면 5명이 모여 있을 때 확률상 173센티미터 이상이 2명, 173센티미터 이하가 2명일 것이다. 그러면 최소한 두목은 173센티미터를 넘는다. 그래서 1번이든 2번이든 173센티미터를 넘는 사람을 잡는다는 것은 굉장히 합리적이고 똑똑한 분석을 토대로 한 것처럼 보인다. 그러나 이 모집단은 평균 150센티미터나 160센티미터일 수도 있다.

전체 집단의 속성을 모르는 상황에서는 이렇게 똑똑해 보이는 분석들이 아무런 소용이 없고 두목을 잡을 수 있는 확률을 높여주지 못한다. 하지만 단순히 1번과 2번을 보내고 비교해서 키 큰 녀석을 도둑이라고 생각하고 잡으면 60%의 확률로 두목을 잡을 수 있다.

주식시장에서의 예측이 정말 50%밖에 의미가 없다면, 앞서 도둑의 사례를 든 것처럼 가장 좋은 방법은 최대한 높은 확률로 상대할 수 있는 지점을 찾는 것이다. 예를 들어 과거의 시장을 분석할 때는 국면국면마다 기술적 분석, 펀더멘털론적 이야기, 경기순환 논리, 다우이론, 엘리어트 파동, 갠의 각도 등 수많은 이론을 적용해 과거의 그래프를 충분히 그럴듯하게 설명할 수 있다. 과거의 어떤 주가의 흐름을 비롯해 모든 경제 상황을 설명할 수 있다. 즉 파동론의 관점에서, 갠의 각도의 관점에서, 경기순환론의 관점에서, 혹은 추세론의 관점에서 누구든 멋지게 지난 10년간의 주가에 대한 설명, 즉 과거에 대한 분석을 하고 10년간의 리포트를 발표하는 게 가능하다는 말이다.

하지만 안타깝게도 지난 10년간의 우리나라 주식시장과 지난 1~2년 간의 세계시장의 역사는 우리 일상에서 흔히 벌어지는 확률론적 범주를 벗어나지 못하고 있다. 이 정도의 추세는 여러분이 100번, 200번 동전을 던져 앞면이면 위를, 뒷면이면 아래를 그릴 때 수없이 만나게 되는 우연일 뿐이다. 실제로 동전 던지기 게임을 해보면 이를 확률론적으로 검증할 수 있다. 그 안에 추세돌파가 있고, 파동이 있고, 저점고점(낮아진다 혹은 높아진다)이 있고, 삼각수렴이 있다. 모든 패턴이 존재한다. 결국 지난 주식시장의 역사는 확률론적 범주를 벗어날 수 없다.

만약 이것이 사실이라면 우리는 주식투자를 어떻게 해야 할까? 정말 확률상으로 50대 50밖에 되지 않는다면? 수많은 이론가들이 과거 시장의 움직임을 그럴듯한 이치와 이론으로 설명해왔는데도 결국 무작위 확률과 같다면, 우리는 결과가 뻔한 게임에 얼마나 많은 에너지를 소모하고 있는 것인가?

이때 수익을 낼 수 있는 방법은 딱 한 가지다. 50%의 확률로 투자를 하는데 한 번 할 때마다 게임 수수료는 1%라고 가정하자. 그러면 운이 좋아서 처음 시도에서 수익을 냈고, 운이 좋아 또 맞혔다 하더라도 투자를 계속 할수록 평균으로 갈 수밖에 없다. 처음에 동전을 던졌는데 틀렸다 해도 자꾸 하다보면 또 평균으로밖에 갈 수 없는 것, 이것을 우리는 '확률론적 퇴보'라고 한다.

확률론적 퇴보 현상은 어쩔 수 없이 누구나 겪어야 한다. 더구나 50번, 100번의 게임을 반복적으로 행하면 여기서 빼낸 1%의 수수료 때문에 100번째 게임에서 수익은 제로가 된다. 주식투자가 만약 50대 50 확률이 맞다면, 또 내일의 주가를 알 수 있는 방법은 50대 50이라는 말에 동의한다면, 주식투자를 하면 할수록 기간이 길면 길수록 당신의 재산은 반드시 0을 향해 달린다.

투자하는 동안 수익을 낼 때도 있고 손해를 볼 때도 있고 다시 수익을 봤다가 손해를 보곤 할 것이다. 그러나 어떠한 과정을 거치든 결국에는 0을 향해 수렴한다. 소위 말하는 '깡통'을 향해 달리는 것이다. 그렇다면 어떤 논리를 적용해 어떤 방법을 써야 수익을 낼 수 있을까?

우리는 흔히 여유자금으로 투자를 한다고 한다. 하지만 정말 없어도 되는 돈, 즉 내가 먹고살고 노후를 준비하고 자식에게 물려줄 것까지 생각하고, 그래도 남는 돈 중 여유자금 정도가 아니라 그 돈이 있어서 짜증나 죽겠다는 정도의 돈이 있다고 하자. 그리고 어느 시점에 딱 한 번, 가진 돈 전액을 콜(call)이면 콜, 풋(put)이면 풋, 선물 매수면 매수, 매도면 매도, 삼성전자면 삼성전자, 한 종목에 소위 말하는 '몰빵' 이른바 집중투자를 하는 것이다. 즉, 이 돈을 몰빵해서 수익이 일주일 안에 10%가 나면 털고 나와서 다시는 주식투자를 하지 않으면 된다. 물론 손실이 나면 "어차피 기분 나빴던 돈이니까 필요없어." 하면서 잊어버리면 그만이다.

하지만 다음에 또 게임을 하게 되면 그때부터는 횟수가 잦아질수록 점점 0을 향해 달리게 된다. 따라서 주식투자를 할 수 있는 유일한 방법은 갖고 있으면 기분 나쁜 돈을 가지고 아무 때나 딱 한 번만 몰빵하는 것 말고는 없다. 이는 확률적으로 따져보았을 때 주식시장에서 그나마 덜 잃고 수익을 낼 수 있는 승률을 가장 높이는 유일한 방법이다.

너무 슬프고 허무하지 않은가. 이 이야기는 다소 과장되고 침소봉대된 이야기일지는 몰라도 내용상은 사실이다. 분명히 말하지만 이러한 확률적 범주를 벗어날 수 있는 투자자는 이 지구상에 없고 어느 누구도 이 확률적 범주를 이길 수 없다. 당신이나 오늘 객장에 나가 처음 계좌를 개설한 사람이나 나처럼 칼럼을 쓰고 마치 시장의 고수인 양 행세하는 사람이나 확률은 모두 같다.

그러면 실제 시중에서 주식투자를 해서 1분 만에 몇백 만원으로 갑자기 몇십 억을 만들고 또 주식투자대회에서 1,000포인트, 2,000포인트의 수익을 내는 사람은 왜 생기는가? 그 사람에겐 어떤 특별한 비법이 있는 것일까? 여기에 대해 답하자면 이유는 바로 이렇다.

로또 당첨 확률은 번개를 맞을 확률에 가깝다. 그런데 이러한 어마어마한 확률을 뚫고 당첨자가 나타난다. 항상 당첨자가 있다. 그러면 그 확률이라는 것은 동전 던지기 게임으로 치면 동전을 던져서 계속해서 앞면과 뒷면을 맞힐 수 있는 확률에 해당하는 것이고, 주식투자를 했을 때 열 번이고 스무 번이고 종목을 사기만 하면 상한가를 치고 대박이 나는 확률이다. 그럼에도 매주 몇 명씩 로또 1등 당첨자가 나오듯이 그런 사람이 확률론적으로 생길 수 있다.

하지만 당신은 그 사람이 같은 확률을 반복할 수 있을 것이라고 믿는가? 만약 그렇다면 투자대회에서 1등한 사람들이 왜 12만 원짜리 SMS 서비스를 신청하거나 분당 500원씩 하는 실시간 주식 관련 서비스를 핸드폰으로 받아 보겠는가? 그 확률을 반복할 자신이 없기 때문이다. 같은 확률을 반복할 거라 믿는 것은, 어느 날 동전 던지기 대회에 나가 16번 연속 앞뒷면을 맞혔다고 해서 다음에도 우승을 할 거라며 의기양양하게 집을 나서는 것과 같다. 같은 사람이 다음에도 또 우승을 하기란 불가능하다.

그러나 지금 이 순간에도 그것을 믿고 대박의 황금률을 찾아다니는 개인 투자자들의 시체가 끊임없이 산을 이룬다. 만약 이 말에 동의하지 않고 "웃기는 소리 하지 마. 나는 50%의 확률을 벗어날 수 있어."라고 말하는 전문가나 고수가 있다면, 그는 향후 3년 이내에 한국 금융시장을 재패하고 우리나라의 모든 자금을 끌어모아 유사 이래 최대의 자금을 굴리는 큰손으로 군림할 것이다.

수익은 길게 손실은 짧게

사실 지금 내가 하는 말은 물론 지나치다. 절대적으로 이기는 방법은 없을지 몰라도 어리석은 사람들의 실수가 반복되는 시장에서 중심을 잘 잡으면 상대적으로 이길 수 있는 방법은 있다. 다만 여기서 강조하고자 하는 것은, 본원적으로 시장을 이길 방법은 없다는 사실을 인정하는 데서 출발해야 한다는 것이다. 방향을 잘못 잡고 있으면 가지 말아야 할 가시밭길을 걷다가 발에 생채기를 낼 것이기 때문이다.

지금까지 당신이 믿고 있던 우상을 과감히 깨버리고 제로베이스에서 시작하라. 물론 같은 제로베이스에서 출발하더라도 아무것도 몰라서 제로인 사람과, 이 모든 것을 다 알고 익혀보니까 결국 아무것도 아니더라는 것을 깨달은 사람의 출발점은 다르다.

이 책을 읽은 사람들은 이제 "어느 누구도 내일의 시장을 알 수 없다."는 말을 이해했으리라 믿는다. 만약 다 이해하지 못했더라도 이 글을 보는 100명 중 한 명이라도 내 진심을 알고 내 말에 공감하고 고개를 끄덕인다면 나 역시 이 책을 쓴 의미를 찾을 수 있을 것이다.

이제 진짜 고민을 시작해보자. 아무리 확률이 50%라고 하지만 그래도 어떻게 하면 이길 수 있는가? 이제 그것을 알아볼 차례다.

그것은 최소한 50%의 수익이 확실히 날 수 있는 자리에서 승부하는 데 있다. 기술적 분석의 선구자 중 한 사람인 갠의 이론에 다음과 같은 말이 있다.

"상대가 강할수록 동전을 던져라."

이 말은 구슬치기 놀이를 할 때 홀을 쥐고 있는지 짝을 쥐고 있는지 이미 알아채는 무서운 상대, 시장이라는 강한 상대, 내가 시장에서 공포를 느끼면 그 공포감까지 반영해서 지수로 만들어가는 상대와 싸우기 위해서는 검은 돌을 쥘지 흰 돌을 쥘지, 홀을 쥘지 짝을 쥘지 미리 생각하면 안 된다는 의미다. 상대가 강하면 강할수록 상대에 대해서는 철저하게 무심으로 대해야 한다. 즉 상대가 강할수록 확률에 맡기는 것이 바로 주식시장 최고의 금과옥조다.

앞에서 말했듯 주식시장은 동전 던지기와 달라서 오래 투자하면 할수록 최후의 결과는 제로를 향해 간다. 그렇기 때문에 5년이든 10년이든 20년이든 30년이든 시간이 지나면 주식으로 인해서 부자가 생기는 속도보다는 거지가 되는 속도가 훨씬 빠르고, 부자가 됐던 사람들도 결국 거지가 되어버린다. 그래서 어떠한 경우에라도 우리는 시장의 고비마다 최고 50%의 확률을 주는 지점을 아껴뒀다가 그 지점을 공략해야 한다.

그러면 이제 주식시장에서 수익을 낼 수 있는 방법은 일단 50%의 수익을 내는 지점이라는 것을 인정하고 다시 생각해보자.

일단 어떤 지점에서 시장이 〈그림 2〉처럼 움직였을 때 잃을 확률이

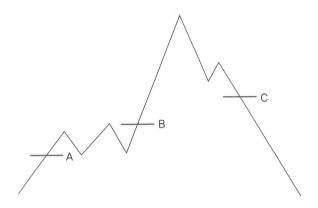

7 대 3이면 투자하지 않고(C 지점), 5대 5인 지점을 찾아내어(A, B 지점) '수익은 길게 손실은 짧게'라는 원칙으로 도전한다. 이때 내 예상대로 주가가 올라주면 10% 또는 20%의 수익을 취할 수 있다. 만일 예상과 반대로 갈 때는 1% 정도 손실을 입었을 때 신속히 도망가야 한다. 그러면 50대 50의 확률이라 하더라도 그 게임을 100번이라도 할 수가 있다. 즉 50%의 자리라고 생각되는 지점을 찾아내어 그곳에서 '수익은 길게 손실은 짧게'라는 원칙을 고수하면 주식투자에서 성공할 수 있는 것이다. 이것이 주식투자의 본질이다.

　여기서 다시 또 이런 질문을 던질 수 있다. 50%의 자리라고 들어간 그 자리가 진짜 50%의 확률이 보장된 자리일지 아닐지, 그 확률도 50대 50 아닌가? 맞다. 그렇게 따지면 시장의 차트 안에서 A, B, C 지점 모두 50대 50의 확률이다.

　그러면 우리는 여기서 다음과 같은 결론을 내릴 수 있다. 주식시장에서 파동, 각도, 추세 등 거창한 이론으로 현재 지점을 예측하려 드는 어마어마한 고등 사기를 치지 말고, 항상 현재 자리의 주가가 현재 시장의 수급이 말해주는 자리라는 점을 인정해야 한다. 그리고 내가 준비된 지점에서 여유자금을 갖고 50대 50의 확률로 매매하되 '수익은 길게 손실은 짧게' 가는 방식으로 해야만 한다. 이것은 기법이라기보다는 주식투자에서 우리가 지켜야 할 본질이다. 그리고 이 본질을 바탕으로 다양한 기법들이 발생한다.

이와 관련해서 만일 내게 "당신도 50대 50의 확률 자체만으로 투자를 하느냐?"고 묻는다면 "물론 그렇지 않다."고 대답한다. 이론상으론 50대 50의 확률이 맞지만, 기본적으로 시장의 원리를 이해하고 이해의 바탕위에서 전략을 갖는 행위와 그냥 반반으로 접근하는 것은 분명 차이가 있다.

나 역시 그동안 시장과 관련한 수없는 말들을 쏟아냈는데 그렇다면 그것은 고등사기를 친 것인가? "결국 확률은 50대 50이므로 한번 떠들어보고 맞으면 50%를 맞은 거고 틀리면 50%를 틀리는데, 50%에 스타가 되든지 바보가 되든지 하라는 말인가?"라는 질타를 받아야 마땅하다. 하지만 그것은 아니다.

누군가는 "그러면 도대체 무슨 얘기를 하자는 것인가? 아무런 의미도 없고 50대 50, 너도 모르고 나도 모르고 아무도 모른다고 해놓고 당신은 꼭 아는 것처럼 행동하지 않느냐?"고 따질지도 모른다. 그러나 이것은 아는 것처럼 행동하는 것이 아니라, 그 자리와 맥을 아는 것뿐이다. 그 자리와 맥을 아는 것은 말이나 글로 전해지지 않는다. 말과 글로 전해진다면 그것은 길이 아니다. 길은 말로 설명할 수 없고 길은 꺼내서 보여줄수가 없으며 길은 스스로 걸어가야 하는 것이기 때문이다. 내가 걸어가보고 길인지 아닌지 경험해봐야 하는 것이다.

그러므로 당신이 이 50%, 누구도 알 수 없다는 이 거대한 진리에 동의를 한 다음에 주식투자의 길을 찾아야 한다. 이것에 동의하지 않은 채로 시장에서 예측하는 방법을 찾아내겠다거나, 주식이 오르는지 내리는지 맞히는 방법을 찾겠다는 헛된 노력과 무모한 노력을 아무리 해봐야 시체가 산을 이루고 피가 강을 이룰 뿐이다. 이것을 인정하는 가운데 우리는 어떻게 대응할 것인가? '수익은 길게 손실은 짧게' 끝내기 위해 어떻게 대응할 것인지 요령을 익혀야 한다. 그 요령이야말로 노련한 경륜일 수 있고, 판단이나 현명함일 수 있고, 혹은 침착함일 수도 있다.

　제일 먼저 투자자가 알아야 할 근본은 나를 비롯한 타인의 이야기에 절대로 귀를 기울이거나 속아서는 안 된다는 것이다. 자기 자신을 믿고 흔들리지 않는 무심, 무념, 무념의 상태에서 가야 할 길을 냉정하게 찾아야 한다. 지금까지 다른 사람이 길이라고 알려준 것은 전부 길이 아니다. 내가 찾아야 할 길이 있으며, 그 길은 보이는 길이 아니라 동물적 감각으로 스스로 찾아나가야만 하는 길, 대응해나가야만 하는 길, 내가 부딪히면서 느껴야만 하는 길이다.

　다시 한 번 말하지만 주식시장에서는 황금을 찾겠다는 망상을 버리고, 지금이라도 건전하고 편안한 마음으로 돌아가 제일 먼저 나를 찾고 내 삶을 찾고 내 인격을 찾고 나의 모든 것을 찾아야 한다. 그래야 그 다음에 내가 가야 할 곳을 알 수 있다. 그것이 바로 기술적 측면에서의 주식투자의 본질이다.

개인 투자자가
실패하는
필연적 이유

   내 지론은 개인 투자자가 주식시장에서 성공할 확률은 10%라는 것이다. 이 점은 그동안 진행한 방송이나 책 등에서 무수히 언급한 내용이니 새로울 것도 없지만, 혹자는 지금 시장 상황이 좋지 않은데 괜한 딴죽을 걸거나 야료를 부리는 것으로 생각할 수도 있다. 하지만 나는 '상황에 따라서' 달라진다는 생각을 말하려는 게 아니다. 주식시장 혹은 투자시장의 본질이 그렇다는 것이다.

개인 투자자가 실패하는 구조적 요인

   그 이유에는 몇 가지가 있는데 그 중 한두 가지만 들어보면 이렇다. 먼저 개인 투자자가 주식시장에 들어오는 시기의 문제다.

시장에는 많은 투자자들이 있지만 그들의 대부분, 혹은 절반 이상은 항상 새로 시장에 들어온 사람들이다. 설령 실전 경험을 오래 쌓은 백전노장이라 하더라도 그 역시 한때는 초보 투자자였을 것이다. 그런데 초보 투자자가 주식시장에 처음 들어오는 시기는 언제일까. 그것은 바로 시장이 한창 좋을 때, 시장이 오를 만큼 올라서 많은 사람들이 너도나도 투자 시장에 뛰어들 때, 신문방송에서 늘 투자 이야기만 하고, 투자로 대박난 사람의 이야기가 무시로 오르내리고, 오락 프로그램에 개인 투자자의 성공기가 등장할 때, 성직자가 객장에 등장할 때, 장바구니가 등장할 때 등이다.

시장에 처음 뛰어든 개인 투자자가 주식을 산다면 무엇을 살까? 그는 분명 그 당시 가장 많이 오르고, 각광받고, 전망이 좋다는 종목, 다시 말해 가장 많은 개인 투자자들이 거래하고 있는 인기 종목을 고르게 될 것이다. 시장에 처음 들어온 투자자들은 거의 좋은 장에서 좋은 종목을 고르게 된다는 뜻이다. 이때 이 사람은 거의 90%의 확률로 돈을 벌게 된다. 2~3년간 기세 좋게 오르던 시장에서 최근 몇 달, 혹은 몇 년간 욱일승천의 기세로 오르던 종목이 하필이면 내가 사자마자 떨어질 확률은 거의 없다. 이 말은 바꿔 말하면 대개의 개인 투자자들은 생애 첫 투자에서 수익의 달콤함을 맛볼 확률이 크다는 뜻이다.

온 국민이 즐기는 화투놀이, 그중에서도 고스톱을 예로 들어보자. 처음 고스톱을 배운 사람이 고스톱을 잘 치는 다른 세 사람과 같이 게임을 하면 처음에는 대개 돈을 딴다. 그 이유는 이 사람은 아직 잘 모르고 두려운 게 많아 처음에 광이 3장 들어오거나, 청단이나 홍단 패를 한꺼번에 손에 쥐지 않으면 바로 죽어버리기 때문이다. 그러고는 기회만 오면 다른 전략은 생각할 틈도 없이 무조건 광 3장을 먹고 3점이 나면 당연히

'스톱'을 부른다.

그렇게 몇 번 3점으로 이기고 그 과정에서 다른 사람이 게임하는 것을 넘겨다보면서 고스톱의 흐름을 조금 이해하게 된다. 그러면서 서서히 전략을 구상하고, 그러다 몇 점을 더 얻기 위해 '고'를 부르는 일이 점점 많아지게 되면, 손에 광 3장이 들어오지 않아도 계속 게임에 참여하게 될 것이다. 바로 이때가 가장 위험하다. 이 사람은 이쯤 되면 슬슬 소위 '바가지'라는 것을 경험하게 되고, 더 오래 치면 결국 판돈을 전부 잃어버릴 수도 있다.

시장의 논리도 이와 다르지 않다. 처음에 두려운 마음으로 가장 좋은 장에 가장 좋은 종목을 골라서 조금 이익을 보고 팔고 나면 자신감이 생기기 시작한다. 그러고는 조정장에서 저점 매수를 생각해보기도 하고, 이익이 나도 소위 '이익 극대화'를 생각하게 된다. 그러다가 결정적인 순간에 큰 타격을 입고 몇 번 모아둔 작은 이익마저 한꺼번에 모두 잃는 일이 벌어진다. 그래서 개인 투자자들이 처음 투자를 시작하면 이익을 내지만 조금 지나면 필연적으로 손실을 입게 되는 것이다.

두번째, 아쉽게도 개인 투자자들은 구조적으로 주가의 바닥에서 매수해 고점에서 매도하는 일을 할 수가 없다. 나중에 다시 설명하겠지만 시장은 심리가 지배하는 곳이고, 투자자는 그 심리를 만드는 주체이기 때문이다. 그래서 투자자는 일정 부분 상승 후 조정 국면에서 운 좋게 매수하고, 하락 직전에 매도하는 경우는 있지만, 시세의 초입에서 매수하고 마지막에 이익을 실현하는 것은 불가능하다. 이유는 개인 투자자의 시장 진입 논리와 비슷한 맥락이다.

시세가 하락하고 연일 주가가 폭락하며 신문 방송에서 주가 하락을 헤드라인으로 삼는 국면에서 개인 투자자가 주식을 확신 매수한다는 것은 로또에 당첨되는 것만큼이나 어렵다. 그러나 기관 투자가나 외국인은 다르다. 기관 투자가에게 맡겨진 자금은 경기침체와 맞물린 저금리 등으로 투자처를 찾지 못한 대형 자금의 일부다. 외국인 자금도 자국에 비해 지나치게 하락하거나 가격이 싼 다른 나라에 저절로 흘러들어가는 자금이다. 그래서 이들 자금의 유입은 늘 바닥을 형성하고 다시 상승의 시동을 거는 변곡점 기능을 한다.

이렇게 반등한 주가가 오르면 오를수록 일반 개인 투자자들의 참여는 증가한다. 이즈음에는 기관 자금에서도 일반 개인의 비중이 높아진다. 즉 평균주가의 아래쪽에서는 '큰손'인 개인의 자금을 집행하는 기관과 외국인의 비중이 높고, 위쪽에서는 일반 개인의 자금을 집행하는 기관과 개인 투자자 자신의 비중이 높아지는 것이다.

그렇다면 조정, 즉 하락이 시작되면 손실 구조는 어떻게 될까? 이 경우엔 시장에 늦게 들어온 사람일수록 큰 손실을 입는다. 예를 들어 지금의 KOSPI 시장이라면 1,000포인트, 1,500포인트, 그리고 2,000포인트에 들어온 자금들이 조정이 시작되면 늦게 들어온 순서대로 손실이 커진다. 최근 2,000포인트에 투자를 시작한 사람은 이미 15%의 손실을 입었듯이 투자는 빨리 시작한 순서대로 손실이 적다. 이런 원리 때문에 개인 투자자는 늘 손해를 보게 된다.

세번째, 개인 투자자들은 투자 자금이 적기 때문에 손실이 크다. 투자 시장에서는 자금이 크면 클수록 손실이 적고 이익이 크다. 반대로 자금이 적으면 적을수록 이익이 적고 손실은 크다. 언뜻 듣기에는 해괴한 논리로 들리겠지만 사실이 그렇다. 예를 들어, 여유자금이 100만 원 있는 사람과 100억 원 있는 사람이 있다고 가정하자. 100만 원이 있는 사람은 주식시상에 전액을 소위 몰빵할 것이다. 그리고 500만 원이나 1,000만

원을 목표로 삼는다. 하지만 100억 원이 있는 사람은 주식, 채권, 부동산, 실물 등 다양한 투자 수단을 동원할 것이다. 주식에 30%인 30억 원을 투자했다면 그의 목표 수익은 원금을 포함해 40억 원, 크게 욕심을 내야 50억 원 정도일 것이다. 그래서 전자는 레버리지가 가장 크고 변동성이 큰 종목을 고를 것이고, 후자는 안정적이고 우량한 종목을 고르게 될 것이다.

막상 자신의 예상과 다르게 시장이 움직여서 투자 후 손실이 났다고 가정해도 100만 원을 투자한 사람은 금세 초조해져 다시 사고팔고를 반복하겠지만, 30억 원을 투자한 사람은 어지간해서는 흔들리지 않을 것이다. 어차피 주가라는 것이 선형으로 오르는 것이 아니고 파동을 그리며 상승과 조정을 반복하는 것이라면, 전자의 경우에는 고점에 사서 저점에 파는 일을 반복하겠지만 후자는 언제라도 결국 다시 고점에 이를 때 그것을 팔 수 있는 기회를 만날 것이다.

이래서 주식시장은 개인 투자자에게 일방적으로 불리한 게임이 된다. 이 외에도 개인 투자자보다는 기관 투자가들에게 접근이 더 용이한 정보의 비대칭성이라든지 게임의 룰에서 가장 중요한 비용(개인 투자자는 수수료를 내지만 기관 투자가는 내지 않는다)의 문제가 있지만, 이는 그야말로 작은 이유에 지나지 않는다.

이 때문에 시장에 참여하려는 개인 투자자가 시장에서 살아남는 10%가 되기 위해서는 필수적으로 부자의 마음으로 시장을 바라보아야 한다. 시장에는 항상 잉여자금이 존재한다. 부자가 가진 잉여자금이 투자 대상을 찾지 못해 시장에 흘러들어가면 주식시장이 상승하고, 그들이 주식시장과 같은 곳에서 수익을 내기보다 이자수익이나 다른 안전한 곳에서 수익원을 찾는다면 시장을 빠져나간다. 그래서 시장은 항상 부자들이 이길 수밖에 없게 되어 있다. 결국 시장의 진입을 판단할 때 내가 비록 부자가 아니더라도 지금 내게 100억 원 혹은 1,000억 원이 있다고 가정하고 부자의 논리로 시장을 대해야 한다. 그러면 이기는 쪽에 서지만 100억 원이 있어도 그 반대의 마음으로 시장을 대하면 늘 패배하는 쪽에 서게 될 것이다.

개 인 투 자 자 가 실 패 하 는 심 리 적 요 인

크든 작든 도박을 하며 느끼는 감정 중 하나가 흐름이다. 특히 이 흐름이란 특별한 느낌은, 스포츠나 도박과 같이 승부를 내는 곳이라면 어디에나 존재한다. 이를테면 포커판에서 계속 딸 때가 있고, 패가 좋은데도 불구하고 계속 지는 경우도 있다.

이것은 두 가지 추세가 다르기 때문이다. 즉, 판의 추세와 내 추세가 다른 것이다. 이를테면 경기의 흐름과 나의 흐름이 다르기 때문인데, 그 이유는 여러 가지다. 단순히 자기암시에 의한 미신적인 흐름도 있겠지만, 여러 사람이 참여하는 전체의 특성과 그 속에 개별적으로 존재하는 나의 특성이 엇갈리거나 일치하는 국면이 존재하는 탓이다. 이를테면 야구나 축구 경기에서 상대 선수들의 특성이 나의 특성과 맞물리면 내가 최고의 성과를 낼 수 있겠지만, 비록 내 컨디션이 좋다 하더라도 상대팀의 성격이 나와 맞물리지 않으면 힘들어질 수도 있는 것이다.

도박판도 마찬가지다. 블러핑(Bluffing) 전략, 신중하게 패의 가능성을 예측하는 전략, 확률적으로 접근하는 전략 등 나의 스타일이 각각 다른 도박판에서 우월하게 작용할 때도 있고 그렇지 않을 때도 있다. 그래서 도박판에서 계속 돈을 잃으면 경기를 그만두고 다음을 기약하든지, 아니면 잠시 경기를 쉬고 밖에 나가서 한동안 시간을 보낸 다음 다시 시작하면 상황이 달라지기도 한다. 이런 것이 추세의 흐름이다. 그리고 이런 흐름은 궁극적으로 자신감이나 자기암시에 의해 가장 많이 좌우된다.

역설적이지만 포커판에서 돈을 버는 사람은 돈을 따러 온 사람이 아니라 잃으러 온 사람이다. A는 돈을 따겠다는 일념으로 모든 돈을 갖고 와서 초조한 마음으로 게임을 하고, B는 이 판에서 잃어도 좋을 만큼의 한도를 정해 그 돈만 지갑에 넣고 시작했다면 이 게임은 하나마나다. 반드시 돈을 따겠다는 부담은 A 자신의 추세를 약화시키고, 이만큼 잃으면 즐겼다고 생각하고 일어나겠다는 마음으로 출발한 B의 추세는 강화된다. B는 돈을 따면 따는 대로 잃으면 잃는 대로 넉넉하다. 져도 되는 B는 경우에 따라서는 추가로 배팅을 하는 것도 부담이 적고, 깨끗이 접어야 할 패에서도 미련 없이 접는다. 이런 것이 오히려 승부사적 자세다.

투자는 승부사적인 자세를 필요로 한다. 주식투자는 겉으로는 한없이 논리적이고 공정한 게임인 것처럼 보이지만, 모두가 자신이 피땀 흘려 번 돈을 들고 이기려고 싸우는 피 튀기는 전장이다. 다만 스텔스 전투기를 타고 가서 적국의 상공에 폭탄을 쏟아붓는 조종사가 살인을 했다는 기분을 느끼지 않듯 투자자도 이것이 죽고 죽이는 치열한 전장이라는 것을 자각하지 못할 뿐이다.

같은 맥락에서 개인 투자자의 자금관리는 실패의 연속일 수밖에 없다. 개인 투자자들은 수익을 낼 때 결정적으로 투자를 하지 못하고 배팅을 하지 않는다. 하지만 안 될 때 무리해서 투자하고, 정작 나서야 할 때 몸을 사린다. 그러다가 몇 번 실패를 겪고 나면 두려움이 커지고, 거기서 몇 번의 실패를 거듭하면 극단적으로 무모해져서 미수에 차입까지 동원해서 무모한 투자를 감행한다. 철저히 시장에 반대로 서는 것이다. 기술적 분석이란 바로 이런 투자 방식을 넘어서서 시장의 본질을 체득한 사람에게만 허용될 수 있는 날카로운 칼날이다.

개인 투자자들이 실패하는 다른 이유는 다른 사람들이 다 아는 방법을 특별한 것이라고 믿기 때문이다. 세상 누구나 아는 방법으로 수익을 낼 수 있다고 믿는다면 그것은 큰 잘못이다. 내가 아는 방식은 다른 사람도 아는 방식이다. 이동평균선의 지지와 저항, 골든크로스, 데드크로스 따위는 주식투자를 반년만 하면 누구나 아는 방식이다. 소위 고수라 칭하는 사람들은 그것을 무엇인가 달리한다고 전제하고, 20일이 아닌 19일 선, 10일이 아닌 11일 선에 답이 있는 것처럼 혹세무민하지만, 누군가가 당신에게 그렇게 들려주었다면 그것은 이미 당신의 무기가 아니다.

선문답을 하나 해보자. 삼각형에서 첨단은 어디일까. 대부분 꼭대기 지점을 첨단이라고 할 것이다. 하지만 그 대답은 틀렸다. 첨단은 삼각형의 밖에 있다.

개인 투자자의 비극 중 다른 하나는 기본을 무시한다는 점이다. 개인 투자자들이 시장의 무수한 격언들을 들으면 처음에는 무작정 그렇게 받아들이지만, 조금만 지나면 그 사실을 부정한다. 예를 들어, "장기투자하라." "달리는 말에 올라타라." "우량주에 분산투자하라."와 같은 말들은 주식투자를 조금만 하고 나면 다들 부정하려 든다. 교만해지기 때문이다. 처음에는 그런가보다 하지만 조금만 지나면 무시한다. 그러고는 자신의 논리를 내세운다. 개인 투자자들의 욕심을 기준으로 볼 때는 그것이 너무나 먼 이야기이기 때문이다.

하지만 시간이 지나서 시장을 체험하고 나면 나중에는 그것이 사실임을 깨닫게 된다. 먼 거리를 돌고 돌아 그렇게 깨우치는 것이다. 그래서 처음에 개인 투자자들은 시장의 연료가 된다. 시장이라는 기관차는 끝없이 등장하는 새로운 개인 투자자들의 희생을 연료로 삼아 달린다. 많은 사람들이 원칙을 알지만 실천하지 않는다. 하지만 그것을 실천해야만 한다.

결국 수많은 개인 투자자들은 진짜 '투자'가 아닌, 투자라는 고급도박을 즐기고 있을 뿐이다. 중간중간에 등장하는 개인 투자자들의 화려한 성공담은 도박장의 호객꾼이 하는 역할을 수행할 뿐이다. 그런 성공들은 아무나 그렇게 될 수 없다는 사실을 모두가 인정하지 않도록 하는 마약에 불과하다.

주식투자에서 성공할 확률은 도박에서 성공할 확률과 같고, 드물게 주식투자에서 성공하는 선수들은 따로 있다. 시장에는 나 같은 해설자도 있지만 선수도 있다. 해설자는 공부해서 할 수 있지만 선수는 아무나 할 수 없다. 선수가 되는 길은 타고나는 것이고 배우거나 가르칠 수가 없는 것이다. 이승엽이나 박찬호가 단순히 노력만으로 그렇게 되었다면 우리나라 야구는 세계 최강일 것이다. 하지만 진짜 훌륭한 선수는 재능이 우선이고 다음이 노력이다. 주식투자도 마찬가지다. 당신이 전업투자를 하려고 하거나 주식투자를 노동보다 우위에 두려고 한다면, 스스로를 박찬호와 같은 선천적 능력을 가진 사람으로 보고 있다는 의미다. 과연 그런가? 스스로에게 물어보라.

낡은 신화를 버리고 변화를 읽어라

1990년대 말 우리나라 증권사들은 개인 투자자들을 가능하면 많이 끌어들여 잦은 거래를 하도록 유도하는 데 혈안이 되어 있었다. 당시 증권사의 수입원은 대부분 브로커리지(brokerage) 부분에 집중되어 있었기 때문에 증권사들은 투자자의 피를 제물로 삼아야만 했다. 그 과정에서 일부 증권사는 가능하면 빠른 체결 시스템을 만드는 데 주력했고, 심지어 어떤 증권사의 경우 IT 부서의 직원 수가 증권사 전체 인력의 절반을 넘는 희한한 일이 벌어지기도 했다. 당시 증권사들이 벌인 일들은, 지금 우리나라에서 증권사들이 아직도 살아남아서 영업을 하는 것이 신기할 정도로 철저하게 투자자들의 반대편에 서는 것이었다. 자동주문 시스템, 매매신호 제공, 신용융자, 사이버 트레이딩 수익률 대회 등, 투자자들이 더 많은 수수료를 지불하도록 만들기 위해 할 수 있는 모든 일을 한 셈이었다.

이 과정에는 신화가 필요했다. 실제 비이성적인 시장은 개인 투자자들의 성공신화를 양산하기도 했다. 방법은 단순했다. 거래원 분석, 신고가 분석, 상한가 따라잡기 등, 주식시장의 체계적 이론을 무시한 모든 행위들이 수익으로 고스란히 연결되었다. 무모하면 무모할수록 용기가 크면 클수록 수익이 늘어났다.

하지만 이때도 모든 신화가 모래성 위에 있었던 것은 아니다. 일부 개인 투자자들은 어쩌면 시대를 제대로 짚었는지도 모른다. 고스톱을 치면서 3점 스톱만을 반복하는 사람이 절대 그 판에서 승자가 되지 못하듯이 경우에 따라서는 다소 무리해 보이더라도 고를 외치며 끝없이 판을 키워나간 사람에게 승리의 여신이 미소를 지은 것이다.

투자의 국면을 이해하고 거기에 맞는 투자방식으로 그것을 택한 이들은 자신의 통찰대로 행동한 것이지만, 무모함으로 덤벼든 투자자들은 일시적인 큰 수익 뒤에 훨씬 크고 긴 고통에 시달렸다. 어쨌거나 이때 등장했던 일부 코스닥의 영웅들은 시류에 맞는 전략과 재치, 감각을 소유한 사람들이었다. 그러나 그런 사람은 수십만 명 중의 한두 사람일 뿐, 시장은 그런 사람들의 성공신화를 앞세워 비이성적 투자열풍을 조장하는 데만 주력했다. 하지만 그들의 시대도 그때뿐이었다. 많은 사람들이 그들의 펀드를 배우기 위해 줄을 섰고, 너도나도 상한가 따라잡기나 폭등 대박주 발굴기법을 익히려고 목을 매었지만 이미 시대는 바뀌고 있었다.

투자의 시대는 그렇게 흔적도 없이 허물을 벗고 새로운 모습으로 재탄생했다. 하지만 그 후유증은 길고도 가혹했다. 아직도 당시의 신화를 잊지 못한 투자자들이 소위 기법을 배우려고 애를 쓰지만, 그러면 그럴수록 대가는 처참한 실패로 돌아올 뿐이다. 시대는 영웅을 만들지만 그 영웅도 다른 시대에서는 범부에 지나지 않는다는 사실을 망각한 것이다. 그럼에도 오늘, 일부 증권사와 당시의 낡은 훈장을 앞세운 일부 전문가들은 투자자들을 유혹하여 모래무덤으로 끌어들이고 있다.

하지만 시장은 변한다. 지금 이 순간 가장 유용한 투자 스타일이 내일이면 쓸모가 없어지고, 오늘 주류가 되고 있는 원리도 내일이면 쓰레기통에 들어간다. 그것을 이해하지 못하는 한 당신은 늘 피리 부는 사나이의 뒤를 따라 낭떠러지를 향해 걸음을 내딛는 가여운 운명에 지나지 않을 것이다.

직접투자인가, 간접투자인가

주식투자에 대해 조언을 구하는 사람들에게 가능하면 나는 간접투자를, 펀드를 고르기 어렵다면 인덱스펀드나 ETF펀드를 가입하라고 권하는 경우가 많은데 그 이유는 다음과 같다.

1. 탐욕과 공포라는 악마로부터 일정 부분 자유로울 수 있다.
2. 거래수수료를 아끼는 것만으로도 수익률 손실의 상당 부분을 방어할 수 있다.
3. 시장의 산발적인 정보와 불확실한 루머의 영향으로부터 자유롭다.
4. 즉흥적인 매수 및 매도의 빈도가 낮아진다.
5. 당사자가 아닌 제3자의 시각을 유지할 수 있다.
6. 수익률이 시장과 동행하므로 심리적으로 안정감을 찾을 수 있다.
7. 소위 잡주의 유혹으로부터 자유롭다.
8. 종목 선택의 고민을 덜고, 변동성 위험을 분산할 수 있다.

반면 간접투자, 즉 펀드 가입의 문제점은 다음과 같다.

1. 펀드의 성과와 펀드매니저의 능력은 상관관계가 크지 않다.
2. 대부분의 펀드는 장기투자를 할수록 시장평균 이상의 수익을 넘길 수 없다.
3. 능력 있는 펀드매니저가 운영하는 폐쇄형펀드만 평균 이상의 수익을 기대할 수 있다.
4. 펀드수수료는 장기 수익률을 갉아먹는 주범이다.

5. 개인이 잘 분산된 20개 정도의 종목을 장기 보유할 때 펀드 수익률은 그것을 이기기 어렵다.

6. 시장위험에 즉각적인 대처를 하기가 어렵다.

7. 펀드나 펀드매니저에 대한 과도한 신뢰가 상황 판단을 흐리게 할 수 있다.

8. 펀드의 가입 시점은 대개 시장의 정점에 가깝고, 환매 시점은 바닥에 가깝다.

9. 상식과 달리 적립식펀드가 거치식펀드보다 위험 노출도가 크다.

10. 펀드의 운명과 나의 운명을 동일시하기 쉽다.

11. 펀드를 평가하는 기준은 늘 과거의 성과에 의지한다.

실제 많은 사람들이 주식투자에 대한 기본 논점에 대해 고민한다. 아무리 부인해도 지난 역사가 증명하는 것은 대부분의 펀드매니저는 '절대' 시장평균을 이기지 못한다는 것이다. 가끔 시장을 이기는 펀드가 있다고 하더라도, 그것은 대개 약세장의 가치펀드, 혹은 강세장의 성장주펀드와 같은 일시적이거나 순환적인 이익에 불과한 경우가 많다.

물론 시장을 10년 이상 이기는 특출난 펀드나 펀드매니저가 드물게 존재하기는 한다. 그러나 정작 이들 펀드를 미리 알고 가입하기도 어려울 뿐더러 지금까지 이겼다고 해서 다음에도 이긴다는 보장은 할 수 없다. 때문에 투자자들은 진퇴양난일 수밖에 없다. 그 점에서 볼 때 일반 투자자들에게 가장 합리적이고 이성적인 방식은 시장평균을 지향하는 것이다. 인간은 심리적으로 불행은 평균 정도이고 행운은 독보적이기를 꿈꾼다. 주식투자를 하는 사람들에게 "이 펀드는 시장평균 수익을 거둘 수 있습니다."라고 선전한다면 그 펀드는 절대로 고객을 모으지 못할 것이다.

그래서 국내외 수많은 펀드회사들은 교묘한 술수를 구사하는 경우가 많다. 예를 들어 자사의 펀드 중 한두 개가 특출한 수익이 나는 경우(물론 이것도 설정 당시 수수료가 특별히 낮았던 때문인 경우가 많지만), 이 펀드의 신규가입을 중지하고 펀드를 폐쇄한 후(펀드 규모가 커지면 수익률은 거의 평준화된다), 부분적으로 환매가 나오는 만큼만 일시적으로 펀드를 열어 추가가입을 받고는 다시 닫아버린다. 그러고는 그 펀드의 수익률을 내세워 자사 혹은 매니저의 성과를 광고하곤 한다.

하지만 이는 스스로를 기만하는 행위다. 실제 펀드의 성과가 일관되게 유지되기란 대단히 어렵다. 우연히 증시의 바닥 국면에 설정된 펀드가 호황 국면에 공격적인 성장전략을 구사하면 수익이 커지지만, 하락 국면에서 손실은 이보다 더 커지는 것이 성장형펀드의 구조다.

가치펀드 역시 마찬가지다. 가치펀드는 지나치게 오래 기다려서 투자자들이 견디지 못하고 환매를 하는 경우가 많고, 설령 수익을 낸다 해도 운용철학상 시장의 오버슈팅을 충분히 활용하지 못하기 때문에 장기성과는 역시 신통하지 못한 경우가 많다. 물론 일부의 경우는 예외지만 내가 가입한 펀드가 그 예외에 속할 확률은 주식시장에서 대박 급등주를 잡기보다 어렵다.

이유는 여러 가지인데 살펴보면 다음과 같다.

첫째, 기본적으로 시장이 초과수익을 허락하지 않는다. 소수 개인 투자자가 집중투자로 극적인 수익을 낼 수는 있어도 수백억 혹은 수천억의 자금을 운용하는 펀드는 기본적으로 종목이 분산될 수밖에 없기 때문에, 아무리 펀드매니저가 혜안을 갖고 있다고 하더라도 높은 수익을 내기는 어려운 구조적인 문제를 갖고 있다. 더구나 공모형펀드는 엄격한 위험관리 시스템을 갖고 있고 그것은 높은 성과를 제한하는 원인으로 작용하기도 한다.

둘째, 펀드매니저에 대한 과도한 환상이다. 펀드매니저는 30가지 이상의 정보를 고려하고, 개인 투자자는 이미 알려진 10가지를 고려하지만, 실제 시장을 움직이는 정보 혹은 네트워크는 100만 또는 1,000만 가지의 이유가 복합적으로 작용한다. 때문에 이런 차이는 차이라고 볼 수도 없다. 물론 개인 투자자와 펀드매니저가 단 10개의 종목만을 고르는 승부를 한다면 펀드매니저가 우월할 수 있다. 그러나 개인 투자자는 자신이 투자할 최고의 종목 10개만 선별하고, 펀드매니저는 수백 개의 종목을 골라야 하는 승부이므로 노력하는 개인 투자자 대비 펀드매니저가 우월할 수 없다. 그래서 실제로 펀드매니저가 원숭이를 이기지 못하는 것은 이미 검증되었다(우리나라에서 실행한 실험에서도 원숭이가 이겼다).

셋째, 펀드매니저는 기본적으로 상대적 수익에 몰두한다. 소위 벤치마크는 펀드 운용의 필수이고, 대개의 벤치마크는 시장평균, 즉 지수를 대상으로 경쟁한다. 따라서 펀드매니저의 목표는 시장평균이고, 개인 투자자의 목표는 시장의 1%다. 이 경우 노력하는 현명한 개인을 상대로 펀드가 이길 수 없다.

넷째, 펀드매니저는 시장수익률조차 달성하기 어렵다. 이유는 펀드매니저가 경쟁하는 우량주 지수는 그 자체로 매입 대상이기 때문이다. 모든 펀드는 정도의 차이가 있을 뿐 지수를 구성하는 우량주를 편입한다. 또 인덱스펀드는 아예 지수 구성 종목만 편입한다. 하지만 펀드매니저는 그것 외에 다른 종목들을 추가로 선택해야 한다. 더구나 이것은 어쩌면 자신만 사는 수급상 불리한 종목일 수도 있다. 때문에 KOSPI 200, S&P 500 같은 우량주의 시장지수는 그 자체로 수급상의 프리미엄이 있고, 그것을 상대로 경쟁하는 펀드매니저는 시장지수를 이길 수 없다.

다섯째, 시장을 추종하는 것조차 버겁다면, 시장을 추종하는 인덱스의 비용이나 시장을 대표하는 10~20개의 종목만 보유하고 장기투자하는 개인과 비교할 때 펀드수수료나 운용비용은 제살 파먹는 바이러스처럼 펀드의 수익률을 저하시킨다.

여섯째, 모든 펀드는 펀드매니저의 의지와 상관없이 가입자들의 환매 요구에 의해 매도된다. 예를 들어 2008년 중반 한국증시에 우호적인 신흥시장 펀드매니저가 있다 하더라도 자국 투자자들이 환매를 요구하면 어쩔 수 없이 펀드에 속한 한국 주식을 매도해야 한다.

일곱째, 시장 상황이 비관적일 경우 펀드매니저는 주식 비중을 0으로 만들 수 없다. 아무리 보수적인 펀드라 하더라도 액티브펀드의 경우 자금의 90%는 주식으로 채워야 한다. 따라서 대세 하락의 초기에 하락을 부정하는 신규자금이 유입되면 펀드는 주식을 사는 방패막이 되어야 한다.

특히 적립식펀드의 경우에는 수익률 측면에서 상당한 위험을 안고 있다. 많은 투자자들이 주가가 하락해도 안심할 수 있는 펀드라는 이유로 적립식펀드에 가입하지만, 정작 적립식펀드의 붐은 주가 상승기에 일어나 사실상 매수단가를 높이는 역할을 한다. 때문에 적립식펀드의 경우 주가가 조금만 조정을 받으면 전체 수익이 소실되거나 펀드 수익률의 손실을 입게 된다. 결국 투자자는 적립식 투자를 하더라도 주가의 고점에서 환매할 수 있는 안목을 스스로 지니고 있어야 한다. 그렇지 않으면 거치식보다 더 큰 손실을 입게 되기 때문이다. 시장의 역사를 보면 거치식펀드는 주가의 바닥에서 가입하고 정점에서 매도하는 비율이 높지만, 적립식펀드는 그 반대다.

결국 투자자들이 선택할 상황은 다음과 같다.

첫째, 개별 기업에 대해 분석하거나 판단할 필요도 이유도 느끼지 못한다면 당연히 펀드투자를 하는 것이 낫다.

둘째, 심리 관리가 어렵고 그로 인해 잦은 거래를 한다면 당연히 펀드 투자가 유리하다.

셋째, 하지만 펀드 투자는 주가의 순환에 대한 이해와 안목을 갖춘 경우에만 최종적으로 성공할 수 있다.

넷째, 펀드 장기투자는 예상보다 쉽지 않다. 여유자산이 많은 부자의 잉여자금은 주가가 하락하더라도 장기투자로 남지만, 개인 투자자의 경우 언제 자금이 필요할지 알 수 없다. 특히 주가가 하락하고 경기가 침체에 빠지면 펀드에 투자한 자금이 더욱 필요해질 수 있다.

다섯째, 기업에 대해 공개된 정보를 분석하고 활용할 수 있는 분석력과 거시경제에 대한 안목을 키운다면 직접투자가 유리할 수 있다.

여섯째, 시장 심리에 정통하고 시장의 대세에 편승할 수 있는 민첩성이 있지만 굳이 개별 기업 분석까지 하는 수고를 할 필요가 없다고 생각한다면, ETF펀드나 인덱스펀드 혹은 선물 지수를 몇 계약 장기투자하는 방식이 비용 대비 가장 효율적이다.

일곱째, 개인 투자자가 증권사 분석 리포트나 신문을 보고 투자 판단을 한다면 지금이라도 펀드로 돌아서는 것이 유리하다.

여덟째, 개인 투자자가 기술적 분석에 정통하다면 선물투자를 하는 것이 유리하다.

주식시장에서 내가 직접투자를 할 것인가, 간접투자를 할 것인가, 어떤 방식의 투자를 할 것인가를 결정하기 위해서는 이러한 본질적 이해가 필요하다.

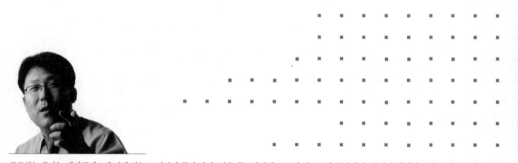

급등하는 주가는 헤라클레스에 의해 하늘로 던져진 공과 같다. 처음에는 강하게 오르며 가속도가 증가한다. 하지만 던져진 힘과 중력의 크기가 일치하는 [...] 이나 바닥을 튕기며 오르다가 서서히 잦아든다. 활의 시위를 떠난 화살도 그렇다. 최고 가속도는 점점 증가하다가 어느 시점에서 중력과 맞서지 못하고 바[...] 믿는다. 그런데 과연 그럴까? 이것이 이 책의 또 다른 주제다. 역사적으로 투기에 대한 이야기는 이제 신물이 날 것이다. 앞서 말했던 네덜란드의 튤립투기[...] 때 잊을 수 없는 인물이 하나 있었으니 그는 바로 예일대학교의 어빙 피셔 교수다. 그는 구식의 내재가치 이론을 신봉했던 사람이다. 다만 그가 생각한 기[...] 길이 남을 망발을 서슴지 않았다. 그뿐 아니다. 그는 10월 21일 주가가 본격적으로 하락하기 시작하자 "현재 주가는 내재가치를 반영하지 못하고 있으므로[...] 린 결과일 뿐이다."라며 확인사살까지 감행했다. 그러나 주가는 1929년 10월 29일 암흑의 화요일(Black Tuesday)을 맞았고, 그날 이후 그는 주식시장에 대[...]

2

공중에 머무르고, 그 다음에는 다시 낙하운동을 시작한다. 낙하는 물리법칙에 따라 땅바닥에 닿는 순간 가장 속도가 빠르다. 그렇게 땅에 닿은 주가는 몇 번
서 활의 시위를 당기는 힘, 공중을 향해 공을 던지는 힘은 투자자들의 심리다. 그래서 많은 분석가들은 헤라클레스의 팔뚝을 보고 그 힘을 짐작할 수 있다고
1920년대 플로리다 부동산투기, 1920년대 말 주식투기 등은 더 이상 이야기하면 입이 아플 정도다. 어쨌건 이제 우리가 주목해봐야 할 1929년 9월의 대공황
미래지향적이었다. 그는 현실화되지 않은 미래의 수익에 너무 집착한 나머지 주가가 폭락한 시점에서 "이미 주식시장은 불멸의 고원에 올랐다."는 역사에
히 금주법이 가져올 긍정적인 효과, 즉 근로자들의 생산성 향상을 반영하지 않고 있다. 지금의 주가 하락은 투기적 신용거래자들이 일시적으로 마음이 흔들
잃었다. 아니 자격을 박탈당했다.

주식시장의 이해

chapter 3

주식시장의 역사는
어떻게 진화해왔는가

주식시장의 태동, 자본주의의 흐름을 바꾸다

주식은 주식회사의 주권이다. 우리는 주권의 거래를 통해서 주식회사의 지분을 소유하고 있는 셈인데, 정작 우리가 소유하고 있는 주식회사의 근본이 무엇인지는 잘 모르고 있다. 이에 대해 알아보자.

주 식 회 사 의   발 전

1600년대에 설립된 최초의 주식회사인 동인도회사와 1700년대에 세워진 최초의 지주회사인 미시시피 회사의 설립은 이후 세계사와 자본의 흐름을 서구로 바꾼 획기적인 사건이었다. 이들의 역할을 역사적으로 고찰하면 칼 마르크스(Karl Heinrich Marx)의 본원적 축적이라는 측면에서 접근할 수도 있고 제국주의의 추악한 본질의 차원에서 볼 수도 있지만,

궁극적으로 주식회사의 기능이라는 차원에서 본다면 이들 회사는 더할 나위 없이 좋은 과제가 된다.

당시 서구 열강들은 인도, 중국, 말레이시아 등에서 생산하는 향신료(네덜란드 동인도회사), 면화(영국 동인도회사) 등을 헐값에 빼앗기 위해 치열한 접전을 펼쳤다. 이것은 '동인도회사'라는 이름에서도 알 수 있듯이 국가의 이름이 아닌 민간회사의 이름을 걸고 이루어진 일이다. 식민 지배가 이뤄지기 전에 국가에 앞서 민간회사가 먼저 진출한 셈이다. 그들이 국가 무력을 앞세워 점령하지 않고 민간회사 진출이라는 방식을 먼저 선택했는지에 초점을 맞춰보면, 주식회사 체제의 명과 암이 극명하게 드러난다.

당시 후추는 금보다 비싸게 거래되고 있었다. 네덜란드는 이 후추를 싼값에 대량으로 수입하는 길을 찾고 있었고, 영국은 직물산업의 영향으로 쪽과 면화의 안정적인 공급에 관심을 두고 있었다. 후추, 면화, 쪽 등을 원산지로부터 최대한 싸게, 대량으로 가져오는 가장 손쉬운 방법은 오직 하나, 무력으로 원주민들을 압박해 그들의 가격 결정권을 박탈한 다음 빼앗은 물품들을 배로 실어 나르는 것이었다. 그래서 이들은 무력을 동원했고 국가는 이를 승인했다.

"우리는 전쟁 없이는 무역을 하지 않고, 무역 없이는 전쟁도 하지 않는다."라는 동인도회사의 모토는 당시 상황을 대변한다. 최대의 이익을 남

Zoom In **본원적 축적** 자본주의 발달 단계를 '봉건시대 → 전기자본주의 시대 → 산업자본주의 시대 → 독점 자본주의시대 → 국가독점 자본주의시대'로 구분할 때, 전기자본주의 시대를 자본의 축적기, 즉 본원적 축적기라고 부른 데서 유래한 말.

기기 위해 할 수 있는 모든 수단을 동원했던 것이다. 이 '전쟁'은 현대에 와서 단지 '총'이 '금융'으로 바뀌었을 뿐 달라진 게 없다.

위험관리와 이익 배분의 시작

이쯤에서 17세기로 돌아가보자. 한 명의 자본가가 향신료를 실을 몇 대의 무역선을 발주해 인도네시아로 떠날 선단을 꾸렸다. 그의 배에는 용병과 선원, 상인이 타야 했을 것이고 또 후추와 바꿀 약간의 금과 은괴도 필요했을 것이다. 이쯤 되면 한 개의 선단을 꾸리는 데 어마어마한 자본이 필요했음을 알 수 있다. 그리고 그의 선단이 원주민을 총으로 위협하든 그곳의 지도자를 금으로 매수하든 비싼 향신료를 값싸게 확보해 배에 가득 실고 돌아왔다고 가정하자. 그는 그 향신료를 시장에 팔아 어마어마한 부를 축적했을 것이다.

만약 그의 선단이 태풍을 만나 좌초하거나 원주민과의 싸움에서 패하거나 혹은 사우스 시(South Sea) 회사의 몰락처럼 배가 항구에 잘못 들어 화물이 모두 썩어버렸다면 파산할 것이다. 이익에 대한 기대는 크지만 자칫하면 일거에 큰 손실을 입을 위험이 있다. 그래서 그는 고민한 결과 자신과 함께할 동업자를 찾는다. 즉 수익과 위험을 나누는 위험관리에 눈을 돌린 것이다. 이렇게 몇 명의 동업자가 같이 위험을 나누면 그들의 선단은 비록 한두 차례 파산을 하더라도 다음에 새로운 기회를 잡을 수 있다.

이때 그들은 어차피 파산을 무릅쓰고 일거에 대박을 터뜨릴 경우가 아니라면 출항의 빈도를 높이는 것이 수익에 도움이 된다는 사실에 눈을 뜨게 된다. 소위 박리다매인 셈이다. 다시 새로운 출자자를 찾아 나설 것이고 출자자가 많으면 많을수록 이 선단의 안전성은 커지고 이익도 늘어난다는 사실을 깨닫게 된다. 하지만 출자자가 늘어날수록 의견 충돌은 많아진다. 봄에는 물품이 쉽게 상하므로 가을에 배를 보내자는 사람, 가을에는 태풍이 잦아서 안 된다는 사람이 서로 다툴 것이고, 그 결과 최대주주의 '경영권'이라는 장치가 필요하다는 사실도 깨닫게 될 것이다.

이 선단은 최대주주의 의지대로 배를 띄우고 그의 판단이 틀리면 회사가 위기에, 옳으면 회사가 성장의 기회를 잡게 된다는 사실을 배우게 될 것이다. 하지만 주주가 늘어날수록 대주주의 입장에서는 자신의 권한이 축소되는 두려움을 갖게 되고, 이익도 잘게 나누어지는 것이 마음에 들지 않는 때가 오면 이제 주주를 늘리기보다는 돈을 빌리는 쪽을 택할 것이다. 즉, 차입을 하면 이익은 나누지 않아도 되고 이자만 지불하면 되므로 자본의 희석보다는 차입에 주력하는 것이다.

하지만 이 경우에 선단이 향신료를 가득 싣고 돌아오는 날에는 주주들의 몫이 커지지만, 만약 선단이 전쟁에서 패해 빈 배로 돌아오는 상황이 벌어지면 이들은 채권자들에게 빚을 갚기 위해 선단을 팔아야 할 수도 있다.

이렇게 힘의 균형이 만들어지고 체제와 질서가 갖춰지면서 주식회사는 지금의 형태로 자리를 잡게 된다. 즉 주식회사는 많은 자본을 모아 이익을 올릴 수 있는 부분에서 가능한 한 최대이익을 얻기 위해 조직된 것이다. 그러면 이번에는 이들 주식회사의 사익 추구 행위가 왜 국가 사회에 이득이 되는지, 그리고 주주들에게는 어떤 의미를 갖는지 생각해보자.

주식회사가 사업을 통해 벌어들인 돈이 매출액이고 매출액에서 원가를 뺀 것이 경상이익이다. 즉 모든 이익은 최우선적으로 원가가 공제된 것이다. 원가에는 여러 가지가 있다. 선단이라면 식량과 선상 생활에 필요한 도구들, 물물 교환할 다른 상품들, 배의 연료 등 많은 장비와 상품들이 필요하다. 이때 이들이 구입한 원가는 사회적 자산 입장에서는 관련 업종에 엄청난 여파를 미치게 된다.

두번째 공제해야 할 원가는 임금이다. 선원, 군인, 상인들에게 보장된 임금을 주어야 한다. 임금 다음에는 돈을 빌려준 채권자에 대한 이자를 지불해야 한다. 즉 회계 용어로 차입금에 대한 상환(유동부채건 고정부채건)이 이뤄지지 않으면 출항 전에 배를 빼앗기거나 주주들의 집이나 토지가 경매에 넘어갈 것이다.

그리고 나머지 이익, 즉 회계 용어로 '법인세 차감 전 이익'에 마지막으로 관세가 있을 것이다. 17~18세기에 서구의 왕가들은 직접 나서서 식민지를 지배하기보다 상인들이 나서서 자본의 논리로 부를 확장하는 것이 훨씬 더 나을 것이라고 생각했다. 국가의 입장에서 봤을 때는 그들의 성공에 세금을 매기는 것이 군사적 패배에 대한 부담도 없어 훨씬 더 나은 선택이었다.

이 모든 비용을 제하고 남는 것이 바로 순이익이 된다. 하지만 순이익에 대해서도 주주들의 의견이 엇갈릴 수 있다. 벌어들인 돈으로 차라리 배를 더 만들자는 사람과 이익을 나눠달라는 사람의 의견이 충돌할 것이고, 대주주는 대개 차입금을 빌려서 이자를 주느니 차라리 이 돈을 모아뒀다가 선단을 키우자는 결정을 내리게 될 것이다. 당장의 이윤을 포기하는 대신 나중에 훨씬 큰 자본이익을 얻을 수 있다고 생각하기 때문이다.

여하간 이익을 나눠 갖는 것이 좋은지, 아니면 선단을 늘리는 데 투자하는 것이 나은지는 늘 고민거리다. 공급이 풍부해져 향신료의 가격이 떨어지는 상황이라면 배를 더 늘리는 것은 어리석은 결정이고, 선단이 커피와 담배 등 새로운 상품을 발굴하여 그것이 새로운 이익을 창출하면 선단을 늘리는 편이 나을 것이다. 이런 판단의 차이에 불만을 느낀 주주들 혹은 중간에 돈이 필요한 주주들은 자신의 지분을 누군가에게 넘기려는 욕망을 느끼게 되고, 이때 이 지분의 위조 여부를 검증하고 지분의 소유권을 공증해줄 중개자를 찾게 된다.

이것이 바로 증권시장의 효시다. 이때부터 사람들은 주식회사에 대한 투자에서 이익 배분(배당) 못지않게 자본 차익이 더 매력적이라는 사실을 알게 됐고, 400년 전이나 지금이나 우리는 내내 이 자본 차익과 배당의 문제를 고민하고 있는 것이다.

주식시장과 함께 진화한 이론들

시장은 다양한 사람들이 자신의 영감을 두고 다투는 전쟁터다. 19세기 말, 개인 투자자들의 본격적인 주식거래가 시작된 후부터 시장을 앞서나가려는 경쟁은 지속되었다. 초기 통신시설이 미비하고 일부만이 정보를 공유하던 시대에는 불공정한 방법으로 정보를 취득한 사람들이 시장의 수익을 전부 가져갔다.

기업 경영자들은(대부분은 대주주가 곧 경영자이던 시대였다) 내부 정보를 이용해서 주식을 사들이고, 심지어 자사주를 이용한 작전에 나서는 것도 일상적이었다. 이들은 클럽에서 마티니를 마시며 각자 자기기업의 정보를 서로 주고받으며 다른 회사의 주식을 사들임으로써 시장감시위원회의 감시를 피해갔다.

이 점은 전문 투자자들도 마찬가지다. 전문 투자자들의 능력은 경영자들과의 친분으로 결정됐다. 대부분의 거래는 증권사 스페셜리스트들과 결탁한 전문 투자자들의 손에 의해 이루어졌다. 마지막 먹이사슬을 이룬 일반 투자자가 전문 투자자들이 한껏 끌어올린 주식을 사들이기 위해 매수주문을 내고 있을 때, 한쪽에서는 공매도를 하면서 이들을 농락했다.

하지만 대중의 주식시장 참여가 활발해지고, 상장기업이 늘어나며 증권시장의 시스템이 개선되기 시작한 1920년대 이후부터는 서서히 정보의 독점과 교환에서 벗어나, 대상 기업을 분석하고 주가를 예측하려는 시도들이 본격적으로 무르익기 시작했다. 따지고 보면 이전까지의 투자는 대주주와 경영진, 그리고 전문 투자자들이 아프리카 초원에서 톰슨가젤을 사냥하는 맹수에 지나지 않던 시절이었다. 하지만 이때부터는 본격적으로 투자자들의 공정한 무대가 열리기 시작한 셈이다.

1920년대 강력한 주가 상승은 투기욕구에 불을 질렀다. 많은 투자자들이 더 많은 수익을 위해 뛰어들고, 시장을 연구했다. 그리고 나름의 이론과 논리로 무장하고 성공한 투자자들의 무용담이 영웅시되기 시작했다.

하지만 이들이 한 가지 간과한 것이 있었다. 불행하게도 이들이 경험한 시장이 강세장이었다는 사실이다. 대개의 이론은 놀라운 수익을 안겨다주었고, 그 중에서도 '고고'를 외친 사람들의 수익률은 실로 대단한 수준에 이르렀다.

이제 이들의 역사를 살피면서 지금 우리가 기대하고 있는 것들이 얼마나 허망하며, 때론 얼마나 유용한지를 한번 점검해보자.

내 재 가 치 이 론 과 시 장 가 치 이 론

투자는 크게 보면 두 가지 이론으로 나뉜다. 내재가치를 산정하고 내재가치보다 싸면 주식을 사고 비싸면 판다는 내재가치 이론, 그리고 투자자들의 심리가 주가를 결정짓는다는 심리적 분석에 기초한 시장가치 이론이다. 시장가치 이론은 어차피 주가는 심리에 의존하며 얼마나 많은 투자자들이 흥분하고 있는가를 간파하는 데서 출발한다고 주장하는 이론이다.

전자의 경우는 많은 투자자들이 신앙처럼 여기고 있는 이론이다. 우리는 주식시장이 심리에 의해 움직인다는 사실을 인정하면서도 그래도 주가는 내재가치에 수렴한다고 생각한다. 하지만 '언제' 수렴하는가에 대해서는 모른다는 사실도 역시 알고 있다. 다만 주가는 내재가치와 한 번은 만나며, 그것이 견우와 직녀의 만남처럼 긴 기다림에 짧은 만남이더라도 결국은 만날 것이라는 점만을 강조한다. 그래서 일단 청산가치 이하로 주식을 사두면, 언젠가는 주가가 내재가치 수준으로 오르는 시점이 올 테니, 그때 매도하면 된다는 그야말로 생존이론에 가까운 주장을 편다.

나중에 이야기하겠지만 이 역시 터무니없다. 물론 극히 일부이긴 하지만 벤저민 그레이엄의 많은 추종자들이 실제로 살아남는 데 성공한 실례가 있기는 하다. 내재가치 이론을 교범처럼 섬기게 한 절대적 공로자는 바로 워렌 버핏이다. 그는 벤저민 그레이엄의 영감을 받아 성공했다. 고로 주식시장은 내재가치 투자에 주력하는 것이 최선이라는 도그마가 만들어졌다(뒤에 거론하겠지만 워렌 버핏의 성공은 거기에 통찰이 더해졌기에 가능했다).

하지만 내재가치가 아닌 시장가격 혹은 시장가치를 중시하는 투자자들의 생각은 달랐다. 이들은 투자자들을 술 취한 주정꾼과 같다고 보았다. 주정꾼은 비틀 걸음으로 집 앞을 지나쳐서 훨씬 멀리 가버리거나 집과는 반대 방향으로 걸음을 옮긴다. 때로는 차비도 없이 총알택시를 타고 시 경계를 벗어나기도 한다. 그리고 술이 깨면 다시 택시를 타고 빠른 속도로 집으로 돌아가거나 파출소 신세를 진다.

주가가 그렇다. 시장가격을 중시하는 투자자들은 주정뱅이가 술을 마시기 시작하는 시점을 알 수 있다고 믿는다. 혹은 그가 술집에 들어서는 순간이나 택시를 타고 떠나는 방향을 보면 주가의 방향을 알 수 있다고 생각한다. 많은 기술적 분석가나 시장 분석가들은 사람들이 도취되어 너도나도 비싼 값을 치르며 매수주문을 내는 시점을 이미 한발 앞서 간파할 수 있다고 믿는 것이다.

여기에 대해 당대의 경제학자인 케인즈도 주가의 내재가치는 너무 복잡한 요소를 갖고 있어서 도저히 알 수 없는 것이며, 주가는 심리에 의해 움직인다고 믿었다. 그는 "미래에 주가가 1만 원 정도 오르리라 믿으면서도 1만 5,000원의 내재가치가 있다고 생각하고 1만 2,000원에 주식을 매수하는 것은 어리석은 일이다."라고 말했다. 내재가치 이론가들의 불합리성을 통렬하게 비판한 것이다.

또한 "주식시장은 미인 콘테스트"라는 유명한 말을 남겼다. 당신이 미인대회의 심사위원이라면 당신이 아름답다고 여기는 사람에게 높은 점수를 주는 것이 아니라, 다른 사람들이 아름답다고 생각할 만한 여인에게 한 표를 던지는 것이 현명하듯 주식 역시 그렇다고 본 것이다. 이 논쟁은 무려 80년간이나 지루하게 이어졌다. 그리고 승부는 내재가치 이론가들의 일방적인 승리로 귀결되었다.

나는 이 책에서 그렇지 않다는 것을 말하려고 한다. 그들은 둘 다 졌거나 무승부다. 워렌 버핏의 성공은 그의 통찰의 결과이며, 단순한 내재가치 분석을 따른 것이 아님을 인정한다면 말이다.

심지어 오스카 모르겐슈테른(Oscar Morgenstern)은 1970년 그의 책을 통해 "내재가치를 찾으려는 행동은 유령의 불빛을 찾으려는 것과 다름없다."는 극언을 한다. 주식시장은 그 가격을 치르려는 사람들이 가격을 만들고 그들이 스스로 합리적이라고 여길 이유를 계속 만드는 한 끝까지 오른다. 하지만 끝없이 오르는 주가도 성층권을 벗어날 수는 없고 결국은 제자리로 돌아온다. 사람들은 그렇게 제자리로 돌아온 다음에야 자신의 판단이 비합리적이었음을 깨닫게 된다.

급등하는 주가는 헤라클레스에 의해 하늘로 던져진 공과 같다. 처음에는 강하게 오르며 가속도가 증가한다. 하지만 던져진 힘과 중력의 크기가 일치하는 순간 주가는 찰나적으로 공중에 머무르고, 그 다음에는 다시 낙하운동을 시작한다. 낙하는 물리법칙에 따라 땅바닥에 닿는 순간 가장 속도가 빠르다. 그렇게 땅에 닿은 주가는 몇 번이나 바닥을 튕기며 오르다가 서서히 잦아든다. 활의 시위를 떠난 화살도 그렇다. 최고 가속도는 점점 증가하다가 어느 시점에서 중력과 맞서지 못하고 바닥을 향해 추락한다. 여기서 활의 시위를 당기는 힘, 공중을 향해 공을 던지는 힘은 투자자들의 심리다. 그래서 많은 분석가들은 헤라클레스의 팔뚝을 보고 그 힘을 짐작할 수 있다고 믿는다. 그런데 과연 그럴까? 이것이 이 책의 또 다른 주제다.

역사적으로 투기에 대한 이야기는 이제 신물이 날 것이다. 앞서 말했던 네덜란드의 튤립투기, 사우스 시 회사의 거품, 1920년대 플로리다 부동산투기, 1920년대 말 주식투기 등은 더 이상 이야기하면 입이 아플 정도다.

어쨌건 이제 우리가 주목해봐야 할 1929년 9월의 대공황 때 잊을 수 없는 인물이 하나 있었으니 그는 바로 예일대학교의 어빙 피셔 교수다.

그는 구식의 내재가치 이론을 신봉했던 사람이다. 다만 그가 생각한 기업의 내재가치는 지나치게 미래지향적이었다. 그는 현실화되지 않은 미래의 수익에 너무 집착한 나머지 주가가 폭락한 시점에서 "이미 주식시장은 불멸의 고원에 올랐다."는 역사에 길이 남을 망발을 서슴지 않았다.

그뿐 아니다. 그는 10월 21일 주가가 본격적으로 하락하기 시작하자 "현재 주가는 내재가치를 반영하지 못하고 있으므로 다시 상승할 것이다. 특히 금주법이 가져올 긍정적인 효과, 즉 근로자들의 생산성 향상을 반영하지 않고 있다. 지금의 주가 하락은 투기적 신용거래자들이 일시적으로 마음이 흔들린 결과일 뿐이다."라며 확인사살까지 감행했다. 그러나 주가는 1929년 10월 29일 암흑의 화요일(Black Tuesday)을 맞았고, 그날 이후 그는 주식시장에 대해 더 이상 발언할 용기를 잃었다. 아니 자격을 박탈당했다.

이 당시 투자자들은 왜 그렇게 흥분했을까? 무엇이 이들을 그렇게 비이성적인 흐름으로 몰고갔을까? 그것은 일군의 전문 투자자들의 행태와 그에 부화뇌동한 일반 투자자들이 만들어낸 투기열풍 때문이라고 볼 수밖에 없다.

물론 현상 자체는 미국의 산업화로 인한 대량생산에서 찾을 수 있다. 헨리 포드(Henry Ford)의 대량생산 시스템이 상징하는 대기업들이 급격

Zoom In　　**암흑의 화요일**　　대공황 당시 급락 후 반등하던 주가가 다시 급락하면서 시세 확인과 체결 확인이 두 시간 이상 늦어지자 이에 불안감을 느낀 투자자들이 투매에 나섰고, 신용계좌의 반대매매가 속출하면서 단 하루 만에 10%가 넘는 주가 하락과 600만 주 이상의 거래량을 기록했다. 이후 3년간 주식시장은 끝없는 하락의 터널로 빠져들고 말았다.

한 생산증가를 가져왔고, 사람들은 그러한 생산성의 증가가 엄청난 호황으로 이어질 것으로 여겼다. 당시만 해도 미국 국민의 겨우 20% 미만이 공장 근로자였던 상황에서 물건을 대량으로 생산하면 오히려 그것을 소비할 구매력이 없어 과잉생산이 될 것이라는 점을 간과한 것이다. 대공황은 어빙 피셔처럼 기업의 생산성 증가가 곧 수익의 증가로 이어질 것으로 믿은, 한 무리의 가치 분석가들과 또 한 무리의 기술적 분석가들이 연합해서 빚은 참사라고 해도 과언이 아니다.

찰스 다우의 다우이론

이렇게 빚은 참사는 그 이전에 등장했던 시장 이론들에 대한 심각한 회의를 불러왔다. 하지만 그렇게 심각한 참사를 거친 뒤에도 오늘날까지 살아남은 이론이 있다면, 그것은 바로 찰스 다우(Charles Dow)의 다우이론(Dow theory)이다.

다우이론은 주식시장을 체계적으로 분석하기 시작한 최초의 이론일지도 모른다. 다우이론을 주창한 찰스 다우는 지금으로부터 100년 전에 〈월스트리트저널Wall Street Journal〉을 창간 발행한 저널리스트이자 시장 분석가였다. 그는 1900년에서 1902년까지 그가 편집을 책임지던 〈월스트리트저널〉에 기고를 해 '시장가격의 평균' 개념을 주창했다. 그것은 지금으로서는 너무나 당연한 일이지만 당시로서는 획기적인 제안이었다.

그의 논지는 단순했다.

"급류가 일건 잔물결이 일건 간에 강을 건널 수는 있다. 강폭이 좁고 물결이 잔잔할 때 배를 띄우면 강을 건널 확률이 높지만, 홍수로 강물이 넘칠 때 건넌다면 배가 뒤집힐 위험이 높다. 그런데도 사람들은 항상 강을 건너려 한다."

그래서 그는 그가 창업한 다우존스앤컴퍼니(Dow Jones & Company)를 통해, 1896년까지 시장 평균주가를, 그리고 1897년 1월 1일부터 산업 평균주가와 철도 평균주가를 발표했다. 그 전까지 개별종목의 가격과 정보에 의존하던 투자관행에 획기적인 변화를 가져온 것이다. 이때부터 사람들은 '시장상황'이라는 용어를 사용했고, 지수에 관심을 갖기 시작했다.

찰스 다우가 이렇게 지수를 제안한 이유는 가격을 단순 수치로만 바라보면 '추세'를 알 수 없는데, 투자는 추세를 아는 데서 출발한다는 사실을 자각했기 때문이다. 찰스 다우는 평균주가와 철도지수의 관계에 주목했다. 평균주가는 현재를 말하지만, 당시의 운송주는 핵심 산업이었기 때문에 철도주의 향방이 곧 미래를 얘기한다고 믿었다.

그는 이렇게 씨줄을 엮고 다시 날줄을 매겼다. 평균주가에도 세 가지 흐름이 있으며, 가격흐름은 이 세 가지 흐름, 즉 추세를 모두 검토함으로써 이해가 가능하리라 생각했다. 물론 그가 이렇게 직접 말한 것은 아니다. 찰스 다우는 고작 수십 편의 칼럼을 썼을 뿐이고, 굳이 주가를 예측하려는 시도도 하지 않았다.

찰스 다우의 이론이 세상에 알려진 것은 〈월스트리트저널〉의 후임 편집자 윌리엄 피터 해밀턴(William Peter Hamilton)이 그에게서 배운 이론과 지식을 바탕으로 《주식시장 바로미터 The Stock Market Barometer》라는 책을 펴내면서다. 또한 다우이론이라는 이름으로 정립된 것은 넬슨(S. A. Nelson)의 《주식투자의 기본 The Abc of Stock Speculation》이라는 책에서 시작되었다.

어쨌거나 다우이론의 핵심은 씨줄이 아닌 날줄에 있다. 가격흐름에는 크게 세 가지가 있는데, 그 중 가장 크고 중요한 흐름은 장기추세, 즉 긴 기간의 대세하락이나 상승과 같은 흐름이라는 것이다. 이 흐름은 대개 2년에서 수년까지 이어지는 큰 흐름으로서 시장의 모든 요인이 가격에 반영될 때까지 유지된다. 이를테면 대세하락은 향후 일어날 모든 부정적 사건이나 우려들이 모두 시장에 반영될 때까지 이어지고, 상승은 경기확장과 이익개선에 대한 기대와 향후 가능한 모든 호재요인들이 주가에 반영되는 순간까지 이어진다는 것이다.

대세의 상승에는 다시 3단계가 있는데, 첫단계는 경기와 이익호전에 대한 기대가 불씨를 지피는 상황이고, 두번째 단계는 경기호전과 이익증가가 확인되는 상황이며, 마지막 단계는 실현 가능성 여부와 관계없이 모든 희망이 시장에 반영되어 투기적 가수요가 일어나 더 이상 주식을 매수할 사람이 없어지는 국면을 가리킨다. 이 단계에서는 인플레이션이 심화되고 금리가 오르며 거래량이 급증한다.

대세의 하락 역시 3단계를 거친다. 처음에는 주가가 추가 상승할 것이라는 기대가 꺾이는 국면이다. 눈치 빠른 투자자들이 주식을 내던지기 시작하고, 우둔한 투자자들이 매물을 소화하면서 거래가 줄어들고, 주식의 주인이 바뀌기 시작한다. 두번째 단계에서는 경기부진과 기업실적 하락이 확인되고 상당수의 투자자들이 시장에 대해 불안감을 느끼며, 매도자가 우위에 서기 시작한다. 세번째 단계에서는 경기침체와 실적악화에 대한 불안감이 증폭하면서 근거 없는 비관론이 득세하고, 뒤늦게 매수에 가담했던 투자자들이 절망하고 주식을 판다.

이런 장기추세 외의 두번째 흐름은 대세상승과 하락중에 일시적으로 나타나는 조정 국면이다. 이때는 대략 30~60%의 주가 하락(대세상승중)이나 상승(대세하락중)이 급격하게 일어난다. 대개 이 순간 어리석은 투자

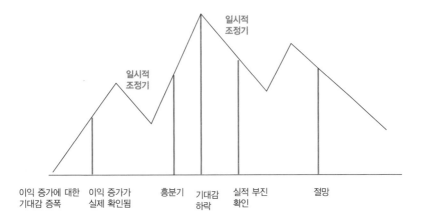

자들은 대세가 바뀌었을지 모른다는 불안감에 사로잡히지만, 현명한 투자자들은 그것이 아님을 믿고 기다리거나 기회라고 여기고 추가매수에 나선다.

　이 흐름은 대개 3~4주에서 6개월 정도 진행된다. 하지만 이때는 전고점이 직전 고점을 돌파한 이후일 경우가 많고(추세반전의 경우에는 마지막 직전고점이 의미 있는 최고가가 아니다), 조정시의 저점 역시 지난 저점보다 높다. 하지만 대세반전일 경우에는 저점이 지난 저점을 하회하는 경우가 많다. 또 거래량에서도 대세전환의 경우에는 하락시에 거래가 많고, 상승시에 거래가 적지만 추세 내의 조정일 경우에는 상승시의 거래가 많고, 하락시의 거래가 적다.

　마지막 흐름은 일간 가격흐름이다. 이 흐름은 대개 큰 의미가 없다. 일간 흐름을 맞힐 수 있다는 아집은 일기예보가 온도나 풍랑까지 정확히 맞히기를 바라는 것만큼이나 어리석은 일이다. 하지만 일간 거래는 그것이 누적되어 큰 흐름을 만든다는 점에서 늘 추적하고 관찰해야 하는 대상이다. 일간 거래에서 중요한 흐름은 단지 거래가 수반된 박스권일 경우뿐이다. 거래가 수반된 박스권이라는 말은 사려는 사람이 주식을 모으건 팔려는 사람이 주식을 팔건 간에 의미 있는 한 흐름의 변화라는 것이다.

이렇듯 다우이론은 주식시장에서 파동과 추세의 개념을 만들었고, 소위 지지선과 저항선의 개념을 창안했다. 주가의 의미 있는 저점을 잇고 의미 있는 고점을 잇는 추세대를 그리거나, 신고점을 돌파하는 순간 주가가 그것을 넘어서느냐 아니냐에 온 신경을 기울일 것을 제안했다. 이미 지난번 고점에 사서 손실을 본 투자자들은 원금을 회복하기 위해 매수가격에 이르면 주식을 팔기 시작할 것이고, 고점을 넘어서면 더 이상 팔 사람이 없기 때문에 주가는 상승할 것이라는 논지를 전개했다.

탁월한 통찰이었고, 그것은 지금으로서도 분명히 맞는 이야기다. 하지만 더 이상 팔 사람이 없다는 것과 살 사람이 있다는 것은 동의어가 아니다. 또 더 이상 살 사람이 없다는 것과 팔 사람이 있다는 것 역시 동의어가 아니다. 다우가 간과한 부분은 그것이다.

박스권에 대한 해밀턴의 시각

다우이론의 또 다른 통찰 중 하나는 주가의 박스권 움직임에 대한 인식이었다. 해밀턴은 후에 이렇게 말했다.

"주가가 수주 동안 5% 범위에서 등락을 거듭한다면 그것은 누군가가 청산을 위해 매물을 쏟아내고 있거나, 혹은 누군가가 매집을 하고 있다는 의미다. 다만 우리는 그것이 청산을 의미하는지 매집을 의미하는지를 알 수 없을 뿐이다. 일부 어리석은 사람들은 그것을 알 수 있다고 믿는다. 그래서 박스권에서 주가가 위로 벗어날지 아래로 이탈할지에 대해 미리 예측하고 포지션을 취한다. 하지만 그것은 눈앞의 럭비공이 어디로 튈지를 예측하는 것만큼이나 어리석다."

이 부분은 중요한 통찰이다. 주가의 움직임을 단순히 추세와 강도로만 해석하던 시절에, 새로 주식을 매입하여 보유하는 사람이 앞으로 시장을 이끌어갈 힘을 가진 투자자인지 아니면 그 반대인지에 대해 분석해보는 것은 주가 해석의 새로운 출발점이었다. 이를 계기로 시장에는 기술적 분석이라는 하나의 중요한 기둥이 세워졌다.

이러한 주가 해석 이론은 더욱 확장되어 평균주가에 대한 변동성의 폭(밴드이론)이나 표준편차를 반영한 투자자들의 심리적 움직임(볼린저밴드)까지 분석하는 것으로 진화했다. 하지만 이때 해밀턴이 말한 대로 박스는 그것이 주가의 의미 없는 궤적이든 향후 추세를 알 수 있게 하는 신호이든 간에, 투자자들이 가격 움직임에 대해 재인식하는 계기가 되었다.

다만 박스권에 대한 해밀턴의 인식은 초보 단계를 벗어나지 못했다. 그는 박스권을 이탈하는 방향으로 주가가 움직인다고 생각했다. 하지만 주가는 그의 예측대로 움직이지 않았고 박스권을 형성한 주가는 위쪽으로 돌파하든 아래쪽으로 돌파하든 그 방향성의 확률은 결국 5대 5라는 사실이 밝혀졌다. 결론적으로 주가가 박스권을 이탈하는 방향으로 추종 매매를 하면 수익을 낼 것이라고 믿었던 해밀턴의 생각은 어리석은 것이었다.

예전의 주가자료를 바탕으로 검증한 해밀턴의 박스권에 대한 생각과는 달리, 이후의 주가는 놀랍게도 전혀 예측하지 못했던 방향으로 흘렀다. 박스를 상향 이탈한 주가가 다시 박스를 하향 돌파하면서 급락한다든가, 박스권을 하향 돌파함으로써 보유주식을 모두 매도했는데 주가가 급등하는 일들이 빈번해진 것이다. 당시에는 누군가 마음만 먹으면 언제라도 주식시장의 거래량과 거래시스템에 개입해 주가를 조작할 수 있다는 사실을 간과했던 것이다.

1900년대의 미국 주식시장은 뒤에 소개할 제시 리버모어(Jesse Livermore)의 투자법이 통찰로 인정받을 만큼 낙후된 시장이었다. 박스권 주가를 인위적으로 만들기도 하고 의도적으로 '박스권 돌파'라는 그림을 그려낼 수도 있었다. 경우에 따라서는 박스권 하향 돌파로 인해 개인 투자자들이 공매도를 하거나 보유주식을 급히 처리할 때, 오히려 강력한 매수 드라이브를 걸어 수많은 개인 투자자들의 주머니를 터는 일도 가능했던 시절이다. 해밀턴의 주장에 매료된 수많은 자본가들은 바로 이러한 점을 간과했다. 소위 기술적 분석의 함정을 놓친 것이다.

오늘날 우리도 두 가지 부분에서 어리석은 판단을 하고 있는데, 그 중 하나는 바로 세력(a man of influence)이다. 세력은 당시 미국시장에서 쓰이던 용어다. 만약 당신이 이 말에 귀가 쫑긋해지고 호기심이 생긴다면, 당신은 체결가와 현재가가 증권사마다 다르며 1만 달러만으로 주가를 5% 이상 움직이던 시대에 살고 있는 것이나 마찬가지다.

물론 요즘에도 일부 거래량이 적고 시가총액이 적은 종목을 대상으로 시세를 조작하는 불공정한 투자자들이 있지만, 똥은 피하면 그만인데 굳이 그 똥 속에 있는 구더기를 두려워할 이유가 무엇인가? 또 굳이 당신이 똥 푸는 사람 옆에서 코를 막아 쥐고 혹시라도 그 안에 누군가가 빠트린 금반지라도 하나 나올까 노심초사할 이유는 무엇이란 말인가?

또 하나 주가는 마치 공기나 물과 같아서 어떤 식으로건 인간의 예측을 벗어나는 존재라는 점을 간과하고 있다. 누군가가 그것을 쥘 수 있는 합리적인 방법을 찾았다고 생각하는 순간, 주가는 손에 움켜쥔 모래처럼 손가락 사이로 빠져나가버린다. 주식투자를 계량화할 수 있고 그 계량화의 틀 안에서 이익을 낼 수 있다고 믿는다면, 당신은 세상의 모든 것을 지배할 수 있다고 믿는 사람이다.

단, 박스권을 이해하기 위해서는 반드시 2개의 주가 평균을 비교하라는 해밀턴의 두번째 주장에는 중요한 의미가 담겨 있다. 엄청난 자본이 몰려 시가총액이 수조를 넘는 기업의 박스권이 어떻게 만들어지는지, 그리고 그 박스권의 방향성은 어떤지 알고 싶을 경우, 해밀턴의 말대로 종합주가지수가 추세상승을 이어가고 특정 대형종목이 상승중에 박스권을 형성했다면 그나마 그 박스권의 이탈 방향은 믿을 만하다. 하지만 해밀턴의 박스권에 대한 생각은 당시로서는 획기적인 진전이었다는 정도로만 이해해두자.

기술적 분석의 아버지, 제시 리버모어

이즈음 혜성같이 등장한 개인 투자자가 있었으니 그가 바로 제시 리버모어다. 그는 개인 투자자로서는 최초로 전설의 반열에 오른 인물이다. 1877년생인 그는 14세에 사설 주식시장의 시세판 보조원으로 출발해서 15세에 단돈 5달러를 들고 전업 투자자로 나선 후 일생을 주식시장에서 보냈다.

그는 풍운아였다. 주식투자로 무려 네 번의 파산을 겪고도 오뚝이처럼 일어섰다. 하지만 마지막 다섯번째에서는 상품선물에서 입은 손실이 그 어떤 수단으로도 복구가 불가능할 정도로 엄청났다. 그 결과 그는 입에 권총을 물고 호텔방에서 자살하여 63년간의 파란만장한 삶을 마무리했다.

그러고 보면 지금 우리나라에서 제시 리버모어의 인생행로를 그대로 재현하려는 투자자들이 적지 않은 것 같다. 1990년대 후반 성장주 거품시대에 일확천금을 거둔 소수의 개인 투자자들이 '전문가'로 추앙받던 시기, 젊은이들이 유행처럼 실전 주식투자대회에 참여하던 소위 '실전고수의 시대' 그리고 최근 대학마다 주식동아리 붐을 일으키고 있는 '주식연구회' 열풍까지. 제2의 리버모어를 꿈꾸는 수많은 사람들이 전업 혹은 전문 투자자의 길로 들어선 것이다.

이들의 투자가 늘 성공으로 이어지지 못하는 가장 큰 이유는 그들의 행보가 제시 리버모어가 실패했던 행보와 너무나 똑같기 때문이다. 리버모어는 당시 주식시장의 추세이론을 정립하고 있던 다우이론으로부터 직간접적인 영향을 많이 받았다. 그도 처음에는 텔렉스를 통해 쏟아지는 주식시세를 보고 매매를 시작했지만 뉴욕으로 거처를 옮긴 후에는 지수를 참조하기 시작했다고 고백했다.

"시장이 강세에 들어섰을 때 개별주식의 공매도를 하는 것은 어리석은 일이며, 가격이 약세장에 들어섰을 때 개별주식을 매수하는 것은 바보같은 일이다."

이 같은 그의 말은 찰스 다우의 "2개의 추세를 동시에 비교하면서 매매하라."는 주장과 일치한다. 이는 리버모어가 '시장 전체의 추세와 종목의 추세를 비교해서 이 두 가지가 일치하는 방향으로 매매하는 것이 최선'이라는 다우이론을 그대로 따랐거나 최소한 영향을 받았음을 증명하는 것이다.

당시 다우가 발표한 가격지수는 시장에 엄청난 영향을 주었고, 이로 인해 기술적 분석이라는 분석기법이 태동했다. 하지만 리버모어의 성공은 다우이론이나 기술적 분석론을 그대로 따른 것이 아니라 그것을 활용했기 때문에 가능했다. 그는 수학적 통계를 중시했고, 기술적 분석에서 추세의 개념을 이해하고 있었다.

그는 거기서 한발 더 나아가 시세의 끝을 이루는 지점을 포착하는 데 천부적인 재능, 즉 고점 징후에 대한 동물적 감각을 갖고 있었다. 그가 말하는 고점 징후는 '가격이 최소저항선을 돌파하지 못하고 반락하거나 공매도한 주식을 다수의 투자자들이 나눠서 살 때' 나타난다. 즉 대규모 자금을 가진 소수의 매집자들이 다량의 주식을 매도할 때, 이 주식을 매수하는 투자자들의 수가 많다면(소액 투자자들이라면) 그 주식은 고점 신호라는 것이다. 이것은 후에 험프리 네일의 역발상 이론(Contrary thinking theory)으로 이어지나 사실 '반대인 것이 수지맞는 것(It pays to be contrary)'이라는 주식시장의 영원한 교훈은 사실은 리버모어에서 비롯된 것이다.

시장에서 리버모어가 승리한 또 다른 요인은 바로 피라미딩(pyramiding) 기법이다. 그는 자금관리의 유용성을 일찌감치 간파했다. 항상 자금을 분할해서 투자했으며, 최소 투자분에서 이익을 내지 못하면 추가적인 포지션을 취하지 않았다. 그는 '포지션'이라는 말을 좋아했다. 즉 자산의 3분의 1을 100달러에 사고, 이익이 나서 105달러가 되면 다시 3분의 1을 더 투자하고, 또 주가가 110달러가 되면 다시 3분의 1을 투자하면서 평균 매수단가를 올린 것이다.

이 방법의 가장 큰 장점은 투자자가 늘 심리적 우위에 서게 된다는 점이다. 그는 늘 이렇게 투자함으로써 현재가가 평균 매수단가보다 위에 있도록 자신의 포지션을 관리했다. 전체 포지션의 이익이 일정 목표에 이르거나 반대로 가격이 평균 매수단가를 위협하면 미련 없이 보유 포지션을 청산했다. 그는 이에 대해 "당신이 확실하게 먹을 수 있는 비스킷과 누군가가 빼앗아갈 수도 있는 빵이 있다면 어느 것을 선택하겠는가?"라고 반문했다. 이러한 피라미딩 기법은 워렌 버핏의 철학이기도 하며, 오늘날 파생상품 거래에서는 자금관리의 교범으로 정립되어 있다.

또한 그는 추세저항의 원리를 스스로 체득했다. 당시 다른 기술적 분석가들이 추세에 대한 지지선의 개념을 정립했지만 그는 이를 '최소저항과 최대저항'의 개념으로 발전시켰다. 즉 직전고점들을 연결한 가상의 추세저항선을 최소저항으로, 일정 기간에서 최고점의 가격에 해당하는 지점을 최대저항으로 구분한 다음, 최소저항은 시간이 흐를수록 높아진다고 생각했다. 기술적 분석을 시작할 때 가장 먼저 배우는 것이 저항선에 대한 개념임을 생각하면 제시 리버모어를 '기술적 분석의 아버지'라 불러도 전혀 넘치지 않는 일이다.

그뿐 아니다. 그는 가격이 일정한 평균값을 중심으로 등락한다는 사실도 경험적으로 깨달았는데 이는 '가격밴드이론'의 기초가 되었다. 그는 또 평균값(오늘날의 이동평균선)을 중심으로 등락폭이 좁은 상태에서 오랜 기간 가격이 공방을 벌이면 그 범주를 벗어나는 것이 쉽지 않음도 간과했다. 오늘날 사람들이 좁은 박스권에 갇힌 주가가 상승하거나 하락할 것을 미리 예단하고 투자를 했다가 시간과 비용의 손실을 떠안는 것에 비하면 그의 안목은 탁월하다.

그는 주가가 박스권에 갇히면 기다리고 인내했다. 그리고 주가가 박스권을 벗어나는 순간이 오면 자금의 일부를 투자하고, 그것이 본격적으로 추세로 이어지면 나머지 자금을 투자하는 방식을 택했다. 소위 '고점매수, 저점매도'의 원조였던 셈이다. 많은 사람들은 가능하면 주식을 싸게 사려고 한다. 그래서 1만 원에서 8,000원 사이를 등락하던 주가가 8,000원을 바닥으로 9,500원까지 오르면 더 견디지 못하고 매수에 나선다. 하지만 그는 이런 식의 투자를 경멸했다. "시장은 투자자에게 어떤 설명도 이유도 대지 않고 그냥 자기가 가는 방향으로 가기 때문에 시장을 이해하려 들거나 자신의 생각을 시장에 끼워 맞추지 말라."고 경고했다.

하지만 그가 위대한 투자자가 되었던 가장 큰 이유는 정작 자신이 깨우친 기술적 분석의 도구들로 시장을 판단하지 않았다는 데 있다. 그는 이렇게 말했다.

"항상 은행가들의 주머니에 돈이 얼마나 들어 있는지를 살펴라."

그는 시장의 수급을 철저히 분석하고, 경제의 펀더멘털을 점검한 바탕 위에서 약세장과 강세장을 구분했다. 그리고 그 분석 결과를 근거로 공매도와 매수를 결정했다. 그는 영감을 강조한다. 주가 테이프를 보고 있으면 확신이 든다는 것이다. 하지만 그의 영감은 시장 주변요인에 대한 끝없는 탐색과 연구의 바탕 위에서 번쩍일 수 있었다.

그는 주식을 매수하거나 매도할 시점을 찾을 때만 기술적 분석을 활용했다. 그렇다고 오늘날의 펀드매니저처럼 기술적 분석을 노름꾼들의 화투장으로 멸시하는 사람도 아니었고, 데이트레이더처럼 추세선과 보조지표에 목을 매는 사람도 아니었다. 그는 유연했고 시장을 겸손하게 받아들였다.

하지만 그는 겉으로 보이는 것이 전부가 아니라는 사실을 간과했다. 미국은 역동적으로 성장해 정보들이 느릿느릿 전해지던 1900년대 초의 모습과는 크게 바뀌었다. 시장 환경이 뉴욕에 앉아서 모든 것을 이해할 수 없을 정도로 커졌음에도 그는 수십 년이나 자신의 판단과 직감을 믿었던 방식을 버리지 못했고, 파생상품에서 레버리지의 위험을 대수롭지 않게 생각한 것이 파산의 화근이 되었다. 이래저래 리버모어는 오늘날 투자자들에게 많은 교훈을 남겨주었다.

1920년대 말에는 이런 사람들의 이론이 시절을 풍미했다. 사람들은 리버모어의 성공에 조바심이 났고 너도나도 피라미딩 기법이나 트레일링 스톱(trailing stop) 기법을 대박의 황금률로 받아들였다. 특히 다우이론이 제시한 고점돌파에 따른 추세추종 전략은 강세장에서 수많은 사람들을 매혹시켰고, 최소한 몇 년간은 그들의 주머니를 두둑하게 불려주었다.

미 국 성 장 주 와 우 량 주 의 역 사

이후 주식시장은 길고 긴 침묵에 들어갔다. 대폭락의 추억을 기억하고 있는 많은 사람들은 시장을 두려워했고, 주식시장에 참여하는 것을 도살장에 끌려가는 것만큼이나 끔찍한 일로 여겼다. 최소한 1950년대까지는 그랬다.

하지만 1950년대 들어 미국 산업 전반에 변화가 일어났다. 새로운 산업들이 생기고 중산층들이 늘어나면서 잉여자산을 저축에서 주식으로 옮기기 시작했다. 컨테이너는 물동량을 증가시켰고 미국의 기업들은 전 세계를 대상으로 영업을 시작했다. 급변하는 시기에 새로운 황금기가 열린 것이다. 우리가 말하는 일렉트로닉스의 시대다.

거품이 일기 시작했다. 1946년 휴렛팩커드가 만든 IC 트랜지스터는 전자산업의 부흥을 알리는 신호탄이었다. 그때부터 시작된 전자산업의 열풍은 1960년대에 본격적으로 꽃을 피웠다. 시장에는 그간 억압되었던 유동성이 넘쳐나기 시작했고, 시장에는 새로운 기업의 신규 상장이 줄을 이었다. 사람들은 대공황의 추억을 잊고 다시 투기에 나섰다. 헤라클레스가 다시 화살을 힘껏 당기기 시작한 것이다.

GE가 인공 다이아몬드를 개발했다는 소식이 퍼지자 GE의 시가총액이 단 하루 만에 30%나 올랐다. 그러한 시가총액의 증가는 전세계 다이아몬드 거래의 2배에 이르는 엄청난 것이었다. GE가 만든 산업용 다이아몬드의 생산단가가 현실적으로 시장성이 없다는 사실 따위는 문제가 되지 않았다.

이 시기에 불어닥친 성장주의 열풍은 그야말로 엄청난 것이었다. '성장'이라는 단어는 기술적 분석가와 가치 분석가 모두를 흥분시켰다. 사람들은 신(新)경제가 엄청난 생산성 향상을 가져올 것이라고 믿었다. 더구나 과거 대공황 때와는 달리 구매력을 갖춘 중산층이 크게 자리잡고 있었으며 해외로 진출한 미국 기업의 판로도 무한으로 열려 있었다. 더이상 대공황의 실수는 반복하지 않겠다는 믿음도 있었다.

하지만 여기에도 비극은 있었다. 새로운 산업은 과거처럼 거대자본이 만든 거대장치 산업처럼 독점기업만 소유할 수 있는 영역이 아니었던 것이다. 어지간한 자본만 조달하면 기술만으로도 회사를 세울 수 있었고 그 기업은 금세 꿈의 기업이 되었다. 진입장벽은 낮았고 시장은 빠른 속도로 레드오션으로 변해갔다. 그로 인해 1962년 일렉트로닉스 열풍은 종말을 맞았고, 뒤늦게 시장에 뛰어든 어리석은 바보들은 자신들이 3년간 벌어들인 엄청난 수익을 단 몇 개월 만에 토해내야 했다. 3년간의 고통이 이어지고 투자자들은 간신히 그 충격에서 벗어났다. 그리고 이제는 '성장'이라는 말을 더 이상 떠올리고 싶지 않아 했다. 1929년 '독점'이라는 말에 속아 겪은 고통이 30년 만에 '성장'이라는 이름으로 돌아와 뒤통수를 쳤으니, 이 두 단어에 알레르기 반응을 일으킬 수밖에 없었을 것이다.

그러자 시장은 새로운 테마를 찾아 나섰다. 근로자들은 대부분의 임금을 저축 외에 다른 자산에 투자해야 했는데 채권에 투자했다가 엄청난 인플레이션으로 큰 고통을 경험했던지라 채권시장으로 돌아갈 수도 없었다.

이처럼 미련을 갖고 주식시장을 기웃거리던 투자자들에게 새로운 복음이 전해졌다. M&A 이슈가 등장한 것이다. 당시 미국은 악명 높은 독점자본가였던 록펠러가 운영하는 스탠더드오일(Standard Oil)을 해체시키고 독과점금지법을 제정했다. 지배력을 키우거나 해자(moat, 다른 기업이 쉽게 뛰어들거나 모방할 수 없도록 하는 진입장벽)를 구축하기 어려워진 기업들은 M&A 상승효과에 눈을 돌렸다.

A기업과 B기업이 합병하면 두 기업의 노무·인사·회계·관리 등이 통합되고, 기업의 비용이 절감되어 시장에는 1 더하기 1은 2가 아닌 3이라는 논리가 먹힌 것이다. 곧이어 M&A 광풍이 몰아닥쳤다. 너도나도 기업의 인수합병에 나서고 적대적 인수합병이 가능한 기업의 리스트가 객장에 나돌았다. 심지어는 실제 합병이 아닌 '기술적 연합'이라는 모호한 발표만 나와도 주가가 급등했다.

1968년 M&A 테마에 제동이 걸렸다. 당국이 부당한 인수합병에 대한 조사를 시작한 것이다. 합병의 조건으로 발행된 신주들이 부적절하게 거래되고 심지어는 전환사채를 발행해서 주가가 희석되었음에도 투자자들은 그 사실을 몰랐다. 인수합병 과정에서 온갖 부정한 뒷거래가 이루어졌고, 기업의 재무구조가 물타기되었다. 결국 당국이 칼을 빼들면서 여기에 뛰어든 투자자들은 다시 한 번 상처를 입었다. 하지만 한번 불붙은 유동성은 쉽게 가라앉지 않았다. 투자자들은 북벽에서 실패하면 동벽에서 그리고 다시 서벽에서 정상을 향한 도전을 계속했다.

그러던 투자자들에게 이번에는 개념주(Concept stock)라는 등정 코스가 나타났다. 그동안 실체를 알 수 없는 성장주와 작전이 개입된 합병과 같은 황당한 논리들에 시달렸던 투자자들이 그야말로 믿고 투자할 만한 장밋빛 설득에 매료되었다. 소위 스토리 주식의 시대가 열린 것이다. 스토리는 다양했다. 청춘 남녀가 즐길 수 있는 테마, 건강관리 테마, 엔터테인먼트 테마, 제록스와 같은 기업에 해당되는 산업특허 테마, 심지어는 성과 테마까지 다양한 테마들이 증장해 투자자들을 설득했다. 앞으로의 산업은 목적이 있는 기업들이 주도하게 될 것이라는 논리였다.

사람들의 맥박이 빨라졌다. 투자자들은 실현 가능성보다는 그것이 다른 사람들을 설득시킬 수 있는지를 알고 싶어했다. 소위 미인대회 시즌이 돌아온 것이다.

하지만 맛있는 복어에는 독이 있는 법. 급작스럽게 주목받은 테마는 사상누각이었다. 이들 기업은 스스로의 성장을 주체하지 못했고, 없는 테마를 만들기 위해 애써 조달한 자금을 쏟아부어버렸다. 회계장부는 엉터리였고 수익은 전혀 없었다. 돌이켜보면 우리나라에도 IT 버블 때 새롬기술(현 솔본)과 같은 기업들이 태반이었다.

이렇게 1960년대가 저물어갔다. 투자자들은 연이은 재앙으로 제정신

Zoom In **개념주** 투자자들이 통상적인 실적이나 전망에 반응하지 않자 기업의 꿈을 이야기할 수 있는 주식이 인기를 얻게 되었다. 당시 시대 상황과 미래 상황을 잘 조합한, 이야기가 있는 주식을 '개념주'라고 불렀는데, 대표적인 것으로 수명 증가에 따른 건강관리의 중요성을 설파한 헬스케어 업종의 주식이나 베이비붐 세대의 자녀들이 등장하면서 교육열풍이 불 것이라는 이야기로 포장된 교육주 등이 있다.

이 아니었다. 유동성이 넘쳐 돈은 들어오는데 자칫 잘못했다가는 수익은 커녕 손실을 입는 일이 예사였다.

하지만 그 와중에도 조용히 미소를 짓고 있는 이들이 있었으니, 바로 기업의 가치를 분석하는 일군의 투자자들이었다. 그들은 다른 사람들이 테마에 휩쓸려 엄청난 수익을 올릴 때마다 쓴웃음을 지으며 쓸쓸히 그늘에 서 있었고, 그 투자자들이 막장에 도달했을 때도 여전히 자기 자리를 지키고 있었다. 기업의 가치를 분석하는 투자자들은 큰 이익을 내지는 못했지만 최소한 급락의 소용돌이에는 휘말리지 않았고, 적으나마 장기적인 이익을 내고 있었던 것이다.

그제야 수많은 투자자들이 투자는 우량주를 중심으로 하는 것이라는 사실을 깨달았다. 그래서 그들은 일시에 우량주 투자에 눈을 돌리기 시작했다. 그야말로 건전한 투자 스타일을 회복한 셈이었다. 이것이 유명한 니프티피프티(Nifty-fifty)의 출발점이다. 이제 투자자들은 주식을 사고 밤잠을 설치지 않아도 되었다. 48개의 우량주들은 늘 수익을 내는 튼튼한 기업이었고, 회계부정을 저지를 만큼 어리석지도 않았고, 매해 이익 성장을 하는 성장성까지 겸비한 최고의 주식이었다. 이런 주식은 매수가 정당했다. 돌아볼 이유도 없었다. 소위 원디시전(One-decision)의 시대가 온 것이다.

<table>
<tr><td>━━━━━
Zoom In</td><td>**니프티피프티**　우아한 50종목. 1969년부터 1973년까지 미국에서 성장주에 상처입은 투자자들이 눈을 돌린 우량기업을 가리킨다. 수십 년간 안정적인 수익을 창출하고, 미래보다 현재, 그리고 과거에 항상 좋은 실적을 보여준 일등기업들을 지칭하는 말이다. 당시 미국시장에서는 이런 우량주 50여 개가 연일 급등하면서 그 자체로 하나의 거품을 만들기 시작했다.</td></tr>
</table>

그저 종목을 보고 주식을 사두면 되는 것이었다. 매수 열기가 불을 뿜었고 이들 주식은 주가수익배율이 아무리 올라도 걱정이 없었다. 우선 당장 주가수익배율이 올라가도 다음해의 이익 증가가 그것을 다시 상쇄할 것이기 때문이다. 결국 이들 우량기업의 주가수익배율이 100을 넘기 시작했다. 매수가 매수를 부른 결과였다. 주가수익배율 100은 기업의 실적이 40%씩 2년만 증가해도 금세 적정가격으로 돌아올 수 있는 수준이었고, 투자자들은 그렇게 믿었다. 최근 3년간 2배나 이익이 증가했으니 앞으로 3년간 3배가 증가하지 못할 이유가 없었던 것이다.

그들은 우량주에 투기를 시작했다. 그러나 시장은 2년이 지나자 시들기 시작했다. 니프티피프티에 대한 투자는 타이타닉처럼 가라앉았다. 개인 투자자들은 고고펀드(Go-Go fund)라 부르며 서로 우량주를 편입하지 못해서 안달했던 펀드들을 아우성치며 내다 팔기 시작했지만, 일부 종목의 주가는 80%나 하락했다. 다만 그 과정에서 긴 기간을 인내하며 외면당하던 우량주들을 끈질기게 보유하던 가치 분석가들은 이익을 얻을 수 있었다. 그리고 얼마 지나지 않아 뉴욕시장에는 참담한 주가 하락의 시련이 닥치게 되었다. 유동성의 한계에 봉착하며 시장 전체가 무너져내린 것이다.

돌아보면 당연한 결과다. 투자자들이 갑자기 늘어난 유동성을 주체하지 못하고 이것저것 건드리며 폭탄 돌리기를 한 것을 마지막으로, 우량주에서 유동성이 꺼져버린 것이다.

Zoom In **원디시전** 니프티피프티의 50종목처럼 고민할 필요도 없이 우량한 종목들은 단번에 매수 결정을 내려도 좋다고 해서 붙여진 이름이다.

다시 시장이 불붙기 시작한 것은 1980년대 퇴직연금과 연기금들이 본격적으로 시장에 유입되어 시장 유동성이 재차 보강되던 때였다. 시장은 그동안의 아픈 상처를 치유했다. 하지만 그 고통도 함께 잊었다. 투자자들은 불과 10~20년 전에 겪었던 슬픈 과거를 까맣게 잊어버렸다.

다시 성장주 돌풍이 불었다. 기존에 없던 산업이 등장하고 그것은 다시 경제의 파이를 키우고 인류의 자산가치를 크게 늘려줄 것이라는 기대를 품게 했다. 바로 바이오테크와 로봇에 대한 열망이었다. 바이오테크놀로지는 늘어난 수명에 걸맞은 희망을 가져다주었다. 생명연장에 대한 꿈이 일고, 늘어나는 수명만큼 노후를 준비해야 할 동기가 부여되었다. 라이프사이클 자산관리가 성행하고, 퇴직을 앞둔 사람들에게 노후를 안락하게 준비하려면 지금이라도 투자에 나서야 한다고 부추기는 목소리들이 등장했다.

투자자들은 이 둘을 조합했다. 인터페론(바이러스에 감염된 동물의 세포에서 생산되는 항바이러스성 단백질)이 등장하고, 이것이 바이러스를 제압할 수 있다는 희망이 부풀었다. 축 처진 피부는 피부재생 의약품, 노쇠한 유전자는 안티에이징 의약품이 해결해줄 것이라는 기대가 넘쳐났다. 노후에 약해진 근육을 대체할 로봇산업에 기대가 실리고, 조악한 수준의 로봇을 만들었다는 기업의 발표는 시장을 흥분시켰다. 그러나 그것으로 끝이었다.

그들이 만들어낸 신약들은 처방 대상이 제한적이었으며 미완의 꿈일

Zoom In **고고펀드** 니프티피프티처럼 우량종목들만을 편입했고 당시 시류를 대변하고 있었기 때문에 투자자들이 펀드에 가입하면 결코 손해 보지 않고 이익이 날 것으로 믿었던 펀드를 말한다.

뿐이었다. 로봇은 아톰처럼 날아다니기는 고사하고 관절 하나 제대로 움직이지 못하는 엉터리 장난감에 불과했다. 심지어 평론가들은 제약회사와 달리 바이오테크 회사들은 재고가 없어서 재고부담이 적다고까지 말할 정도였다. 이 말은 곧 만들어봐야 팔 데가 별로 없다는 의미인데 말이다.

다시 시장은 침묵으로 빠져들었고, 1990년대 광란의 IT 버블 시대를 만났다. 그 중간에 살아남은 사람들은 여전히 가치 분석가들이었다. 그들은 여전했다. 남들이 엄청난 수익을 올리고 한몫 잡고 흥청거릴 때 구석에서 눈칫밥을 먹으며 미련한 곰이라는 조롱을 들어야 했다. 하지만 그들은 늘 거품이 꺼질 때 살아남았고, 그들이 때를 기다리며 질기게 갖고 있던 주식들은 언젠가 한번은 보상을 해주었다.

그들의 수익이 높았던 것은 아니다. 그저 주가지수 상승률을 조금 넘는 정도일 뿐이었다. 이유는 단순했다. 저평가된 주식을 사고 내재가치에 접근하면 판다는 논리는 수익성을 극대화할 기회를 주지 않았고, 가끔 내는 큰 수익은 긴 기간의 기회비용으로 소진된 것이다. 결국 시장은 이래저래 특별한 승자를 만들지 않고, 단지 패자만을 양산했다. 워렌 버핏을 제외하고 말이다.

제3의 길,
투자심리학

　우리는 투자심리가 중요하다는 말을 하며 결국 "주식투자는 심리게임이다."라든가 "투자심리가 악화되었다."라는 말을 막연한 허상처럼 이야기한다. 사실 내 마음이나 타인의 마음을 알고자 하는 궁금증들과 호기심을 많이 갖고 있지만, 실제로는 이것만큼 난감하고 어려운 주제는 없을지도 모른다.

　또 이것을 만약 심리학이라는 관점으로만 접근한다면 또다시 계량화된 문제에 부닥칠 수 있다. 어떤 면에서 주식투자의 심리학은 소위 기술적 분석과 기본적 분석이라는 양대 틀에 대립하는 제3의 길이라고 감히 주장하고 싶다. 즉 주식투자의 심리학이라는 것은 재미있는 심리학 용어, 사례, 증후군들로 담아낼 수 있는 이야기가 아니라, 평생 주식투자에 몸 바친 한 노인의 지혜 속에서 찾을 수 있는 이야기들, 혹은 과거 시장에서 정말로 승리했던 사람들의 투자 방법, 생각, 직관을 배우는 것이라고 넓게 정의할 수 있다.

보통 기술적 분석은 기술자들이 시장을 예측하고자 하는 무모한 시도라고 생각한다. 기본적 분석 역시 기업의 자료, 경제 자료, 동향과 같은 자료들을 갖고 현재 시점에서 미래의 추세를 예측하는 후행적인 이야기다. 제3의 길은 워렌 버핏이 갔던 길, 혹은 각종 투자에서 실제로 성공했던 사람들이 갔던 현인의 길이다. 그러니 투자심리학을 단순히 심리학이라는 관점으로만 보지 말고 과거 주식시장을 이겨냈던 현인의 길, 즉 철학자들의 말을 새겨보는 제3의 길로 받아들일 것을 감히 권하고 싶다.

기술적 분석은 왜 무의미한가

주식투자의 심리학에 대해 살펴보기에 앞서 기술적 분석에 대해 다시한 번 규정을 하겠다. 나는 기술적 분석의 무용론을 주장하고 싶다. 기술적 분석을 오랫동안 해온 사람이 무용론을 주장하는 것에 대해 어폐가 있다고 반박하거나 질책할 수 있다는 생각은 들지만, 나는 기술적 분석의 무용론에 거의 확신을 갖고 있는 사람이다.

하지만 기본적 분석은 항해사의 일지와 같다. 만약 바다에 나가 파도가 치면 닻을 내리고 폭풍이 올 것 같으면 항구에 잠시 정박한다는 식의 역할을 할 뿐 앞으로 바람이 불 것인지 폭풍우가 올 것인지 혹은 해일이 일 것인지 예측할 수 있는 것은 아니다. 즉 기본적 분석이라는 것은 현재의 실적이 굉장히 나쁘다가 주가가 오르고 실적이 오른 다음에 실적이 올랐다는 추세의 결과를 갖고 향후 추세도 좋을 것이라고 생각하는 것에 불과하다.

이러한 맹점에 대한 한 가지 정확한 근거를 대보겠다. 당장 미국시장만 하더라도 세계 최고의 증권사들마다 더블딥을 주장하는 이론가, 미국시장의 저점론을 주장하는 이론가, 또 앞으로 미국시장이 더블딥은 고사하고 초단기 침체 국면에 빠져들 것을 주장하는 이론가 등 각각의 이론가가 서로 다른 의견을 갖고 파(派)를 형성하고 있다. 심지어는 미국시장이 오를지 내릴지에 대해서도 제각각 다른 목소리를 내고 있을 뿐만 아니라, 그린스펀과 같은 사람조차도 경제가 어떻게 될지 실제로 예측할 수 있다는 데는 동의하지 않을 것이다.

결국 이 그린스펀도 실업률, 심리지수, 주택 착공 등 각종 지표를 보고 "악화되었으니 금리를 내리자. 인플레이션이 생기기 시작한다. 기업실적이 조금씩 좋아진다. 소비심리가 낙관적으로 변하는구나. 조금 있으면 시장이 흥분하겠구나. 금리를 올리자."라는 식으로 생각한다. 이렇듯 나타나는 현상에 대해 대응할 뿐이다. 이들이 바로 신경제를 바탕으로 한 미국경제의 성장엔진을 주장하다가 오히려 과도한 금리 상승을 초래해 시장을 침체로 이끈 장본인들이다.

이렇게 시장은 기본적 분석가든 기술적 분석가든 절대로 알 수 없는 것임에도 불구하고 기본적·기술적 분석을 하는 사람들은 그 이론으로 시장을 예측할 수 있다거나, 자신의 비법을 배우면 어떠한 경우에도 시장에서 승리할 수 있다고 주장한다. 주식시장이 이럴 것으로 추측된다거나 시장이 이런 상황이니 이렇게 혹은 저렇게 대응하겠다고 대책을 내놓는 것은 합리적인 분석이지만, 주가가 바닥이니 사고 고점이니 팔자고 하는 것은 거의 협잡꾼이나 모리배들의 속임수 수준이다.

미국의 기술적 분석의 대가인 조셉 그랜빌이 앙드레 코스톨라니(Andre Kostolany)를 만났을 때 이런 이야기를 했다고 한다.

"당신은 51%의 가능성과 49%의 가능성을 갖고 이야기를 하지만, 나는 주식시장이 51%와 49% 사이에서 수익을 낼 수 있다고 믿지 않습니다. 나는 확신을 이야기하고 전망을 이야기하고 예측합니다."

그랜빌은 많은 사람들이 모인 자리에서 이렇게 기술적 분석 이론을 설파하며 자신의 주식 예측력을 확신했다. 그러나 그 자리가 파한 뒤 그랜빌은 조용히 코스톨라니에게 다가가 "제가 코미디언이라는 것을 아시죠?"라고 웃으며 말했다는 유명한 일화가 있다.

이처럼 제도권에서 주장하는 기본적 분석이나 기술적 분석은 주식투자에서 정석이 아니다. 주식투자에서 거의 유일하게 승리한 사람들은 시장의 본질을 꿰뚫고 시장에서 반대되는 행동을 했던 사람들이라는 점은 분명하다. 그렇다면 그 사람들이 어떻게 행동했는지 주식투자의 심리학을 통해 살펴보도록 하겠다.

투자심리학의 세 인물

투자심리학에서 제일 먼저 등장하는 세 사람이 있다. 우선 《군중심리》의 귀스타브 르 봉이다. 그의 이론에 대한 이야기는 앞에서 소개했으니 독자들도 이미 잘 알고 있을 것이다.

다음으로 유명한 사람은 앙드레 코스톨라니다. 그는 헝가리 태생의 투자자이며 주로 파리 주식시장을 중심으로 유럽에서 투자를 해왔다. 1990년까지 '유럽의 워렌 버핏'으로 불리며 유럽에서 가장 성공한 주식 투자자로 군림했던 앙드레 코스톨라니는, 그 유명한 '코스톨라니의 달걀이론'과 페타꽁쁠리(fait accompli), 즉 '기정사실화'라는 논리로 투자자들의 신뢰를 한몸에 받았다.

세번째 인물은 역발상 이론을 주창했던 험프리 네일이다. 특히 그의 선물시장에서의 심층적인 심리 분석들은 지금도 주식시장에서는 거의 고전으로 통하고 있다.

이 세 사람의 이야기를 관통하는 생각들을 심리학이라는 측면에서 한 번 살펴보자. 먼저 코스톨라니의 이론을 보자. 그는 대단히 의미심장하고 가슴속에 담아둬야 할 이야기들을 많이 남겼는데 여기서는 먼저 그의 달걀이론을 소개하겠다.

고전적 트라이앵글 이론에 따르면 주가가 하락하기 시작할 때 투자자들은 이에 대해 회의적인 국면을 겪고, 하락이 계속 진행되면 하락을 확신하는 국면으로 이어진다. 그 다음에 반등을 시작하면 투자자들은 반등에 대해 회의적이다가 고점에 이르면 반등에 대해 확신을 한다. 즉 대부분의 투자자들은 바닥에서 실제로 추세 반전이 시작되면 이것이 진짜 반등이 아닌 기술적 반등일지 모른다며 회의적 국면에 있다가, 이것이 거의 고점에 다다라야만 반등의 확신 국면으로 이동한다는 것이다.

그러다 고점에서 하락하기 시작하면 이것은 하락이 아닌 기술적 조정이라고 생각하는 하락의 회의 과정을 겪게 되고, 실제로 하락이 마무리 국면에 도달하면 하락의 확신을 갖고 오히려 투매에 동참하기 때문에 개인 투자자들이 주식시장에서 수익을 낼 수가 없다고 본다.

반면 코스톨라니의 달걀은 세 가지 국면으로 나뉜다. 〈그림 4〉에서 보는 것처럼 그는 시장을 달걀 모양으로 놓고 A를 1국면, B를 2국면, C를 3국면이라고 칭했다.

코스톨라니는 고점에서 주식이 하락하기 시작하면 거래량과 주식 보유자가 다 같이 감소한다고 주장했다.

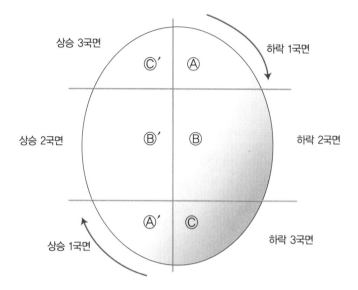

이후 ⒝, 즉 하락 2국면, 즉 하락이 본격화되는 국면이 되면 거래량은 증가하고 주식 보유자는 감소한다. 그리고 하락이 실제로 거의 바닥 국면에 도달하는 ⒞국면에서는 거래량도 감소하고 보유자도 감소한다. 그러다가 주식이 바닥에서 상승전환할 즈음에는 거래량과 주식 보유자 모두 증가하기 시작하는데, 이것이 본격화되면 거래량은 증가하고 동시에 보유자도 대단히 많이 증가한다.

상승 1국면인 ⒜'가 되면 거래량이 폭증하고 보유자가 감소하게 된다. 코스톨라니의 달걀에서는 보통 주가의 바닥에서 거래량이 폭증하고 보유자가 감소한다고 하는데, 주식을 보유한 사람의 수가 감소한다는 의미는 그 주식이 특정 소신파들의 손에 의해 거의 매집되고 있다는 뜻이다.

즉 거래량이 증가하면서 주식 보유자의 수가 감소한다는 것은, 여기서만 소신파들의 손에 주식이 들어가고 있다는 말이다. 이후 주식 보유자들이 늘어나서 주식 보유자들과 거래량이 동시에 늘어나는 이 국면을 우리는 '동행 국면'이라고 부른다.

그 다음에 상승의 정점에 이르면 이 주식 거래자가 증가하면서 보유자가 더 이상 늘어나지 않게 되는데, 이때 거래량 증가는 소신파들이 매수했던 종목을 새로 등장한 기회주의파들에게 전부 떠넘기는 것을 의미한다.

이렇게 새로 등장한 기회주의파들에게 보유주식을 전부 넘겨주는 국면이 나타나고, 여기서 물량을 떠안은 사람들이 다시 반복적으로 거래량 감소와 주식 보유자 수의 감소로 하락하기 시작했다가 마지막에 다시 앞서 언급한 세번째 국면을 거치게 된다.

코스톨라니는 주식투자에서 가장 중요한 이 국면을 어떻게 파악할 수 있을지를 늘 고민했다. 그의 거의 모든 투자 철학이 여기에 담겨 있다고도 할 수 있다. 코스톨라니의 달걀이론에서 가장 중요하게 생각하는 이 국면, 즉 최대한 바닥에 이르러 있으면서도 거래량이 증가하고 보유자가 감소하는 국면이 왜 다음에 바닥을 형성하는가 하는 것이 바로 페타꽁쁠리, 우리말로 기정사실화 이론이라 할 수 있다.

페타꽁쁠리 현상이 나타나야만 주식은 바닥이라 할 수 있다. 페타꽁쁠리 현상, 즉 기정사실화 현상이 의미하는 것은 대부분의 우려가 실제로 일어났을 때 그것을 시장이 현실로 받아들이는 것, 다시 말해 우려했던 일이 눈앞에 펼쳐졌을 때 이 주식은 더 이상 떨어질 데가 없다는 것을 모든 참여자들이 인식한 것을 말한다. 미국의 주식시장의 역사를 돌아보면 전쟁이 났을 때 주식시장은 하락했다가 곧바로 반등했으며, 심지어 911 테러가 터졌을 때도 반등했다. 역사적으로 우려했던 모든 사건들이 현실화될 때마다(대체적으로 전쟁이 일어났을 때) 주가가 바닥을 형성하는 현상, 이것을 바로 페타꿍쁠리라고 한다.

마지막으로 험프리 네일의 역발상 이론도 그 맥을 크게 달리하지 않는다. 하지만 그는 이러한 심리적 현상들을 수치화·계량화했다. 그에 따르면 최상의 매수 시점은 군중이 약세론자화했을 때이며, 최고의 매도 시점은 군중이 모두 강세론자가 되었을 때다.

그는 이것을 바탕으로 MSSR(Member Short Sale Ratio, 거래소회원공매비율)이라는 지표를 개발했다. 이것은 선물시장에서 기관들이 가진 미결제 약정을 살피는 것으로, 이 비율이 높으면 기관 투자가 참여가 미결제 약정을 만들고 있으므로 추세가 강화될 것이라고 판단한다.

두번째로는 SSSR(Specialist Short Sale Ratio, 전문가공매비율)이 있는데, 이것은 선물시장의 미결제 약정 중에서 소위 큰손의 비율을 계량화한 것이다. 이를테면 건당 계약 수가 많으면 큰손이 개입한 것이고, 건당 계약 수가 적으면 개인 투자자가 시세를 주도하고 있다고 생각하는 것이다.

세번째로는 금융지에 실린 광고와 기사를 조사하여 강세를 예상하는 기사의 비중이 높아지면 고점으로, 그 반대이면 저점으로 인식하는 방법이다. 이것은 하루의 결과가 아니라 추세적인 자료를 시계열로 정리하여 활용했다. 험프리 네일은 100억을 가진 한 명과 1억을 가진 100명의 싸움은 100억을 가진 한 명의 승리로 귀결된다는 데 초점을 맞췄다.

투자심리학이란 무엇인가

지금까지 앙드레 코스톨라니, 귀스타브 르 봉, 험프리 네일에 관한 이야기를 아주 간략히 설명했다. 이제 과연 투자심리학이란 무엇인지 알아보자.

많은 사람들이 투자심리학에 대단히 많은 관심을 쏟고 있지만, 막상 투자심리학은 '학(學)'이라는 이름을 붙이기에는 아직 뭔가 미흡하고 정리가 되어 있지 않다. 어떤 면에서는 시장에서 흔히 볼 수 있는 기술적 분석 도구들도 투자심리학이나 투자심리를 시장에 표현하는 하나의 시그널이 될 수 있다.

따라서 우리가 말하는 투자심리학이라는 것은 넓은 의미에서 주식투자의 일반적인 기법을 모두 담은 말일 수도 있고, 협의로는 시장 안에서 움직이는 정말 다양한 대중의 생각에 따라 움직이는 방법에 대한 지침이 될 수도 있다. 투자심리학은 규정하기도 어려울 뿐만 아니라, 실제로 이것을 세부적으로 개념화하거나 계량화하여 하나의 잣대로 측정할 수 있는 방법 또한 존재하지 않는다.

그럼 일단 투자심리라는 것이 무엇인지에 대해 먼저 생각해보자. 우리는 흔히 주식시장의 주체를 다음과 같이 말한다. 외국의 사례도 마찬가지겠지만 일단 투자심리의 세 주체는 외국인, 기관, 개인으로 표현되는 소액 투자자다.

그런데 개인 투자자들은 '자기만족'과 '비관주의'라는 결정적인 단점을 지니고 있다. 여기서 말하는 자기만족은, 주식시장에 일단 뛰어들었다는 사실 자체가 거대한 리스크를 감수할 용의가 있다는 말이 되고, 이는 상대적 손실에 대한 두려움보다는 이익에 대한 기대가 더 크기 때문에 어떤 매매를 행해도 만족을 얻을 수 있다는 의미다. 다시 말해 수익이 나든 안 나든 심지어는 손실을 입더라도 주식시장에 뛰어든 이상 매매를 해야 만족할 수 있다는 것을 말한다.

여기에는 대박심리와 초조함 등 여러 심리가 작용해서 결국은 매매에 임할 수밖에 없게 만들고, 나중에는 매매를 위한 매매에 몰입하게 된다. 주식시장에 뛰어들었다는 것은 다시 말해 "리스크는 별것 아니다. 최종적으로 한탕만 잘하면 그동안의 손실을 충분히 만회할 수 있다."는 자신감이 있다는 말이다. 이러한 자기만족이 개인 투자자들의 심리를 공통으로 지배하고 있고, 이는 잦은 매매를 통해 집중화된 외국인 투자자와 기관 투자가들에 비해 상대적으로 분산되고 몰려다니는 습성으로 이어진다.

다음으로 살펴볼 것은 비관주의다. 개인 투자자들은 기술적 분석을 익히고 산업분석, 경제이론, 다양한 리서치 자료, 신문, 정보 등 모든 감각 수단을 동원해서 주식시장에 뛰어든다. 그런데 처음에는 신문기사를 보고 추천종목을 매매해서 실패하고, 펀드에 가입했는데 몇 년이 지나 반토막이 나버리고, 그것도 안 되니까 나중에는 기술적 분석을 열심히 익혀서 이에 따라 매매했는데 이조차 주식시장의 근본적인 불확실성과 불확정성 때문에 신뢰할 수 없게 되면 두려움이 커져 비관주의에 빠지게 된다. 결과적으로 기술적 분석이 주는 것도 믿을 수 없고, 경제에 대한 펀더멘털 분석과 같은 수단들도 접하기 힘들더라는 생각을 하게 되는 순간 비관주의에 젖게 되는 것이다.

개인 투자자들은 매수와 매도의 근거가 뚜렷했음에도 불구하고 예상이 빗나가면 두려움이 생기고, 비관주의에 사로잡혀 결국 자기가 매수하거나 매도한 것에 대해 확신을 갖지 못하게 된다. 그리고 이는 결국 잦은 포지션 교체, 혹은 투자 의사에 결정적인 반전을 초래하게 된다. 개인 투자자들의 이러한 자기만족과 비관주의는 결국 주식시장에서 스스로를 자멸에 빠뜨리는 가장 근본적인 동인이 된다.

우리는 외국인, 기관, 개인이라는 주체들에 대해서 가끔 이런 얘기들을 한다.

"외국인 투자자가 작전을 하고 있다."

"기관 투자가들의 작전성 매매로 주가가 어떻게 되었다."

"외국인이 팔기 시작하면 이제 외국인들이 한국 주식시장을 떠날 것이다. 외국인들이 다시 사는 것은 그들이 이제 포지션 변경을 끝냈기 때문이다."

"이것은 우리나라가 주식이 저평가되어 있기 때문이다."

"주가가 떨어지는 것은 뮤추얼펀드에 자금이 유출되고 있거나 아시아 신흥국가의 재무상태가 나빠질 것이라는 예측 때문이다. 미국경제가 앞으로 더블딥에 빠지면 한국경제도 같이 침체에 빠질 것이기 때문에 미리 도망가고 있다."

이처럼 주식시장에는 여러 가지 해석이 계속해서 등장하고 있고, 외국인 투자자들이 작전하고 있다는 얘기까지 나온다. 이는 우리가 외국인이나 기관, 개인들 각자를 서로의 적처럼 생각하고 있기 때문에 나온 말들인데, 냉정하게 생각해보면 이는 투자심리에 대한 기본적인 개념을 무시하고 있는 것이다.

시장에서는 외국인, 기관, 개인 모두 하나의 참여자로서 시장이라는 공동의 적을 향한 전쟁이 벌어진다. 외국인과 기관과 개인이라는 투자자 그룹들이 모여서 같이 만들어낸 가상의 적, 즉 공동의 적이 바로 시장이다. 그리고 이 시장은 지난 미국시장 200년, 유럽시장 100년, 한국시장 몇십 년의 역사에서 단 한 번도 이겨보지 못한 영원불멸의 승자라는 사실을 우리는 인식해야 한다.

시장이라는 곳은 나도 참여해 있고 너도 참여해 있고, 외국인도 기관도 다 같이 참여해 있는 곳이다. 너와 내가 외국인을 죽이고 외국인이 기관을 털고 기관이 개인의 주머니에서 돈을 빼먹는 전쟁터가 아니라, 시장이 상승을 하면 그에 따라 다 같이 수익을 내는 곳이다. 이 말은 그 누구도 시장이 하락하기를 바라지 않는다는 의미다. 따라서 "외국인이 시장을 하락하기를 바라고 선물을 매도하고 있다. 외국인들이 선물을 매도했기 때문에 현물을 매도한다."는 해석은 쓸데없는 얘기다.

"외국인들이 작전을 걸지 몰라서 기관들이 사지 않기 때문에, 또는 기관들이 단기 매매에 임하기 때문에 우리 시장은 오를 수 없다. 기관들이 단기 매매에 빠져 있는 이 병폐를 깨지 않으면 우리 시장은 영원히 상승할 수 없다. 개인들은 항상 모래알처럼 흩어져 있기 때문에 절대로 시장을 주도할 수 없다."

시장의 핵이라는 측면에서 봤을 때 이렇게 공식화된 패배주의 개념은 완전히 잘못된 생각이다. 외국인 투자자가 어떻게 하든, 기관 투자가가 어떻게 하든, 개인 투자자가 어떻게 하든 그 자체는 시장이라는 적을 상대로 한 수급적 요인에 지나지 않는 것이다.

결국 시장이라는 공동의 적, 이것이 말하는 것이 무엇인지, 녀석의 성격은 무엇인지를 규명하는 것이 바로 투자심리학이다. 이것이 책에서 말하는 투자심리학, 각 개인이 생각하는 투자심리학의 개념이다.

"외국인 투자자가 사고팔고 선물을 매매하고, 옵션을 어떻게 해서 현재 삼성전자를 어떻게 매집하고, 몇 %를 갖고 있으니까 어떻게 할 것이다."라는 철없고 어리석은 판단들, "앞으로 외국인들이 더 매매할 것으로 보인다. 더 매도할 것으로 보인다. 언제쯤 매수에 돌아설 것으로 보인다."는 식의 아무 의미 없는 리포트들, "기관 투자가가 장기투자는 하지 않고 단기매매만 일삼고 있고, 실제로 기관 투자가가 2년 이상의 펀드를 운영하는 경우는 10%밖에 안 된다. 이 기관 투자가들은 나쁜 녀석이다."

라고 매도하는 것, 이 모두가 어리석은 생각이다.

시장에서 루머를 들었을 때 우리는 "아, 현재 기관이라는 부대의 체력은 이렇구나. 외국인이라는 부대의 체력은 저렇구나. 그렇다면 우리 보병부대의 체력은 어떤가? 이 포격전이 끝나면 우리는 어떻게 움직일 것인가?" 하는 생각을 가져야 한다. 또한 "우리 공동의 적은 바로 시장이다. 다만 외국인이라는 선봉대가 도망가버린 상황에서도 개인의 보병부대가 창과 칼을 들고 가서 백병전이나 육박전으로 이길 수 있을까? 아니면 세 주체가 모두 덤벼도 못 이기는 시장일까?"라는 분석을 하며, 적이 어떤 상태인지 알아내려고 하는 것이 바로 투자심리다.

다만 이 적은 따로 있는 것이 아니라 너와 내가 이 시장에 머물러 주고받음으로써 형성되기 때문에, 이 적이 바로 나일 수도 있고 너일 수도 있다는 차이만 있을 뿐이다. 이것이 내가 생각하는 투자심리학의 철학이다.

시장에 잘 속는 인간 지각의 한계

앞에서 나는 기술적 분석, 혹은 투자심리에 대한 다양한 생각들은 수도 없이 많지만 이것을 계량화할 수 있는 방법은 없다고 얘기했다. 기술적 분석뿐만 아니라 투자심리학에도 추상적이고 손에 잡히지 않는 광의의 개념이나 철학적 이야기만 존재한다. 이러한 얘기들은 들을 때는 고개가 끄덕여지지만 실제로 투자에 응용하기는 어렵다. 그렇기에 우리는 결국 대중심리학이라는 가장 기본적이면서 주가와 밀접한 심리학의 기본은 이해하고 있어야 한다.

여기서 다루고자 하는 내용은 바로 인간의 지각(知覺)에 관련된 것이다. 투자심리는 인지부조화 이론과 일치하는 점이 있다. 본격적으로 인지부조화에 대해 살펴보기 전에 인지 혹은 지각에 대해 먼저 알아보자.

"코스톨라니의 달걀이론이라는 것이 말은 쉽다. 시간이 지난 후에 전체적인 상황을 본 후 그럴 듯한 그림 하나를 그린 것이라면, 이것이 도대체 기존의 이론들과 다를 바가 무엇인가?"

앞에서 언급한 코스톨라니의 달걀이론에 대해 이렇게 반문하는 사람이 있을지도 모르겠다.

"동행 국면을 알 수 있는 잣대는 무엇인가? 도대체 주식투자의 투자심리학이라는 것의 실체는 무엇인가? 투자심리학으로 매매에 대한 기술적 잣대를 만들 수 있는가? 유령 아닌가? 이러한 개념적 이야기를 하는 사람들이야 말 잘하는 사람이면 얼마든지 할 수 있다." 하고 따질 수도 있다.

나는 이 질문에 황당한 답변을 한다. 그 답변은 아무리 연구해도 여기에 대한 답을 낼 수 있는 방법은 없고, 여기에 대해서 기준을 세울 수 있는 방법도 없다는 것이다. 다만 수많은 경험을 통해서 냉철한 이성으로, 혹은 예리한 직관을 가짐으로써 알 수 있다고 얘기한다. 여기서 말하는 경험은 주식투자의 경험일 수 있고, 인생의 경험일 수 있고, 독서에 의한 인문학적 소양이 될 수도 있는데, 이러한 경험들이 냉철하고 합리적인 이성을 갖게 하여 날카롭고 예리한 직관을 길러주고 이 직관으로 코스톨라니의 달걀에서 Ⓐ 지점, Ⓑ 지점, Ⓒ지점을 알 수 있다.

그러면 독자들은 한 번 더 혼란에 빠지게 된다. 계속 무언가 있을 듯하더니 철학적이거나 개념적인 이야기고, 결국 들어보면 그 이야기가 그 이야긴데 들을 때는 그럴 듯하고 지나고 나면 아무것도 없는 이론이 되어버린다.

투자심리에서 제일 먼저 알아야 할 것은 지각의 개념이다. 인간의 지각이란 무엇인가? 우리가 주식시장에서 시장이 '좋다. 나쁘다. 불안하다. 바람직하지 못하다. 상당히 긍정적이다' 등으로 인지하는 이 지각의 실체는 무엇인가? 지각은 다양한 자극으로 이루어진 감각적 요인의 결합이다.

그러면 다양한 자극적 요인이 나에게 주어졌을 때 이 감각을 가공해서 느껴지는 어떤 결론, 이것으로 가공해서 얻어질 수 있는 느낌이 바로 지각이다. 그러나 심리학에서는 "전체는 부분의 합이 아니다."라는 이율배반적 이야기를 한다. 즉 지각이란 입력된 모든 정보를 합해서 떨어지는 방정식이 아니고 모으기 나름이라는 말이다. 이는 현대 심리학에서 가장 중요한 점이며 주식투자에 있어서도 마찬가지다. 어떠한 변수 요인들의 총합이 바로 전체가 아니고, 또 전체를 하나하나 쪼갠 부분들을 모두 합해도 전체가 아니라는 이율배반적인 결론을 내릴 수가 있다.

그러면 도대체 인간의 지각이 어떠한 속성을 갖고 있는지 한번 생각해보자.

〈그림 5〉의 ①과 같이 7개의 막대기가 앞에 놓여 있다. 이때 우리는 이것을 어떻게 인식하는가? 대부분의 사람들은 3쌍의 막대기와 1개의 막대기라고 인식한다. 그러면 이 막대기들을 〈그림 5〉의 ②와 같이 구부렸다면 어떨까? 3개의 네모와 1개의 막대기라고 인식할 것이다. 이는 인간은 기본적으로 자신에게 주어진 어떤 자극요인, 즉 감각적 자극요인을 총화하려는 습성이 있음을 의미한다. 다시 말해 인간은 자극요인을 어떤 식으로든 결합하고 논리적으로 유추해내려는 속성을 갖고 있다. 사물의 근본적인 속성이 무엇이든 간에 그 속성을 가공해서 바라보는 것이다.

예를 들어 도화지에 휴대전화를 그려보라고 하면 아마 대부분은 비슷한 형태를 그릴 것이다. 그러나 휴대전화를 앞에 두고 정물화를 그리라

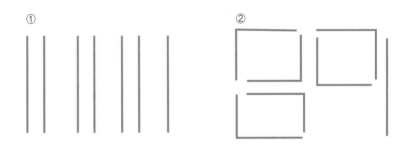

고 하면 로고까지 그대로 상세하게 그려낼 것이다. 재미있는 사실은 휴대전화를 바로 앞에 놓든, 1미터 앞에 놓든, 5미터 앞에 놓든 도화지에 그려지는 휴대전화의 크기가 거의 같다는 사실이다. 하지만 아이들은 휴대전화가 바로 앞에 있으면 어른이 그린 것과 비슷한 크기로, 1미터 거리면 작게, 10미터 거리면 더 작게, 100미터 거리면 아예 점을 찍어놓는다.

이 차이는 무엇인가? 인간이 갖고 있는 경험에 따라 지각의 변조가 일어나기 때문이다. 즉 휴대전화의 모양은 이렇고 휴대전화의 크기는 이렇다는 것이 머릿속에 경험적으로 각인되어 있어서, 시각적으로 다른 변수가 주어졌는데도 결과는 스테레오타입으로 굳어버리는 것이다. 여기서 지각의 가장 심각한 오류를 발견할 수 있다.

예를 들어, 특정 주식이 반등 국면에 있다고 가정하자. 우리는 차트를 보면서 반등 요인이 강하다고 여겨 매수하고 싶은 욕구를 느끼게 된다. 대우자동차가 폭락했다가 새로운 재료가 생겨서 반등한 경우와 금리인하로 인해 주가가 올라간 경우는 각각 주가 상승의 변수가 다르다. 그럼에도 우리의 고정된 지각은 이를 똑같은 변수로 인식한다. 그래서 주식투자에 있어서 경험이라는 것은 냉정한 기준이 될 수도 있지만, 어떤 면에서는 유연성을 결여시켜 사물을 고정적으로만 바라보는 선입견이 될 수도 있다.

인간의 지각에 대한 맹점이 또 하나 있다. 태어날 때 각막에 백내장이 끼어 선천적인 시각장애를 지녔던 사람이 개안수술을 통해 시력을 찾았다고 가정해보자. 수술하기 전에는 눈으로 볼 수 없었기 때문에 그는 촉각으로 사물을 인지했을 것이다. 감각이 뛰어난 사람이었다면 손만 잡아도 누구의 손인지 알고, 얼굴을 만져보고 그대로 그림을 그릴 수도 있었을 것이다. 이렇게 일생 동안 촉각으로 사물을 인지하던 사람이 개안수술 후에는 사물을 분간하지 못한다. 만져보는 것만으로도 시계인 것을 알던 사람이 눈앞에 시계를 줘도 시계라는 것을 모른다. 따라서 그에게는 새로운 트레이닝이 필요하다. 옆에서 누군가가 "이렇게 생긴 것은 네모야. 이건 지우개라 하고, 저것은 시계라 부른다." 하고 가르쳐주어야만 시각이라는 새로운 감각으로 사물을 인식할 수 있다. 그가 지금까지 촉각으로 인지했던 모든 지식은 아무 소용없는 상황이 된 것이다.

주식투자에서도 이러한 일이 생긴다. 주식에 대해 아무것도 모르는 사람이 투자를 시작했다고 하자. 처음에는 증권사의 추천정보를 듣고 샀는데 손실이 났다. 그러다 A펀드 운영자가 잘하는지 S펀드 운영자가 잘하는지를 판단하는 눈이 생겼다. 나중에는 직접투자를 하기 위해 기술적 분석을 익히기 시작했다. 그런데 기술적 분석을 통해 과거에 간접펀드에 맡겨 놓고 있을 때보다 시장을 보는 눈이 훨씬 더 뛰어남에도 불구하고 시장이 좋아질지 나빠질지에 대한 기준점을 보는 눈은 실제로 더 나빠진다. 즉, 펀드에 간접상품을 넣어두고 지수가 오르는지 내리는지 기대하면서 계속 펀드수익률을 계산하던 눈이 좀더 나은 수준으로 올랐음에도 불구하고, 기술적 분석이라는 것을 앎으로 인해 과거보다 훨씬 더 시장을 보는 혜안은 나빠진 것이다. 이것이 바로 주식시장의 생리다.

결론적으로 말하자면 아무리 훌륭한 경험을 쌓았다 하더라도 내가 개인 투자자로서 시장에 뛰어들었다면 앞으로 새로운 경험을 쌓아나가야 한다는 것이다. 이것을 벗어난 또 다른 뭔가에 새로운 눈을 떴다면 과거의 경험은 다시 쓰일 수 없다. 이것이 바로 인간의 지각이 지닌 가장 근본적인 속성 중 하나다. 그래서 인간의 지각이라는 것은 한편으론 어이없기도 하고, 한편으로는 속임수에 잘 넘어가기도 하는 것이다.

주식투자에서 중요한 심리학의 개념

심리학이론 중에 초두효과(Primacy effect)라는 것이 있는데 이는 최신효과(Recency effect)와 반대되는 개념이다. 다음에 나오는 한 청년에 대한 이야기를 통해 그것을 한번 살펴보자.

"그는 태양이 내리쬐는 도로를 자전거를 타고 달려서 카페로 갔다. 거기서 친구를 만나 주스 한 잔을 마시며 담소를 나누었다. 친구와 헤어진 후 옷가게에 들러 청바지를 고르며 여직원과 몇 마디 농담을 나누고, 마음에 드는 바지를 골라 계산하고 쇼핑백에 넣어 집으로 돌아왔다. 해가 질 무렵 그는 어두운 방에서 혼자 조용히 석양을 바라보며 생각에 잠겨 있다가 저녁 대신 맥주를 한 잔 마시고 잠자리에 들었다."

여기에는 몇 가지 상황이 있는데 필자가 고의적으로 집으로 돌아가기 전, 앞부분만 이야기를 전할 경우 듣는 사람은 이 청년이 대단히 활동적이고 유쾌한 사람이라고 생각할 것이다. 반대로 뒷부분만 들려주면 음울하고 내성적이며 경우에 따라서는 약간 무서운 사람이라는 부정적인 인상을 갖게 될 수도 있다. 그런데 이 이야기 전체를 들려주면 80% 이상은 그 청년이 긍정적이라는 결론을 내린다. 긍정적인 이야기를 먼저 들은 후 생긴 고정관념, 즉 편견이 뒤에 나오는 부정적인 내용을 압도해서 전체 이야기를 긍정적인 것으로 받아들이게 만들었기 때문이다. 이러한 현상을 바로 '초두효과'라고 부른다.

그런데 만약 이 이야기 안에 첫인상을 방해하는 기제를 삽입해보자. 청년이 뙤약볕에 자전거를 타고 나가 카페에서 친구를 만나고 옷가게 여직원과 담소를 나누고 집으로 돌아오는 중 내레이션이 배경으로 깔린다.

"최근 연구에 의하면 뙤약볕에 자전거를 타는 사람 중에 공격적 성향을 가진 사람이 많다고 한다."

그 다음에는 동일한 이야기가 이어진다. 이때 처음에 생겼던 긍정적인 초두효과는 전부 상쇄가 되고 새로운 기제의 등장 이후 뒷이야기로 인해 편견이 생기는 현상을 '최신효과'라고 부른다. 대부분의 사람들은 과거에서 현재까지 시간의 흐름에 따른 이야기를 들을 경우, 과거 이야기에서 생긴 편견으로 최근의 이야기에서 발생하는 긍정성을 가두어버린다. 그런데 과거와 현재 사이에 흐름을 방해하는 기제를 넣으면 최근의 이야기만으로 편견을 갖게 되어 처음에 생겼던 긍정적인 인상은 지워버리게 되는 것이다.

이제 초두효과와 최신효과라는 심리학이론을 주식시장에 대입해보자. 우리가 유명한 애널리스트의 삼성전자 리포트를 읽고 있다고 해보자. 다음은 실제 리포트다.

현재 세계 반도체 시장은 공급과잉에 빠져 있고 향후 대만은 여러 가지 변수, 즉 생산량의 증가, 하이닉스의 밀어내기, 마이크로소프트의 결산을 앞둔 덤핑

등에 의해서 반도체 가격이 추가 하락할 것으로 보인다. 심지어 해마다 가을에 나타나던 PC 교체 수요와 전통적인 PC 호황기도 없을 전망이다. 물론 삼성전자는 반도체뿐만 아니라 멀티미디어나 무선통신과 같은 각종 다양한 포트폴리오를 갖고 있고, 반도체 비중은 실제로 30% 미만에 속하기 때문에 이러한 현상이 삼성전자의 수익성에 커다란 영향을 미치지는 않을 것이다. 그래도 향후 주가는 후발 분야인 멀티미디어 산업의 매출액이 반도체 분야의 손실을 얼마나 상쇄해 주느냐에 따라서 삼성전자 주가의 운명이 달라질 것으로 보인다.

투자자들의 90% 이상은 이 리포트가 삼성전자에 대한 부정적인 코멘트를 하고 있다고 생각한다. 초두효과 때문이다. 이 리포트에 다음과 같은 이야기를 삽입해보자.

하이닉스 반도체의 투자 지연으로 향후 하이닉스 반도체의 경쟁력이 떨어지고, 이로 인해 세계 2위인 하이닉스 반도체의 생산량이 감소하면 세계 반도체 시장가격은 의외의 흐름이 나타날 수도 있다.

이제 삼성전자에 대한 부정적인 리포트는 긍정적인 리포트로 둔갑하게 된다. 이는 최신효과가 작용했기 때문이다.

이러한 사례는 무수히 많이 찾아볼 수 있다. 한 실험에서 사람들에게 마릴린 먼로나 스칼렛 요한슨 등의 사진들을 연속적으로 보여준 후 '모나리자'를 보여주었다. 그런 다음에는 엘리자베스 테일러, 파라 포셋, 브리짓 바르도 등 이른바 지난 시대의 여배우들 사진을 먼저 보여준 다음 '모나리자'를 보여주었다. 두 경우 모두 '모나리자'의 나이를 추정해보라는 같은 질문을 던졌다. 그 결과 사람들이 추측한 모나리자의 나이는 전자와 후자가 무려 15세 이상 차이가 났다. 이것은 인간의 지각이 얼마나 불완전한지, 변수요인에 의해 얼마나 달라질 수 있는지를 여실히 보여주는 결과다. 다음과 같은 사례도 있다.

갑자기 재채기가 계속 난다. 그래서 문을 열고 밖으로 나와 보니 마당에 전에 없던 민들레가 피어 있는 것을 발견했다. 이때 인간은 순간적으로 혹시 민들레가 재채기를 유발한 게 아닐까 하고 추론을 한다. 그리고 그 추론에 대한 가설을 세운다. 이 민들레 꽃가루가 재채기를 유발하는 알레르기 물질을 갖고 있을지도 모른다는 가설을 세운 다음 실험을 한다. 민들레에 직접 코를 갖다대보니 재채기가 난다. 이 행동을 몇 번 반복해본다. 그러면 여기서 확신을 하게 된다. 즉, 민들레만 닿으면 재채기를 한다는 반복에 의한 학습으로 인지 혹은 지각을 하게 된다. 이것이 첫번째, '반복성'에 의한 지각이다.

그런 뒤 어느 날 봄에 재채기를 했다. 아무리 약을 먹어도 낫지 않다가 여름이 되니까 재채기가 안 난다. 아무리 좋은 명의를 찾아다니고 종합병원에서 검사를 해도 원인을 알 수 없었던 재채기가 여름이 되니 사라졌다. 또 그 다음해 봄이 되니까 재채기가 난다. 이러한 사건의 반복에 의해서 항상 봄만 되면 재채기를 한다는 추론을 하게 된다. 두번째, '항상성'이다.

어느 날부터 재채기가 계속 났다. 한데 께름칙했다. 감기에 걸린 것도 아니고, 혹시 알레르기가 아닌가 해서 병원에 갔는데 의사가 "당신 같은 환자가 하루에 스무 명은 더 옵니다. 요즘 같은 봄에 꽃가루가 날리기 시작하면 심하게 재채기를 하게 돼요. 오늘 벌써 몇 명짼지 모르겠네요."라고 한 마디 던지면, 이 사람은 재채기가 꽃가루 알레르기 때문이라고 확신하게 된다. 세번째, '동의 과정'이다.

여러분 생각에는 첫번째, 두번째, 세번째 사건 중 어떤 경우에 가장 확신을 갖게 될 것 같은가? 인간의 행동은 어리석게도 바로 세번째에서 가장 큰 확신을 갖고, 그 다음이 첫번째, 마지막이 두번째에서라고 한다. 이처럼 의사가 무심코 던진 "오늘 이런 환자가 스무 명째네." 하는 말 한 마디가 실제로 이 사람이 알레르기 환자가 아니었음에도 알레르기 환자로 둔갑시키는 현상, 이것이 바로 우리가 주식시장에서 말하는, 이른바 전문가의 전망과 같다.

사실 세 경우 중 중요하게 생각해야 하는 것은 바로 첫번째와 두번째 경우이고, 세번째는 재확인, 즉 나중에 한 번 동의를 구하는 것에 지나지 않아야 함에도 불구하고 투자자들은 심리적 비관주의 때문에 세번째 상황에 의존한다.

투자심리에 있어서도 가장 중요한 것은 내가 갖고 있는 뚜렷한 소신과 철학, 내 경험에서 나온 직관이다. 이것이 주식투자에 있어서 가장 근본적인 제1의 원칙이 되어야 한다. 전문가의 리포트를 읽을 때 이 리포트가 주는 여러 가지 투자심리의 변수 요인들과 "혹시 여기서 내가 착각에 빠져서 뭔가 잘못 보고 있지 않은가?"라는 냉정한 시각 등이 주식투자에서 가장 중요한 투자심리학적 덕목이라는 점을 기억해야 한다.

▌새로운 이데올로기의 출현

전쟁은 늘 인류의 역사와 함께 해왔다. 하지만 왜 인류가 이렇게까지 전쟁에 몰두해왔는지 그리고 그 전쟁은 왜 그치지 않는 것인지에 대한 명확한 답은 없다. 원시전쟁시대, 고대전쟁시대, 근대기술전쟁시대로 나누는 전쟁사도 따지고 보면 문명사와 다름이 없다. 또 전쟁이 파괴 이상의 또 다른 새로운 발전의 동기가 되기도 했다는 점도 부인하기 어렵다. 일부 사회학자들에 따르면 전쟁은 인류의 소통수단과 깊은 관계가 있다고 한다. 먼저 원시전쟁시대는 언어의 사용과 밀접한 관계가 있다. 인간이 '언어'를 통해 서로 조직화되고, 각각의 단위들 사이에서 서로 힘이 불균형을 이루면 전쟁이 일어났다는 것이다.

고대전쟁시대는 문자의 사용과 관계가 있다. 문자의 발견은 티그리스·유프라테스 강과 인더스 강을 중심으로 빠르게 문명을 발달시켰다. 모든 지식은 문자에 의해 기록되고 축적되었고, 그 결과 문명은 과거와는 비교도 할 수 없는 빠른 속도로 발전했다. 물론 그 과정에서 뒤처진 지역과 앞선 지역의 격차는 부의 격차를 유발했음은 불문가지다. 이 시대의 전쟁은 야만이 문명을 압도했다. 문자중심으로 전개된 문명은 제도, 상행위, 초보적 법질서를 바탕으로 조직화되었지만 무력에는 약했다. 초기 무역업이나 비옥한 토지를 바탕으로 한 경작물로 부를 누리고 있는 집단과 단지 생존을 위해 거칠게 살아온 집단과의 투쟁은 결과가 정해져 있었던 것이다. 그래서 이 시기의 전쟁은 항상 야만이 문명을 이겼고 전쟁의 대가는 참혹했다.

인류사의 측면에서 볼 때 이것이 반드시 부정적인 면만 있는 것은 아니다. 비옥한 지역과 척박한 지역, 생산력이 풍부한 지역과 생산력이 고갈된 지역 사이에서 일어난 전쟁과 정복은 부와 문명의 재분배 역할을 했다. 비옥한 피정복지는 야만의 정복자들에게 물자를 공급하는 화수분이었고, 정복자는 자신들의 척박한 땅을 떠나 피정복자의 기름진 구역에 정착해 왕조를 세웠다. 물론 극히 예외적인 경우에는 약탈과 파괴만 가하고 물러났다. 이것은 정복자들이 자신보다 뛰어난 문명을 경영할 능력이 부족했기 때문이다. 바로 문자의 힘, 즉 지식의 힘이 부족했던 것이다. 역사는 시간이 문제일 뿐 시계바늘을 항상 제자리로 돌려놓는다.

근세 기술문명의 시대에는 고대 이래 유지되어온 힘의 균형이 무너졌다. 이 시기는 인쇄술과 화약의 발명 및 세계적 교통의 약진을 가져온 15세기부터 현재까지를 말하는데 문명과 무력이 같은 편에 있었다. 주요 무기는 칼, 창, 화살 등에서 화약과 총포로 바뀌고, 기사, 기병, 민병 등은 소총을 휴대한 보병으로 대체되었다. 방어의 개념도 성곽과 요새가 아닌 포와 진지의 개념으로 바뀌었다. 이 시기부터는 문명을 축적한 지역이 더 강한 무력을 가짐으로서 전쟁이 지닌 분배기능이 사라졌다.

부익부 빈익빈의 현상이 자리잡기 시작한 것은 바로 이때부터다. 발달된 문명, 넓고 비옥한 토지, 강한 무력을 동시에 가진 국가들은 야만이라 부르던 지역을 침탈하고 지배했다. 하지만 이 시기의 정복자들은 과거의 정복자들과 달리 정복지를 경영했을 뿐 이주와 정착을 선택하지 않았다. 그럴 이유가 없었기 때문이다.

수만 년을 이어온 역사적 항상성은 급격히 무너지고 과거의 문명국들은 선진국이라 불렸고, 선진국은 상대적 후진국을 지속적으로 침탈했다. 세계질서는 균형을 상실했다. 아울러 몇 개의 강대국을 중심으로 세력권이 생기고 그 중에서도 초강대국은 과거의 팍스로마나(Pax Romana), 팍스브리태니커(Pax Britanica) 그리고 팍스아메리카나(Pax Americana)로 이어지는 거대한 제국을 형성했다. 이러한 제국의 공통점은 경영은 하되 지배는 하지 않는다는 것이다. 운송수단과 통신의 발달로 인해 군이 제국의 중심을 옮기지 않아도 전리품을 거둬들이는 데 문제가 없었고 거리에 제한을 받지 않았다. 덕분인지 몰라도 전쟁은 규모는 커졌지만 횟수는 줄어들었다. 세계는 거대세력권을 중심으로 재편되고 핵은 대국들의 충돌을 억제하는 역설적인 상황을 연출했다.

강대국들은 핵을 중심으로 세력을 유지했으며, 핵은 절대적 힘을 가진 특정 국가가 전쟁을 통해 다른 국가의 영향권에 있는 약소국을 공격하는 데 걸림돌이 되었다. 역설적이지만 평화의 시대가 온 것이다. 이 짧았던 시기를 가리켜 이데올로기적 관점에서는 '냉전의 시대'라고 불렀다.

이때부터 강대국 간의 전쟁은 일어나지 않는다는 전제 하에서 각자 세력권에서 힘을 비축했다. 그리고 그 힘의 불균형은 핵이나 총포가 아닌 다른 형태의 무기로 연탄가스처럼 국경을 넘어갔다. 하지만 이데올로기의 대립이라는 보호막 아닌 보호막은 힘의 불균형 상태를 평화로 유지시키기에는 역부족이었다. 결국 새로운 힘의 불균형은 새로운 형태의 전쟁으로 이어졌다. 그것이 바로 팍스아메리카나로 상징되는 자본전쟁의 시대다. 서구를 중심으로 시작된 2차산업의 발달은 다른 나라의 경쟁을 부추겼고, 이 전쟁에서 이긴 서구열강들은 그동안 축적한 부를 바탕으로 새로운 시대의 경영을 시작했다. 이데올로기 전쟁에서 패한 사회주의국가들이 뒤늦게 산업화에 뛰어들 때 선진국들은 기꺼이 축적된 자본과 기술을 제공했다. 생산시설을 후발국가로 이전하여 임금 대비 기술경생력을 지속적으로 유지할 수 있는 여지를 마련한 것이다. 더구나 선발국이 가진 기술의 우위는 후발국들의 생산력에 일정 부분의 로열티를 부과함으로써 과거 점령지에 매기던 세수를 다른 형태로 흡수한 셈이 되었다. 이를 정당화하기 위해서는 '글로벌리즘'이라는 새로운 이데올로기가 필요했다.

발빠르게 선진국의 등에 올라탄 일본은 어느새 주도국의 대열에 올라갔지만, 우리나라처럼 뒤늦게 생산기지를 제공하고, 기술을 습득한 나라들은 여전히 그 영향권에 놓여 있다. 선진국들은 생산기지에 들어선 시설들에 자본을 제공하고 그만큼의 지분과 권리를 확보했다. 실제 우리나라 대부분의 주력기업들은 지분구조상으로는 선진국의 소유라고 보아도 무방하다. 과거의 전쟁이 무력을 앞세워 점령하고 총독부를 세워 지배하는 것이었다면, 새로운 전쟁은 축적된 자본으로 실질적 권리를 확보하고 주권에 포함된 주주권을 통해 발발한다. 특히 이데올로기의 전쟁에서 패배한 사회주의 국가는 이러한 구조에 제트 추진기를 달아준 것이나 다름없다.

글로벌화 또는 세계화로 이름 붙여진 '주주자본주의'는 선진 각국의 잉여 생산된 1차, 2차 산물을 후발국에 공급하고, 자국에 비해 저평가된 노동력을 싼값에 제공받을 수 있는 법적계약을 보증하는 공증서와 같다. 후진국의 경우 과거 1차산업에 종사하던 노동력이 급속히 2차산업으로 이동하면 삶의 절대적인 질은 향상되지만 상대적인 질은 하락한다. 또 초동기에 1차에서 2차로 이전하는 인력들과 그 과정에 산업자본가로 변신한 엘리트들은 혜택을 입지만 사회 전체의 궁극적인 이익은 바로 자본을 투하한 주주의 몫으로 돌아간다.

이때 금융시장에는 가파른 이익이 발생한다. 기존 질서에서 생산시설의 확대에 재투자하던 잉여자산을 과거보다 훨씬 싼 비용으로 같은 효과를 내는 효율이 발생하고, 인건비 감축으로 생산단가가 낮아지며 이익은 증가하고 물가는 낮아진다. 그 결과 잉여자본과 유동성이 급증한다. 그러나 선진국과 후발국의 잉여 유동성은 출발은 같지만 결과는 다르다. 현재 전세계적인 유동성 과잉 상태를 보면 선발국의 경우는 실질 유동성의 과잉이지만 후발국은 해외자본의 유입으로 인한 2차 유동성의 증가다. 즉 선진국은 잉여 유동성 해소를 위한 과정에 있고 후진국은 유입된 유동성을 감당할 준비가 되어 있지 않다는 뜻이다. 한쪽은 능동적이고 한쪽은 수동적 구조다.

이 과정에서 아이러니하게도 선진국의 2차산업 경쟁력이 증가하게 된다. 더 이상의 신규투자가 중단된 선진국의 2차산업은 과거 재투자분만큼의 몫이 이익으로 환원된다. 이미 건립된 시설은 자동화로 인해 인건비 증가를 상쇄하고 재투자금액이 줄어듦으로써 순이익이 급증하는 것이다. 하지만 반대로 후발국은 임금부담은 낮지만 실질적 금융부담을 안은 채 설비 확대가 지속된다. 전자는 '감가상각 후 이익구조'지만 후자는 '감가상각의 시작단계'에 있기 때문이다.

따라서 선진국과 후진국 모두 유동성이 확대되고 자산가치가 증가하지만, 최종 결과는 달라질 것이다. 앞으로 자산가격의 증가폭이 더 커지면 유동성은 빠른 속도로 줄어들 것이다. 결국 가격 상승이 유동성을 흡수하는 시점이 오면 투자자들은 자본을 회수할 것이고, 후진국은 급격한 과잉투자 리스크에 고스란히 노출될 것이다.

이것은 다시 후진국의 금융위기와 고용의 축소를 초래하고 사회불안으로 이어질 공산이 크다. 중국이 가진 거대한 외환보유고는 생산시설의 대부분을 자체 능력이 아니라 외국자본으로 투자한 것으로 인한 일시적 결과이자 오버슈팅일 뿐이다. 때문에 중국이 세상을 지배한다는 '팍스시니카(Pax Sinica)'의 시대는 그리 쉽게 찾아오지 않을 것이다.

현재 전세계적 골디락스(Goldilocks, 높은 성장을 이루고 있음에도 물가가 상승하지 않는 상태)는 결국 자산가격 상승과 유동성 증가가 접점을 찾는 지점, 후진국의 설비증가가 수요를 넘어서는 지점, 그리고 후진국의 생산성이 선진국의 그것에 도달하는 순간, 중단될 것이고 그 다음은 아무도 예측할 수 없는 파멸적인 시나리오가 기다리고 있을 것이다. 그런 면에서 워렌 버핏이 했던 "시속 40킬로미터에서 안전벨트를 푸는 사람이 많아진다."는 이야기는 대단한 통찰이다.

우리는 바로 이 지점을 예의 주시하고 있어야 한다. 아직도 자본주의와 사회주의의 전쟁에서 이긴 승자들은 전리품을 충분히 획득하지 못했고, 그 끝은 아직 남아 있다. 하지만 피지배자들은 그들의 지배자가 어떤 얼굴을 하고 있는지 아직 정확하게 모른다. 다만 그 얼굴이 어떤 모습인지를 확인하는 순간, 우리가 '골디락스'라고 부르던 이 황금의 시기도 뒤를 돌아본 롯의 아내처럼 소금 기둥으로 변해 역사 속으로 사라져갈 것이다.

_ 2007년 5월, 월간 〈나라경제〉

chapter 4

주식시장의 순환론

주식시장은
끊임없이
순환한다

일반적으로 짧은 불황 후에 나타나는 경기반등을 '조정'이라 한다. 즉 기업의 과잉투자에 대한 설비조정이나 구조조정이 이루어진 후 다시 경제가 회복되는 현상을 말한다. 경제순환론에 따르면 경제는 '과잉투자 → 재고조정 → 설비투자 → 재고조정'를 반복하는 단기 사이클과 '장기적이고 지속적인 과잉투자 → 깊은 조정 → 신산업의 태동'으로 이어지는 장기 사이클을 갖고 있다.

길고 깊은 조정 이후 시장이 반등하기 위해서는 극적인 모멘텀이 필요하다. 예컨대 소비가 위축되고 경기불황이 깊어져 기업이 도산하면 경쟁기업이 사라지고, 살아남은 기업을 중심으로 경쟁력이 되살아나면 이는 호황으로 가는 작은 사이클이라고 볼 수 있다. 반면 경기호황으로 신용이 팽창하고 장기간의 신용팽창이 몰고 온 후유증으로 긴 경기불황을 맞는 경우에는, 장기적인 관점에서의 신기술이나 신산업이 태동하거나 최소한 경제주체들이 그렇게 믿어야만 경기회복의 계기가 마련된다. 주식시장도 근본적으로는 이런 순환의 고리가 반영된 것이다.

주식시장이 대상승을 이루려면 다음 10가지 전제조건을 만족시켜야 한다.

1. 직전 경기침체가 깊고 길다.
2. 실현 가능한 신기술이 등장했다.
3. 자산 대비 부채비율이 최저치를 기록했다.
4. 금리가 사상 최저치에 머무른다.
5. 주식시장의 개인 투자자 비율이 낮다.
6. 거래량과 거래대금이 최저치를 기록한 이후 횡보중이다.
7. 정치사회적 격변이 지나갔다.
8. 외국인 투자자의 투자비율이 증가한다.
9. 신규 설정되는 뮤추얼펀드가 드물다.
10. 채권투자 기대수익률이 배당수익률보다 낮다.

이와 반대로 주식시장이 거품임을 보여주는 징후는 다음과 같다.

1. 거래량이 급증하지만 주가는 오르지 않는다.
2. 거래대금은 늘어나지만 신규자금 유입은 둔화된다.
3. 주가는 최고치를 경신하지만 신고가를 경신하는 종목이 줄고, 신저가를 경신하는 종목이 늘어난다.
4. 이유 없이 급등락하는 대형주들이 하나씩 등장한다.
5. 자산 대비 부채비율이 증가한다.

6. 주변주는 호재에도 주가가 하락하고, 주도주는 악재에도 주가가 상승한다.

7. 금리상승 속도가 가파르다.

8. 내부자들의 주식 매도가 급증한다.

9. 유무상증자가 러시를 이룬다.

10. 신규상장이 늘어난다.

11. 자사주 매도가 늘어난다.

12. 주식시장에서 작전이 늘어나고 사기가 빈발한다.

13. 주가 상승 소식이 자주 언론의 주요 기사로 다뤄진다.

14. 마지막까지 남아 있던 소수의 비관론자들마저 자신의 의견을 철회한다.

15. 뮤추얼펀드 설정이 절정을 이루고, 증권사나 자문사 설립이 러시를 이룬다.

16. 주식으로 일확천금을 벌었다는 성공담이 난무한다.

17. 전업 투자자로 나서는 사람이 늘어난다.

18. 주가수익배율이 평균수준 대비 50% 이상 높아진다.

19. 주가가 200일 이동평균선보다 100% 이상 높다.

20. 뱅크런(Bank Run, 대규모 예금인출 사태)이 발생한다.

21. 펀드의 명품효과가 나타나 비용이나 수수료가 비싼 펀드가 더 잘 팔린다.

22. 거치식펀드 대비 적립식펀드의 비율이 압도적이다.

경기가 긴 바닥을 이루면 시장은 암흑처럼 보인다. 심지어 경기반등을 예측한 현명한 투자자들이나 상황을 좀더 객관적으로 볼 수 있는 외국인 투자자들이 매수에 나서도 마찬가지다.

자산 규모가 큰 외국인 투자자는 신흥시장에서 상당히 이성적인 투자자가 될 수밖에 없다. 자국시장에서도 자산에 여유가 많은 사람들은 장기투자가 가능하고, 바닥을 감지하는 능력도 뛰어나며 정보도 많이 확보하고 있다. 특히 경기침체로 채권수익률이 하락하고 금리가 낮아 이자소득이 실질적 마이너스 상태에 이르면, 그들은 배당소득에 관심을 기울이고 주식시장에서 제일 먼저 매수 주체로 나선다. 다만 이 경우 펀드를 통하기보다는 직접투자의 형태를 띠는 경우가 많아 시장에서 그 동향이 쉽게 파악되지 않는다.

같은 맥락에서 선진국의 외국인 투자자들은 신흥국 대비 잉여자산이 많고, 자국시장보다 시가총액의 비중이 절대적으로 낮은 신흥시장에 관심을 두게 된다. 따라서 자산시장의 출발은 대개 외국인과 자국의 자산가들이 주도한다. 특히 이들은 신기술의 가능성을 탐색하는 데 천부적이다. 상대적으로 많은 정보와 네트워크를 가진 자산가들은 신기술의 개발이나 상용화에 대한 정보 등을 일찍 공유하기 때문에 신기술의 태동에 대단히 민감하다.

단순한 공정개발, 원가절감, 구조조정 등으로 인한 경기회복은 단기 사이클 상에서 자산시장 상승 이후 조정기에 나타나는 현상이다. 2008년 시장의 침체는 1990년대 말 시장의 거품이 걷힌 후 나타난 제대로 된 침체의 시작일 수 있다. 2000년 초 거품이 터질 때 "만약 경기후퇴가 발생하면 헬기를 타고서라도 돈을 뿌려야 한다."고 주장하던 연방준비제도이사회(FRB)의 이사를 비롯한 유동성 공급론자들이 금리를 공격적으로 인하하고, 구조조정을 지연시킨 결과 8년 전에 왔어야 할 조정의 장이 2008년에 시작된 것이다.

2008년의 조정은 소리 없이 그리고 거칠게 다가왔다. 기간이 얼마가 걸리건 이 침체가 마무리되면 2002년의 반등과 같은 양상이 아니라 새로운 슬로건을 내건 파격적 상승이 이뤄지겠지만, 대중은 그동안에는 아무것도 할 수 없다. 긴 침체로 사람들은 움츠러들고 새로운 희망에도 귀를 기울이려 하지 않을 것이기 때문이다. 시장이 바닥을 다지고 본격적인 상승에 나서더라도 대중은 이를 부정한다. 그러나 시장 참여자들은 점차 늘어갈 것이고, 현명한 투자자는 이 시기에 시장에 참여할 것이다.

다만 이 시기에도 습관적으로 투자해온 사람들(침체기에도 계속 거래를 해온 거래 중독자들)은 짧은 이익에 만족하고 시장을 빠져나가므로 정작 상승의 혜택을 입지는 못한다. 시장이 본격적으로 상승하고 기관 투자가들이 진입하며 시장의 상승이 가팔라지고 대중과 언론이 주목하는 시점이 되면, 많은 사람들이 시장에 뛰어들기 시작한다. 곧이어 대중의 투자는 극점에 도달한다. 하지만 이 극점을 예측하기란 너무나 어려운 일이다.

심지어 주식시장에 안목을 가진 소수의 현명한 투자자들이 고점을 우려해서 약세장에 배팅하고 일부 민감한 촉수를 가진 전문가들이 거품을 경고하지만, 대개 이들이 시장을 빠져나가거나 경고하는 시점은 맥락상의 고점일 뿐 실제적 고점은 아닌 경우가 많다. 왜냐하면 시장의 거품기에는 거품의 마지막 국면에 가장 거칠고 공격적인 상승세가 나타나기 때문이다. 대개 현명한 사람들은 이 시기에 시장을 빠져나가거나 약세 포지션을 취하지만 이들의 예상과 달리 시장은 최소 20% 이상, 심하면 그 이상 추가상승하는 경우도 허다하다.

이렇게 먼저 시장에서 빠져나간 투자자들은 극심한 심리적 갈등을 겪는다. 손실에 대한 두려움보다 기회이익을 놓친 것이 더 안타깝고 분하기 때문이다. 그래서 이들 중 일부는 시장에 되돌아오고, 일부는 과감하게 시장을 떠난다.

시장의 추가상승은 그야말로 신의 영역이다. 흥분한 대중들은 회전율을 높이며 격렬한 주가 상승을 이끌어낸다. 그로 인해 주가가 급변한다. 이때 시장에서는 이유 없이 소수 우량종목이 급등락하는 현상이 나타난다. 시장의 자금순환이 여의치 않으면 시장의 주변자금이 모든 대형종목의 대기 매수세로 분산되지 않고 주도주에만 집중적으로 몰린다. 따라서 신고가를 경신하는 주도주의 주가가 밀릴 때마다 대기 자금이 주가를 지지하는 반면 주변의 대형 우량주들은 대기 매수세의 취약성으로 인해 작은 충격에 주가가 급락하는 이상 현상이 벌어진다.

아울러 주식시장의 회전율이 증가하고 총유입자금이 감소하면서 주가지수가 급락하다가 급등하는 양상이 자주 반복된다. 이때 대중들은 급락 시에 매수하고, 현명한 투자자들은 급등시에 매도한다. 때문에 주가가 횡보세를 보일 때에도 하락 시의 거래량이 상승시의 거래량보다 많고, 음봉의 거래량이 양봉을 기록한 날의 거래량보다 많다.

시중의 자금은 모두 주식시장에 흡수되고, 주식시장을 추가상승시키기 위한 필요 자금이 기하급수적으로 늘어난다. 즉 은행과 금융기관의 유동성이 주식시장으로 빨려들어가고 시중 유동성은 지속적으로 늘어나지만, 결과적으로 그것은 공멸을 예고하는 신호탄이다. 자산가격이 늘어나는 속도 이상으로 차입이 늘어가기 때문이다. 이 게임이 막을 내리는 법칙은 다음과 같다.

1. 자산가격의 상승이 부채에 대한 이자비용 증가를 하회한다.
2. 자산가격의 미래 이익이 사후가치까지 반영된다(주도주의 PER이 100을 넘긴다).

3. 순자산가치 대비 주가가 비이성적으로 상승한다.

4. 자국 화폐가치가 급락한다(환율이 급등한다).

5. 외국인 투자자의 이탈이 시작된다.

결국 이러한 조짐들은 상당수 자산가의 이탈과 대중의 신규 진입으로 재편되는 결과를 가져온다. 즉 주식시장에서 소액주주의 비중이 커지는 것이다. 이때 기업의 주주명부는 출력이 불가능할 정도로 길어진다. 기업의 일인당 보유주식 수는 급격히 낮아지고 대규모 투자자들이 시장에서 사라진다.

이어서 시장은 조정기에 들어간다. 다만 이때 조정이 시작되면 많은 투자자들이 조정을 과거 강세장의 경험에 빗대어 기회로 받아들인다. 가격의 약세를 주식 보유 비중을 늘릴 수 있는 절호의 기회로 인식하기 때문이다.

하지만 이때는 강세장의 조정과는 완전히 다르다. 강세장의 조정은 하락 속도보다 반등 속도가 가파르고, 상승의 반등 각도 또한 최소 하락 각도 이상을 유지한다. 즉 시장을 회복하려는 견인력이 빠르다는 뜻이다. 이와 달리 약세장에 진입하면 하락이 거칠다. 주도주가 동시에 하락하지 않고 순차적으로 급락하기 시작하고 그 양상도 거칠고 격렬하다. 반등이 일어나지만 그 반등은 하락의 속도에 비하면 각도가 대단히 완만하고 시간이 많이 걸린다.

그럼에도 투자자들의 기대는 사그라지지 않는다. 시장이 본격적으로 하락하기 시작해도 여전하다. 본격적인 하락 국면에 접어들어서야 상황이 달라진다. 저가 매수세력을 압도하는 강력한 하락 압력은 전광석화처럼 등장한다. 투자자들은 그야말로 손을 써볼 기회도 없이 손실을 입게 되고, 아무리 기다려도 반등은 오지 않는다. 패닉은 그렇게 시작된다.

신문의 사건사고란에 증시하락 기사가 등장하는 시기가 바로 이때다. 언론사의 군집효과는 상당히 파괴적이다. 언론사 입장에서 주가 상승은 평범한 뉴스고 주식시장의 하락은 사건사고에 해당한다. 신문지면은 엄청난 주가 하락 소식을 전하고 이때 헤드라인은 붕괴, 패닉, 쇼크와 같은 자극적인 용어들로 점철된다. 물론 그에 따르는 해설 기사는 공포감을 불러오는 내용으로 가득하다. 언론사는 신이 나서 기사를 토해내고 투자자는 겁에 질린다.

하지만 이때까지도 많은 사람들이 추세하락을 믿으려 들지 않는다. 대중이 하락에 동의하기 위해서는 사건을 인식하는 것뿐 아니라 받아들일 시간이 필요하기 때문이다. 가격의 하락은 반등에 대한 기대선을 설정하게 하고 고점 대비 33% 혹은 66%와 같은 숫자놀음에 기대게 만든다. 하락에 대한 진지한 인식은 시간이 만든다. 고점 대비 하락폭은 단기적인 충격에 불과하지만, 반등이 지연되고 반등 시도들이 무산되면 투자자들은 서서히 절망에 빠진다.

이때쯤이면 언론에서는 하락이 사건사고가 되지 않는다. 이제는 뉴스로 바뀐 것이다. 이제 사람들은 기대를 접고 서서히 보유피로를 느끼면서 주식을 내다 팔기 시작한다. 이로써 3차 하락이 시작되지만 그 폭은 깊지 않다. 그 후 바닥이 완성된다. 하지만 그 바닥은 특정 지점이 아니다. 주가는 의미 없이 바닥에서 천천히 움직이고 시간이 흐르면서 개인투자자들의 비율이 감소하기 시작한다. 시장은 그렇게 멈추고 서서히 수면 아래로 가라앉는다. 주식시장은 더 이상 화제가 아니고 돌아보기도 싫은 무덤과 같은 곳으로 인식된다.

이 상황을 극복할 수 있는 계기가 바로 대형 사건이다. IMF 금융위기,

전쟁, 체제충격 등이 시장의 질서를 재편하는 것이다. 동유럽과 러시아의 사회주의 정권 붕괴나 정권 교체와 같은 이슈들이 그것이다. 질서의 변화는 새로운 계기를 모색하고 그 계기는 자본시장에서 기회가 된다. 교체된 정권이나 변화된 질서는 새로운 사업 기회를 제공하기 때문이다. 이로써 큰 순환의 한 고리가 끝나고 새로운 순환이 시작된다.

1990년대에는 IT 기술의 진보로 정보 고속도로가 확충되고 정보의 유통이 원활해져 자본시장의 통합을 이루어냈다. 하지만 약 20년 지난 지금까지 신기술은 등장하지 않고 있다. 물론 아직 진행중이고 에너지 관련 신기술이 등장할 것이라는 막연한 기대를 품고 있지만, 풍력이나 태양광과 같은 형태는 아닐 것이다.

최소한 2008년 화두가 되고 있는 에너지 문제는 제한된 석유자원이 핵심이므로 단순히 대체성 있는 에너지가 아닌 석유자원 의존도를 획기적으로 줄일 수 있는 것이 될 공산이 크다. 이를테면 수소에너지나 핵융합과 같은 분야에서 획기적인 성과물이 나오거나 지구 온난화를 해결할 환경기술이 개발되거나 이미 1980년대에 가능성을 탐색했던 바이오나 나노공학 분야에서 신기술이 터져나올 것이다. 하지만 그 시기는 아직 임박하지 않았다.

경기순환이 주식시장에 미치는 영향

"주가는 일정한 순환 사이클을 가진다."

이 전제를 부정할 사람은 아무도 없다. 실제 주가는 호황장과 침체장이 반복되고 있고 앞으로도 그럴 것이다. 물론 경제가 순환 사이클을 가지며 주가는 경기에 선행하거나 동행한다.

그런 측면에서 내가 놀랍게 여기는 것 중 하나는 세상의 거의 모든 경제학자들이 주식투자에서 사이클을 주장하는 이론들, 예를 들면 엘리어트 파동 이론은 쓰레기 취급을 하면서 경기순환 이론은 수긍한다는 점이다. 엘리어트 파동도 선행 예측은 불가능하고, 경제학자들의 경기전망도 틀리기 위해 존재하는 것이라는 면에서 그 둘의 성격이 다르지도 않은데 말이다.

결국 주식시장 혹은 학계나 업계는 자신의 권위를 지키기 위해 일반인들이 쉽게 접근하기 어려운 정보라는 해자를 단단히 둘러치고 있는지도 모른다. 배제할수록 상대적 우월성이 높아지듯이 우리가 가진 이론의 가치를 인정받기 위해 누구나 주장할 수 있는 이론은 배척하는 것이다. 이는 누구도 부인하기 힘들다.

어쨌든 경기는 순환한다. 여러 가지 요인 중 특히 계절은 뚜렷하게 경기에 영향을 미친다. 봄에는 신학기가 시작되고, 연말에는 크리스마스 시즌이 있으며, 여름에는 농작물과 여름 상품이 만들어진다. 여름에 폭염이 계속되면 에어컨이 유독 많이 판매되고 전력회사의 금고는 넘친다. 겨울이 유난히 추우면 경기는 위축되고 대신 주류회사의 실적이 좋아진다. 또 어느 해 태풍이 불고 가뭄이 들어 작황이 나빠지면 2007년 말처럼 곡물가가 급등하여 인플레이션에 부정적인 영향을 미친다. 그래서 태양의 흑점이나 별자리의 변화로 경기를 예측하려는 시도가 전혀 근거가 없는 것은 아닌 셈이다. 날씨가 경기에 영향을 미친다는 사실이 분명한 한 그렇다.

그런데 이런 가장 기본적인 부분에서부터 우리는 예측의 한계를 느낀다. 올 여름에 홍수가 날지 가뭄이 들지 누가 알겠는가? 올가을에 작황이 좋을지 나쁠지도 추수하는 그 순간까지 알 수 없다. 추수 직전에 멕시코 만에 허리케인이 덮치면 옥수수 가격은 하루아침에 달라진다.

그뿐일까? 자본주의 사회는 기본적으로 경쟁사회다. 게임이론에서 균형전략을 구사하는 기업들의 선택 행위나 공유지의 비극을 초래하는 욕망이 작용하고 그것을 통제하려는 정부의 힘도 작용한다. 하지만 자본주의 사회가 절대적으로 추구하는 것 중 하나는 완전경쟁, 즉 유효경쟁 상태다. 만약 특정 기업이 독점을 하면 자본주의의 모순이 증가한다. 독점이 발생하면 수요와 공급의 자연스러운 균형이 깨지고 독점 체제에서 자본을 획득하는 것은 자본주의의 구조적 모순을 낳는다.

독과점은 자본주의의 적이다. 미국의 경우 경쟁기업이 없는 한 기업이 단일 분야를 독점하면 기업 분할이나 기술 이전을 명령하는 법 체계를 갖고 있는데, 바로 독과점을 견제하기 위해서다. 하지만 이런 유효경쟁은 반드시 과다생산 혹은 과소생산을 유발한다. 게임에 임하는 기업들이 각자 최선의 전략을 실행하려 하고, 이들이 담합을 하지 못하는 한 재고량은 계속 변하게 된다.

기업은 본능적으로 담합을 하기 위해 애쓰게 되어 있다. 그래야 생산량의 과잉이 발생하지 않기 때문이다. 석유수출국기구(OPEC)의 담합이 없다면 유가는 지금의 절반 수준에서 결정될 것이고, 현재 우리나라의 기름값은 리터당 최소 몇백 원은 내려갈 것이다. 하지만 게임이론에 따르면 기업의 행태는 전략적이다.

게임이론은 다음과 같이 설명한다. A국과 B국이라는 강대국이 존재하는데 공해상에 있는 섬의 소유권에 대해 분쟁이 일어났다고 가정하자. A국이 먼저 섬에 대해 선제공격을 감행하면 A는 섬의 가치인 1만큼의 이득을 얻고, B는 1만큼의 손실을 입는다. 하지만 B가 이에 대해 보복공격을 할 경우에는 전면전으로 확대되어 두 나라가 같이 10의 손실을 입게 된다.

경제적인 관점에서 보았을 때는 둘 중 하나가 선제공격을 해도 공격을 당한 쪽이 반격하지 않는 것이 가장 합리적이다. 그럴 경우 어느 쪽이든 상대가 반격을 하지 않을 것이라고 생각하는 순간 공격을 감행할 것이다. 그래서 이 두 나라는 상대가 반격을 할지 안 할지를 탐색하면서 만약 상대가 공격할 경우 반드시 반격할 것이라고 엄포를 놓아야만 한다. 이러한 이유로 전쟁은 일어나지 않는다. 이것이 균형이다.

기업의 경우도 마찬가지다. 우리나라 정유회사처럼 4개의 과점기업이 있다고 가정하면, 이들 중 누군가가 먼저 가격을 내렸을 때 나머지 기업들이 그와 동일한 수준으로 가격을 내린다면 전원이 지는 게임이 된다. 더구나 먼저 내린 회사의 가격보다 더 낮은 수준으로 가격을 내리며 반격한다면, 또 다른 회사도 반격을 할 수밖에 없다. 결국 이들의 경우 점유율 확대를 위해 선제적으로 가격을 내리는 것은 어리석은 게임이다. 이것이 독과점의 폐해다.

이런 과점 구조가 구축되면 시장의 구조는 왜곡된다. 정유사들은 가격 담합을 하며 점유율 경쟁을 하지 않으므로, 자신의 주유소에 공급하는 양 이상으로 과잉생산하지 않는다. 그렇게 되면 시장의 수급에 따라 생산량을 탄력적으로 줄이고 늘릴 수 있다. 잉여가 발생할 소지가 없는 것이다.

완전 유효경쟁이 되면 상황은 다르다. 기업들 간에 상대방에 대한 정보가 없고, 서로 신뢰할 수 없는 다수 경쟁이 되면 누가 어떤 전략을 취할지 모른다. 그래서 때로는 많이 생산하기도 하고 적게 생산하기도 한다. 그래서 호황기에는 생산량을 늘리고 설비를 증설한다. 결국에는 서로가 증설한 설비로 인해 재고가 쌓이고 다 같이 어려움을 겪을 것을 알면서도 그렇게 한다. 공유지의 비극인 것이다.

주글라 파동

경기는 늘 재고와 밀접한 관련을 가진다. 이런 재고의 증감을 갖고 경기순환을 판단하려는 시도가 나오는 것은 너무나 당연한 일이다. 여기에 주목한 사람이 프랑스의 경제학자 조셉 클레멘트 주글라(Joseph Clement Juglar)이다. 그는 미국, 영국, 프랑스 등에서 주기적으로 나타나는 경기

파동을 관찰했고, 그 순환에는 대개 6~10년의 시간이 걸린다는 사실을 알아냈다. 그리고 경기를 순환하게 만드는 여러 가지 변수 중 가장 핵심적인 것은 설비투자라고 보았고, 금리, 인플레, 차입금 등을 분석하여 순환모델을 만들었다. 그 때문에 주글라 파동(Juglar cycle)은 '설비투자 사이클(Equipment investment cycle)'이라고도 불린다.

이런 기업 설비투자는 약 6~10년의 주기를 보이는데 그가 이론을 발표한 1860년대의 설비투자는 규칙적으로 주글라 파동에 따라 움직였다. 하지만 최근 설비투자 사이클은 약 4~5년으로 단축되었다. 경제 규모가 커짐과 동시에 소비와 생산의 유연성도 함께 커졌고, 재정이나 금융정책이 훨씬 신속하고 효율적으로 바뀌었으며, 기업들이 재고를 관리하고 측정한 자료가 실시간으로 공급되는 정보화 사회가 되었기 때문이다. 단조선업, 철강, 화학과 같은 중후장대 산업의 경우에는 아직도 8~10년의 주기를 가지며 반도체 같은 첨단 산업의 경우에는 3년 정도의 주기로 움직이기도 한다.

어쨌건 여기에서 우리가 인지해야 할 중요한 특성은 기업의 설비투자 사이클이 경기순환을 결정하는 중대한 요소이며, 이 순환은 평균적으로 4~5년의 사이클이라는 점이다.

키친 파동

다음으로 키친 파동(Kitchen cycle)은 영국의 통계학자 조지프 키친(Joseph Kitchen)이 영국과 미국의 생산자, 물가, 금리, 수표와 채권 발행 규모 등을 조사하여 1920년대에 발표한 순환 이론이다. 실제 설비투자에 관한 지표만 갖고 개발한 주글라 파동과 달리 재고량 측면에서 접근했으며, 재고량의 증감으로만 바라본 사이클은 약 40개월 정도라는 것을 관찰했다. 재고가 넘치고 경기가 불황을 보이면 설비투자가 중단되지만, 호황에서는 증가하고 설비 자체가 신산업이나 신기술의 발견에 따라 좌우되는 특성이 있어서 설비투자와 재고를 일치시키기 어려운 부분이 있었다.

재고량에 포커스를 두고 관찰했을 때 경기의 순환, 즉 호황과 침체는 재고량의 증감과 같은 방향으로 움직인다는 사실도 발견했다. 이후 조지프 슘페터(Joseph Schumpeter)와 같은 학자들이 이에 주목하여 오늘과 같이 재고량을 기업의 실적과 연관짓는 중요한 통찰을 제공하였다.

한데 기업은 부담이 되는 걸 알면서도 늘 일정량의 재고량을 어떤 식으로든 갖고 있다. 왜 그럴까? 그것은 공유지의 비극에서 나타나는 기업의 경쟁심, 즉 판매의 기회가 발생했을 때 그것을 놓치지 않으려는 것이 첫번째 이유고, 일정 규모 이상의 생산이 비용에 유리하다는 것이 두번째 이유다.

이를테면 한 개의 자동차 공장에서 1만 대 단위로 생산하는 것과 필요에 따라 2,000대씩 생산하는 것은 상당한 비용 차이가 난다. 1만 대를 생산하든 2,000대를 생산하든 어차피 인건비는 동일하게 소요되기 때문이다. 즉 재고를 가져서 입는 손실보다는 재고가 없어서 판매 기회를 잃을 때의 손실이 더 크다. 물론 기업 경영에서 이 부분은 상당히 중요하며 기업이 재고관리를 어떻게 하는지는 기업의 통찰과 안목, 경영 노하우와도 상당한 관련이 있다.

때문에 우리가 기업 분석을 하면서 재고관리의 형태, 적정 재고의 유지, 관리 등을 중요한 매수 자료로 삼아야 한다. 특히 재무제표에서 기업이 가진 재고는 자산으로 처리되지만 이것도 제대로 살펴야 한다. 예를 들어 의류회사가 철 지난 옷을 재고로 갖고 있는 것은 사실 부실자산이 되어 차감해야 할 사유이고, 반대로 정유회사가 비축하고 있는 원유라는 재고나 철강회사의 철근과 같은 재고는 상당 부분 자산으로 인정된다.

쿠즈네츠 파동

다음으로 쿠즈네츠 파동(Kuznet cycle)은 경기의 장기순환을 설명한다. 이것은 건설투자의 사이클을 중심으로 바라본 것으로 경제성장률과 밀접한 연관이 있다. 건설투자가 증가하면 고용이 증가하고 호황으로 연결되며, 건설투자가 침체되면 고용감소와 경기침체로 이어진다는 것이다. 또한 건설투자가 활황을 보일 때는 유동성이 팽창되고 그 반대의 경우에는 유동성이 감소한다. 그래서 오늘날 월가에서는 주택 판매율, 건축 착공율, 총시공액 등을 주시하여 그에 따라 주가전망을 달리하기도 한다.

쿠즈네츠 파동은 선진국의 경우에는 약 15년, 우리나라와 같은 신흥국은 약 10년의 주기를 보인다. 건설, 특히 주택이나 항만과 같은 토목들은 한번 호황이 생기면 상당히 과잉으로 치닫고, 그것이 다시 수요공급선에 적정하게 균형을 찾는 데는 거의 10~15년이 걸리기 때문이다. 이를 기준으로 보면 우리나라도 이제는 부동산 사이클이 10년 주기에서 15년 주기로 바뀌어가는 과정에 있다고 볼 수 있을 것이고 그 점으로 보아 우리나라의 장기성장세에서 더 이상 가파른 상승을 구경하기는 어려운 선진국형 경제구조로 전환중임을 알 수 있다.

콘드라티예프 파동

마지막으로 유명한 콘드라티예프 파동(Kondratiev cycle)을 소개할 차례다. 이 이론은 마크 파버(Marc Faber)가 그의 저서 《내일의 금맥 Tomorrow's Gold》에서 거의 절반을 할애해서 설명하는 바람에 우리나라에서 상당히 주목을 받기도 했지만, 실제로는 큰 효용성이 없다고 보는 것이 타당하다.

콘드라티예프 파동은 러시아의 경제학자 콘드라티예프(N. D. Kondratiev)가 자본주의 사회는 40~60년을 주기로 하는 장기 사이클이 존재한다고 말함으로써 논의되기 시작했다. 그는 이 장기 사이클의 침체기가 진행되는 동안 중요한 발명이나 혁신적인 진보가 이루어져 다음 사이클이 발생하고, 이러한 순환을 거쳐 자본주의는 새로운 산업과 기술의 혁명을 끌고 간다고 생각했다.

그의 주장에 따르면 1차 파동은 1780년에서 1817년에 이르는 기간의 상승으로 시작되었는데 이후 1851년까지는 하강기를 맞았다고 한다. 이후 2차 파동은 1844년에서 1875년까지 상승하고, 침체기는 1875년에서 1896년까지였으며, 3차 파동은 1890년에서 1930년까지 상승하기 시작해서 침체기는 1930년에서 1954년까지에 이르는 기간이라고 지적했다.

사실 그의 이론은 상당히 광범위하고 작위적이었으며, 정작 콘드라티예프 파동을 의미 있는 이론으로 정착시킨 이는 앞서 언급한 슘페터다. 기술혁신에 따른 혁명적인 새로운 산업의 등장이 경기의 장기 상승을 유발한다는 점에서 제1파는 산업혁명으로 인한 제조업을 영위하는 대기업의 등장이 원인이며, 이들의 활발한 기업활동이 인플레이션을 일으켜 호황을 이끌어낸다. 제2파는 철강기술의 급격한 발전과 철도산업, 증기선의 등장에 의한 대규모 물류 이동과 교역이 장기 상승을 이끌어낸 것이다. 또한 제3파는 헨리 포드(Henry Ford)의 대량생산 시스템으로 부흥한 자동차, 전력, 화공들의 발화가 이끌어냈다고 설명한다. 반면 대공황기나 제2차 세계대전 전후 시기의 침체기는 이들 산업에 경쟁자가 등장하며 과잉설비가 문제를 유발하여 장기적인 인플레이션의 결과로 나타났다고 보았다.

그의 이론을 그대로 적용하면 제4차 상승기는 1954년에 시작되었고, 같은 맥락에서 침체기는 1980년에서 2004년까지로 볼 수 있다. 하지만 이 부분은 상당한 논란의 소지가 있다. 콘드라티예프의 경기순환이 맞는다면, 지금 우리는 새로운 상승기에 접어들어야 하고 우리 앞에 세상을 변화시킬 혁명적인 신기술의 깃발이 펄럭여야 한다. 굳이 침체기인 1990년대 말 세계 여러 나라의 외환위기나 2008년경 우리가 겪고 있는 금융위기들이 시간적 오차가 있는 침체기의 마지막 어둠이라고 봐야 하지만, 1980년대 이후는 눈부신 정보통신의 발달로 경제가 성장을 거듭했는데 과연 침체기라고 부를 수 있을지는 의문이다.

물론 이후 조만간 핵융합이나 수소에너지 같은 석유자원을 벗어날 획기적인 인류의 에너지 개발이라는 대사건이 벌어진다면, 콘드라티예프 파동의 흐름을 수긍할 수 있고, 그런 정도의 혁명적 진보에 비한다면 1980~2000년대는 침체기라고 볼 수도 있을 것이다. 그래서 콘드라티예프 파동에 매혹된 사람들은 지금 마치 메시아를 기다리는 심정으로 새로운 기술의 발현을 기다리고 있고, 이제 앞으로 시작될 경기의 대상승을 갈망하고 있기도 하다.

이러한 이론에서 커다란 기술혁신이 새로운 장기상승을 이끌어낸다는 점은 맞지만, 그것이 정말 일정한 주기를 갖고 마치 계절이 바뀌듯 일어날 수 있는 것인지에 대해서는 확신하기 힘들다. 일단 우연성이 짙고 침체에 의한 심한 경기불황이 새로운 기술 혁신을 이끈다는 사실 또한 동의하기 어려운 구석이 있다. 다만 경기가 침체에 이르면 그것을 돌파하려는 노력이 혁신으로 나타날 수 있지만, 아예 세상에 없던 혁명에 가까운 기술이 침체기에 나타난다는 것은 비판을 받을 수밖에 없다.

이뿐 아니다. 수많은 경제학자들이 경기순환 이론을 내세웠고, 슘페터는 이 세 가지 순환을 혼합해서 장기파동은 '단기적인 재고 순환(키친 파동) → 설비투자 순환(주글라 파동) → 콘드라티예프 파동'으로 구성된다고 주장했다. 그런데 사실 슘페터의 경기순환 이론은 나중에 설명할 '대순환 → 중간순환 → 소순환'으로 이어지는 엘리어트 파동과 유사하다. 슘페터는 여러 가지 변수를 짜 맞추어 학문적으로 보이게 한 것이고, 엘리어트는 단순히 주식시장의 가격 변화만을 보고 사이클을 그렸다는 것이 다를 뿐 사실은 같은 논리다. 왜냐하면 세상 어느 누구도 슘페터의 경기순환 이론을 근거로 지금이 경기확장기라고 주장하지 않으며(설령 있다고 해도 그것은 동전 던지기에 불과하다), 또 엘리어트의 파동을 그려서 향후 주가를 예측하지 않기 때문이다.

사 이 클 속 의 사 이 클

여러 경기순환 이론들 중에서 의미 있는 이론이 있다면 경제학자 웨슬리 미첼(Wesley Mitchell)의 사이클 속의 사이클(Cycle of Cycles) 이론이다. 그는 장기파동은 여러 개의 소순환들이 연속적으로 이어진 결과이며, 사실상 경기순환은 산업 국면(industrial phase)과 투기 국면(speculative phase)으로 구분할 수 있다고 주장한다. 산업 국면, 즉 설비투자와 그에 따른 재고의 관계로 상승하는 경기는 상승과 침체가 확연하게 나타나지만, 투기에 의해 상승한 사이클은 조정폭이 적어서, 두어 번의 상승과 하락을 반복하면서 거품을 불려가다가 결국은 급격한 침체로 간다는 것이 주요 내용이다. 나는 이러한 이론이 훨씬 현실에 가깝다고 생각한다.

우리가 입에 달고 다니는 경기상승과 침체, 확장과 수축, 호황과 불황과 같은 이야기들은 순환론의 근거를 어디에 두느냐에 따라 결과가 달라진다. 경기란 날씨, 농사작황, 천재지변, 신기술의 발명, 각 기업의 문제, 전쟁과 같은 무수한 변수에 기업의 설비투자, 재고, 잉여자산의 증감과 같은 미시적인 부분까지 각각 씨줄과 날줄로 엮이고 얽혀서 돌아가는 것이다.

따라서 이들 중 어느 한 요소만을 들어 단순하게 팽창과 수축을 예단하거나 경기침체의 바닥을 예측하고 그 시점을 알려고 하는 행위는 모두 무의미하다.

그러고 보면 경제학자들도 사변과 관념에 사로잡힌 사람들이고, 증권시장에서 주가차트를 보고 예측하려는 사람들은 돈키호테나 다름없는 것이니, 경제에 있어서 예측이란 사실상 인간이 할 수 있는 일이 아닌지도 모른다. 우리는 그저 경제가 침체되면 침체가 더 이어질 것으로, 호황이 나타나면 그것이 더 길어질 것이라는 관성적인 판단 외에는 아무것도 할 수 없는 잘 길들여진 마약탐지견 정도의 수준일 수도 있다.

같은 맥락에서 증시의 예측도 같은 결과를 몰고 온다. 루이 바실리에(Louis Bachelier)가 증권시장은 절대적으로 우연에 의해 결정된다는 주장을 펼쳤을 때 그에 동의하는 사람은 거의 없었지만, 70년이 지나 폴 새뮤얼슨(Paul Samuelson)이 같은 이론으로 노벨상을 받자 이번에는 다들 귀를 기울였다. 바실리에는 우리가 주가를 예측할 수 없는 이유는 사람들이 비이성적이고 정보가 비밀리에 흘러 다니기 때문이 아니라, 반대로 사람들이 합리적이고 이성적이며 정보가 실시간 반영되기 때문이라고 주장했다.

예를 들어, 기업실적이 증가할 것이라는 정보가 흘러나오면 누군가는 그것을 매수할 것이고 사람들은 그 의견에 합리적으로 동의하여 매수 움직임에 동참한다. 그러나 얼마 지나지 않아 그 정보는 곧 현실이 되고 그 다음 주가는 또 어떤 정보가 흘러나와야만 움직인다. 어떤 뉴스가 흘러나올지는 완전히 우연일 뿐이고 주가는 결국 예측할 수 없게 되는 것이다.

결국 인간의 의사결정은 특정 정보를 판단해서 그것을 반영하고, 사람들이 뒤따르고 그것을 믿기 때문에 추세가 생긴다는 것인데 이것은 정치에서 말하는 밴드왜건 효과(Band wagon effect)와 일치한다. 정치적인 판단을 두고 여론조사를 하면 그 여론조사 결과에 따라 다수의견에 서고 싶어하는 사람이 늘어나고 다수 의견은 합리적 의견이 된다. 학교 운동회에 사람들이 몰려 있는 곳의 뒤쪽에 왜건 한 대가 와서 음악을 틀면 사람들은 그 음악을 듣기 위해 모이고, 몰려든 사람들을 보고 또 다른 사람들이 몰려드는 밴드왜건 현상이 심지어 주식시장에서도 벌어진다는 것이다.

경기순환에 대한 의견 역시 마찬가지다. 누군가 반도체 경기사이클과 같은 자료를 내놓으면, 그것을 보고 몰려든 사람들이 점차 늘어나면서 그것이 추세가 되고, 그 추세는 어느 순간 현실이 되며, 결국 다음에 새로운 왜건이 나타나 음악을 틀어대는 효과를 보고 사람들이 움직이게 된다. 그래서 우리는 경기순환론에 너무 얽매이지 말고, 멀리서 군중의 움직임을 살펴보고 그들이 몰려다니는 곳이 이제 현실이 되는지, 아직 더 몰려들 사람이 있는지만 관찰하면 되는 것이다.

독일의 경제학자 페터 보핑어(Peter Bofinger)는 독일의 중앙은행과 다른 예측가들의 환율 예측 자료를 오랫동안 수집한 후 비교해보았더니 모든 전문가들이 환율이 오르면 더 오를 것에 배팅하고, 내리면 더 내리는 쪽으로 전망하면서 그 이유를 찾는 데만 급급했다는 우울한 발표를 하기도 했다. 주가보다 훨씬 예측이 나아 보이는(거시경제 요소를 따르므로) 환율마저 이런 지경에 우리가 주가를 예측하는 분석 자료나 경기순환 자료를 믿고 투자를 한다는 것은 실로 어리석기 짝이 없는 일이다. 경제학에서는 이런 현상을 가리켜 '어리석은 군중행동'이라고 부른다.

행동재무학(Behavioral finance)은 바로 이런 현상을 다룬다. 스위스 경제학자인 토르스텐 헨스(Thorsten Hens)는 재미있는 실험을 했다. 5명으로 이루어진 여러 개의 투자팀을 구성하고 이들이 각각 컴퓨터 앞에 앉아 가상의 주식을 두고 거래하도록 만든 것이다. 그런데 이 팀에는 새로운 정보를 상징하는 주사위를 던지는 요원이 한 명씩 배치되어 있었다. 즉 주사위가 던져지는 결과에 따라 그 주식에 호재와 악재가 나타난 것으로 판단하도록 한 것이다.

그 결과는 흥미로웠다. 사람들은 각각 다른 사람과 자신의 거래가 만든 그래프, 즉 주가의 흐름을 보고 치열하게 경쟁했는데, 그 중 한두 팀이 주사위가 악재를 가리키자 주식을 매도했다. 그러자 사람들은 순식간에 공포에 질려서 동시에 투매를 하고 주식은 폭락했다. 그 반대의 경우도 같은 현상을 보이면서 결과적으로 승자는 나타나지 않았다. 더구나 더 놀라운 것은 그 결과가 스위스 증권시장의 주가차트와 거의 흡사했다는 것이다. 하지만 이제 당신은 이런 이야기에 그리 놀라지 않을 것이다.

사람들은 서로 피드백을 주고받는다. 그것은 우리도 마찬가지다. 사람들은 바실리에가 가정한 것처럼 완전히 합리적이지도 그렇다고 비이성적이지도 않다. 왜냐하면 정보가 자신에게 전달되었을 때, 그것을 최소한 자신보다 늦게 아는 누군가가 존재한다고 믿기 때문이다. 그래서 은밀한 정보일수록 좀더 과신한다(모르는 사람의 수가 더 많다고 믿고). 그것이 주가를 조금이라도 올리면 그 결과 다른 사람들이 참여하고, 그것을 보고 자신은 더 길게 보유하거나 추가매수를 하기 때문에 결국 모든 투자자들은(일부 부도덕한 작전 세력이나 내부자 거래를 제외하고) 서로 영향을 주고받는 피드백을 할 뿐이라는 것이다. 결론적으로 주가는 사람들이 가격 상승을 믿기 때문에 매수하고, 하락할 것이라고 여기기 때문에 매도하는 것이지 다른 요인들은 결국 변명에 지나지 않는 것이라는 것이 행동재무학의 결론이다.

하지만 이러한 인간의 약점을 간파하고 '추락하는 천사를 잡는' 영민한 사람들도 존재한다. 대표적으로 조지 소로스(George Soros)와 같은 사람이 그렇다. 사람들이 공포에 질려 과도한 탈출을 감행하거나 반대로 과도하게 시장을 향해 달려나갈 때, 그는 과감하게 반대로 행동함으로서 기회를 잡는다. 하지만 이런 기회 역시 사람들에게 알려지고, 역발상 전략이 알려지면서 그것에 가담하는 사람이 늘고 결국은 이윤의 기회가 사라진다. 그러한 역발상 투자자들의 기회를 역이용하는 또 다른 틈새전략이 등장하기 때문이다. 즉, 틈새는 소수의 전략인데 이 틈새가 다수로 메워지고 새로운 틈새는 다시 메워지는 것을 반복한다. 이 때문에 소로스도 결국 영국에서는 큰 이익을 냈지만 러시아 환투기에서는 천문학적인 손실을 입고 물러났다.

그럼 대체 어쩌란 말인가? 나 역시 그 답을 알 수 없지만 일단 이야기는 계속 해나가기로 하자.

주식시장은
강세와 약세를
반복한다

경기에 순환이 있다면 주가에도 순환이 존재하는 것은 당연하다. 하지만 주가에서 우리가 접하는 이론적인 순환 이론이란 워낙 구조가 복잡하고, 귀에 걸면 귀걸이 코에 걸면 코걸이가 되는 경우가 많으니 일단 장세순환에 대해서만 알아두기로 하자.

장세순환 이론은 주식시장의 움직임은 침체에서 강세로, 다시 약세로 이행하는 과정에서 시장의 성격이 변한다는 점을 설명한다. 주식시장은 '금융장세 → 실적장세 → 역금융장세 → 역실적장세'로 이어지면서 순환한다는 것이다.

경기침체에서 벗어나면 나타나는 금융장세

금융장세는 보통 경기침체기를 벗어나는 순간에 나타난다. 경기침체기에는 보통 소비위축으로 설비투자가 감소하고 성장률이 하락하는데, 정부는 이를 막기 위해 적극적으로 재정지출을 늘리고 금리를 인하하여 시장에 유동성을 불어넣으려고 한다. 이때 기업은 설비투자 과잉과 재고 누적으로 신규투자에 두려움을 느끼고 극도로 위축되어 있다. 정부의 노력에도 기업투자가 침체되어 있다는 것은 정부가 공급한 돈이 시중에 떠돈다는 의미고, 이러한 자금은 결국 주식시장이나 부동산시장으로 먼저 흘러들어가게 된다.

기업의 실적은 여전히 부진하고 경기는 위축되어 있지만, 주식시장에는 가격이 내려간 주식을 사려는 유동성이 넘친다. 즉, 수요 공급에서 수요가 우위에 서는 것이다. 이때 주식시장은 돈의 힘으로 상승을 시작한다. 금융장세에서의 주식시장 상승은 실적에 근거한 것이 아니라 접근성이나 유동성이 좋은 건설업, 금융업, 무역업 같은 종목으로 매수세가 집중되어 발생한다. 특히 이들 종목은 침체기에 과도하게 저평가되거나 주가가 떨어지는 효과가 있어 상대적으로 가격 메리트가 증가해 있기도 하다.

두번째로는 경기침체 와중에도 나름대로 견고한 실적을 유지하고 있는 안정성이 높은 종목들, 예를 들면 의약품, 필수소비재, 공공 서비스업과 같은 종목들에 대한 상대적인 매수가 이어진다. 즉, 투자자들은 싼 주식, 그리고 추가적인 침체가 이어져도 상대적으로 부도 위험성이 낮은 기업에 주목하는 것이다. 이것이 금융장세다.

기 업 실 적 이 좋 아 지 는 실 적 장 세

하지만 이런 금융장세의 영향으로 자본시장의 수익률이 좋아지고 시중에 자산투자로 인한 수익 기대심리가 증대되면, 결국 소비가 늘어나고 기업의 실적도 좋아진다. 물론 이것이 경기순환에 의한 것인지 재정정책의 영향인지 주가 상승의 영향인지, 아니면 이 모두가 함께 작용하는 것인지는 확실하지 않다. 분명한 것은 이런 현상들이 복합적으로 작용하여 주가가 경기에 선행한다는 것이다.

이 시기가 되면 기업들은 경기확장에 대한 자신감을 갖고 투자를 시작하며 실제 소비가 늘어난다. 이런 설비투자 효과는 기계, 운송장비업, 화학 등의 업종에 자신감을 불어넣고, 설비투자를 바탕으로 실적을 호전시킬 수 있다. 이후에는 기업실적이 눈에 띄게 좋아지고 고PER 주식이 득세하며, 이번 사이클에서 가장 호황을 누릴 것으로 예상되는 산업군들이 주도주로 부각된다.

이 경우 시장의 성격도 기술적 분석의 입장에서 기업 분석의 입장으로 돌아서며 애널리스트들의 전망이 기가 막힐 정도로 잘 들어맞는다. 업종 담당 애널리스트들이 우호적인 평가를 내리는 업종이나 기업의 평가는 다음날 즉각적으로 주가에 반영되고, 애널리스트의 위상은 극대화된다. 사람들은 증권사의 전망만 보고 너도나도 실적을 입에 올리기 시작한다.

물론 금융장세에서는 누가 먼저 바닥을 전망했는지, 누가 먼저 주도주를 예측했는지 하는 기술적 분석가나 소위 시장 고수들의 입지가 부각된다. 이 시기에는 아직 기업의 실적이 눈으로 확인되지 않고 미래 경기도 확정적으로 드러나지 않기 때문에 애널리스트들이나 경제학자들은 여전히 미심쩍은 눈으로 시장을 바라본다. 이때를 '실적장세'라 부른다.

투자자들에게 두려움을 안겨주는 역금융장세

경기가 호전되고 기업실적이 나아지며 자본시장에서 이익을 낸 투자자들이 소비를 대폭적으로 늘리면 인플레이션 압력이 높아지고 유동성 과다로 인한 부작용이 도처에 나타나기 시작한다. 기업들은 과도한 자신감으로 설비경쟁을 하고 투자자들과 증권사들은 군집효과에 도취되어 미래의 장밋빛 전망 외에는 아무것도 들으려 하지 않기 때문이다. 기관투자가와 개인 투자자들의 사이가 가장 좋은 시기이기도 하다.

그 결과 이제 정부는 재정지출을 줄이고 금리를 올린다. 기업의 조달금리는 높아지고 설비투자는 과도한 재고를 유발한다. 2~3년에 걸친 호황이 막을 내릴 준비를 하는 것이다.

시장은 여전히 파티를 벌리지만 여의치 않은 신호가 곳곳에서 감지된다. 기업의 실적은 여전히 좋고 미래 실적도 나을 것으로 전망되지만 시중의 돈이 줄어들면서 더 이상 비싼 값에 주식을 사들이기가 어려워진다. 높은 금리는 채권시장으로 투자자의 유입을 촉진하고 주식시장의 큰손들은 서서히 채권투자로 돌아선다. 주식시장은 가격 부담이 큰 대형주에서 가격 부담이 적은 소형주로 몰려가고 이때를 두고 가치투자 시대로 잘못 이해하는 투자자들도 늘어난다. 애널리스트들은 이 시기를 조정이라 부르고 시장은 일시적 숨 고르기에 들어간 것처럼 보인다.

하지만 진짜 무서운 것은 돈의 가치가 떨어지고 시중의 돈마저도 속속 채권이나 은행으로 빨려들어가는 것이다. 대형주의 주가가 선도적으로 하락하며 주가의 급등락 양상이 나타나고 거래량이 급증한다. 이후 주가는 급격히 하락하기 시작한다.

물론 이 시기까지도 기업실적은 여전히 나쁘지 않다. 왜냐하면 우리가 알고 있는 기업의 실적은 전년도 실적이거나 전분기 실적일 뿐인 데다가 대개 사람들은 다음 분기나 다음 연도 실적이 나빠질 것이라고 예상하지 않기 때문이다. 더구나 이런 실적 예상의 미스매치는 시장을 저평가 국면으로 보이게 만든다. 상승 국면에서 주도주의 주가수익배율이 지나치게 높아서 투자를 꺼리던 투자자들은 주도주의 조정으로 생긴 주가수익배율 하락을 저평가 신호로 받아들이고 오히려 주식 매집에 열을 올리기도 한다.

하지만 돈은 강한 구심력을 발휘하면서 빨려들어가고 실적 예상치가 속속 낮아진다. 그제야 투자자들은 미래 실적이 나빠질 수 있다는 두려움을 느끼며 공포감을 가지기 시작한다. 이때가 역금융장세다.

주 가 가   더   디 스 카 운 트 되 는   역 실 적 장 세

이후 역실적장세가 나타난다. 실제 우려했던 실적 악화가 확인되면, 과거 상승기에 실적 호전을 믿고 높은 가격을 지불하며 주식을 사들이던 투자자들이 미래에 나빠질 실적을 두려워하며 주식의 가격을 디스카운트하기 시작하는 것이다. 즉 실적 악화 속도보다 주가 하락이 더 가팔라진다. 이제 진짜 가치주들이 등장하기 시작하고 가치 투자자들의 시대가 열린다. 주가는 자산가치에도 미치지 못하지만 투자자들은 도산 공포에 휩싸여 섣불리 투자를 하지 않으려고 한다. 경기는 침체에 빠지고 기업들의 설비투자는 완전히 위축되어 오히려 구조조정과 기업 매각에 나선다.

주식시장의 순환은 대개 이런 경로로 이루어지지만 사실 투자자들이 이 상황을 이해하기란 어렵다. 시장은 투자자들을 속이기 때문이다. 금융장세에서는 반신반의하게 되고, 실적장세에서는 고점이라 여기고 발을 빼면 주가가 더 오르고, 급격한 조정으로 매도하면 또다시 주가가 오르는 일들이 반복되기 때문에 투자자들은 진짜 늑대가 나타날 즈음이면 그 말을 믿지 않게 된다. 투자는 이론과는 다르다.

경기순환과
부의 이동

1990년대 이후, 많은 경제학자들이 경기순환이 사라졌다고 말하고 있다. 특히 앨런 그린스펀(Alan Greenspan)과 같은 통화주의자(본인은 아니라고 말하지만)들은 경기침체와 확장은 순수한 화폐적인 현상이므로 금리를 잘 조절하면 경기를 통제할 수 있다고 믿었다.

그린스펀의 후계자인 버냉키(Ben Bernanke) 역시 2000년 IT 버블 이후의 경기침체 상황을 유동성 공급으로 해결하려 들었다. 실제로 그가 행한 통화정책들은 그 순간 어느 정도 효과가 나타나는 것처럼 보이기도 했지만, 오늘에 와서는 결과적으로 통제 불능 상황까지 진행되어 엄청난 실패를 초래할 조짐을 보이고 있다.

이유는 생각보다 단순하다. 미국경제는 제조업이 쇠퇴하고 첨단기술과 금융서비스업 중심으로 재편되면서 부가 소수의 주머니로 집중되었다. 첨단기술, 금융서비스업과 같은 산업은 임금의 하방경직성이 크고 임금상승 압력이 높다. 거기다 제조업의 경우 아무리 생산성이 높은 근로자라도 다른 근로자 평균보다 몇 배 높은 생산성을 낼 수 없지만, 금융서비스나 첨단기술 분야는 가능하다.

때문에 생산성이 높은 서비스업의 근로자는 성과급을 지급할 기준이 뚜렷하고, 생산성에 따라 급격한 임금 상승을 기록하게 된다. 전체 근로자들이 보편적 부를 나누는 것이 아니라 일부 근로자에게 부가 편중되는 것이다. 반면 교육을 제대로 받지 못하거나 첨단기술을 개발할 능력을 익히지 못한 근로자들은 기회 자체가 원천적으로 봉쇄되고, 생산성이 높은 근로자가 큰 성과급을 받아가는 만큼 낮은 실질임금을 받게 된다.

이로써 부는 양극화되고 잉여계층에게는 저축의 기회가 주어지지만 결핍계층은 생존의 문제로 고민하게 된다. 특히 잉여계층의 잉여는 폭발적으로 증가하고 그 부는 저축에서 금융투자로 이어져, 잉여계층의 금융자산이 급격히 증가하는 결과를 초래한다. 이 부는 헤지펀드와 벤처캐피탈로 이동하고, 이동한 자금은 세계를 헤집으며 금융투기에 나선다. 대신 결핍계층은 비극을 맞는다. 결핍계층이 노후 은퇴를 준비할 여력은 점점 줄어들고, 줄어드는 만큼 이들도 차입을 동원해서 투기에 나선다. 잉여계층은 엄청나게 축적된 자산으로 투자를 하고 결핍계층은 차입금으로 투자를 하는 상황이 벌어지는 것이다.

정작 잉여계층이 선도한 금융투기의 열풍이 정점에 이르면 이 부는 원유, 금, 곡물과 같은 새로운 상품으로, 또 외환으로 더 나은 수익률을 찾아 계속 이동하게 된다. 이들을 쫓아 차입금을 일으키며 투자에 나섰던 결핍계층은 매번 이들의 이익실현을 뒷받침하며 차입한 돈으로 잉여계층의 주머니를 불려주는 일을 반복한다. 잉여자금들이 몰린 헤지펀드는 다액 소수 구성원들이 신속한 의사결정을 내리지만, 소액 다수 투자자들로 구성된 뮤추얼펀드는 포트폴리오를 재편하는 데만도 상당한 기간이 소요되기 때문이다.

결국 부는 더욱 편재되고, 부가 편재되면 될수록 금융서비스업은 호황을 누리고 제조업의 기반은 악화된다. 이유는 단순하다. 100억 원이 부자 한 명에게 가면 아무리 소비해도 연간 겨우 10억을 넘는 수준이지만, 100억 원이 빈자 1,000명에게 1,000만 원씩 돌아가면 완전히 소비가 된다. 결국 부가 편재될수록 소비시장은 위축되고, 소비 위축은 산업투자를 축소시키며 2차산업의 근간을 흔들어댄다. 이것은 다시 근로자의 임금하락과 일자리 상실로 이어지고, 다시 부의 양극화를 초래하는 악순환으로 이어진다.

인플레 없는 성장은 경기후퇴 없는 성장인가

이것이 지금 우리가 보는 기술혁신의 현장이다. 경기순환 논리를 부정하는 견해들은 항상 신기술의 혁신에 주목한다. 그리고 그 혁신은 급격한 생산성 향상으로 이어져 인플레 없는 성장을 지속시킨다. 인플레 없는 성장은 곧 경기후퇴가 없는 성장과 동의어이기 때문이다. 하지만 과연 그럴까?

천만의 말씀이다. 인플레 없는 성장이 나타난 것은 임금이 많이 드는 미국의 산업시설이 중국, 인도, 베트남 등으로 이전되어 생산단가가 낮아졌기 때문이지 기술혁신의 결과가 아니다. 그런데 많은 사람들은 기술혁신의 성과에 대해 이렇게 말하고 있다.

"1980년 이래 컴퓨터와 IT 산업이 새로운 산업으로 등장했다. 세계 자본의 대다수는 이 분야에 투자되었고(1980년 31%, 2000년 50%) 그 결과 엄청난 생산성 향상을 일궈내어 우리가 풍요로운 세상에 살고 있다."

실제로 컴퓨터와 IT가 일군 산업 생산성의 실체는 너무나 초라하다. IT는 확산효과(Spillover effect)로 인해 전세계 정보를 한곳에 모으고 실시간 정보를 전달할 수 있게 되었다. 하지만 그뿐이었다. 컴퓨터를 포함한 IT가 생산성에 기여한 부분은 금융업, 정보산업, 서비스업 등에 국한되었다. IT 영역 투자는 거의 대부분 금융서비스업에 할당되었고, 그 외 생산현장에 투입된 IT는 전체 투자의 20%에 불과했다.

더구나 금융은 앞서 말한 부의 편재 효과를 강화시키고, 그동안 축적된 잉여가 산업생산에 투자되기보다는 금융투기에 사용되는 배설구의 기능을 담당했을 뿐 경제성장에 미치는 영향은 미미했다. 예를 들어 과거 1만 톤짜리 배를 만들던 조선소가 IT를 이용해 2만 톤짜리 배를 만들었다고 가정해보자. 그럼 이 조선소의 생산성은 얼마나 달라진 것일까? 우선 당장은 산술적으로 2배라고 말할 수 있지만 사실은 1만 톤짜리 배 2척을 발주받을 것이 1척으로 줄어든 것에 지나지 않는다. 결국 경제성장에서 IT가 미친 영향은 과대평가된 것이다.

물론 컴퓨터 산업, 핸드세트, 반도체와 같이 IT 기반 소재를 생산하는 한국은 경제성장에 상당한 수혜를 입었지만, 미국 혹은 세계경제의 입장에서는 IT가 철도, 자동차, 컨테이너, 전자산업과 같은 획기적인 성장, 혹은 혁명에 준하는 새로운 발전의 동기를 제공하는 혁신이 아니었던 것이다.

생산성 향상의 대부분은 기존의 산업시설, 즉 2차산업의 역할에서 나온 것일 뿐 IT의 기여도는 10분의 1도 되지 않았다. 그러나 생산현장에서는 심각한 문제가 발생했다. IT 기술이 10~20% 정도만 투입됐는데도 근로자들에게 심각한 위협으로 작용한 것이다. 설계는 고도화되고 재교육에 실패하거나 새로운 교육을 받지 못한 근로자들이 도태되었으며, 기술혁신은 곧 근로자들을 효율적으로 통제하는 것이 전부인 양 여겨지게 되었다. 생산현장에서 숙련 노동자와 같은 사람의 역할이 줄어들기 시작한 것이다. 소비 부분이 타격을 입었지만 그것을 지적하는 시선은 어디에도 없었다.

왜 자본은 신흥국으로 흘러 들어갔는가

이런 변화는 기업 영역에서는 더욱 치명적인 결과를 가져왔다. 과거 잉여자산은 저축을 거쳐 기업에 대한 차입금의 형태로 생산현장으로 재투자되거나 증권시장에 투자되어 기업이 대규모 자금을 조달하는 데 일조했다. 문제는 속도였다. 1차산업에서 2차산업으로 진화하는 과정에는 개발의 여지가 많고 성장 속도는 빠를수록 좋다. 하지만 인구가 정체되고 소비가 한계에 이르면 문제가 발생한다.

미국인 100명당 한 대의 자동차를 보유할 때 생산성이 향상되면 이는 곧 자동차의 접근성 향상으로 이어지고, 자동차 회사가 2배로 늘어도 문제가 없다. 하지만 경쟁기업이 등장하고 치열한 경쟁 탓에 가격이 하락하여 10명당 한 대씩 자동차를 보유하는 시기가 되면 문제가 생긴다. 과잉투자는 문제를 일으키고 가격하락은 기업의 이익을 침해한다. 때문에 자본은 항상 산업이 성숙하기 전에 초창기 자본의 일부가 되기를 원하고 실제로도 초창기 자본의 수익이 높다.

과거 증권시장이 일반인들까지 참여하는 활발한 시장으로 자리잡게 된 계기는 철도, 석유, 철강 산업의 부흥 때문이었다. 철도와 같은 산업이 필요로 하는 자금 규모는 은행에서 차입하거나 일부 부호들의 주머니로 해결할 수 있는 수준이 아니다. 실로 거대한 자금을 투자해야만 진행 가능한 산업이나. 따라서 증시를 통해 자본을 조달하려는 수요가 급증하면서 증권시장도 커지게 된다.

산업이 성숙기에 접어들면 상황이 달라진다. 자본투입에 비해 이윤이 나지 않고 기대이익은 경기순환이나 설비 재고의 순환에 영향을 받게 된다. 따라서 잉여자본은 이미 성숙한 산업은 피하고 늘 새로운 산업을 찾아 기회를 엿보는 속성을 지니고 있다.

생산성 향상은 그 자체가 독이 될 수 있다. 소비, 임금, 자산의 잉여가 균형을 이루며 배분되고 소비의 토대가 튼튼하게 자리잡는 속도에 맞추어 성장하면 투자자의 안정성도 높아진다. 하지만 투자나 생산성 향상이 탐욕에 의해 지나치게 급증하면 필연적으로 과잉 설비투자에 의한 가격하락을 맞게 되며 이에 따라 구조조정을 하고 경기후퇴를 맞게 된다.

그 점에서 1980년대 이후 자본은 열광했다. 기존 자본시장에서는 경기 민감주에 투자하는 것은 변동성이 컸고, 그렇다고 경기에 둔감한 유틸리티 기업에 투자하느니 이자를 받는 것이 낫겠다는 생각에 새로운 요구가 억압되었기 때문이다.

특히 냉전구조가 종식되고 구조적인 냉전산업들이 생산에 치명타를 가했다. 과거 제1차, 제2차 세계대전 시절 군수기업은 전쟁이 끝나면 바로 민간소비산업으로 전환이 가능했다. 전쟁이 나면 자동차 공장을 전환해서 군용트럭과 탱크를 생산하다가 전쟁이 끝난 후 민간트럭과 공작기계를 생산하는 시설로 전환해도 여전히 시장이 존재했다. 제조업 입장에서 보면 아직 세계는 넓고 팔 데는 많았기 때문이다. 여전히 자동차를 사야 할 사람들이 있고 여전히 굴착기를 필요로 하는 개발지가 산재해 있었고, 공장이 민간소비 목적으로 돌아가면 오히려 경기가 확장하고 경제성장에 박차를 가하는 요인이 되었던 것이다.

하지만 냉전 후의 상황은 달랐다. 초음속 전투기 공장이 보잉기를 생산할 수도, 패트리어트 미사일 공장이 열기구를 만들어낼 수도 없었기 때문이다. 냉전산업에 투자한 시설들은 고스란히 폐허가 될 상황이었다. 결국 새로운 전쟁을 지속적으로 수행하고 긴장을 조성하는 것 외에는 방법이 없었던 것이다.

전쟁은 미국의 재정적자를 심화시켰다. 전쟁비용은 달러를 찍어 조달했고 그만큼 달러가치는 하락했다. 결국 미국은 살 파먹는 바이러스를 길러 몸 안에 스스로 심은 어리석은 실험자가 된 셈이었다. 기업의 입장에서는 대안이 없었다. 경쟁이 격화된 시장을 전세계로 확대하고 비용이 많이 드는 산업시설은 임금이 낮은 중국으로 이전할 수밖에 없었다. 선진국의 기업이 물건을 팔기 위해서는 신흥국의 소비력이 증가해야 하므로 해외투자도 활발해졌다.

결국 세계는 외국자본 유치를 금기시하는 것이 아니라 쌍수를 들어 환영하게 되었고, 물은 높은 곳에서 낮은 곳으로 흘러들어갔다. 그럼 자본들은 어디로 움직일까? 당연히 신흥국으로 움직인다. 기존의 한계 시장에 투자하기를 꺼려하던 자본은 설비투자, 자본투자, 금융투자에 이르기까지 분야를 가리지 않고 신흥국으로 넘어 들어간다.

자본은 새로운 기술을 갈망한다

신흥국의 딜레마 역시 만만치 않다. 신흥국의 생산품은 결국 생산수단이 사라진 선진국으로 흘러들지만 사실 총량으로 보면 같다. 선진국의 시설이 신흥국으로 이전되어 생산단가가 낮아지고 가격이 낮아져서 인플레이션을 낮추는 효과는 보이지만 그렇다고 결코 시장이 늘어난 것은 아니다. 따라서 핵심은 신흥국의 소비시장이 커져야 하는 것이다. 여기서 잠시 2008년 7월 〈조선일보〉에 실린 한 신문기사의 일부를 살펴보자.

1) 1980년대 대한민국의 연평균 경제성장률은 무려 10.1%였다. 시작부터 좋았던 것은 결코 아니었다. 고도성장 이래 처음으로 마이너스 성장을 기록한 해가 1980년이었다. 제5공화국 정부는 경제정책의 전환을 시도했다. 중화학공업의 구조조정과 시장논리에 따른 경제 자율화를 추진했으며 중소기업을 육성했다. 정권 초부터 경제수석비서관 김재익과 같은 인재를 등용해 '한 자릿수 물가'에 뛰어들었다.

2) 이 과정에서 정부와 대기업의 유착이 더 심해지기도 했지만 1981년부터는 6~8%의 성장률이 회복됐다. 이제 아시안게임이 열리던 1986년부터 올림픽의 해 1988년까지, 한국경제는 이른바 '단군 이래 최대의 호황'을 맞게 된다. 저달러, 저유가, 저금리라는 국제시장의 '3저 현상'이 한국 제품의 경쟁력을 강화했고, 개항 이래 처음으로 무역수지가 흑자로 돌아서게 됐다. 이 시기에 대한 평가는 엇갈린다. "한국경제가 드디어 자립경제를 성취했다."는 시각이 있는가 하면, "일시적 착시로 인해 고비용·저효율 구조를 고착화했다."는 비판도 있다.

3) 경제 발전은 중산층을 가시적인 계층으로 성장시켰다. 판매서비스업의 구중간계급과 의사, 변호사, 엔지니어, 회사원, 공무원 등 신중간계급의 합계는

1960년 19.6%에서 1990년 43.7%로 급증했다. 1980년대 중반 중산층 의식을 가진 사람은 75%에 이르렀다는 통계도 있다. '주택 500만 호 건설'의 구호와 함께 본격적인 '아파트 시대'가 열렸고, 1985년 자동차 보유 100만 대를 넘으면서 '마이카 시대'도 눈앞에 두게 됐다. 증시와 부동산이 들썩였고 관광업이 특수를 맞았으며 '과소비' 논란이 불붙었다.

신흥국에 투자한 금융자금들은 신흥국의 소비시장이 성장하고 근로자들이 임금을 축적해서 소비를 할 수 있을 때까지, 투자와 회수를 반복하고 자본시장은 그에 따라 춤을 춘다. 하지만 그로 인해 얻을 수 있는 이익의 유혹은 짜릿하다.

이 과정에서 우리는 중대한 오판을 했다. 신흥국 투자붐이 이는 순간, 맞물린 IT 산업의 등장이 과대평가된 것이다. 인플레가 없는 성장의 원인은 신흥국 이전으로 인한 비용 감축임을 알면서도, 그것이 첨단 IT 산업이 가져온 신경제의 결과물이라고 착각하기 시작한 것이다.

이때 선진국의 잉여자본들은 초기시장의 매력에 도취되어 있고 그 중 일부는 신흥국에 투자된다. 이렇게 투자된 자본이 이익을 회수하기까지는 너무 긴 시간이 걸린다. 하지만 IT 투자는 기대이익이 크고 레버리지가 절대적이다. 자동차 공장이나 화학 공장을 만드는 데 투입될 돈으로 수천 개 혹은 수만 개의 벤처기업에 투자할 수 있는 것이다. 더구나 그중에 성과를 거두는 기업은 무한의 이익을 제공한다. 한두 기업쯤은 중간에 사라져도 무방하다. 과정의 이익이 존재하기 때문이다.

잉여자본들이 벤처캐피탈로 몰리고, 벤처캐피탈에 투자한 자금이 상장을 통해 엄청난 레버리지를 확충하면 그것으로 끝이다. PER이 100이든 1만이든 미래에 대한 투자자들의 낙관을 담고 있으면 그만이다. 투자자들의 비이성적 낙관은 벤처투자의 평균 수익률을 20%까지 끌어올리고, 그 중 일부는 엄청난 자본이익을 제공한다. 추후에 성과를 내지 못한 수많은 위성기업들이 퇴출되고 사그라져도 뒤늦게 파티에 동참한 일반인들만 피해를 입을 뿐이다.

이렇게 잉여자산은 극단적으로 벤처, 즉 새로운 기술을 갈망한다. 새로운 기술이 산업혁명이나 운송수단의 혁신과 같은 절대적인 것이 아니더라도 혁명을 가져올 것이라는 기대만 존재한다면 충분한 것이다. 그래서 시장에는 여전히 돈이 떠돌고 그 돈은 새로운 기술, 신경제, 꿈의 기술을 찾아 헤매고, 언젠가 가능성이 1%만 보이는 대상이 나타나면 벌떼처럼 모여들어 거품을 만들고 빠져나갈 것이다. 이것이 지금 우리가 목도하고 있는 상황이다.

콘드라티예프 파동에서 보면 1980년 이후는 침체기에 해당한다. 혁명적인 기술이 진화를 이끌고 대사이클 상승을 만들어낸다는 콘드라티예프 파동의 기준으로 봤을 때 IT는 신기술 혁명이 아니었던 셈이다. 그럼 이제 무엇일까? IT는 우리를 유혹했던 진화 과정의 한 갈래에 지나지 않는다. 혁명이 아닌 진보였던 것이다. 진짜 혁명은 어디에서 나타날 것인가? 자본은 무엇을 혁명으로 포장하여 내세울 것인가? 그것을 생각하는 것이 우리의 고민이다. 혁명적인 신기술은 수소일까? 핵융합일까? 로봇일까? 바이오의 2차 혁명일까? 수많은 고민이 스쳐간다.

하지만 이것도 역시 자본의 입장에서 보는 것일 뿐 자본의 성숙은 결과적으로 자본주의의 모순이 극점을 향해 달려가고 있는 한 장면이다. 우리는 다만 투자자로서 이것을 이용하는 처지에 있고, 통찰을 가지면 그것의 중심이 되고, 통찰이 부족하면 사기를 당하게 된다. 투자자는 사회철학자나 역사가, 혹은 혁명가가 아니기 때문이다.

한국 증시가 희망적일 수밖에 없는 이유

미국에서 증시가 급등한 1920년대는 성장의 시대였다. 헨리 포드의 대량생산 시스템이 불러온 혁명은 엄청난 산업 생산성을 유발했다. 많은 기업들이 대형화하고 집중화된 자원에 인적자원을 투입해서 놀라운 생산성을 이끌어낸 것이다. 하지만 이러한 생산성은 소비와 균형을 이루지 못하고 과도한 생산은 필연적으로 기업에 부담이 될 수밖에 없었다. 미국에는 중산층이 형성되지 않았고 가난한 이민자들로 채워진 대중은 대량생산으로 공급된 공산품들을 소비할 능력을 갖추지 못했다. 때문에 미국은 대공황이라는 처참한 상황을 맞이한다.

이후 기업과 사회, 국가는 타협점을 찾아야 했다. 기업은 고용을 제공하고 이익을 창출하며, 국가는 그것을 조율하는 임무를 나눠 맡은 것이다. 국가는 기업과 계약을 체결하여 일정한 수요처가 되고, 대량의 공공발주는 기업의 안정성을 보장했다. 이때 의회청문회에서 "GM에 이익이 되는 것은 미국에 이익이 되는 것이다."라는 유명한 말이 생겼다.

대기업은 평균 이상의 임금을 지급했다. 미국에서 대기업 사원이 되는 것은 곧 중산층으로 진입하는 것을 의미했고, 대기업은 수많은 하청업체의 미래까지 배려했다. 하지만 이렇게 하는 것은 모두에게 이익이 되는 시기였다. 기업은 예측 가능한 경영이 가능했다. 이를테면 공기업 형태의 어젠다가 공유되던 시기가 이 시대의 미국 대기업이었다.

그 과정에서 국부는 점점 배분되었고 중산층이 급격히 늘어나기 시작했다. 하루의 삶이 중요했던 시절의 사람들은 미래를 대비할 수 없었지만, 중산층이 늘어나면서 평균수명이 길어졌고 기업이 제공하는 연금혜택 이상의 준비를 시작했다. 그 과정에서 생산성을 높인 기업은 더 많은 임금과 혜택을 제공했다. 특히 제2차 세계대전은 운송, 조선, 철강, 컨테이너, 항공, 자동차, 통신 등 이루 헤아릴 수 없이 다양한 분야로의 사업 확장이라는 선물을 가져다주었다. 때문에 기업의 생산성은 다시 한 번 도약했고, 기업들은 최고의 시기를 맞이했다. 그 과정에서 중산층의 임금은 서서히 잉여상태에 접어들었고 이들은 서서히 투자시장에 눈을 돌리기 시작했다.

정부와 기업의 입장에서도 변화는 반드시 필요했다. 전세계적으로 사업 영역이 넓어진 기업들의 설비확장을 위해서는 대대적인 자본 확충이 이루어져야 하고, 그것은 기존의 대주주, 즉 창업자와 그 가족이 지배하던 기업으로는 한계에 봉착했다는 사실을 간파한 것이다. 아울러 산업구조의 변화도 급격히 증대되기 시작했다. 미국기업의 진출은 곧 외국 상품의 유입을 의미했고, 소비자들은 미국기업이 과점생산중이던 상품 외에 선택할 수 있는 상품의 폭이 확대되었다. 기업은 과거와 달리 수요와 공급의 탄력성을 고민해야 하는 환경에 놓였다. 즉 무한경쟁의 시대가 온 것이다.

자본의 유입은 증시를 통해 이루어졌다. 과거 기업의 확장 방식이었던 차입으로는 생산성을 보장할 수 없었다. 경쟁이 시작되면서 박리다매 구조가 서서히 정착되었고 이자비용을 부담하는 것보다는 대주주의 지분을 희석하더라도 자본을 유치하는 것이 유리했다.

결국 증권시장의 성숙 여건이 이루어진 것이다. 확정기여형 기업연금과 연금의 주식투자 한도를 확대하는 401조 K조항이 통과되었고, 근로자들은 잉여자산을 증권시장으로 옮기기 시작했다. 기대수명의 증가는 이자소득만으로는 만족할 수 없는 불안감을 가져왔고, 위험자산에 대한 탐욕을 증가시켰다. 수많은 뮤추얼펀드가 탄생하고, 사모펀드와 연기금들이 시장에 개입했다.

이때부터 기업은 자본의 영향을 받기 시작한다. 주주들은 자신의 이익을 극대화하기 위해 기업에 영향력을 행사했다. 과거와 달리 지분구조가 취약해진 기업들은 주주들의 요구를 거절할 수 없었고, 주주들의 이익을 위해 봉사했다. 이사회는 주주에게 배당을 늘려주거나 주가 상승을 통해 자산가치 확대를 보장해줄 CEO를 영입했다. CEO는 그들의 생사여탈권을 쥔 이사회를 만족시켜야 했고, 이사회는 주주들의 이익을 대변해야 했다. 기업과 정부, 소비자와 시민이 공통선을 추구하던 미국 기업의 관행이 무너진 것이다.

뮤추얼펀드의 힘은 점점 강해지고, 사모펀드와 연기금은 점차 직접적인 압력을 가했다. 그리고 이들의 요구는 단기적인 성과에 집중되었다. 만족할 만한 이익을 내지 못하면 CEO는 해고된다. CEO는 살아남기 위해 대대적인 구조조정과 임금억제를 예사로 진행했고, 기업은 주주의 이익에 복무하기 시작했다. 전통적인 미국 기업의 성향은 서서히 종언을 고했다. 미국 기업들이 전통적으로 고수해온 일정 부분의 배당과 적절한 규모의 내부유보가 기업의 투자, 즉 국가에 이익이 되는 방향으로 전개된다는 미국식 기업 이데올로기가 사라지고, 기업의 주주들은 이익의 유보보다 배당을, 미래의 안정성과 성장성보다 다음 분기의 당기순이익을 중시하게 되었다.

뮤추얼펀드들은 성과경쟁을 벌이고, 연기금들은 자신들의 자금을 더 잘 불려줄 운용자를 찾았다. 의리와 명분은 중요한 문제가 아니었다. 운용자들은 이익을 내지 못하면 금세 고객들이 이탈할 것임을 알고 있었고, 고객의 요구에 부합하지 않는 기업은 외면하고, 주주들의 이익에 봉사하는 기업에 투자라는 당근을 내밀었다. 그리고 투자를 받은 기업들은 확장의 기회를 잡았지만, 배제된 기업은 자본시장에서의 자금조달은 꿈도 꾸지 못하게 되었다.

이후 미국증시는 불타오르기 시작했다. 넘쳐나는 잉여자금들은 증시로 유입되었고, 1970년대 이후 30년간 미국증시의 황금기가 도래했다. 운용사가 늘어나고 운용자가 본격적인 대접을 받기 시작했다. 그 이전의 시장은 소수 증권시장을 어슬렁거리는 탐욕에 가득한 투자자들과 그들에 복무하며 관행화된 바이앤홀드를 맹신하는 운용자들의 몫이었다. 하지만 이제 시장은 이익에 민감하게 움직였고, 주식시장의 거래량은 폭증했다. 늘어난 이익은 투자자들에게 확신을 안겨줬다. "증권시장에서 주식을 장기 보유하면 반드시 이익이 난다."는 신화가 만들어진 것이다.

이후 투자자들은 이제 기업의 실적이나 자산에 대한 관심보다 미래의 모습에 더 관심을 기울이게 되었다. 버핏 식으로 투자가 장기수익을 낸다는 사실은 인정하지만, 모든 사람이 그 관점에서 기업을 찾는 순간 저평가 기업은 사라지고 유동성이 증가할수록 그런 현상은 더 심화된다. 늘어난 유동성을 만족시키는 유일한 방법은 불확실한 미래에 꿈을 포장하는 것이었고, 투자자들은 점점 미래가치에 주목했다. 따라서 기업 분석도 미래가치를 현재화한다는 해괴한 개념을 들고 나오게 된 것이다.

이 점에서 살펴보면 우리나라의 투자 여건은 1970년대 미국을 너무나도 닮아 있다. 초대형 장치산업들은 국가기간산업이라는 이유로 국가, 사회, 기업의 논리가 적절히 배분되었고, 기업의 사회적 책임이라는 이슈는 늘 기업을 제약하는 족쇄로 작용했다. 하지만 2차산업의 시대를 거치고, 잉여자산이 축적된 지금은 많은 투자자들이 적립식펀드와 뮤추얼펀드에 돈을 쏟아붓고 있으며, 운용사들은 투자자들의 탐욕, 즉 단기간에 최대한의 이익을 내줄 수 있는 성과에 목줄을 매고 있다.

운용사들은 연간, 월간, 분기별 수익률을 광고하고 투자자들은 1년 단위로 투자 대상을 옮기며 수익률을 따라다닌다. 연기금은 당분간 규모가 점점 더 커질 것이고, 법인이나 학교들의 잉여자산도 새로운 수익원을 찾아 증시로 몰려들고 있다. 물론 기업연금이나 개인의 보험시장도 마찬가지다. 그 과정에서 주주자본주의가 성숙한다. 운용사들의 발언권은 커질 것이고, 지금처럼 대주주인 재벌운영체제는 주주들의 압력을 받아 점차 무력화될 것이다.

우리가 이제 막 주주자본주의에 들어선 것은 사실이다. 설령 재벌체제가 유지된다고 해도 그들은 소유구조의 불완전성으로 인해 주주들의 이익에 배치되는 일을 할 수 없다. 삼성전자가 미래에셋에 추파를 던지는 것도 같은 맥락이다. 우리나라 기업들은 대대적인 2차 구조조정에 직면해 있다. 주주자본주의가 성숙할수록 주주의 이익과 기업의 구조조정이 맞물리게 되어 있기 때문이다.

바로 이 점이 우리시장이 세계 경기침체로 파고를 겪더라도 장기적으로는 황금기를 맞을 것이라고 주장하는 이유다. 그러나 문제는 있다. 2008년 이후 상당 기간 자본시장은 미래에 대한 과도한 희망이 실망으로 바뀌고, 또 그에 실망한 조정이 찾아올 수 있고, 인플레이션이나 스태그플레이션에 의해 위축될 수 있다. 하지만 그것은 피터 린치가 말하는 '고작 한 번 더 찾아온 조정'에 불과하다는 믿음으로 대치할 수 있을 것이다.

농산물 투자 이후에는 어떤 일이 벌어질까? 답은 자명하다. 그동안 지탱돼온 유동성이 서브프라임 모기지 사태와 부동산 가격의 하락으로 증발하면서 서서히 이라는 전망을 할 수 있다. 글로벌 인플레이션과 미국의 디플레이션 가능성이 미국의 금리인하에 더해져 본격적인 유동성 공급이 빠르게 이뤄지면서 그동안 자세로 시장이 금세 반등하기를 기대하거나 단기적인 재료에 의지하기보다는 유동성 문제가 해결되는 과정을 지켜보면서 위험관리를 하는 것이다. 때문에 올 수 있다. 상품 시장에서도 지나친 자산 집중보다는 모든 자산을 일정하게 고르게 배분해 어떤 위험에서도 가능한 한 멀리 떨어지는 것이 가장 훌륭한 선 이기 때문이다. 채권의 경우에도 추가적인 금리인하에 대한 기대보다는 상승 요인에 대한 위험이 더 크다. 다시 말해 2007년 말과 2008년 초반의 상황은 살 그 점에서는 주식투자도 예외가 아니다.

3

에 따라 자산시장의 큰 사이클 하나가 끝나갈 것이다. 다시 이 점을 주식시장의 관점에서 본다면 이제 큰 사이클 하나가 서서히 저물고 한동안 어둠이 깔릴 것

장되는 시점이 오지 않는 한, 시장은 어려움에서 벗어나기 힘들고 해결 시점은 생각보다 멀어질 수 있다. 따라서 지금 시점에서 현명한 투자 전략은 공격적인

장이 움직인다고 해서 농산물 관련 상품에 뛰어드는 단순한 판단을 하는 것은 주식시장의 상황이 여의치 않다고 해서 부실주를 사는 것과 같은 결과를 가져

다고 모든 자산을 현금화해서 투자의 적기를 기다리는 것 역시 어렵다. 인플레이션은 현금 자산의 가치를 갉아먹을 것이고 금리는 그것을 보상하지 못할 것

고 그렇다고 돈을 이불 아래 깔고 있을 수도 없는 상황이었다. 이런 상황에서라면 결국 모든 자산을 균등하게 배분하는 것 이상의 좋은 선택은 없을 것이다.

주식투자의 통찰

chapter 5

누가 시장을 움직이는가

애널리스트와
펀드매니저

애널리스트와 펀드매니저는 간접투자시장이 활성화된 이후 불과 10년 만에 최고의 직종으로 부상했다. 얼핏 보기에는 둘 사이에 큰 차이가 없을 것 같지만 자세히 들여다보면 이들이 하는 일은 매우 다르다.

증 권 계 의 분 석 가 , 애 널 리 스 트

먼저 애널리스트는 현상을 분석하는 직업이다. 애널리스트 중에는 거시경제, 미시경제를 전공한 경제전문가도 있어서 현재 경제성장률이나 물가상승률 외에 여러 경제현상을 분석하고 그것이 자본시장에 미칠 영향을 분석한다.

국책연구소나 일반 경제연구소 연구원도 하는 일은 대동소이하지만,

그들은 국가 경제정책이나 기업전략에 필요한 자료들을 가공한다는 점에서 분석의 목적이 다르다. 물가가 심상치 않은 조짐을 보이면 국책연구소는 인플레이션 예방을 위한 금리인상 가능성을 타진하고 그것이 경제성장에 미칠 영향을 분석한다. 민간연구소는 금리인상의 여파가 소비에 미칠 영향을 검토하고 기업의 대응전략을 모색한다. 하지만 증권사 애널리스트(이코노미스트)는 시중 유동성의 감소가 부동산시장이나 주식시장에 미치는 영향을 체크하는 것이 주 임무다. 이들이 쥔 칼은 같지만 용도가 다르다.

애널리스트는 여러 섹터에서 일한다. 업종이나 기업별로 각자 담당 분야가 있어 해당 섹터의 현황과 전망을 분석한다. 업종별, 산업별 전망치를 추측하고 개별 기업의 실적과 현황을 예측하는 게 주업인데, 이들이 근거로 삼는 자료는 다양하다. 국가기관의 공식 연구자료, 기업의 공정공시 내용, 외국의 동일업종 기업 자료, 기업 탐방을 통해 수집한 개별 자료 등을 버무려서 자신이 담당한 섹터의 미래가 어떻게 될 것인지 판단한다. 그래서 애널리스트마다 현재에 대한 판단이 다르고 미래에 대한 예측도 다르다.

예를 들어 어느 애널리스트가 "반도체 가격이 지나치게 하락해서 반도체업계의 미래가 암울하다."는 전망을 내놓으면, 다른 애널리스트는 "그렇기 때문에 자금력이 떨어지는 업체는 어려움을 겪겠지만 삼성전자처럼 시장 지배력이 있는 회사는 오히려 좋아질 것이다."라는 상반된 전망을 내놓기도 한다. 같은 자료를 두고도 해석이 다르고 업황에 대한 시각도 달라진다. 이 때문에 애널리스트는 경제지표에 대한 계량분석 능력뿐 아니라 경험도 풍부해야 하며, 아울러 기업을 탐방하고 자료를 수집하는 데 필요한 폭넓은 인맥과 성실성을 갖추고 있어야 한다.

하지만 이런 자료들은 대개 '컨센서스(consensus)'라는 이름으로 평준화가 이뤄진다. 극단적인 경우가 아니면 같은 자료에서 전혀 딴판인 견해가 나오는 경우는 드물기 때문이다. 반도체 현물가가 5달러에서 3달러로 하락했는데 '업황이 좋다'고 해석할 가능성은 거의 없고, 기업들도 이 애널리스트에게는 실적이 좋다고 하고 저 애널리스트에겐 나쁘다고 말하지 않는다. 그래서 애널리스트들의 의견을 모아보면 대개 엇비슷하다. 예를 들어 애널리스트에게 삼성전자의 다음 분기 영업이익 예상치를 물어보면 대부분 1조~1조 2,000억 원이라는 비슷한 답을 한다. 5,000억원 혹은 2조 원이라고 답하는 경우는 거의 없다. 그래서 언론매체는 애널리스트들의 이런 의견을 모아 현재 삼성전자의 영업실적 예상치는 '1조 1,000억 원이 컨센서스'라고 기사화한다.

그런데 주가 전망치에 대해서는 편차가 꽤 심하다. 기업 실적이 주가의 변동과 일대일로 대응하지 않기 때문이다. 한 기업의 주가를 결정하는 요인은 당장의 실적 외에도 미래 가능성, 수급, 시장 상황, 투자자의 심리 등이 복합적으로 얽혀 있다. 따라서 애널리스트는 다들 알고 있는 정보에 자신의 직관 등을 담아 주가 전망치를 발표한다. 주관의 영역과 객관의 영역이 공존하는 셈이다.

실적이 20% 개선될 것으로 전망되는 기업이 있다고 하자. 어떤 애널리스트는 즉각 주가 목표치를 20% 올려잡지만, 반면 그 20%가 이 기업 실적 개선의 최고점이라고 여기고 오히려 주가 목표치를 낮추는 애널리스트도 있다. 기업의 경영진이 그릇된 판단을 내릴 경우 주가 목표치를 어느 정도까지 할인해야 할지도 고민이다. 그래서 애널리스트마다 결정하는 목표치는 그야말로 천차만별이다.

다시 말해 주가 목표치는 애널리스트가 객관적으로 얻을 수 있는 정보에 의한 것과 그것에 다시 주관적 요인이 감안된 것이 동시에 존재하는데, 전자는 차이가 거의 없고 후자는 차이가 크다고 이해하면 된다. 그리고 이 차이는 애널리스트의 능력을 평가하는 결정적 잣대가 된다. 결국 이런 예상치가 얼마나 실제와 들어맞느냐에 따라 '스타 애널리스트'나 '베스트 애널리스트'가 되기도 하고 그 반대가 되기도 한다. 이런 사정 때문에 애널리스트가 받는 스트레스는 상상을 초월한다. 지나치게 주관성을 부여해 다른 사람의 예측과 거리가 있는 예측치를 내놓았을 때, 그것이 맞으면 스타가 되지만 틀리면 해당업계에서 회복하기 힘든 오점을 남긴다.

그래서 요즘 증권사 리서치센터들은 애널리스트의 예측치를 통일화하는 주가예측 모델을 선호한다. 너무 튀는 전망을 했다가 틀리면 리서치센터 전체의 신뢰성에 금이 가기 때문이다. 리서치센터장의 기능이 중요한 이유가 여기에 있다. 리서치센터장은 소속 애널리스트들의 의견을 모아 통일화·균질화하고 여기에 자신의 철학을 더해 예측치를 발표한다.

한 기업의 주가를 주당수익(EPS)으로 나눈 주가수익배율을 보자. PER은 해당 기업의 주가가 이익에 비해 적정한지를 살피는 도구다. 가령 PER이 10이라는 것은 이 기업에 투자하면(주식을 사면) 투자한 돈(매수한 주가)을 10년 만에 회수할 수 있다는 의미다. 즉, 본전을 뽑는 데 10년이 걸린다는 뜻이다. 물론 여기서 '본전을 뽑는다'는 것은 배당만으로 10년 만에 본전을 뽑는다는 의미가 아니다. 기업이 낸 이익은 배당이 될 수도 있지만 재투자되거나 새로운 투자를 위해 기업 내부에 쌓아두는(유보) 경우도 있기 때문이다.

그럼에도 주가의 적정성을 평가할 때 1차적 기준이 되는 것은 PER이다. 건물을 살 때도 임대수익률이 우선이고, 식당에 투자할 때도 얼마 만에 본전을 뽑을 수 있느냐가 투자 기준점이 되듯 주가 또한 마찬가지다. 어쨌든 'PER = $\frac{주가}{EPS}$'이니 '주가＝EPS×PER'이 될 것이고, PER을 얼마로 정하느냐에 따라 예상주가가 달라진다는 사실은 쉽게 알 수 있다. 이때 어떤 애널리스트는 적정 PER을 10(2008년 1월 말 국내 기업 전체 PER)로 잡고, 다른 애널리스트는 다른 아시아 국가들과 비슷한 PER인 13~15가 적당하다고 볼 수도 있으며, 또 어떤 애널리스트는 우리도 곧 선진국 수준에 이를 것이라 여기고 15 이상이 적당하다고 평가할 수도 있다.

하지만 어떤 리서치센터장이 다른 나라는 무시하고 우리나라 주가지수의 PER 변동폭인 6~15 사이에서 금리와 비교한 적정선을 찾는 게 좋겠다고 기준을 제시하면, 그 리서치센터의 PER 기준 목표치는 그 기준을 근거로 정해진다. 투자자들은 이렇게 다양한 의견 중에서 어느 것을 취해야 할지 고민해야 하는데, 대개는 공신력 있는 리서치센터에서 발표한 의견을 모아 나름대로 공감할 수 있는 수준(컨센서스)을 정하고 그것을 참고하는 게 가장 바람직하다.

물론 PER은 가장 초보적이고 일차적인 잣대이며, 실제로 각 애널리스트가 내놓은 자료들에는 그것 말고도 수백 가지의 다양한 변수와 잣대가 반영된다. 그리고 애널리스트의 책임은 여기까지다. 이들의 주 임무는 '기업의 실적과 성장성을 파악하고, 주가 대비 적정 수준을 평가하는 것'일 뿐이다.

이들이 내놓은 자료는 펀드매니저나 일반 투자자가 주식을 매수하거나 매도하는 자료로 이용된다. 대개 신뢰할 만한 증권사의 리포트는 펀드매니저의 책상 위에 올라가고, 외국계 투자자가 한국기업에 투자하고 싶을 때 어느 증권사와 거래할지를 결정하는 가장 중요한 기준이 된다. 즉 애널리스트의 분석보고서는 클라이언트에 대한 일종의 서비스라 할 수 있다.

최근에는 '사이버 애널리스트'라는 직업도 생겨났다. 이들은 제도권에서 교육을 받거나 경험을 쌓은 적이 없는 일반 투자자 출신이다. 제도권에서 활약하던 애널리스트가 재야로 나와 개인영업을 하는 경우도 극소수 있다. 어떻게 보면 제도의 사각지대인 셈이다.

이들은 대개 증권정보 사이트나 증권전문 방송 등에서 자기 의견을 판다. 제도권 애널리스트가 만든 자료는 리서치센터에 제공되고 애널리스트는 그 대가로 소속 증권사에서 월급을 받지만, 사이버 애널리스트의 정보는 대개 개인 대 개인(P to P) 거래의 성격을 띤다. 이들은 오랜 경험이나 자신이 만들어낸 주가 예측 모델을 기준으로 기업이나 업종에 대한 정보를 제공한다. 이들의 수입원은 주로 인터넷, 080 전화서비스 이용료, 증권정보 사이트에 기고한 원고료나 강연회 등이다. 이들 중에는 나름의 노하우를 기반으로 꽤 예리한 분석을 내놓는 경우도 있지만, 대부분은 정보의 질이 고르지 못하다. 특정 회사에 소속되지 않고 정보를 파는 업종의 성격상 어쩔 수 없는 일이긴 하나, 그 점이 바로 불신의 근원이 되기도 한다.

특히 이들이 데뷔하는 경로에 문제가 많다. 어느 날 증권정보 사이트에 '증권전문가'라는 이름으로 등장한 사이버 애널리스트가 대체 어떤 경험과 신뢰성을 지닌 사람인지 검증할 방법이 없다. 정보를 구입하는 사람의 선택만 있을 뿐이다. 이런 사람들이 활동할 공간이 열려 있다는 점은 역설적으로 제도권이 반성할 여지가 많다는 것을 입증한다.

이들이 본격적으로 활동하기 시작한 1999년은 국내 증권시장의 빅뱅 시기였다. 당시는 제도권도, 사이버도 기본에서 벗어나 있기는 매한가지였다. 1년에 1~2억 원도 못 버는 회사의 시가총액이 1조 원에 육박해도

"신(新)경제는 다르다."며 2~3배 이상의 주가 상승 전망을 내놓았다. 절벽(2000년의 성장주 몰락)이 코앞에 있는데도 달리는 마차에 올라타라고 부추기는 행태는 제도권과 사이버의 차이를 구별할 수 없게 만들었다.

그뿐 아니다. 2000년 주식시장이 한없이 추락하는 와중에도 마치 고장난 시계가 하루에 두 번은 맞는다는 것을 증명하듯, 제도권 애널리스트들은 늘 낙관론에 서 있었다. 아무도 투자자의 편에 서서 위험을 경고하지 않았다. 이렇게 축적된 제도권에 대한 불신은 사이버 애널리스트가 활동할 공간을 넓혀주었다. 간접투자 문화가 정착하고, 제도권 보고서들이 나름대로 기업의 가치에 좀더 몰두하면서 최근 2~3년간은 제도권에 대한 신뢰가 높아지기도 했다. 그런데 사이버 애널리스트의 입지가 좁아지기 시작할 무렵인 2008년 벽두의 증시 폭락은 또 한 번 제도권에 불신을 품게 했다. 그것은 사이버 애널리스트의 활동공간을 다시 넓혀주는 계기가 될지도 모른다.

건전한 투자자의 처지에서 보면 이런 현상은 바람직하지 않다. 개인의 능력 여부를 차치하고, 증권사 리서치센터의 방대한 인력과 축적된 자료와 노하우는 개인이 따라잡을 수 없는 인프라이기 때문이다. 더구나 다수 사이버 애널리스트가 의지하는 기술적 분석이라는 도구는 경우에 따라서 '양날의 검'이 되는 위험한 잣대라는 점이 문제다. 따라서 건전한 투자자들은 웬만하면 '미워도 다시 한 번' 제도권 애널리스트의 말에 귀를 기울이는 편이 낫다.

증시를 움직이는 손, 펀드매니저

증권업계의 진짜 꽃은 애널리스트가 아니라 펀드매니저다. 자산운용사에서 이른바 '운용역'이라 불리는 사람들. 아무리 스타 애널리스트라 해도 연봉이 2~3억 원을 넘는 경우는 드물지만 운용역인 펀드매니저는 실적과 능력에 따라 그야말로 무한의 대가를 받을 수 있다.

이들은 펀드에서 주식을 실제로 사고파는 사람이다. 이론적으로는 애널리스트의 자료를 보고 그 가운데 옥석을 골라 주식을 매매하는 게 임무지만 상당수 펀드매니저는 애널리스트의 자료보다 자신의 판단을 더 중시한다. 또한 책상에 앉아 애널리스트의 보고서를 읽기보다는 실제로 기업을 탐방하고 분석한 다음 매매를 결정하는 경우가 많다. 애널리스트의 보고서는 그야말로 참고용으로 삼는다. 그래서 같은 증권사 소속의 애널리스트가 매수를 외칠 때 펀드매니저는 매도를 하는 경우도 발생하곤 한다.

특히 이들 사이엔 '방화벽'이라는 장치가 있어 서로 의견을 주고받을 수 없게 되어 있다. 펀드매니저끼리도 그렇고, 애널리스트와 펀드매니저 사이도 그렇다. 일반인들은 의아하게 여기겠지만 이 제도는 정말로 필요하다. 특정기업의 주가를 조작하거나 심지어는 둘이서 짜고 정직하지 못한 행위를 할 개연성을 차단하기 위해서다. 어디까지나 공개된 자료를 주고받아야 하는 것이다. 한 외국계 펀드매니저는 내게 다음과 같은 경험을 털어놓았다.

펀드에 모 제과회사 주식을 많이 보유하고 있던 그는 현 시점에서 해당 기업의 실적과 미래를 알고 싶어 회사에 방문을 통보했다. 오래전에 그 기업 주식을 많이 사뒀지만 주가의 움직임이 전혀 없었기 때문이다.

그래서 직접 기업을 방문해 기업의 상황이 나빠 보이면 보유지분을 매각할 참이었다.

그런데 그가 기업을 방문했을 때 그를 맞은 사람은 홍보를 담당하는 대리급 직원 한 명뿐이었다. 이 펀드가 해당회사의 2대 주주였다는 사실을 감안하면 그야말로 문전박대를 당한 셈이다. 하지만 홍보담당자의 말을 들은 그는 입가에 미소를 흘렸다. 부사장을 비롯한 임원들이 원료를 구하기 위해 벌써 일주일째 출장을 나가 있다는 얘기를 들었기 때문이다. 당시 밀가루와 전당의 수급 상황이 그리 나쁘지 않았는데도 기업 경영진이 원료를 더 확보하기 위해 분주히 움직이고 있다는 사실은 긍정적인 소식이었다. 더구나 기업의 실적이 악화되고 있었다면 회사는 이를 감추기 위해 펀드매니저의 방문에 대비하고 있을 터였다. 그는 회사를 나오는 길에 수위에게 말을 걸었다.

"요즘 회사에 차량 출입이 많나요?"

그가 누군지 알 길이 없는 수위는 심드렁하게 답했다.

"아이고, 몇 달 사이에 납품차량이 얼마나 들락거리는지 정신이 없어. 그 뭐야, ○○○하고 △△△라는 과자가 그렇게 잘 팔린다지? 내가 먹어보니 맛이 영 아니더구먼."

그는 회사로 돌아오자마자 그 기업의 지분을 크게 늘렸고, 얼마쯤 시간이 흐른 후 그 기업에서 상당한 이익을 낼 수 있었다고 한다.

이렇듯 펀드매니저는 계량화된 자료보다 자신의 판단을 훨씬 더 중시한다. 그래서 펀드는 운용하는 사람에 따라 실적이 달라진다. 펀드매니저들이 애널리스트의 실적보고서만 믿고 투자한다면 모든 펀드의 매입 종목과 실적이 비슷할 것이다.

한편 펀드매니저의 스트레스도 거의 초주검 지경이다. 애널리스트의 성과는 나름대로 컨센서스의 연관관계 속에 존재하지만, 펀드매니저의 성과는 펀드의 성과와 직결된다. 애널리스트 보고서는 활용하는 사람의 몫이지만, 운용성과는 펀드의 수익률에 따라 수능 점수처럼 정확히 매겨진다. 더구나 운용사의 처지에서는 펀드매니저의 주관적 판단이 때로는 독배가 될 수 있다. 결과가 좋으면 문제가 없지만, 펀드매니저의 주관에 의해 결과가 나빠지면 회사가 존망의 위기에 처하는 것이다.

그래서 대부분의 운용사는 기준을 세운다. 각 펀드매니저가 책임질 수 있는 한계(운용금액 한도)를 설정하고, 회사의 철학에 따른 운영잣대를 만드는 것이다. 아무리 눈앞에 성과가 보여도 그 기준을 벗어나면 매매가 금지된다. 또한 펀드매니저끼리 의견을 교환하고 운용사의 기준을 세워 주관보다는 객관을 중시하는 장치를 두게 된다. 주관을 중시하려는 펀드매니저와 그것을 견제하려는 운용사 간에 접점을 만드는 작업인 셈이다. 펀드매니저의 개인재산이 아니라 수많은 투자자의 귀한 자산을 맡고 있는 처지에선 무엇보다 안정성이 중요하기 때문이다.

이때 안정성을 확보하기 위한 첫번째 중요한 기준이 '벤치마크'다. 주식시장에서 만들어진 여러 가지 기준지수 중에서 하나를 고르는 것이다. 예를 들어 한국시장에선 종합주가지수로 알려진 KOSPI 지수가 중요한 기준이고, 세계적으로는 FTSE, MSCI 지수 등이 있다. 더 세분하면 국가, 업종, 섹터에 따라 수백 가지의 기준이 있다.

우리나라의 KOSPI 200에는 한국시장의 대표종목 200개가 시가총액 비율로 포함돼 있다. 만약 펀드가 KOSPI를 벤치마크로 삼을 경우에는 삼성전자, 포스코, 현대자동차, 현대중공업과 같은 우량 종목을 주로 편입하되 비율은 주관에 의해 달라진다. 이 밖에 중소형 종목들도 비율에 따라 조금씩 편입하지만 KOSPI 내의 비율에 비해 터무니없는 비율을 담진 않는다. 이 펀드의 성과는 'KOSPI 대비 30% 초과수익 달성'과 같은 형태로 표시된다. 이는 KOSPI 해당 종목을 원래의 비중대로 고스란히 담을 경우(인덱스펀드) 60%의 이익이 나는데 펀드매니저가 그 비율을 잘 조절해서 90%의 이익이 났다는 의미다. 물론 비율 조절이 잘못되면 'KOSPI 대비 30% 초과 손실'이라는 결과를 얻을 수도 있다.

펀드 안정성의 두번째 기준은 '베타계수'다. 베타계수는 흔히 '변동성 계수'라고 부르는데, 오를 때는 크게 오르지만 내릴 때는 크게 내릴 경우 '베타가 크다'라고 한다. 공격적 성향의 펀드매니저는 경기 민감주인 고(高)베타 종목을 많이 편입해 높은 수익률을 내려 하지만, 일이 잘못되면 그만큼 위험도 커진다. 펀드매니저의 이런 성향을 억제하는 것도 운용사와 펀드의 중요한 일 중 하나다. 따라서 베타가 각기 다른 종목들에 분산투자해 위험에 대비하는 게 중요하다. 경험이 풍부한 글로벌 펀드일수록, 또 신뢰도가 높고 역사가 오래된 펀드일수록 이런 장치들이 잘 갖춰져 있다. 이런 펀드는 펀드매니저의 영웅심리를 효과적으로 견제해 안정성을 확보한다.

펀드 100년사를 돌아보면 단기적으로는 몰라도 장기적으로 보았을 때 주식시장의 평균 상승률을 넘는 수익을 올린 펀드가 10%도 채 안 된다. 이는 펀드매니저의 과도한 주관적 선택에 따라 혹은 변동성이 큰 종목군으로 펀드를 조합하는 것이 얼마나 어리석은 일인지를 잘 보여준다. 오죽하면 원숭이와 펀드매니저의 모의투자 대결에서 다트를 던져 종목을 고른 원숭이가 이겼겠는가?

그래서 펀드투자자들은 펀드와 펀드매니저의 철학을 잘 살펴 투자를 결정해야 한다. 상승장에서 일부 펀드가 지나치게 앞서나가면 그 펀드는 소위 몰빵펀드이거나 변동성이 큰 종목들로 구성돼 안정성이 낮을 수 있고, 반대로 어떤 펀드가 하락장에서도 잘 버틴다면 그 펀드는 지나치게 방어주로 구성되어 있어 상승 국면에선 소외될 가능성이 크다는 식으로 판단할 수 있어야 한다.

이렇듯 증권사 애널리스트와 펀드매니저, 그 주변에서 움직이는 사람들, 그리고 펀드와 운용사의 관계는 고도로 복잡하게 얽혀 있다. 이런 관계는 실시간으로 투자자들의 자산을 큰 기회로 혹은 극단적인 위험으로 몰아넣는다. 투자자들은 이런 경험을 통해 이들의 철학과 스타일, 진정성을 확인하는 작업이 당장의 성과보다 훨씬 중요하다는 사실을 깨닫게 된다. 종국에는 그런 과정을 거치며 투자자들로부터 신뢰를 얻은 애널리스트, 펀드매니저, 운용사, 증권사만이 시장에서 살아남을 것이다. 그리고 그들만이 덩치를 키우며 한국 금융시장의 새로운 역사를 써나갈 것이다.

시장을
움직이는
정책의 힘

주식투자를 하는 방법은 투자자의 수만큼 존재한다. 하지만 대개 우리는 그것을 뭉뚱그려 기본적 분석이니 기술적 분석이니 테마주 투자니 하며 범주를 지어 이야기할 뿐이다. 하지만 주식투자를 하는 각각의 방식, 그 어느 것도 투자자의 영감이 작용하지 않는 것은 하나도 없다.

이를테면 신문기사에 등장하는 10대 증권사 사장들이 추천하는 종목을 보고 "그래도 사장이 이름을 걸고 추천하는 것이니 한번 사보자."라고 판단했다 치더라도 그 중에서 몇 종목을 고르고 실제 투자를 결행하는 과정은 나의 뇌가 '선택'하는 판단을 거쳤기 때문이다.

내가 결정을 내리는 근거는 예상보다 단순하다. 내가 가진 정보와 추천종목이 일치하면 바로 매수를 결정하는 것이다. 예를 들면 당신이 평소에 LG디스플레이를 관심있게 보고 있었다면 그 종목은 다른 9개의 종목을 제치고 선택될 가능성이 훨씬 높고, 당신이 평소에 부정적으로 보고 있던 종목을 증권사 사장들이 추천한다면 그 종목은 10개 중에서 선택될 가능성이 가장 희박할 것이다.

투자종목을 선택하는 기준

이때 당신에게 이미 긍정적인 기억을 남긴 근거는 무엇일까? 2008년 이후 LCD 업황 호전에 관한 기사나 마쓰시타가 필립스의 지분을 인수할 지도 모른다는 신문기사를 봤기 때문일 수도 있고, 심지어는 당신이 그 제품을 쓰고 있기 때문일 수도 있다. 이런 경우에 우리는 합리적 판단을 내릴 수가 없다.

'증권사 사장 10인의 추천'이라는 '권위'에 기대어 종목을 보고 있었다면, 그 권위는 이미 당신의 지식 범주를 넘어설 것이기 때문이다. 예컨대 그들은 당신이 알고 있는 호재와 악재 정도는 다 알고 있을 것이다. 그럼에도 불구하고 추천했을 것이기 때문에 당신이 증권사 사장의 추천종목이라는 이유로 그 종목들을 포트폴리오에 편입한다면 증권사 순위대로 1, 2, 3위를 정해 투자하든지, 아니면 10개 모두를 공평하게 나누어서 투자하는 것이 합당하다.

당신이 그 정보를 투자종목을 선정하는 '이유'가 아닌 '정보'의 수준으로 격하하고 본다면 문제는 달라진다. 당신이 본 그 기사는 단지 내년에 기관 투자가들도 이 종목들에 우호적인 시각을 갖고 있다는 것 이상도 이하도 아니기 때문이다.

이래서 투자자의 고충은 상상보다 크다. 이 때문에 어떤 이는 직관의 부분을 거의 배제하고 단순히 증권사 추천종목만을 고른다고 주장하지만, 그것 역시 많은 증권사들 중 하나를 고른 당신의 안목이 개입된 것이니 투자는 이래저래 당신의 '판단'을 피해갈 수 없다.

나는 기회가 있을 때마다 '직관과 통찰'을 중시하라고 말한다. 마이클 루이스(Michael Lewis)의 《라이어스 포커 Liar's Poker》에 나오는 사례처럼 체르노빌 원자력발전소 사고 때 원유를 산다거나(원자력 대신 화력발전 비중이 커질 것을 예상한 투자다) 스티븐 레빗(Steven Rabbit)의 《괴짜경제학 Freakonomics》에 나온 것처럼 브라질에 비가 내리면 스타벅스 주식을 사라(원두가 풍년이 되면 커피 한 잔의 원가가 떨어져서 스타벅스의 이익이 증가한다)는 논리의 연장선상에 있기 때문이 아니다. 그것은 투자자의 직관이나 통찰의 능력을 키워 대상을 분석하고 이해하고 파급될 영향을 간파해야 한다는 의미다.

이를테면 고속도로 휴게소에서 '비타500'이 많이 팔린다고 해서 광동제약 주식을 살 경우, 그것이 일시적 유행인지(사실 결과적으로는 그렇게 되었다) 기업가치에 지속가능한 영향을 미칠 사건인지 파악하기가 어렵다. 그것은 어디까지나 결과론일 뿐이다. 같은 맥락에서 '2% 부족할 때'가 잘 팔리는 걸 봤으니까 혹은 검은콩이 유행이어서라는 식의 판단은 즉흥적일 뿐 숙고의 결과가 될 수 없다. 직관과 통찰은 반드시 숙고(熟考)라는 과정을 거칠 때만이 나오는 것이다.

자통법이 시장에 미치는 영향

이런 맥락에서 투자자들이 가장 간과하기 쉬운 것은 정부의 정책에 대한 숙고다. 사실 정부의 정책이나 법률안과 같은 사안들은 너무나 명백하고 확실한 이익을 줄 때가 많다. 그리고 그 이면에는 생각지도 못한 이야기들이 담겨 있는 경우도 부지기수다.

예를 들어 자본시장통합법(자통법)을 한번 살펴보자. 이 법은 사실 '증권지주회사법'이다. 겉으로는 거창하게 자본시장 통합을 운운하지만 내용은 그렇다는 뜻이다. 그러면 이 법안은 어떤 내용을 담고 있을까?

먼저 증권 관련 회사들의 업무에서 칸막이를 없앤다는 것이 가장 중요한 본질이다. 선물회사, 운용사, 증권사 등으로 나뉜 업무들을 하나로 통합하는 것이다. 그 결과 지금은 미래에셋자산운용이 만든 펀드가 은행이나 다른 증권사(미래에셋증권 포함)를 통해 판매되지만, 나중에는 미래에셋증권이 직접 펀드를 만들어 판매할 수 있게 된다.

이렇게 되면 운용사와 판매사의 구분이 사라진다. 이 경우 누가 더 이익을 볼까? 당연히 증권사다. 증권사는 전문용어로 '상충의 문제'를 고민할 정도로 행복하다. 이를테면 자기가 만든 펀드를 자기가 매수 매도를 반복하면 펀드 판매수수료, 운용수수료, 주식 거래수수료까지 챙길 수 있다. 물론 이 문제를 보완하는 법이 만들어지겠지만 어쨌거나 그렇다는 뜻이다.

또 규제가 포지티브에서 네거티브로 바뀐다는 것이 두번째 핵심이다. 예를 들어 지금까지는 이런저런 상품만 만들 수 있다는 열거식 규제를 했지만, 이제는 "이것만은 안 돼."라는 식으로 규제 방식이 바뀌고, 이 경우 증권사들은 그동안 묶여 있었던 모든 자산을 유동화할 수 있게 된다. 마음만 먹으면 쇠똥도 유동화 증권을 만들어서 거래할 수 있다는 뜻이다.

이 경우 우리나라도 미국식 금융 체제로 급속히 전환된다. 이 법안이 3년만 일찍 통과됐다면 우리도 지금쯤 서브프라임 모기지 사태 이상의 파장으로 망국 직전의 상황까지 갔을지도 모른다. 그 외에도 증권사의 자본금이 확충되거나 M&A가 본격화되는 등 여러 가지 변화가 있을 것이다. 소액 지급결제 허용 등도 만만치 않은 파장이 있을 것이다.

하지만 이 정도는 신문기사만 봐도 알 수 있는 이야기다. 이 대목에서 생각을 좀더 진전시켜보자. 증권사와 은행 간의 밥그릇 싸움처럼 비치는 '지급결제 허용'의 경우 그 회오리는 가히 메가톤급이다. 이것은 증권사 계좌로 급여이체와 자동이체가 가능해진다는 뜻인데, 이렇게 되면 소비자의 편의는 명분일 뿐 일부 증권사에는 엄청난 기회가 된다.

예를 들어 삼성증권, 한화증권, 현대증권, 동양증권 등의 자금은 산업자본이다. 이들 산업자본은 금산분리에 의해 은행을 소유할 수 없다. 하지만 이 법이 통과되면 계열사와 하청업체 근로자들의 급여를 자신의 증권사로 이체할 수 있게 된다(물론 죽어도 싫다고 버티는 사원이나 하청업체는 도리가 없겠지만). 그리고 그 돈은 아무래도 은행에 있을 때보다 증권사의 펀드투자 자금으로 유입되기가 훨씬 쉬울 것이고, 증권사는 스스로 만든 펀드를 통해 다른 기업의 지분을 합법적으로 매집할 수 있다.

이렇게 되면 어떤 일이 벌어질까? 이제 펀드 자본주의라는 말의 엄청난 함의를 읽을 수 있게 된다. 즉 산업자본이 금융자본을 통하지 않고서도(돈을 빌리지 않고서도) 다른 자본에 영향력을 키울 수 있으며, 굳이 은행을 소유하지 않고도 쉽게 금산분리의 취지를 뭉개버릴 수 있게 되는 것

Zoom In   **펀드 자본주의**   20세기 후반에 등장한 개념으로 연기금, 펀드, 기관 투자가들이 기업의 지분을 보유하여 기업 인수합병이나 주요 경영 사안에 영향력을 미치는 현대 자본주의의 새로운 경향을 말한다. 지배권에 영향력을 행사한다는 점에서 새로운 '권력'으로 간주되고 있다. 1990년대 말 이후 자본시장 개혁과 글로벌 펀드의 영향으로 더욱 확산되고 있다.

이다. 이 점을 간파한 사람들은 삼성증권을 비롯한 재벌 계열 증권사를 이미 선취하고 있을지도 모른다.

두번째로, 투자은행(IB) 업무와 자기 투자 등을 위해 자본금 확충이 쉬운 은행계 증권사(예를 들어 우리투자증권, 하나대투증권, 굿모닝신한증권 등)들은 수혜를 입게 되고 산업자본과의 혈투에서도 최첨병이 될 수 있으니 이 또한 이득이다.

이 두 경우에 해당하지 않는 증권사는 어떻게 될지 그 운명이 사뭇 슬프기까지 하다. 차라리 자통법이고 뭐고 간에 "우리는 수수료만으로 먹고 살 수 있다."는 지점 하나 없이 몸집이 가벼운 증권사는 미국에서처럼 틈새시장에서 살아남을 것이다. 하지만 그 외의 중간지대에 선 증권사들의 운명은 M&A 매물이 되지 못하는 한(가능한 증권사는 몸값이 단기간에 오를 것이지만) 풍전등화의 처지가 되고 마는 것이다.

이것이 바로 앞으로 시행될 자통법의 이면이자 증권사들의 주가 현황과 미래이며, 더 나아가 투자자들이 격물(格物)을 통해 치지(致知)해야 할 과제들이다.

투자자를
속이는
매집의 이면

　어지간히 정보에 무심한 투자자들도 '매집'이라는 말에는 한번쯤 귀를 기울이게 된다. 시장에서 말하는 매집은 문자 그대로 주식을 팔기보다는 계속 사들이는 것을 의미한다. 그러나 그것만으로는 뭔가 마뜩잖다. 매집의 정의가 주식을 팔지 않고 사기만 하는 것이라면 어지간한 장기 투자자는 모두 매집을 하고 있는 것이다.

　주식시장에서 매집이란 좀 교묘하고 중의적인 의미를 지니고 있다. 일단 특정 회사 주식을 다른 주식보다 비대칭적으로 많이 사들이는 것을 가리킨다. 예를 들어 특정 투자자가 KOSPI 200 종목 안에서 단 한 개의 종목만을 찍어서 소위 '골라서 팬다'면 그는 이 종목을 매집하고 있다고 할 수 있다.

　매집은 또 지속적인 매수 행위를 가리킨다. 자신이 보유한 자산의 전부를 단 한 개의 종목에 투자하더라도 그 종목을 한 번에 사들이는 것은 매집이라기보다 이른바 '몰빵'에 가까운 개념이 된다. 하지만 열 번, 스무 번에 나누어서 특정 종목만을 사들이거나 돈이 생길 때마다 해당 주식을 계속 사들인다면 그때는 매집의 의미에 좀더 가깝다고 할 수 있다. 즉 매집이란 '분할 매수로 특정 주식에 비중을 과도하게 가져가는 매수 행위' 정도로 정의할 수 있다.

개 인 투 자 자 의 매 집

이러한 매집 행위는 그 주체가 누구냐, 그 이유가 무엇이냐에 따라 여러 가지 복잡한 양상을 띤다.

평범한 개인 투자자가 자신이 잘 알고 있는 특정 기업의 실적을 확신하고 자금이 생길 때마다 그 종목을 매집하는 것은 나름대로 의지의 소산이라고 볼 수 있다. 하지만 명확한 근거나 소신 없이 단순히 한 종목을 매집하느라 여유 자산을 모두 쏟아붓고 있다면 그는 대단히 위험한 투자를 하고 있는 것이다.

그런데 이렇게 주식을 매집하는 주체가 평범한 개인의 소신이 아니라면 내용은 좀 심각해진다. 예를 들어 '슈퍼개미'라고 불리는 자산가가 특정 기업의 주식을 5% 이상 매집했다고 가정하자. 이때 그는 증권거래법상 자신의 지분 매집이 경영권에 관심이 있는 것인지, 아니면 단순 투자목적인지를 밝혀야 한다.

가령 주식 매집이 '100% 순수한 목적'이었다고 가정하자. 이때 이 개인 자산가의 주식 매집은 굳이 해리 마코위츠(Harry Markowitz)의 포트폴리오 이론(Portfolio selection theory)을 빌리지 않더라도 상당히 위험한 일이지만, 그의 선택은 해당 기업에 대한 분명한 확신이 존재했기 때문에 가능했을 것이다.

그는 난관에 부닥친다. 공시를 통해 슈퍼개미의 출현 소식이 실시간으로 알려지면서 해당 주식을 더욱 비싸게 사들여야 하기 때문이다. 증권시장 보호를 위해 만들어진 공시제도가 원치 않는 부작용을 낳은 것이다. 100% 순수한 목적으로 해당 기업의 주식을 매집하려고 한 것이라면 그는 그야말로 만만치 않은 비용을 치르게 된다.

그러나 그가 만약 불순한 목적(사실 주식시장에서 '불순한 목적'의 정의는 모호하지만)으로 매집을 시작했다면 그는 이 순간부터 해당 주식의 운명을 좌우할 수 있는 힘을 갖게 된다. 고작 5%의 지분을 확보했을 뿐이지만 마치 20%까지 지분을 늘릴 것처럼 허세를 부릴 수도 있고, 매집의 목적을 '경영권 참여'로 적어냄으로써 해당 기업이 마치 경영권 분쟁에 휘말리는 것처럼 보이게 할 수도 있다. 그리고 충분한 이익을 취했다고 생각되면 '단순 보유'로 목적을 변경하여 팔고 나가면 그만이다.

이때 그의 의도를 소위 '순수한 것'과 '불순한 것'으로 구분할 수 있는 심정적 판단기준이 있다면 바로 컨센서스다. 예컨대 실적, 신규사업, 지배구조, 자산가치 등 해당 기업을 매집할 만한 이유가 인정되면 시장은 그의 안목을 칭찬하겠지만, 반대로 그 판단이 시장 참여자들 모두가 고개를 갸웃거리게 만드는 것이라면 그는 '불온한' 인물로 낙인 찍히고 금융당국으로부터도 '요주의인물'로 감시받는 처지가 될 것이다.

기 관 투 자 가 의 매 집

그런데 매집 주체가 기관 투자가라면, 그것도 거대 기관 투자가나 외국계 펀드라면 문제는 더 복잡해진다. 비근한 예로 헤르메스의 삼성물산 주가조작 사건이 이에 해당한다. 물론 여기에 '거짓말 공시'라는 결정적 허점이 하나 더 있기는 하지만 그래봐야 오십보백보일 뿐이다.

어쨌거나 이 경우에는 금융당국이 감시와 처벌을 하기 쉽지 않다. 왜냐하면 개인이라면 그 범의가 비교적 명백하고 실제 자금의 흐름도 쉽게 손에 잡히지만, 판단의 주체가 개인이 아닌 시스템으로 구성된 기관 투자가의 경우에는 수법도 교묘하고 실제 그러한 행위를 두고 '범의'라는 가치 판단을 하기도 어렵기 때문이다(사실은 스스로도 모르는 경우가 많다). 그래서 사실은 통정매매, 허수주문과 같은 노골적인 위법행위를 하지 않더라도 기관 투자가에 의한 주가조작이 광범위하게 일어날 수 있는 개연성이 상당히 크다. 다만 그것을 개인이 하면 불륜이고 기관이 하면 로맨스일 뿐, 피차 만나면 곤란한 상대를 만났다는 데에 있어선 다를 바가 없다.

그런 관점에서 외국인들의 한국 주식 매집과 이익 실현은 국내 기관

Zoom In　　**헤르메스의 삼성물산 주가조작 사건**　　영국계 펀드 헤르메스투자관리회사의 펀드매니저인 로버트 찰스 클레멘츠는 2003년 11월부터 2004년 3월 초까지 증권거래소 상장법인인 삼성물산의 보통주 777만 2,000주, 2004년 3월 삼성물산 우선주 8,300주를 매수한 뒤 2004년 12월 이 주식들을 전부 매도하는 과정에서 언론을 통해 삼성물산에 대한 인수합병설을 흘렸다. 그리고 주가가 오르자 보유주식을 전량 매각해 72억 7,800여만 원의 부당이득을 얻은 혐의로 기소됐으나, 허위나 기만적 요소가 포함되었다고 인정하기 어렵다는 이유로 무죄를 선고받았다.

투자가들에게 좋은 학습이 되었을지도 모른다. 사실 나는 오랫동안 "장기 공개 매집 후, 적절한 이익 실현의 타이밍은 언제인가?"라는 주제에 천착해왔다. 특히 지난 10년간 한국 주식에 대한 외국인의 공개적인 장기 매집에 주목해왔는데, 내 기준에서 보면 2007년 이후 한국시장에서 외국인의 주식 매도는 적절한 시점에서 절묘하게 이익을 실현하는 과정의 일부일 뿐이다.

한 시장 지분의 거의 절반을 공개적으로 매수한 주체는 그 시점이 언제이든 자신이 팔기 시작하는 순간 시장이 무너진다는 사실을 잘 알고 있다. 따라서 단일한 주체가 공개적으로 주식을 매집할 경우 매도의 시점은 쉽게 오지 않는다. 즉 그 시점은 매집자가 주식을 공개적으로 처분해도 매수 대기자들이 해당 주식에 대해 강한 확신을 갖는 시점뿐인데, 그 시점까지 매집한 지분을 보유하고 관리하기란 그리 쉬운 일이 아니다.

하지만 그 시점이 오면 매집자는 과감하게 지분을 털고 나가도 평균 매도단가가 하락하는 것을 막을 수 있다. 마치 물이 비등점인 100도에서 끓듯 매집 주식의 매도도 그 지점이 있다. 이런 맥락에서 보면 소버린의 SK 지분 매도와 같은 흐름은 마치 하나의 작품을 완성하는 장인의 그것처럼 예술의 경지를 보여준 것이고, 지금 이뤄지고 있는 외국인의 매도도 마찬가지다.

금융위기는 우리나라보다 해외에서 더 심각하다. 그럼에도 외국인 매도세가 국내시장에서 유별나게 강한 이유가 국내시장의 유동성이 특히 좋기 때문이라고 주장하는 것은 그야말로 얼토당토않은 망발에 불과하다. 외국인의 매도는 이미 2006년부터 시작됐고 그 규모가 점점 더 강해지고 있을 뿐이다. 단순하게 생각하면 외국인은 우리가 받아내는 강도가 강하면 강할수록 매도의 적기로 여기고, 우리는 시장의 저평가에 대한 믿음이 크면 클수록 그 물량을 당당하게 받아내는 것뿐이다.

우리가 외국인 매도에 이 정도라도 견디는 것은 우리 스스로 추가 상승에 대해 강하게 확신하고 있기 때문이다. 외국인(공개 매집자)의 입장에서는 시장의 추가 상승·하락에 대한 전망과는 전혀 관계없이 매집된 지분을 높은 매도단가에 팔 수 있는 강한 호기가 되기 때문에, 지금의 장세는 양자의 입장 차이가 만든 '강우전선' 그 이상도 그 이하도 아닌 것이다.

같은 맥락에서 2007년 이후 시작된 우리나라 일부 기관 투자가의 지나친 불균형 매집 행위가 나중에 어떤 결과를 가져올 것인지에 주목할 필요가 있다. 2006년 1차 매집자의 손에서 2차 매집자의 손으로 서서히 넘어간 주식들은 평균 매수단가의 입장에서는 전자에 비해 후자가 훨씬 비싼 평균 매수단가를 지불했을 터다. 따라서 나는 지금 당당하게 공개 매집을 감행한(그 결과 기관 투자가들의 펀드 포트폴리오에 주가수익률이 200배가 넘는 종목들이 속출한) 2차 매집자들이, 과연 평균 매도단가를 낮추지 않고 그 주식을 어떻게 처리할지 걱정이 앞서는 게 사실이다.

어쨌거나 이 상황이 윈-윈으로 아름답게 마무리되기 위해서는 앞으로 어느 시점에는 지금 우리는 상상하지도 못할 지수 상승을 기록해야 할 텐데, 그때가 언제일지 참으로 궁금하다(다만 그때 본의 아니게 3차 매집자가 되는 측의 끔찍한 운명을 여기서는 상상하지 말자).

주식시장의
사짜와 타짜

주말 과천경마장에는 그야말로 다양한 군상이 모인다. 휴일을 이용해 말들의 호쾌한 질주를 즐기면서 "10만 원 어치 마권을 사는 것이 2∼3만 원짜리 뮤지컬 다섯 편을 보는 것 보다 낫다."라는 스포츠 마니아도 있고, 대박의 꿈을 버리지 못하고 몇 년째 전 재산을 쏟아부으며 주변을 맴도는 도박 중독자도 있다. 그저 즐기기 위해 경마장을 찾는 사람은 상대적으로 소수이고, 돈을 따기 위해서 오는 인사가 대부분이다.

이 장면에서 우리는 삶에서 흔히 접할 수 있는 몇 가지 아이러니를 마주한다. 그 하나는 경마 예상지다. 경마장 주변이나 심지어 스크린 경마장에서도 흔히 볼 수 있는 여러 종류의 경마 예상지는 경마 참가자들에게는 그야말로 복음서다. 그들은 두어 가지 경마 예상지를 사서 손에 들고 줄을 그어가며 우승마를 예측한다. 심지어는 모든 종류의 예상지를 다 산 다음 그들이 중복으로 추천하는 말을 최우선순위에 두는 사람도 부지기수다. 안쓰러운 풍경이다.

만약 경마 예상지를 만드는 사람들이 정말 우승마를 예측할 수 있다면 그들이야말로 우리 사회의 '빛과 소금'이다. 그들은 우승 가능한 말을 가려내는 초능력을 다른 이들에게 나눠주면서도, 절대 스스로의 이익을 위해 경마에 참가하지는 않는다. 그들이 결과를 잘 예측하면서도 소중한 정보를 예상지로 만들어 헐값에 파는 것이라면, 스스로 수익을 낼 수 있는 엄청난 기회를 나머지 사람들에게 나눠주는 셈이니 나눔의 철학이 있는 분들이다(예상지 판매수익이 경마에서 우승마를 적중시켜 받는 배당금보다 많을 리 없다). 혹여 그렇지 않고 스스로도 믿을 수 없는 전망을 파는 것이라면 비윤리적이고 반도덕적이라는 비난을 면할 길이 없다. 설마 자신도 모르는 일을 아는 척하며 그런 예상지를 파는 사람은 없을 테니 이들을 어찌 우리 사회의 빛과 소금이라고 부르지 않을 수 있겠는가.

시야를 좀 넓혀보면 우리 사회의 어두운 곳에는 이런 분들이 곳곳에서 불을 밝히고 있다. 오늘도 증권방송에는 수많은 전문가가 나와서 대박을 외치고 최고의 종목을 찍어준다. 나중에는 그것도 모자라 ARS나 인터넷 회원으로 가입하면 당장이라도 수십 배의 수익을 안겨줄 황금종목을 추천해주겠다고 말한다. 매주 금요일과 토요일 경제신문의 하단에는 '어리석은 개미백성'을 어여삐 여기는 '증권시장 황제'와 '미다스 손'의 주말 강연 광고가 실리고, 그들은 "강연에 참석하기 위해 '교재비' 몇만 원 정도는 지참하는 것이 예의"라고 말한다.

그뿐인가. 신문과 방송에 등장하는 무수한 부동산 전문가 중에도 정작 본인은 변두리 전셋집을 못 벗어나면서, 꼭 집어서 어느 지역 어느 아파트가 올라가고, 어느 동네 어느 집 앞마당에 땅을 사두면 자손만대 땅값이 오를 것이라 일러주는 선지자가 넘쳐난다. 이들도 '빛과 소금'은 아니더라도 최소 '플래시와 간장' 정도는 된다.

보잘것없는 수입에 만족하면서 최고의 기회는 정작 타인에게 베푸는 사람들, 이들이 오늘날 우리 사회의 전문가들이다. 그 점에서 보면 필자도, 심지어는 족집게라 하는 증권회사 임원이나 펀드매니저, 애널리스트들도 이런 비판에서 자유롭지 못하다. 이쯤에서 이분들께 도발적인 질문을 한번 던져보자.

"왜 당신들은 스스로 투자해서 재벌이 될 수 있는 안목을 갖고도 쥐꼬리만한 월급이나 받으면서 아직도 회사에 다니고 있는가?"

이제 질문을 던졌으니, 답도 한번 찾아보자. 국가가 공인한 모든 도박(마사회는 경마가 도박이 아니라고 강변하겠지만)에는 정해진 수익률이 있다. 나라를 떠들썩하게 만든 '바다 이야기'조차 승률은 48%에 가깝다. 이론상 100만 원을 투자하면 52만 원 정도 잃는다는 얘긴데, 사실 그 정도라면 게임이지 도박이 아니다. 하지만 이런 작은 확률 차이가 반복되면 엄청난 결과를 초래한다.

도박에서 99%의 노력을 신봉하는 이유

사람들은 왜 도박을 할까? 이론적으로는 동전을 던져 앞뒤를 맞힐 확률보다 낮은 도박을 하는 심리는 무엇일까? 답은 동전 던지기는 100% 운이므로 내가 개입할 여지가 없지만, 도박은 스스로 개입할 여지가 있기 때문이다. 그래서 도박의 시장 지배력은 개입의 정도와 일치한다. 어린 시절 도박 등용문이던 '짤짤이'도 마찬가지다. 아이들도 코 묻은 동전을 들고 도박을 하면서 단순히 동전을 던져서 앞면이나 뒷면만이 나오는 게임을 하지 않는다. 그것은 어느새 '홀짝'으로, 다시 '삼치기'로 발전한다. 후자로 갈수록 개입의 정도가 크기 때문이다.

개입의 정도가 클수록 우열이 확연하게 가려진다. 상대의 수를 어느 정도 읽거나 심지어는 남의 눈을 속여서 동전 하나 정도를 손가락 사이에 끼우고 결과를 뒤집을 수 있는 능력이 생기면, 고수가 된다. 아이들도 이런 고수와의 싸움에서 이길 수 없다는 것을 안다. 하지만 그래도 한다. 자신도 그렇게 될 수 있다는 믿음이 있기 때문이다.

어른들의 세계에는 이런 동전 따먹기 같은 게임은 없다. 동전이 시시해서가 아니다. 할 수만 있다면 돌멩이로도 도박을 할 것이다. 홀짝게임에 1억 원을 건다면 그것도 엄청나게 큰 도박판이 될 수 있지만 손쉬운 방법 대신 마작, 훌라, 포커 등으로 이동한다. 왜냐하면 동전 던지기에서 내가 개입할 수 있는 범위는 고작 '손장난'뿐이기 때문이다. 동전 던지기에서 다른 사람의 수를 읽는 능력은 아무 소용이 없다. 돈을 거는 사람이 생각을 하지 않고 스스로 동전을 던져서 거기서 나오는 결과대로 돈을 걸면 승부는 온전히 확률의 영역으로 돌아가기 때문이다. 즉 손동작의 숙련도밖에는 개입의 여지가 없는 것이다.

하지만 좀더 복잡한 게임에서는 사정이 달라진다. 그리고 그곳에서는 서서히 능력의 차이가 생겨나기 시작한다. 이때 능력의 차이는 대개 태생적이다. 많은 사람이 포커를 열심히 치면 누구나 도신(賭神)이 될 수 있으리라 믿지만 천만의 말씀이다. 카드, 마작, 화투 등의 경우엔 태생적으로 그것을 잘할 수 있는 재능을 보유한 사람이 있다. 그림을 잘 그리는 재능, 노래를 잘하는 재능, 춤을 잘 추는 재능이 보통 사람의 노력으로 따라잡을 수 있는 것이 아니듯 도박에서도 재능의 차이는 점점 벌어진다. 문제는 많은 사람이 그 사실을 인정하려 들지 않는다는 점이다.

사람들이 도박에 빠져드는 것은 '1%의 재능과 99%의 노력'으로 승리할 수 있다고 믿기 때문이다. 그러나 실제로 도박은 '99%의 재능과 1%의 운'이 지배하는 곳으로, 이들이 패배하는 결정적인 요인은 이 진리를 모르는 데 있다.

국가가 공인하는 도박들은 대개 개인의 능력에 따른 편차를 인정하지 않는다. 경마나 경륜, 경정, 심지어 슬롯머신이나 블랙잭까지도 대신 뛰는 말이나 대신 달리는 자전거가 있고 카드를 나눠주는 딜러가 있다. 다시 말해 확률의 부분에 대해 개인의 차이가 작용하지 않도록 만들어져 있다. 이렇게 되면 모든 도박은 '99%의 재능' 부분이 사라지고 공평한 것처럼 보인다.

강원랜드만 해도 승률이 49%에 육박한다. 그럼에도 강원랜드에서 무수한 신용불량자가 양산되는 것은 바로 그 1%의 손실이 반복되기 때문이다. 최소한 비기기라도 할 수 있는 확률은 '1%의 노력'이 최대한 발휘된 경우뿐이다.

그래도 사람들은 환호한다. 모든 도박은 도박꾼의 처지에서 확률의 결과로 공평하게 배분하지 않고(이를테면 매번 100원을 투자하면 99원을 돌려주는) 하우스(운영자)의 처지에서 공평하기 때문이다. 즉, 하우스는 100원 매출당 1원의 이익을 얻는 것이 분명하지만, 도박꾼의 처지에서는 그날의 운에 따라 대박이 터지기도 하고 거덜이 나기도 한다. 그래서 도박꾼들은 소위 그 대박에 기대를 걸고 다른 사람보다 그것에 조금 더 가까이 갈 수 있는 방법이 있다고 믿는다. 심지어 기계가 수천만 분의 1로 그림을 맞춰주는 슬롯머신 앞에서도 잘 터지는 슬롯머신을 고르는 기법이 있다고 믿을 정도다.

그래서 운영자에게는 확률이 불공평하면(예를 들어 100명이 투자한 1,000

만 원 중에서 990만 원을 골고루 나눠주지 않고 몇 명에게 몰아주면) 도박이 되고 공평하면 게임이 된다. 도박을 하는 사람의 처지에서는 개인의 노력에 따라 결과가 달라질 수 있다고 믿으면 중독성이 더 강해지고, 전혀 무관하다고 믿으면 흥미가 사라진다. 그래서 심판관이 동전을 던져서 돈을 나눠주는 도박이 있다고 하면 아무도 그것을 하지 않을 것이다. 하지만 도박꾼들이 스스로 동전을 던져서 돈을 나눠 갖게 하면 그 도박은 범국가적 흥행산업이 된다.

바로 이 대목에서 '사(詐)짜'와 '타(打)짜'가 생겨난다. 사짜는 절대확률의 세계에서 확률을 이길 수 있다고 주장하는 사람들이다. 이들은 자신만의 비범한 논리로 무장돼 있고 마치 다른 사람에게는 없는 무림의 비급이라도 있는 것처럼 행세하지만 사실은 그렇지 않다. 이들은 비루하며 천박하고 위선적이다. 그들은 자신이 가진 비급의 한 페이지를 슬쩍 보여주며 그것이 마치 엄청난 대가를 줄 수 있을 것처럼 위장하지만 그들의 말은 모두 거짓이다. 그래서 그들은 그 비급을 파는 대가로 살아간다. 그들은 자신의 비급이 가지에 돈이 열리는 화수분이 아니라는 사실을 알기에 마치 그것이 대단한 것인 양 모호하게 포장하지만, 막상 비급의 책갈피를 들춰보면 사기꾼들의 돈다발처럼 뒷면에는 아무것도 적혀 있지 않다.

하지만 타짜는 다르다. 이들은 정교하며 기술을 팔지 않는다. 어수룩한 눈매 뒤에 독수리의 발톱을 숨기고 어눌한 초식을 구사하는 듯하지만 급소를 노린다. 그리고 분명히 사짜와는 다른 내공을 갖고 있다. 그들이 돈을 버는 방식은 실전이다. 그들은 비급이 아예 없거나, 설사 있다고 해도 보여주지 않는다. 그들의 비급은 오직 머릿속에만 있을 뿐이다. 자신이 이길 수 있는 비책을 타인에게 싸게 팔아 공유하려는 바보는 없기 때문이다. 타짜는 오직 최고가 됨으로써 타짜일 뿐, 자신의 비급을 배운 경쟁자들이 도처에 등장하는 것을 결코 바라지 않는다. 그래서 그들에게 한 수 가르침을 청하면 그런 게 없다고 하거나 면박만 주기 일쑤다.

도박판이라면 어디에건 사짜와 타짜가 있다. 도리짓고땡이나 포커같이 손장난하는 기술을 가진 것이든, 경마나 블랙잭처럼 도박꾼이 상황에 직접 개입할 수 없는 영역이든 어디에나 사짜뿐 아니라 타짜도 분명히 존재한다. 99%의 공평한 확률에서 1%의 틈새를 파고드는 타짜, 그리고 그것을 파고들 수 있는 비급이 존재한다고 떠벌리는 사짜 말이다.

주식시장에도 사짜와 타짜는 있다

이런 사짜와 타짜의 세계가 99%가 운이 아닌, 그야말로 본인 스스로의 판단과 노력이 100%라고 하는 주식판에서도 존재할 수 있을까? 그리고 그것이 존재한다면 놀라운 일일까?

불행인지 다행인지 몰라도 우리나라에서 주식시장을 기반으로 업을 꾸려가는 사람 중에 어지간히 이름이 알려진 사람은 그가 사짜든 타짜든 모두 만날 기회가 있었다. 나는 한국 주식시장에서 사이버 트레이딩, 기술적 분석, 그리고 선물거래의 1세대이기도 했고, 또 그럼에도 특정 기관에 소속되거나 주식판을 업으로 삼지 않는다는 점에서 비교적 운신이 자유로웠기 때문이다. 또한 MBN에서 진행하는 경제방송이 7년째로 접어들면서 그동안 게스트로 초대된 걸출한 분들뿐 아니라 소위 개미로서 펀드를 이룬 분들까지 두루 만날 수 있는 공식적인 기회가 있었기 때문이다.

하지만 내가 주식시장에서 느낀 점은 주식시장의 제도는 과거에 비해 현저히 선진화됐지만 시장 주변의 환경은 10년 전이나 지금이나 그리 다르지 않다는 점이다. 시장은 여전히 불공정하고, 기관 투자가들은 아직도 정직하지 못하며, 시장의 어두운 손들은 아직도 은밀하게 이슬을 맞고 다닌다.

심지어 코스닥이나 거래소 중소형 종목, 신규상장, 우회상장, M&A, R&D(인수 후 개발)의 경우에는 아직도 더러운 자본과 추악한 주주들이 담합하고 음모를 꾸미면서 언제라도 한 건 올릴 기회만 엿보고 있다고 해도 과언이 아니다. 최근에도 창업투자회사에서 받은 투자금으로 근근이 버티는 비상장 바이오 벤처기업이 창업투자회사 직원들과 어울려 적절한 셸(Shell)을 찾아다니며 가격을 협상하는 장면을 목격한 적이 있다. 셸은 조개껍데기라는 의미로, 상장기업이기는 하지만 기업 내용은 껍데기만 남아 우회상장에 이용될 수 있는 기업을 가리킨다. 이와 반대되는 개념으로 우회상장을 원하는 기업을 펄(Pearl)이라고 한다.

창업투자회사와 벤처기업 직원은 일단 셸을 찾아 우회상장시킨 후 이 벤처기업이 최근 계약을 맺은 '유전자 백신' 제조에 대한 임상실험을 실시한다는 정보를 시장에 흘려보냄으로써 합체된 두 회사의 주가를 최대한 띄운 후 빠져나간다는 계획을 세운다. 이 유전자 백신사업이 아직 논문 수준에 불과한 것임은 말할 것도 없다.

이런 경우는 사짜일까, 타짜일까? 말도 안 되는 프로젝트를 이용해 주가조작을 행하려는 점에서는 사짜가 분명하지만, 이를 실행할 수 있는 돈과 조직 인맥을 갖고 있다는 점에서, 그리고 이미 수차례 동일한 성공 사례가 있다는 점에서는 타짜라고 볼 수도 있다. 이렇게 주식시장에는 사짜와 타짜의 경계가 모호한 사람이 많다.

슈퍼개미라고 불리는 개인 투자자들도 마찬가지다. 이들은 과거와는 달리 자신이 특정 종목을 매집한다는 사실을 숨기려 하지 않는다. 과거에는 허수주문, 통정매매와 같은 고전적 수법의 주가조작이 많았지만 지금은 거래소 시장감시 기능의 강화로 이런 조작이 쉽지 않다. 그래서 요즘은 많은 슈퍼개미가 음지에서 양지로 나와 공개적으로 주식을 매집한다. 그 결과 개인 투자자들의 이목을 이끌어내는 데 성공해서 주가가 급등하면 유유히 차익을 챙기고 나온다. 반대로 실패하면 꽤 큰 손실을 보는 것은 당연하다.

슈퍼개미도 급이 있다. 언론보도를 통해 잘 알려진 A씨는 혼자서 움직인다. 그는 보통 3~4명의 일선 증권사 직원을 휘하에 두고, 유동성이 풍부하지 않고 자본금도 많지 않으며 경영권이 취약한 기업을 고른다. 그리고 최소 1~2년에 걸쳐 조금씩 시장에서 지분을 매입한다. 지분이 5%가 넘는 순간 법에 따라 '경영 참여 목적'이라는 공시를 한다. 이 과정에는 언론 플레이도 필수다.

이 공시에 따라 주가가 춤을 추면 추가 매입을 감행하기도 하고 혹은 '단순투자 목적'으로 공시를 변경한 후 매입가보다 훨씬 비싼 값에서 이익을 실현하고 빠진다. 대개 이런 부류의 투자자 중에는 과거에 주식시세 조종이나 기타 불법매매 등으로 돈을 번 사람이 많고, 자산은 보통 100억 원에 달한다. 이들은 공시제도의 맹점을 역이용해 이익을 올리기는 하지만 그 자체가 불법은 아니다. A씨는 사짜와 타짜의 경계를 넘나드는 부류다.

아예 군단을 형성하는 경우도 있다. 전문 투자자 C씨가 이에 해당한다. 그는 이익은 안정적이지만 회사 운영이 전근대적인 제약회사 등을 타깃으로 삼아 적정 지분을 매입한다. 하지만 그가 5%의 지분을 채우는 경우는 거의 없다. 공시 대상이 되기를 피하는 것이다. 그를 따르는 일군의 개미군단이 그 틈을 메운다. 이 경우 최소 20~30명의 그룹이 C씨를 정점으로 각각 0.5~1%의 지분을 공동 매입하므로, 실제 이들이 보유한 지분은 상당하다.

그래도 시장에서는 이들이 함께 목소리를 내기 전까지는 매집 사실을 알 도리가 없다. 이들이 공동으로 목소리를 내는 순간 시황은 급변한다. 이들은 당당하게 이사 선임권을 요구하고 주주총회에서 표 대결도 불사한다. 회사의 약점을 잡고 공개적으로 개선을 요구하기도 한다. 결국 초조해진 경영진은 무상증자를 하거나 배당을 늘릴 수밖에 없고, 그 과정에서 주가는 기대감으로 급등한다.

이런 경우는 자본시장의 구조를 정확히 포착하고 그 간극에 칼을 들이미는 극히 세련된 형태의 타짜라고 할 수 있다. 감독기관에서는 C씨의 과거 사례 등을 추적하며 불법성 여부를 조사했지만 법에 저촉된 점은 전혀 없었다. 오히려 기업의 지배구조나 잘못된 관행을 개미의 힘으로 고친 영웅으로 비칠 수도 있다.

최근의 기관 투자가들이나 장하성펀드조차 이런 지적에서 그리 자유롭지 못할 것이다. 이들이 스스로 믿거나 주장하는 철학은 지배구조 개선, 주주권리 회복, 시장 투명화일 수 있지만 시장에서 받아들이기에는 울트라 슈퍼개미의 시장 매집과 전혀 다르지 않기 때문이다. 장하성펀드가 지분을 매집했다는 공시가 나오면 장하성 교수의 원래 의도가 그렇지 않았다 하더라도 시장은 경영권 분쟁에만 관심을 기울이고, 이는 곧 라자드(Lazard, 장하성펀드의 운용사)라는 외국계 자본의 배를 불리는 결과가 되고 만다.

기관 투자가의 경우도 마찬가지다. 특정 운용사가 지분을 매집했다는 소문은 시장의 이목을 끌고 곧 주가 상승으로 연결되지만, 언젠가 이들이 지분을 되팔 때는 뒤늦게 뛰어든 일반 투자자들만 덤터기를 쓰고 말 것이라는 점에선 오십보백보다. 하지만 이런 경우는 스스로 주장하는 철학이 있고, 사회적 명망이나 시장지배력이 일반 슈퍼개미와는 다른 점을 감안해 '사(師)짜'로 특별대우를 해주기로 하자.

주식시장에 전문가는 없다

A씨와 C씨, 그리고 일부 펀드매니저들은 시장의 구조를 이용해서 수익을 올리는 경우다. 하지만 시장에서 매매의 기술로 수익을 올리는 경우도 있는데, 실제로 많은 개인 투자자가 열광하는 부류다. 그 사정을 알기 위해 먼저 "주식시장은 예측을 허락하지 않는다."는 명제를 되새길 필요가 있다. 만약 주식시장이 오를지 내릴지를 아는 사람이 있다면 그는 신이다. 그는 이 세상의 부를 모두 독점할 수 있고, 그 때문에 시장은 존재하지 못할 것이다. "주식시장의 운명은 아무도 모른다."는 전제에서만 시장이 존재할 수 있다는 뜻이다.

그렇다면 '1,000만 원으로 100억 원 만들기' 같은 '주식시장 대박 황금률'을 말하는 사람은 일단 무조건 사짜다. 상상해보라. 만약 당신이 주식시장에서 돈을 버는 방법을 알고 있다면 왜 그것을 다른 사람에게 알려주겠는가? 다른 사람이 그 기술을 배우는 순간 당신의 비급은 비급으로서의 유용성이 사라지는데, 세상의 누가 혼자만 아는 비급을 단돈 1~2만 원의 책값에 팔 생각을 하겠는가?

"주식시장에 전문가는 없다."는 개념은 바로 여기서 출발한다. 앞서 경마 예상지를 파는 사람의 예를 든 이유도 같은 맥락이다. 나는 주식시장에서 소위 전문가라고 하는 무수한 사짜를 만나봤는데, 그중에는 실로 인정할 수밖에 없는 극소수의 타짜도 있다. 대체 어찌된 일일까?

먼저 많은 사람이 접하는 전문가들의 실체를 보자. 증권전문가라 하는 사람들은 다양하다. 그중에는 증권사에 적을 두고 브로커, 애널리스트, 펀드매니저에 이르기까지 다양한 일을 하는 사람도 있다. 하지만 그들 중 타짜는 없다. 진정한 타짜라면 주식투자로 성공한 부자일 것이기 때문에 증권사에서 월급을 받고 일을 할 리가 없다. 그런데 그들은 보편적으로 왜 일반인보다 나은 결과를 가져오는 것일까? 이것이 바로 해설자의 패러독스다.

축구나 야구경기를 관전하면 해설자는 그야말로 신이다. 그는 모든 문제점을 파악하고 전략의 허점을 짚어낸다. 그리고 그 말은 대체로 맞다. 그런데 왜 구단들은 그들을 선수나 감독으로 기용하지 않는 것일까? 이유는 상황에 뛰어든 사람과 상황을 객관적으로 바라보는 사람의 차이에 있다. 그라운드에서 경기 결과에 따라 죽느냐 사느냐가 결정되는 사람들은 상황의 일원이다. 그들의 시야는 축소되고 이성보다는 감정의 진폭이 커진다. 하지만 결과에 구애하지 않는 해설자는 감정보다 이성의 진폭이 크고 합리적이며 객관적이 된다. 증권 유관기관에 근무하는 주식시장의 전문가는 이론적으로도 일반인보다는 탄탄한 토대를 갖고 있는데, 그들의 힘은 바로 이 점에 있다.

그러나 투자정보를 파는 사람들의 처지는 다르다. 그들은 자신이 파는 정보의 옳고 그름에 따라 당장의 손익이 늘거나 준다. 그들은 늘 '대박'을 외치고 "꼭 집어주마."라고 주장하지만 정작 본인은 그렇게 매매하지 않는다. 그들은 시장에 참여하는 무수한 투자자 중의 한 사람일 뿐이다.

이런 유사 전문가들은 검증이나 자격이 따로 없다. 국내 최고의 증권정보 사이트에서 이름을 날리던 전문가가 한때 전 재산을 주식투자로 날리고 심야에 칼을 품고 남의 집 담을 넘었다는 사실은 그리 놀랄 만한 일도 아니다.

방송국에서 만난 유명 재야고수 D씨는 한 경제방송에 나와 시장전략에 대해 이야기하고 추천종목을 콕 집어주며 여유로운 미소를 날렸다. 하지만 다음날 방송사에 D씨의 방송출연료를 차압한다는 통보가 왔다. 그는 이미 주식투자로 두 번이나 망한 사람이고, 당시에도 파산 상태였던 것이다. 그럼에도 전문가가 된다. 이것이 증권시장 사짜들의 또 다른 일상이다. 심지어 증권정보 사이트에서 유료회원을 모집하는 전문가로 선정되는 방법은 차마 밝히기가 면구스럽지만 그 과정은 우습다 못해 슬프기까지 하다.

증권사 수익률대회 우승자들도 마찬가지다. 이런 대회는 "어느 날 자고 일어나니 유명해졌더라."라는 말처럼 평범한 사람을 일약 스타로 만들어준다. 하지만 증권사 수익률대회에서 우승하기 위한 그룹들이 있고, 서로 성과를 밀어주기 위해 공동으로 참여한다거나 수익률대회에서 단기적으로 실적을 내기 위한 은밀한 강좌까지 있다는 것은 공공연한 비밀이다. 아무리 그렇다 해도 증권사 수익률대회의 우승자는 어떻게 그런 신화적인 수익률을 올릴 수 있었을까?

당신이 100만 명의 이메일 주소를 확보했다고 하자. 그리고 그중의 반인 50만 명에게는 내일 시장이 내린다는, 나머지 반인 50만 명에게는 오른다는 메일을 보낸다. 그리고 다음날, 적중한 쪽의 50만 명을 다시 반으로 나눠 같은 방식으로 메일을 보내고, 다음에는 다시 적중한 쪽 12만 5,000명에게, 다시 그 반에게, 또다시 그 반에게 메일을 보내면 얼마 지나지 않아 당신에게 열광하는 추종자의 무리가 생길 수밖에 없다. 오늘 지금 이 순간 지구상의 누군가는 머리에 벼락을 맞았고, 누군가는 땅콩을 먹다가 목에 걸려 사망했으며, 누군가는 로또에 당첨됐을 것이다. 시장의 특정 구간에 특정 종목들이 급등할 때 공교롭게도 당신이 그 종목을 선택할 수도 있다.

일반인에게 이런 비하논리는 다소 작위적으로 보일 수도 있을 것이다. 물론 이들에게도 특별한 게임의 룰이 있다. 그 룰은 일종의 거래기술이다. 이를테면 절벽을 향해 미친 듯이 달리는 마차에 올라타면 단시간에 먼 거리를 갈 수 있다(소위 급등주). 이때 당신이 그 마차에 올라타는 근거는 절벽에 도달하기 전에 뛰어내릴 수 있다는 믿음 때문이다. 그러나 현실은 냉혹하다. 당신은 처음 한두 번은 절벽에 이르기 직전에 마차에서 뛰어내리는 데 성공할 수 있지만, 결국 세번째나 네번째쯤에선 마차와 함께 절벽에서 떨어지고 만다. 그렇게 되면 그동안에 이룬 성공까지 한꺼번에 무너지는 것이다. 그러지 않고서야 몇 달 만에 수천 %의 신화적 수익을 올리는 그 많은 사람 중에 주식투자로 재벌이 된 사람이 나오지 않았다는 게 이상하지 않은가?

수많은 우승자들은 머지않아 해당 증권사에 투자상담사로 채용되거나 증권정보회사에서 유료회원을 모집하고 정보제공 대가로 호구를 해결한다. 그러면서 서서히 잊혀져간다.

진정한 고수는 시장 앞에 겸손하다

그런데 E씨는 실제로 부자가 된 몇 안 되는 사례 중 하나다. 얼마 전 만난 그는 100억 원 대의 자산을 굴리고 있었다. 이는 그가 이 원리를 빨리 깨달았기 때문이다. 그는 수익률대회에서 우승한 뒤 일정액의 종자돈을 챙겨 우량주 장기투자로 돌아섰다. 그의 공격적 성향은 원금의 몇 배에 해당하는 차입금을 동원하게 했고(증권사의 신용거래), 이것이 시장의 장기상승과 맞물리면서 상당한 자산을 축적했다. 그는 이렇게 말했다.

"시장을 이긴다는 생각은 무모해요. 나는 시장이 언젠가 하락하기 시작하면 모든 주식을 팔고 다시는 증권시장에 돌아오지 않을 겁니다."

그는 내가 인정하는 진정한 타짜다. 그는 노름판에서 현금을 쥐고 일어서는 사람이 버는 사람이라는 원리를 알고 있었던 것이다. 하지만 모든 타짜가 다 이런 행로를 걷는 것은 아니다. 시장의 진정한 고수는 강호에 숨어 있다.

F씨는 대전의 어느 오피스텔에 4명의 직원이 일하는 트레이딩룸을 갖고 있다. 그의 일상은 아침 6시에 컴퓨터 앞에 앉아 전날 밤의 세계시장 동향을 살피는 것에서 시작된다. 전날의 기관 투자가, 개인 투자자 그리고 외국인의 매매내역과 신문기사 등을 꼼꼼히 검토한다. 그리고 컴퓨터에 깔린 10여 개 증권사의 온라인 시스템에 접속해 각 증권사의 신규 추천종목과 데일리 시황을 검토하고 증권사 리포트나 조간신문에 중복으로 언급된 종목들을 따로 챙긴다.

그러고 나면 8시. 이제부터는 긴장의 연속이다. 전날까지 관심 리스트에 있던 종목 중에서 교체할 것을 체크하고, 종목마다 조건 값(일정 조건에서 매수 매도)을 지정해서 막 출근한 직원들에게 4분의 1씩 나눠준다. 직원들의 임무는 자신에게 할당된 종목이 그가 지정한 조건 값에 들어오면 기계적으로 매수 또는 매도하는 것이다. 어지간한 증권사 홈트레이딩 시스템에도 이 기능은 있지만, 그는 사람을 더 신뢰한다. 돌발변수가 있기 때문이다. 그의 지론은 '매매는 사람이 하는 것'이다.

8시 50분. 동시호가와 일찍 시작되는 선물거래 양상을 초조하게 지켜본 다음 동시호가가 끝나면 그때부터 초긴장 상태에 돌입한다. 직원들은 매수 매도를 할 때마다 그에게 확인을 받는다. 그가 직접 보고 있는 4대의 컴퓨터에는 그가 실시간으로 거래하는 종목들이 깔려 있다. 조건 값을 따르지 않는 직관적이고 동물적인 매매는 그가 직접 한다.

그렇게 그의 일과는 지나간다. 오후 3시. 동시호가가 끝나면 그때부터 직원들은 자신이 담당한 거래의 명세표를 출력해서 한자리에 모여 앉는다. 그리고 그를 중심으로 시장 복기(復棋)가 이뤄진다. 직원들은 어떤 의미에서는 문하생인 셈이다. 하지만 그가 직접 거래한 내역들은 복기의 대상이 아니다. 이 내역들은 직원들이 혼자서 보고 공부할 수는 있지만 그가 가르쳐주는 법은 없다. 스스로 깨우치든지 아니면 그만이라는 것이다. 진정한 타짜의 풍모다.

오후 4시쯤 그들은 비로소 사우나로 향하지만 굳은 얼굴은 펴질 줄을 모른다. 장중 내내 팽팽하게 긴장한 근육과 혈관 속에 뿜어진 아드레날린의 영향이다. 그러고 나서 그는 혼자서 사무실로 돌아온다. 그곳에서 다시 오늘의 시황 기사들을 읽고 자신의 매매에서 문제점을 파악하고 개선점을 연구한다. 그렇게 하지 않으면 살아남을 수가 없다. 시장은 살아 움직이는 생물이어서 규격화한 매매 패턴으로는 6개월도 견딜 수 없다. 시세의 움직임에 웬만큼 익숙해지면 시장은 어느새 그 모습을 바꿔버린다. 그러면 그는 다시 새로운 패턴을 분석하고 연구하면서 불규칙성에서 규칙을 찾는다.

그는 자신이 많은 돈을 번다고 생각하지 않는다. 그는 2억 원 정도의 돈을 직원들에게 3,000만~4,000만 원씩 나눠 운용하게 하고, 자신은 1억 원 정도를 직접 굴려 한 달에 2,000만~3,000만 원의 수익을 얻는다. 그 정도가 한계다. 더 이상의 돈은 데이트레이딩으로 관리할 수 없기 때문이다. 연간 기준으로 100%가 넘는 큰 수익이지만, 하락장이든 상승장이든 수익은 크게 차이가 나지 않는다고 한다. 데이트레이더에게는 변동성이 큰 시장이 유리하다. 그래서 펀드에서도 1년에 50~60%의 수익을 올릴 수 있는 강세시장은 별로 마음에 들지 않는다. 그에게 이 일은 직업이고 피를 말리는 싸움이다. 그는 분명 시장의 타짜다. 그러나 이것이 과연 우리들 모두가 선망하는 모습일까?

테마와 루머
사이에서
길 찾기

　인류 역사에서 개인보다 사회가, 인성(人性)보다 신성(神性)이 우선시되던 암흑의 시기, 이른바 중세시대가 있었다. 대중의 시선이 신성에서 인성으로 눈길을 주기 시작하자 곧 르네상스 시대가 열렸고, 사회 문화 전반에 커다란 변화의 바람이 불었다. 음악, 미술, 문학에서 인간을 주제로 한 작품들이 쏟아져나왔고, 기계 활자 문명에 획기적인 변화가 시작됐다.

　그러나 만사가 다 좋을 수는 없는 법. 인간성이 꽃 피던 이 시기를 기점으로 '루머'라는 게 유행하기 시작했다. 서슬 퍼런 신의 계율이 머릿속에 각인된 중세, 거짓말은 10계명 중 제8계명에 해당하는 중죄였다. 사소한 거짓말도 지옥에 이르게 하는 죄악으로 생각되던 당시 분위기에서 인간성에 대한 자각은 사람들로 하여금 '가벼운 거짓말'을 신성에 대한 '딴 죽 걸기'처럼 여기는 풍조를 만들어냈다. 이는 곧 시대적 유행이 되었다.

당시 이탈리아에 피에트로 아레티노(Pietro Aretino)라는 저널리스트가 있었다. 구두수선공의 아들로 태어난 그는 발달한 출판인쇄문화를 발판으로 한 쪽짜리 '소식지'를 발행했다. 여기에는 궁정과 귀족들 사이에 유행하던 위선, 타락, 매수 등을 통렬하게 비판하는 이야기들이 담겼다. 그뿐 아니었다. 그는 추기경의 비행이나 추문들에 관한 풍자시를 게재함으로써 대중의 관심을 한 몸에 받는 인기 절정의 스타가 됐다.

이런 대중적 지지는 초기에 그를 권력과 갈등하고 길항하는 처지에 서게 했지만, 그를 제거하기 위한 귀족의 음모와 노력이 실패로 끝나면서 소식지는 오히려 그가 권력을 잡고 귀족들과 거래하는 도구로 전락했다. 소식지를 억압했던 교황 레오 10세, 교황 클레멘스 7세, 카를 5세 황제, 프랑스 왕 프란츠 1세 등은 그가 만들어내는 가공할 정보와 전파의 힘에 굴복해 뇌물을 제공하기 시작했다. 이들은 결국 그의 입을 막기 위한 소극적 대응을 뛰어넘어 대중으로부터 우호적인 평가를 얻기 위해 그와 '적극적 타협'까지 시도했다. 그는 인류 역사상 최초로 언론의 위력을 이용한 사람이자, 루머의 속성을 이용해 부와 권력을 축적한 사람이 됐다. 이것이 바로 루머의 효시다.

루머의 역사로 이루어진 주식시장

주식시장의 역사도 이와 별반 다르지 않다. 주식시장은 루머의 역사라 해도 과언이 아니다. 이른바 '테마'라 불리는 주식시장의 유행 역시 이런 루머의 행로를 따른다. 주가란 '미래가치를 현재가치로 할인한 개념'이란 면에서 원래부터 정확히 산정하기 어려운 원죄를 안고 있다.

미국에서 제록스나 마이크로소프트가 상장될 무렵만 해도 이들이 지금처럼 엄청난 지배력을 갖게 될 것이라 그 누가 예상했겠는가? 당시 제록스나 마이크로소프트가 테마를 이뤘을 때 미래가치를 과소평가한 투자자들은 땅을 쳤고, 다행히 그 가치를 인정한 투자자들은 어마어마한 수익을 올렸다.

한국의 경우도 마찬가지다. 1999년 말 IT 버블이 무너진 후 사람들은 테마와 루머의 경계 사이에서 좌절했다. 테마주인 다음커뮤니케이션은 살아남았고, 루머주로 판명 난 새롬기술은 무너졌다. 당시 IT 테마의 핵심기업이던 새롬기술에 대한 일화가 있다.

새롬기술에 자금을 투자한 펀드매니저가 어느 날 새롬기술 근처를 지나다 문득 그 회사를 방문해야겠단 생각이 들었다. 펀드매니저나 애널리스트의 기업탐방은 지극히 당연한 일이고, 정상적인 회사들은 대개 이들을 환대한다. 새롬기술은 당시 컴퓨터를 이용해 전세계 통신망을 연결하는 인터넷 무선전화 기술을 개발하여 언론의 집중 조명을 받고 있었다. 그런데 무슨 이유에서인지 새롬기술은 이 펀드매니저의 방문 요청을 완강히 거절했다. 의아하게 여긴 펀드매니저가 입구를 가로막는 수위를 억지로 밀치고 회사 안으로 들어가자 황당한 상황이 벌어졌다. 불과 일주일 전에 언론에 공개한 미국 지사와의 인터넷 전화 시연장이 흔적도 없이 사라진 것이다. 당시 새롬기술은 인터넷 전화로 미국 지사와 전화를 주고받는 장면을 대대적으로 홍보했다. 이상하게 여긴 펀드매니저가 회사 임원을 만나 시연장에서 한 것처럼 미국 지사와 전화 연결을 해보라고 요청하자 그의 대답이 걸작이었다.

"상대 컴퓨터가 자리를 옮기면 통화가 불가능합니다."

미국 지사가 옆 건물로 이사를 갔는데, 그 건물의 인터넷망에는 방화

벽이 있어 전화가 연결되지 않는다는 얘기였다. 인터넷만 연결되어 있으면 언제 어디서나 전화를 할 수 있다는 홍보 내용과는 전혀 다른 이야기였다. 인터넷 전화 회사가 자기네 회사 지사와도 전화 연결을 하지 못하는 어처구니없는 상황이었다. 그것이 새롬기술의 실체였다. 하지만 당시 새롬기술의 주가는 그 회사가 2,000년간 이익을 내야 비로소 그 회사 주식을 모두 살 수 있을 만큼 고평가되어 있었다. 그런데도 투자자들은 그 후에도 계속 상한가에 매수주문을 냈다. 이는 테마주의 어두운 단면이다.

미 래 의   삼 성 전 자 ,   N H N 을   꿈 꾸 며

역설적이게도 바로 이런 점이 사람들의 모험심을 자극한다. 사람들은 "지금 코스닥 기업 가운데 상당수가 새롬기술처럼 몰락할 수도 있지만, 반대로 삼성전자나 NHN처럼 되지 않는다는 보장도 없지 않느냐?" 라고 반문한다. 물론 틀린 말은 아니다. 그래서 많은 투자자들이 이런 꿈이 이뤄질 수 있는 종목을 발굴하려 애를 쓰고, 그런 관점에서 테마주 투자에 성공한 사람들은 통찰력과 예지력이 뛰어난 존재로 인정을 받는다.

그러나 미래의 삼성전자나 NHN이 될 기업은 장래가 촉망되는 수백 수천 개 기업 중 한두 개 정도일 뿐이다. 사람들은 이런 사실 역시 잘 알고 있다. 그래서 혼자 고민하기보다 다른 사람들의 말에 귀를 기울인다. 마치 경마나 파친코를 하는 사람들처럼 다른 사람의 의견을 듣는 게 아무 소용이 없다는 걸 잘 알면서도 무작정 소문을 따라 발걸음을 옮긴다. O, X를 묻는 TV 오락프로그램에서 한쪽에 많은 사람이 모이면 무작정 그쪽으로 쏠림 현상이 일어나는 것처럼, 사람들은 다수 쪽을 선택함으로써 심리적 안정을 얻으려 한다. 이것이 테마주의 현실이다.

문제는 이런 테마들이 모두 선의의 목적을 공유한 사람들 각각의 의견이 결집돼 만들어진 게 아니라는 점이다. 이들 중에는 사람들의 기대심을 자극해 자신이 미리 매집한 주식을 비싼 값에 팔아 치우려는 불순한 무리가 섞여 있다. 루머를 이용한 작전세력이다. '작전'은 개인만 하는 게 아니다. 어떤 경우에는 기관 투자가들이 이런 심리를 자극하기도 한다. 특정 기관 투자가가 특정 기업의 주식을 매집한 다음 개인 투자자들을 유혹해 비싼 값에 팔아넘기기도 한다. 소위 고래가 연못에서 탈출할 기회를 노리는 것이다. 그들 중에는 외국인도 있고 국내 기관 투자가도 있다. 하지만 루머에 속고 테마에 멍드는 투자자는 모두 개인 투자자다.

지금껏 증권가에 회자되는 몇몇 황당 테마주를 살펴보자. 우리 증시에서 테마의 역사는 화려하다. 예컨대 냉각캔 개발로 주가가 천정부지로 치솟은 모 기업의 경우를 보면 우리가 루머와 테마 사이에서 얼마나 혼란을 겪고 있는지 새삼 실감할 수 있다. 무엇보다 냉각캔은 신기술이 아니다. 일반적인 이론으로도 생산이 가능하다. 다만 콜라 한 캔의 가격을 1만 원 이상으로 잡을 때 겨우 상용화가 가능할 정도로 생산비용이 높다. 당시 사람들이 냉각캔 개발이라는 루머에 혹하지 않고, 이 점만 한 번 짚어봤어도 큰 피해는 없었을 것이다.

북방정책이 활발하게 펼쳐지던 노태우 정권 때는 '만리장성 테마'가 떴다. 우리나라가 중국의 만리장성 개보수사업에 참여한다는 루머가 돌면서 만리장성 공사에 참여할 인부들이 먹을 빵을 공급한다는 제빵회사의 주가가 급등했다. 그러고는 빵만 먹으면 소화가 잘 안 될 것이라며 유명 소화제를 생산하던 제약회사의 주가가 난데없이 폭등했다. 또 인부들이 신을 고무신을 생산한다는 고무신 회사가, 인부들이 낄 장갑을 만든다는 장갑회사의 주가가 수십 배씩 오르는 코미디 같은 상황이 연출됐다. 다시 생각해도 황당하기 짝이 없다.

그런데 사람들은 왜 이런 루머성 테마에 열광하는 걸까? 바로 레버리지 효과(지렛대 효과) 때문이다. 자본시장에서 기회의 크기는 곧 자본의 크기다. 예를 들어 100억 원을 가진 사람이 주식을 산다면 그는 연 수익률이 10%면 만족할 것이다. 1년에 10억 원 수익이면 썩 괜찮은 투자이기 때문이다. 그래서 그가 살 수 있는 주식은 늘 삼성전자, 포스코 같은 초우량 회사뿐이다. 그래서 자산가는 대박은 아니더라도 주식시장에서 늘 일정액을 챙겨가는 승리자가 된다.

하지만 100만 원을 들고 주식시장에 참여하는 사람의 마음은 어떨까? 그의 목표는 연 10%, 즉 연간 10만 원 수익이 아닐 것이다. 자본이 적은 사람일수록 위험을 부담하더라도 큰 수익을 목표로 한다. 그의 목표는 1,000만 원 혹은 1억 원인지도 모른다. 이때 그가 선택할 수 있는 것은 몇 번씩 상한가를 칠 수 있는 대박주다. 그래서 그는 주가가 급등하고 상한가를 거듭하며 테마가 형성된 주식을 찾아다닌다. 하지만 이때 테마는 100개 중 99개가 루머에 바탕을 두고 있고, 그의 돈 100만 원은 루머를 생산하고 배급하는 측에 고스란히 바쳐진다.

그렇다고 대박주에 투자하는 사람들이 이런 원리를 모르는 것이 아니다. 알면서도 그렇게 한다. 질주하는 마차가 언덕에서 굴러 떨어지기 직전에 마차에서 뛰어내릴 수 있다고 믿는 것이다. 그 과정에서 한두 번은 절벽에 도착하기 직전에 성공할 수 있다. 또 한두 번은 절벽을 멀리 남겨두고 뛰어내린다. 그가 뛰어내린 후 마차가 한참 동안 더 질주하면 그는 자신의 소심함에 이를 갈며 절치부심한다. 그리고 그는 다시 6발의 탄환이 들어갈 수 있는 탄창에 1발의 총알을 끼워 넣고 러시안 룰렛 게임에 들어간다.

시장의 테마는 이렇듯 위험하고 즉흥적이다. 세상의 모든 주식이 테마에서 출발한다 해도 살아남는 주식은 1%에 불과하지만, 어제도 오늘도 우리는 테마주에 목을 내건다. 물론 한때는 아마존, 암젠, 마이크론, 심지어 GE도 테마주였다. 또한 다음커뮤니케이션, NHN, 인터파크도 그랬다. 하지만 그 놀라운 생존 이면에는 쓰러져간 자들의 피가 강물처럼 흐른다.

테 마 주 의   거 품

테마주에는 여러 갈래가 있는데 그 중 한 가지는 꿈을 공유한 주식이다. 지금은 보잘것없지만 "미래가 창대하리라."는 믿음을 가진 기업들이다. 지금이라면 태양광 발전 관련주, 풍력에너지 개발주, 바이오, 로봇, 나노 관련주들이 여기에 해당한다. 그리고 그들 중에 한두 기업은 미래의 삼성전자나 포스코 같은 기업이 될지 모른다. 자신이 선택한 기업이 대박을 터뜨릴지 누가 알겠는가? 하지만 이런 선택은 고도의 안목과 통찰을 필요로 하고, 엄청난 시행착오와 위험을 담보한다. 그들 대부분은 머니게임의 대상이 되고 그들 중 극소수만이 정글에서 살아남을 것이다.

두번째 테마주는 꿈을 가장한 기업이다. 실제로는 불가능하다는 사실을 알면서도, 그것이 실체화하지 않을 것임을 알면서도 이를 이용하는 부류다. 사람들은 이런 기업과 맞닥뜨리면 그저 '스토리'가 있다는 이유만으로 대박을 예감한다. 이때 투자자들은 꿈을 공유한 주식들처럼 언젠가는 성공할 것이라는 생각으로 투자하진 않는다. 단지 테마주라는 이야기를 듣고 투자하고 거기에 돈이 몰리고 주가가 급등락하고 달리는 마차에서 최대한 멀리 간 후 뛰어내린다는 목적 말고는 아무것도 없다.

세번째 테마주는 상식에 근거한 주식들이다. 니프티피프티로 잘 알려진 우량주 열풍이 그것이다. 대개 주식시장이 급락한 후 기초와 안정성이 없는 주식을 보유한 대가가 어떤 것인지, 기업에 투자하지 않고 주식에 투자한 결과가 얼마나 참담한지를 깨달은 후 이런 열풍이 생긴다. 이때는 일정한 수익을 내고 (혹은 지속적으로 늘고) 기업 내용이 안정적이며 업종대표 우량주인 기업들에만 투자하려는 공감대가 형성된다. 이 공감대는 곧 주식시장의 이야깃거리가 된다.

하지만 이 역시 테마가 형성되는 순간, 분명한 가치를 가진 우량주들도 순식간에 광란의 파도에 쓸려 들어간다. 우량주 테마는 사실 주식시장의 영원한 테마지만, 이 역시 투자자들이 이야기를 만들고 유행을 형성시키면 거품의 크기는 대박주 못지않은 경우가 적지 않다.

예컨대 우리는 기업의 자본금이 많고 재무구조가 안정적이며 지난 수십 년 동안 수익이 꾸준하게 안정적인 증가세를 보여줬을 때 그것을 '우량주'라 부른다. 하지만 이 기업들이 지난 10년간 그랬다고 해서 앞으로 10년도, 20년도 그럴 것이라고 확신할 수는 없다. 그런데 투자자들은 한번 이런 논리에 매료되면 앞뒤를 가리지 않고 몰입한다. 이 기업은 최근 10년간 100억 원의 이익을 냈으니, 앞으로 10년간은 200억 원의 이익을 낼 것이라는 가정으로 주가 예상치를 2배, 3배로 높이고, 다시 30년, 40년 후에도 그럴 것이라는 주장이 대두되면 거기에 다시 2배, 3배의 가격을 매긴다.

최근 유행한 중국 관련주 역시 이런 테마와 크게 다르지 않다. 거래소에 상장된 모 지주회사의 경우 그 회사가 400년간 낸 이익을 모두 모아야 겨우 현재의 시가총액에 해당하는 금액이 될 수 있음에도 사람들은 열광했고, 또 어떤 조선업체는 시장에서 자산의 20~30배 가치로 거래됐다. 이럴 때 사람들은 최근 3년간 조선 경기가 해마다 2배씩 좋아졌으니, 앞으로 3년 혹은 6년 후에는 그보다 더 좋아질 것이라고 믿는다.

그런 논리가 시장에서 먹혀들면 주가는 거품 구름을 만들어 하늘 높이 둥둥 떠다닌다. 결국 테마주의 거품은 루머 수준의 정보에 투자자들이 열광해도 만들어지지만, 뚜렷하게 가치평가가 가능한 주식에도 투자자가 일거에 러브콜을 보내면 언제든 만들어질 수 있다. 이런 관점에서 보면 최근 시장에서 강력한 테마를 형성하고 있는 대체에너지 관련주와 자원개발주도 아찔하기 그지없다. 먼저 태양광 발전은 유가가 지금보다 3배 이상 오르지 않는 한 경제성이 없다. 그럼에도 태양광 관련 기업의 주가가 하늘 높이 춤추고, 심지어 D기업은 한 자산운용사가 공개 매집을 선언한 것과 다름없는 상황을 연출했다.

하지만 돌아서서 생각해보면 답은 간단하다. 앞에서도 언급했던 한국전력은 왜 태양광사업을 직접 하지 않고 비싼 값에 태양전기를 사들이고 있을까? 만약 그 사업이 타당하고 성장 가능성이 크다면 한국전력이 가장 먼저 대대적인 투자를 하고 사업에 나서는 것이 옳다. 그렇지 않다면 직무유기를 하고 있는 셈이다.

한국전력이 태양전기를 구매하는 이유는 할당된 지원금을 쓰면서 고유가에 대응하는 대체에너지사업에 참여한다는 명분을 세우기 위함일 뿐이다. 한국전력은 태양전기에 설비투자를 한 사실이 전혀 없다. 경제성이 없기 때문이다. 투자자들은 이 점을 간과한다. 그래서 태양광 관련주들의 질주는 지금도 계속되고 있다.

자원개발주는 또 어떤가. 해외 유전에 투자하는 기업이 나오면 그 기업은 자원개발주 테마라는 이름으로 주가가 폭등한다. 그러나 이 경우도 찬찬히 뜯어보면 납득하기 어렵다. 유전 보유국은 황금알을 낳을지도 모를 유전을 왜 다른 나라 기업에 팔아버릴까? 답은 간단하다. 유전 개발은 성공률이 낮고 기존 유전은 값이 비싸다. 만약 그것이 다른 나라 기업에 팔린다면 이유는 두 가지뿐이다. 그것을 파는 나라가 당장 먹고살 돈이 없거나 유전의 경제성이 낮기 때문이다.

우리나라처럼 전략적으로 에너지 수급이 불안한 나라가 국가적 사업으로 다소 비싸더라도 유전을 사들이고 자원개발에 나서는 것은 나름대로 바람직하다. 하지만 시장의 논리는 그렇지 않다. 누군가는 내가 지금 사는 가격이 비싸다고 여기기에 파는 것이다. 즉 우리는 제 가격에 전략 프리미엄을 더해서 사들이는 것이라 국가적으로는 이해득실을 따지기 어렵지만, 투자기업의 관점에서 본다면 언젠가 석유가격이 하락할 때 그 피해는 치명적이다.

곡물 관련 테마도 마찬가지다. 미국의 유전자 조작 옥수수 생산량이 증가하면서 옥수수 농장의 질소비료 수요량이 늘고, 비료사업을 하는 회사의 주가는 가파른 상승세를 보일 수 있다. 하지만 우리나라는 이미 질소비료를 대량으로 공급해야 할 거대 농장이 없고, 기껏해야 쓰고 남은 비료를 북한에 지원할 뿐이다. 그나마 북한에서도 토양이 척박해질 것을 우려해 이제 유기농 비료를 지원받겠다고 나서는 형국이다.

우리는 미국의 옥수수 농장처럼 거대한 기업농이 드물다. 더욱이 경작지는 점점 줄어들고, 비료 수요는 유기농이나 친환경농으로 전환하고 있다. 그럼에도 세계 곡물 가격의 상승과 함께 미국 증시에서 비료회사와 곡식 메이저 주가가 올랐으니 한국 증시에서도 같은 테마가 형성될 것이라고 믿는다.

투자자들은 늘 테마에 관심을 기울여야 하지만 그 테마에 담긴 이야기가 얼마나 설득력이 있는지, 함정은 없는지, 그 논리의 중심에 누가 있는지를 반드시 살펴야 한다. 그래서 건강한 투자자들은 이렇게 말한다. "주식시장에서 영원불변의 테마는 실적 그 자체뿐."이라고.

옥수수 가격 상승이 증시에 미치는 영향

2008년 8월 스태그플레이션 문제가 세계경제를 심각하게 위협하기 시작했다. 미국은 2008년 초에 이미 침체를 시인한 것이나 다름없고, 우리나라 역시 소비심리가 위축되면서 경기침체를 공식확인하는 일만 남은 상황이다.

2008년 3월, 한 일간지의 경제면에 다음과 같은 기사가 실렸다.

세계는 지금 식량위기를 맞고 있다. 곡물 생산이 부족하고 재고마저 감소하고 있다. 미국 농무부는 올해 세계 곡물생산량이 소비량에 비해 2,900만 톤 부족하고 곡물재고율(연말 재고량/연간 소비량)도 사상 최저 수준인 14.6%로 떨어질 것으로 내다봤다. 여기에다 러시아, 우크라이나, 중국, 아르헨티나 등 곡물 생산국들은 각종 수출 제한 조치를 취하고 있다. (중략) 곡물 위기는 일시적인 수급 불균형만 넘긴다고 해결될 문제가 아니다. 국내나 해외에서 농지를 확보해 곡물

농사를 더 짓든지, 아니면 안정적인 해외의 곡물 수입처를 확보하는 근본적인 대책이 필요하다.

이 같은 곡물가격의 상승은 한두 가지 요인만으로 설명하기가 어렵겠지만, 여기에는 옥수수 가격의 급등이 핵심적인 역할을 하고 있다. 미국이 자동차 연료를 주입할 때 전체의 10%는 바이오에탄올을 사용해야 한다는 규정을 신설하면서부터 옥수수 파동은 이미 예고된 것이나 다름이 없었다. 스포츠유틸리티차량(SUV) 한 대에 넣는 바이오에탄올을 생산하는 데 무려 150kg의 옥수수가 사용됨에도 불구하고, 왜 미국은 이런 선택을 했을까 생각해보면 문제는 그렇게 간단하지가 않다.

더구나 미국은 먹는 옥수수와 연료(사료)용 옥수수에 서로 다른 정책을 적용하고 있다. 전자와 후자는 탄소 구조 자체가 다른 품종이다. 이 때문에 후자의 부족으로 전자의 가격이 상승하는 현상을 이해하기 위해서는 좀더 많은 사실을 알아야만 한다.

옥수수 가격의 상승 배경과 향방

원래 옥수수는 인디언의 작물이었다. 아메리카를 점령한 서구인들이 남미 대륙에서 자라는 동식물 대신 유럽에서 키우던 작물과 동물을 가져와 이식했지만 옥수수만은 예외였다. 단위 면적당 수확량을 그만큼 따라올 작물이 옥수수 외에는 없었기 때문이다. 이주민들의 엄청난 식량 수요를 감당하기 위해서는 옥수수에 기대야만 했다.

이후 옥수수는 이주민들에게 배척되지 않고 오히려 간택되어 진화하면서 많은 음식물의 원료로 사용됐을 뿐 아니라 동물의 사료로도 쓰이기 시작했다. 현재 우리가 먹고 있는 먹을거리의 4분의 1이 옥수수에서 나오고 있으며, 동물 사료 또한 절반은 옥수수가 차지하고 있다. 대륙 일부 지역의 주식이었던 작물이 이제는 전 세계적으로 가장 사랑받는 작물이 된 것이다.

본격적으로 옥수수를 재배하기 시작하자 커다란 부작용이 발생했다. 기존에 키우고 있던 작물의 농지 대부분이 옥수수밭으로 전환되면서 농장의 다양성이 사라진 것이다. 옥수수가 들판을 점령한 셈이었다. 그 결과 옥수수의 수요는 점점 늘어났다. 미국식 음식이 세계의 식단을 사로잡으면서 아이스크림, 밀크셰이크, 콜라, 소다수 등이 네팔의 산간까지 침투했다. 개발도상국에서는 지방과 단백질 섭취 요구가 늘어나면서 사육하는 가축의 수도 덩달아 늘어났다.

결국 기존의 건초 등으로는 동물용 사료 공급량을 따라갈 수 없었던 개발도상국들이 닭, 소, 돼지 등의 사료로 미국 다국적기업의 옥수수 사료에 의존하게 된 것이다. 물론 이런 옥수수들은 유전자 조작 식품이다. 결국 세상의 모든 나라들이 식용 옥수수뿐만 아니라 사료용 옥수수 수입에까지 매달리게 된 것이다.

이처럼 엄청난 수요 증가에도 불구하고 유전자 조작이나 품종 개량과 같은 공급 측면의 기술 진화로 옥수수 가격은 점점 더 하락했다. 1970년대 미국에서는 우리나라 추곡수매제도와 같은 방식으로 옥수수 농가의 소득을 보전해주었으나, 정부보조금이 조금씩 줄면서 농가의 수익성은 점점 악화되었다. 미국에 새로운 고민이 생기는 순간이었다.

바로 이때 나타난 현상이 석유 가격의 상승이다. 석유 가격은 옥수수 값을 올리는 가장 중요한 요인 중 하나다. 옥수수를 재배하기 위해 소요

되는 석유의 양은 상상을 초월한다. 동식물은 자연계에서 질소를 흡수해야 생존한다. 식물이 자연에서 섭취할 수 있는 질소는 식물의 뿌리에 사는 박테리아나 천둥 번개를 치며 쏟아지는 빗속의 질소가 고작이다. 즉, 질소는 대기중에 무한하게 존재하지만 식물이 그것을 섭취하는 방법은 제한돼 있는 것이다. 따라서 고온의 열을 이용해 공기중의 질소를 동식물이 흡수할 수 있는 질소로 고정하는 공정의 개발은 작물을 재배하는데 가히 혁명적인 사건이었다. 흔히 말하는 요소비료가 등장한 것이다. 하지만 요소비료를 얻기 위해서는 엄청난 양의 화석연료를 사용해야 한다. 농장에서 사용하는 트랙터 역시 많은 기름을 소모한다. 그래서 석유 가격의 상승은 기본적으로 수요와 관계없이 비용 측면에서 언제든 옥수수 가격 상승 요인으로 이어질 수 있다.

더구나 중동의 석유자원에 대한 지나친 의존에서 벗어나고자 했던 미국은 바이오에탄올이라는 대체연료를 개발했고 이를 곧바로 상용화했다. 이는 석유 의존도 감소와 옥수수 가격 상승이라는 두 마리 토끼를 잡기 위한 전략이었다. 옥수수의 줄기나 껍질을 이용하여 바이오에탄올을 제조하지 않는 한 경제적으로 무용한 방식임에도, 미국이 왜 굳이 상용화 결정을 내렸는지를 알 수 있다.

옥수수 가격이 오르면 기본적으로 미국의 국내 물가 압력이 높아진다. 하지만 미국은 곡물 수출과 그것을 사료로 쓰는 육류의 수출을 제한할 수 있는 당위성을 얻게 된다. 즉, 옥수수 가격 상승을 억제한다는 명분으로 식량을 전략물자화할 수 있는 중요한 동기를 얻게 된 것이다. 미국 정부의 이러한 입장은 세계 각국에 영향을 미치겠지만, 특히 곡물을 자체 생산할 능력이 현저히 떨어지는 중동 지역 국가들이 가장 큰 타격을 입게 된다(참고로 우리나라의 식량 자급률은 약 27% 수준이다). 석유 없이 사는 게 어려울까, 음식을 먹지 못하는 게 더 어려울까? 여기에 전략적 고민이 엿보인다.

이러한 양상은 두 가지 가능성을 함축하고 있다. 하나는 양 진영이 '치킨게임'을 하기보다는 석유 생산량을 늘리고 저가에 옥수수 공급을 유지하는 방향으로 가닥을 잡는 것이다. 또 다른 가능성은 이와 반대로 극한의 치킨게임으로 양 진영이 충돌해 유가와 곡물가가 천정부지로 치솟는 것이다.

현재로서는 후자의 시나리오가 유력하다. 마주 달리는 기차가 서로 충돌하기 직전까지는 피차 여유가 있다고 생각하기 때문이다. 따라서 투자자들은 여전히 상품에 대한 관심을 가져도 좋다. 하지만 양 진영의 치킨게임이 거의 종착점에 이르고 기차가 충돌하기 직전에 이르면 현물에 대한 투자를 줄이는 것이 바람직하다. 핵을 가진 나라들이 서로 전쟁을 하지 않듯 역사는 결국 긴장을 해소하는 쪽으로 방향을 잡을 것이기 때문이다.

새 로 운   엘 도 라 도 는   새 로 운   파 국 의   시 작 점

2008년 4월 현재 우리가 목도하고 있는 브라질과 같은 천연자원 생산국(특히 식물자원)과 곡물에 대한 지수투자, 다국적 곡물 기업이 포함된 펀드투자는 여전히 유효하다. 그러나 그 수익률이 정점에 이르고 상황이 점차 악화되면, 마지막까지 폭탄을 들고 있지 말고 적당한 지점에서 이익을 수취하고 떠나는 것이 옳다.

주식시장 역시 같은 맥락으로 움직일 것이다. 2008년 초 주식시장의 약달러에, 미국의 경기침체는 서브프라임 모기지 사태 같은 금융 부문과 유가 상승 등의 실물 부문에 기초한 것이라고 할 수 있다. 바로 이런 시각들의 충돌이 우리나라 시장에서는 원고를 쓰는 지금 사자와 팔자 간의 충돌로 나타나고 있다.

결국 투자자들은 이러한 악재를 처음에는 가볍게 여기다가 점점 심각하게 받아들이고 나중에는 모두가 끝이라고 생각하는 지점에서 극적인 타협을 이뤄낼 것이다. 이런 현상은 늘 반복된다. 항상 어떤 사안이 최악의 지점에 이르면 투자자들은 더욱 절망하며 그 순간 나아보이는 수단을 찾아 떠나지만, 투자자가 찾아내는 새로운 엘도라도는 늘 새로운 파국의 시작점이다.

그래서 그것이 농산물이든 금융위기든 전쟁이든 간에 인간사회가 만들어나가는 사회는 늘 해결점이 있다고 믿는 것이 현명하다. 만약 그러한 해결국면이 없이 극적인 문제를 싣고 있는 열차가 서로 충돌한다면 시장뿐 아니라, 우리가 살고 있는 사회의 생존 자체를 부정해야 하기 때문이다. 결국 우리는 인류의 진화를 믿어야 한다. 그리고 심각하고 극적인 문제를 만났을 때 무조건 비관에 빠지지 말고 인류의 진화라는 바탕 위에서 낙관적 시각을 가질 수 있는 용기도 필요한 것이다.

국제 투기자금의 흐름

지금까지 옥수수 가격의 상승 배경에 대해 짧지만 긴 일설을 풀었다. 그러나 옥수수 가격의 상승은 단순히 곡물시장 자체의 문제로 끝나지 않는다. 문제의 저변에는 자산시장의 큰 흐름이 자리잡고 있다. 따라서 투자자들은 자산시장의 미래에 대해 꽤 진지한 답을 내놓을 수 있어야 한다.

곡 물 가 상 승 의 진 짜 이 유

농산물 가격이 연일 급등하면서 2007년 이후 농산물 관련 펀드의 인기가 상한가를 치고 있다. 특히 광활한 농지를 가진 국가가 생산하는 곡물들, 이를테면 밀이나 옥수수가 가격 상승의 선두에 서면서 여타 다른 농산물의 가격 상승을 견인하고 있다. 이제는 쌀값도 오르기 시작했다. 곡물가가 이렇게 오르는 이유는 무엇일까?

곡물가 상승에 대한 해답을 얻기 위해서는 투자의 본질에 대해 진지하게 고민해야 한다. 앞서 언급했듯이 일각에서는 옥수수를 연료로 전용한 문제, 또 여기에 중국과 인도 등 신흥국들이 경제적으로 윤택해지면서 곡물 소비량이 증가하여 가뜩이나 어려운 수급이 더욱 악화됐다는 설명 등을 내놓는다.

그런데 과연 이것이 전부일까? 물론 수급이 문제의 한 요인인 것은 분명하지만, 그것이 전부라는 시각은 아무래도 회의적이다. 중국이나 인도의 곡물 소비량이 지난 1년 새 갑자기 증가한 것도 아니고, 미국의 바이오에탄올이 본격적으로 사용되기 시작한 것도 아니기 때문이다. 시장은 가격이 상승하면 대개 그 이유를 수요와 공급에서 찾지만 본질은 다른 데 있다. 그것을 알기 위해서는 일단 국제 투기자금의 흐름을 살필 필요가 있다.

국제 투기자본들은 저금리 구도 속에서 한껏 부풀려지며 주석, 석유, 은, 구리, 금 등의 시장으로 계속 이동했고 그 결과 이런 자산들에 일정 부분 거품이 끼기 시작했다. 이 때문에 투기자본들은 새로운 투자 대상을 찾아야 했고 농산물은 다음 타깃이 되었다.

원래 농산물은 수급 구조가 특이한 상품이다. 수요는 예측할 수 있지만 공급은 예측할 수가 없다. 왜냐하면 다음해 작황을 미리 알 수 없기 때문이다. 그래서 농산물에 대한 투자는 국제 곡물 메이저들의 장기계약에 의해 이뤄지고 자본시장에서는 농산물 자체가 투자 대상으로 거래되지 않는다. 이 때문에 투자자들은 곡물 메이저의 주식을 사는 방식 외에는 다른 투자 방법이 없다. 파생시장이라야 다음해 곡물가가 예상과 다르게 움직일 경우를 대비해 위험을 회피하려는 헤지성 선물투자가 고작이다.

그에 반해 석유 선물이나 금 선물처럼 공급량이 일정하거나 예측이 가능한 자원의 경우에는 가격 추세를 미리 짐작할 수 있어 상품 선물에 투자하는 것이 가능하다. 이 때문에 석유 메이저들이 현물에 대한 압도적 독점권을 갖고 석유를 거래하더라도 투자자들은 그 가격을 지수화한 선물 상품에 무한대의 투자를 할 수 있는 구조가 된다.

하지만 농산물의 경우에는 이런 식으로 투자하기가 어렵다. 만약 예상과 다른 결과(작황)가 나올 경우 그야말로 심각한 타격을 입기 때문이다. 그럼에도 불구하고 최근 들어 농산물 지수에 헤지 거래가 아닌 투기 거래가 시작되고 있다. 이 말은 결국 농산물처럼 파생 거래에 적당하지 않은 상품들도 투기 대상이 될 수 있다는 의미다.

이런 상황을 주식시장에 대입해보자. 먼저 대형주가 오른 후 중형주가 상승하고 그 다음에 소형주, 마침내 작전주까지 움직이는 경우를 생각해보자. 주식시장에서 소위 작전종목이라 불리는 부실주가 오르기 시작하면 시장은 '끝물'이라고 할 수 있다. 이는 우량주에서 이익을 내기 어렵다고 판단한 투자자들이 적은 거래량과 시세 변동이 큰 부실주에 쏠리는 현상이기 때문이다. 결코 정상적인 거래라고 할 수 없다. 최근의 농산물 가격 상승도 같은 맥락에서 풀어볼 수 있다.

농산물 가격이 오르는 진짜 이유는, 수요와 공급이 아니라 유동성의 논리에서 보면 더욱 명확해진다. 지금 우리가 목도하고 있는 농산물 시장의 상승은 지난 수년간 전세계 자산시장에서 주식, 부동산, 상품 시장으로 이전돼온 유동성이 거의 마지막 국면으로 가고 있음을 의미한다. 그리고 이것은 그동안 비교적 안전한(덜 위험한) 자산으로 분류된 상품마저 위험해졌다거나 수익이 나지 않는 단기적 한계에 봉착했다는 것으로 풀이될 수도 있다.

큰 사이클 이후의 투자법

농산물 투자 이후에는 어떤 일이 벌어질까? 답은 자명하다. 그동안 지탱돼온 유동성이 서브프라임 모기지 사태와 부동산 가격의 하락으로 증발하면서 서서히 소멸돼갈 것이며 이에 따라 자산시장의 큰 사이클 하나가 끝나갈 것이다. 다시 이 점을 주식시장의 관점에서 본다면 이제 큰 사이클 하나가 서서히 저물고 한동안 어둠이 깔릴 것이라는 전망을 할 수 있다.

글로벌 인플레이션과 미국의 디플레이션 가능성이 미국의 금리인하에 더해져 본격적인 유동성 공급이 빠르게 이뤄지면서 그동안 증발한 유동성이 보강되는 시점이 오지 않는 한, 시장은 어려움에서 벗어나기 힘들고 해결 시점은 생각보다 멀어질 수 있다. 따라서 지금 시점에서 현명한 투자 전략은 공격적인 자세로 시장이 금세 반등하기를 기대하거나 단기적인 재료에 의지하기보다는 유동성 문제가 해결되는 과정을 지켜보면서 위험관리를 하는 것이다.

때문에 투자자들이 농산물 시장이 움직인다고 해서 농산물 관련 상품에 뛰어드는 단순한 판단을 하는 것은 주식시장의 상황이 여의치 않다고 해서 부실주를 사는 것과 같은 결과를 가져올 수 있다. 상품 시장에서도 지나친 자산 집중보다는 모든 자산을 일정하게 고르게 배분해 어떤 위험에서도 가능한 한 멀리 떨어지는 것이 가장 훌륭한 선택이 될지 모른다.

그렇다고 모든 자산을 현금화해서 투자의 적기를 기다리는 것 역시 어렵다. 인플레이션은 현금 자산의 가치를 갉아먹을 것이고 금리는 그것을 보상하지 못할 것이기 때문이다. 채권의 경우에도 추가적인 금리인하에 대한 기대보다는 상승 요인에 대한 위험이 더 크다.

다시 말해 2007년 말과 2008년 초반의 상황은 살 만한 자산이 하나도 없고 그렇다고 돈을 이불 아래 깔고 있을 수도 없는 상황이었다. 이런 상황에서라면 결국 모든 자산을 균등하게 배분하는 것 이상의 좋은 선택은 없을 것이다. 그 점에서는 주식투자도 예외가 아니다.

자원무기화 대 식량무기화

실물자산 가격이 급등하고 있다. 달러화의 약세, 인플레이션 압력의 증가 등을 생각하면 당연한 일이다. 하지만 이번 실물자산 가격 상승은 경제적 요인 외에도 워낙 많은 변수들이 조합되어 있어 그 추세가 어디까지 갈 것인가에 대해서는 판단이 어렵다. 그동안 급등을 보인 석유, 금속, 천연자원 등은 세계경제의 호황으로 인한 수요증가가 원인으로 지목됐지만, 이 경우는 현재 경기둔화의 측면에서 본다면 수요감소의 요인으로 작용해야 마땅하다. 하지만 실물가격은 하락은커녕 끝을 모르고 오른다. 수요공급의 측면에서 달러가치 하락이나 물가의 측면으로 초점이 전이되기 때문이다.

그 와중에 곡물가 급등이 새로운 이슈로 등장했다. 하지만 곡물가격의 상승은 앞서 다른 자원처럼 한두 가지 요인으로 설명하기가 어렵다. 먼저 곡물가 상승을 초래하는 비용 측면부터 생각해보면 곡물(특히 옥수수와 밀)의 생산단가가 상당히 높아졌다.

앞에서 언급했듯이 옥수수는 원래 아메리카 인디언들의 고유종이다. 남미대륙을 정복한 유럽인들은 급격히 늘어가는 인구를 위한 식량을 확보하기 위해 유럽의 다양한 동식물들을 남미대륙으로 가지고 들어왔다. 그 과정에서 기존 남미대륙의 동식물들은 모두 절멸하거나 소수종으로 전락했다. 그 대표적인 식물종이 바로 밀이고, 동물종은 소다. 밀은 사람들의 적극적인 수요로 인해 인간과 공진화하면서 대표적인 식용식물이 됐고, 소는 키우기 어려운 버팔로와 아메리카 들소를 밀어내고 농장에 적합한 젖소와 비육우로 대체됐다.

하지만 이러한 종자전쟁에서 살아남은 유일한 종이 있었으니 그것이 바로 옥수수다. 옥수수는 세상의 어떤 식물보다도 단위생산량이 많은 식물이다. 옥수수 한 개에는 무려 400개의 낱알이 열려 벼나 다른 식물들은 감히 명함도 내밀 수 없는 엄청난 소출을 자랑한다. 그래서 아메리카 대륙을 정복한 유럽의 이주자들에겐 그들이 충분히 먹고살기 위해 옥수수를 밀어내기보다는 오히려 옥수수 재배를 장려하는 것이 최선의 선택이었다.

옥수수는 특이한 식물이다. 옥수수는 인간의 손이 닿지 않으면 스스로 번식할 수 없다. 몇 겹으로 둘러싸인 껍질로 인해 스스로 자가번식이 불가능하다. 만약 옥수수를 통째로 땅에 심으면 싹은 고사하고 그대로 썩어버린다. 인간이 껍질을 벗겨주고 낱알을 따로 파종해주어야만 생장이 가능하다. 옥수수는 인간에게 엄청난 양의 탄수화물을 공급해줌으로써 인간의 손에 의해 재배되고 번식하며 식물로서의 지배종의 지위를 지킨다. 그래서 인간은 옥수수의 번식을 돕는 꿀벌과 같은 존재라고 말하는 이도 있다.

처음 인간은 옥수수 줄기 하나당 최대한의 옥수수 낱알을 얻기 위해, 옥수수를 교잡하고 심고 가꾸었다. 그에 따라 옥수수는 점점 더 나은 종으로 진화했다. 처음 이런 진화 과정은 단순했다. 인간은 옥수수 품종 중에서 비교적 소출이 나은 종자를 모종으로 삼아 재배하고, 우성이라 여겨지는 종을 서로 교배하는 방식으로 종의 특성을 개량했다. 하지만 단위면적당 더 많은 옥수수를 심기 위해서는 충분한 영양공급이 필요했는데 그렇게 소출을 늘릴수록, 또한 옥수수 재배 밀도가 높아질수록 토양은 점점 피폐해졌다. 처음에는 옥수수와 밀을 교대로 파종하면서 이 문제를 해결했지만, 옥수수의 용도가 늘어나면서 수요를 감당할 수가 없었다. 특히 옥수수와 밀을 교대로 재배할 경우 밀에 병충해가 심해지고 옥수수 역시 생장이 약해진다는 사실도 알게 됐다.

이때 놀라운 해결책이 등장했다. 그것은 바로 군사기술이었다. 질산암모늄으로 폭탄을 만드는 공정이 식물, 특히 옥수수의 재배에 큰 도움이 된다는 사실을 알게 된 것이다. 원래 식물은 태양으로부터 광합성을 한다. 그래서 식물은 인간이 섭취할 수 없는 태양에너지를 공급한다. 하지만 이렇게 식물이 광합성을 하는 과정은 충분하지만, 식물의 주요 생장요소 중의 하나인 질소는 효용성이 낮았다. 식물의 뿌리에 기생하는 박테리아가 대기중의 질소를 고정하는 기능을 가지고 있는데 이용 가능한 질소는 제한적이다. 즉 토양 속의 이용 가능한 질소의 양이 제한적이기 때문에 많은 옥수수를 심을 경우 옥수수가 생장할 수가 없었던 것이다.

원래 질소는 대기 중에 가장 많은 원소다. 하지만 동식물이 이용할 수 있는 질소는 박테리아가 고정하거나 대기중에 번개가 칠 때 고정된 질소가 비에 섞여 내리는 정도가 전부였다. 하지만 대량의 열을 가해서 대기 중의 질소를 질산암모늄으로 만드는 공정은 전쟁이 끝나고 질소비료의 생산으로 연결되었다.

즉, 인간은 질소를 식물의 섭취에 가능한 형태로 고정하는 데 성공한 것이다. 이로 인해 질소비료는 옥수수 생산량에 엄청난 혁명을 몰고 왔다. 그 결과 옥수수는 이제 우리가 섭취하는 모든 음식물의 4분의 1을 차지하는 절대식량원으로 자리잡게 됐다. 옥수수는 그 자체뿐 아니라 모든 음식의 당분과 감미료로 사용되고, 식용이 아닌 공업용 옥수수들은 에탄올로, 또 동물의 사료로 이용됐다.

건초를 이용해서 가축을 키우던 시스템으로는 지구상의 극소수의 인류에게만 고기를 공급할 수 있었지만, 옥수수가 사료로 이용되면서 동물들을 농장에서 대량 사육하고, 대량의 고기를 인류에게 공급하는 것이 가능해졌다. 소, 닭, 돼지 할 것 없이 이제 모든 고기는 옥수수를 통해 얻어지는 세상이 된 것이다. 역으로 보면 옥수수는 모든 식량자원의 근원이고, 그 옥수수 자원의 근원은 다시 질소비료이며, 그것은 다시 질소를 고정하기 위해 대량의 화석연료를 사용한다. 이런 과정을 잘 짚어보면 옥수수는 유가 상승의 직접적인 영향권에 있음을 알 수 있다. 미국의 대규모 농장은 이미 트랙터와 기계영농으로 인해 다량의 화석연료를 사용된다. 즉, 비용의 측면에서 이미 옥수수 가격 상승은 예고된 것이다.

두번째, 옥수수는 이런 유가상승에 대비할 수 있는 바이오에탄올의 원료다. 하지만 옥수수의 줄기와 뿌리까지 이용하지 못하는 한 경제성은 거의 없다. 자동차 한 대의 연료통을 가득 채울 에탄올을 만들기 위해서는 옥수수 150킬로그램이 필요하고, 그것은 성인 남자가 1년간 소비하는 식량 규모와 같다. 즉 경제적으로는 전혀 효율적이지 않다. 하지만 미국은 10%의 연료는 바이오에탄올로 채우도록 법제화하고 있다. 이유는 두 가지다. 하나는 미국이 옥수수 가격의 상승을 나쁘게 보지 않는다는 뜻이고, 다른 하나는 유전자 조작과 같은 바이오산업을 측면지원하기 위해서다. 옥수수가격이 오르면 GMO 식품을 거부할 명분이 사라진다. 우선 먹고살아야 한다면 그것은 곧 대중화로 이어지고, 이것은 미국이 기술적 우위에 있는 새로운 식량산업의 한 장을 여는 것이다.

세번째 옥수수 가격이 상승하면 가뜩이나 국내 물가상승에 예민한 미국 내의 곡물 수출 중단 압력이 높아진다. 물가상승률이 이미 연방금리 수준을 웃돌고, 에너지와 식량을 제외한 근원지수조차 상승하는 판에 옥수수 가격의 상승은 미국 내 여론을 악화시킬 수밖에 없다. 그럼에도 미국이 이런 정책을 시행하는 이유는 무엇일까? 그것은 바로 국내 압력을 빙자한 식량무기화의 명분이 되기 때문이다. 만약 미국이 옥수수와 밀의 수출을 제한하면 어떤 일이 벌어질지 상상하기란 그리 어렵지 않다.

당장 식량자급률이 1~2% 수준인 중동에 치명적인 압력이 가해질 것이고, 석유자원을 무기로 삼는 중동의 경우, 식량을 무기로 삼는 미국에 맞서기가 어려워진다. 이것이 미국이 노리는 노림수라면 지나치게 음모적일까?

그래서 곡물투자는 신중해야 한다고 생각한다. 미국과 중동이 유가와 식량가격으로 부닥치면 결국 해법은 양측이 수출량을 늘리는 쪽으로 가닥을 잡을 수밖에 없고, 그것이 바로 현 국면을 타개하는 유일수단이다. 중동은 유가를 낮추고 저절로 옥수수 가격은 하락하며 세계적 실물자산의 랠리는 종언을 고하는 것이다.

_ 2008년 4월, 월간 〈나라경제〉

chapter 6

무엇으로 투자를 결정하는가

이익을
극대화하는
포트폴리오
구성 원칙

　'딸에게 물려줄 주식'이라는 말이 있다. 일부 증권사에서는 명품주식
이라는 말로 리스트를 만들기도 했다. 하지만 과연 이것이 명품 주식일
까? 기업의 영속성에 기반을 둔 안정적인 주식이라는 뜻이지만, 그 리스
트를 살펴보면 일반적인 대형 우량주를 포함하고 있기가 일쑤다.

　1930년대까지 미국에서도 '금테 두른 주식(gilt-edged stock)'이라는 말
이 유행한 적이 있다. 투자자들은 당시의 초우량주를 사두고는 가격의
변동을 무시했다. 적절한 배당을 받으며 무기한 영구적으로 보유하면 그
주식은 항상 배당가치나 시세차익을 주고 기대를 배반하지 않을 것이라
고 믿었다.

　대공황으로 인해 이런 기대는 철저히 무너졌다. 미국시장은 최근 70년
동안 무려 40차례 이상 급락했고, 그 중 3분의 1 정도는 30% 이상 급락
했다. 그 과정에서 휴지로 변하거나 이름만 남아 있는 주식들이 속출했

다. 계속 기업가치를 장기적으로 측정한다는 것은 거의 불가능에 가깝다. 변동성은 시간의 제곱근에 비례하고 시간이 갈수록 기업이 위험에 노출될 가능성은 점점 커진다. 급변하는 환경에서 새로운 수익원을 찾아 제때 변신에 성공한 기업의 수가 그리 많지 않았던 것이다.

월가 구루들의 견해 차이

당신이 아무리 최고의 주식을 보유하고 있다고 해도 늘 자신의 포트폴리오를 재점검하고 보유종목을 개편해야 한다. 물론 그 주기에 대한 이견이 있고, 기준에 대한 판단이 다르지만 모든 투자자에게 필요한 일이다. 이에 대해 피터 린치와 워렌 버핏의 견해는 다르다.

피터 린치는 가능성이 있는 주식을 모두 골라 광범위한 포트폴리오를 구축하되, 중간점검을 통해 가능성이 낮아지는 종목을 솎아내면서 포트폴리오를 관리하여 10개 중에 한두 종목만 소위 10루타 종목이 되면 전체의 포트폴리오는 큰 이익이 난다는 논지를 편다. 즉, 어차피 무엇이 대형 수익을 내줄 것인지는 하느님만 아는 일이므로 포트폴리오에서 손실은 극소화하고 이익은 극대화하는 전략을 펼치는 것이다.

그에 반해 워렌 버핏은 아예 10년 이상 가져갈 수 있는 종목이 아니라면 사지도 말고, 그렇게 고른 최소종목에 집중해서 최대한 단출한 포트폴리오를 꾸리라고 주장한다. 워렌 버핏의 입장에서는 손절매할 종목은 아예 사지 않으면 된다고 보는 것이다.

사실 투자자들은 이 상황에서 늘 고민한다. 월가의 구루들마다 주장과 생각이 다르므로, 이 말을 들으면 이 말이 맞고 저 말을 들으면 저 말이 맞다. 하지만 이 둘의 입장 차이는 펀드매니저와 사업가의 차이와 같다. 피터 린치는 사람들의 돈을 모아 펀드를 운용하는 사람이다. 즉 들어오는 돈으로 무엇인가를 늘 사고팔아야 하는 입장이라는 뜻이다.

워렌 버핏은 펀드매니저가 아니다. 그는 자신의 사업을 하고 있을 뿐이고, 자신은 늘 자신의 기업이 다른 기업에 투자하거나 인수합병하는 관점에서 주식시장을 바라본다. 투자자들이 아무리 워렌 버핏에게 돈을 투자하려 해도 그것은 워렌 버핏이 가진 버크셔해서웨이의 주가가 오르는 것이지 펀드에 돈이 들어오는 것이 아니다. 이를테면 워렌 버핏에 투자하는 것은 인수합병이 활발한 한화, STX, 두산 같은 기업의 주식을 사는 것과 같다. 물론 이 기업의 경영자들이 워렌 버핏만큼의 통찰력을 가졌는가는 논외로 하고, 형식상 그러하다는 의미다. 그러니 두 사람의 주장은 다를 수밖에 없고 방식도 극단에 설 수밖에 없다. 이 두 사람의 공통점은 다만 통찰력이 뛰어나다는 것뿐이다.

안 전 한   포 트 폴 리 오 의   원 칙

일반 투자자들은 아무래도 피터 린치 식의 투자가 편하다. 하지만 포트폴리오의 교체는 생각보다 어렵다. 시장이 안정적이고 변동성이 낮은 구간이라면, 당신이 보유한 투자 포트폴리오에서 안정성이 조금이라도 훼손되거나 이익 성장성이 낮아지는 종목을 발견하고 큰 손실 없이 매도할 수 있다. 이때 당신이 보유한 종목을 두고 아직 충분히 매력적인 주식을 적정한 가격에 매수했다고 기뻐할 투자자들은 시장에 널려 있다.

하지만 최근에는 정보의 동시성이 강화되고 많은 이들이 시장에 촉수를 드리우고 있다. 아직도 많은 투자자들은 관성에 의존한 투자를 하지만, 또 그만큼 많은 투자자들은 지금 당신이 살피는 지표만큼 혹은 그 이상의 정보를 점검하고 판단하고 있기 때문이다. 그래서 포트폴리오에서 이익 성장성이 훼손되거나 안정성이 위협받고 있는 종목을 발견하고 매도를 하려고 할 시점에는 이미 그 기업의 시세는 상당히 하락해 있을 수 있다. 때문에 가치투자 역시 타인에 비해 당신의 직관이 얼마나 빠르냐가 승부처가 될 수 있다.

하지만 당신이 그것을 포착하면 즉각 결행해야 한다. 이때 일어난 손실은 이익을 잠식한 것이 아니라 투자 원본을 잠식한 것이다. 그래서 당신이 포트폴리오의 이익이 줄어들었다고 판단하는, 스스로 위로하고자 하는 변명 따위는 필요 없다. 종목 교체는 명백한 원본 손실이다.

이러한 원본 손실을 줄이는 가장 중요한 원칙은 애초에 포트폴리오에 편입할 주식이 어지간한 위기가 닥쳐도 원본 손실이 날 수 없을 만큼 안정적이고 저평가된 주식이어야 한다. 이것을 버핏은 '안전마진'이라 불렀다. 아무리 비가 내려도 넘치지 않을 만큼 높이 쌓은 둑은 홍수에 안전하다. 최대한 저평가된 주식을 사면 위기에도 원본손실의 위험이나 종목 교체의 가능성을 줄일 수 있다.

두번째, 당신이 교체하려는 종목은 반드시 현재 보유한 종목보다 더 안전하고 큰 안전마진을 확보한 주식이어야 한다. 그보다 더 큰 안전마진을 가진 매력적인 종목을 발견한다면 당신의 최초 판단이 틀렸거나 시장 상황이 달라진 경우다. 이때 교체를 결행하지 않는 것은 기회비용의 손실을 입는 것이다. 다시 한 번 기억하자. 처음부터 철저한 분석을 통해 안전한 주식을 골라라. 그것이야말로 당신의 포트폴리오를 지켜줄 수호신이다.

자산투자와 자산배분에 대한 오해

　자산투자(Asset Investing)와 자산배분(Asset Allocation)은 문자 그대로 각각 사산에 투자하는 행위와 자산을 배분하는 행위를 가리키지만, 이 둘 사이의 철학적인 의미는 단순히 '투자'와 '배분'이라는 두 글자 이상의 차이를 가진다.

　더구나 일반 투자자들에게 있어서 오해의 정도는 더욱 심한데, 이것은 많은 일반 투자자들이 '배분'이라는 말을 '특정 자산에서의 선택'이라는 의미로 이해하기 때문이다. 예를 들어 자신이 주식 투자자라면 자신의 자산을 한 종목에 모두 투자하기보다 여러 종목에 분산투자하는 것을 '자산배분'을 했다고 여기는 것이다. 하지만 자산배분의 본래 목적은 각각 방향성이 다른(속성이 다른) 자산에 나누어서 투자를 함으로써 위험을 줄이는 데 있다. 즉 이것은 수익을 극대화하려는 것이 아니라 위험을 최대한 줄이는 것이라고 볼 수 있다.

이때 많은 사람들은 "위험을 줄이기 위해 속성이 다른 종목에 자산을 배분하게 되면 수익률이 저하될 것이고, 그것은 결국 투자를 통한 이익을 내지 않겠다는 의미가 아니냐?"라고 반문한다. 이를테면 주식을 보유한 사람이 주식 보유에 따른 위험을 줄이기 위해 반대 방향의 옵션을 매수했다면, 주가가 올랐을 때는 옵션 매수분만큼의 손실을 입고, 주가가 하락했을 경우에도 결국에는 현물 주식에서 손해를 보게 되는데 그럴 바에야 아예 주식을 사지도 팔지도 않는 것이 정답이 아니냐는 것이다.

위험을 최소화하는 자산배분

이는 일견 일리가 있어 보인다. 주식을 보유하고 있다는 사실은 분명히 주가강세에 비중을 더 두고 있다는 의미인데(설마 주가 하락을 예상하고 주식을 사는 사람은 없을 것이다), 그렇다면 하락 가능성에 대한 부분적인 헤지 목적으로 옵션을 매수하느니 차라리 주식을 덜 사면 될 것 아니냐고 말하는 것이다.

이런 질문을 하는 사람의 생각은 반은 맞고 반은 틀리다. 예를 들어 1,000만 원의 자산을 주식에 투자한 다음, 가격하락에 대비해서 풋옵션을 10만 원어치 매수했다고 가정하면, 이 사람은 주가가 10%가 올라도 실제로 이익이 나지 않게 된다. 결국 이 사람은 10% 이상의 수익이 났을 경우에만 10%를 공제하고 이익을 남기는 것이고, 그 이하의 수익에서는 오히려 손실이 날 수도 있다.

하지만 하락을 했을 경우에는 문제가 달라진다. 하락의 폭과 기간에 따라 달라지겠지만, 그는 하락분의 전액을 보상받을 수도 있고, 경우에 따라서는 주가가 하락했음에도 이익을 챙길 수 있다. 물론 합성선물과 같은 극단적 헤지가 아닌, 지수선물의 경우에는 이 정도까지는 아니겠지만 개념은 결국 같다.

이를 이해하기 위해 대형 연기금들의 자산배분 전략에 대한 연구 중에서 가장 유명한 1991년 발표된 브린슨, 후드 그리고 비보워(Gary Brinson, L. Randolph Hood & Gilbert Beebower)의 연구보고서를 살펴보자. 이들은 이 보고서에서 지난 1974년부터 1983년까지 10년간 미국의 91개 대규모 연기금들의 운영결과를 분석 평가하여 각 기금들 사이에서 운용 수익률이 차이가 나는 이유가 무엇인지 규명했다.

이들은 연구에서 연기금의 투자행위를, 금융자산에 대한 투자비율을 결정하는 '자산배분 활동'과 주식의 종목을 고르는 '증권선택 활동'으로 분류했다. 그런 후 자산배분 활동은 다시 장기적으로 한번 포트폴리오를 짜면 포트폴리오의 변경이 적은 '소극적 자산배분'과 단기적으로 시황을 예측하고 매매 타이밍을 고려하여 자주 포트폴리오를 변경하는 '적극적 자산배분'으로 나누었다. 그리고 '증권선택 활동'은 단순히 지수를 추종하는(예를 들어, 인덱스펀드) '소극적인 선택 활동'과 기업을 분석하고 차트를 연구해서 적극적으로 주식을 매매하는 '적극적인 선택 활동'으로 구분하였다.

연구 결과 자산배분 활동은 소극적으로 하고(잦은 변경을 피하고), '증권선택 활동'은 적극적으로 할 때 수익률이 가장 높게 나옴으로써 일반의 예상을 뒤집었는데 이 연구의 의의는 바로 다음과 같이 요약된다.

"시장의 방향을 예측하는 것은 의미가 없다(주식이 좋을 것인지 부동산이 좋을 것인지 금값이 오를 것인지 혹은 내년 시장이 상승장일지 하락장일지를 고르는 것은 의미가 없다). 하지만 자산을 배분한 다음 그 배분된 자산에서 최대한 기업을 분석하고 노력해서 좋은 주식을 사려는 수고를 한다면 수익률 제고에 도움이 될 것이다."

변동성의 마술

이렇듯 자산배분의 힘이 예상보다 크게 나타난 이유는 무엇일까? 그것은 바로 '변동성 위험으로부터 회피가 자산투자의 본질'이라는 사실 때문이다. 이 말을 설명하기 위해 유명한 마코위츠의 이론을 잠깐 들어보면 자산배분의 이점은 이렇다.

예를 들어, 어떤 투자자가 자산 A와 자산 B 둘 중 한 개에 투자했다고 가정하자. 이때 A의 수익률은 100%이고 B의 수익률은 50%였다면 그는 둘 중 전자를 선택해 100%의 수익을 올릴 수 있었겠지만, 신이 항상 주사위를 던지는 자의 편에만 서는 것은 아니다. 하지만 그가 만약 A와 B, 공평하게 반반씩 나누어서 투자했다고 하자. 그렇다면 그는 75%의 수익을 올렸을 것이다. 이때 그는 25%의 초과수익에 대한 미련이 남을 수도 있겠지만 자신도 모르게 지불한 보험료가 있었다는 사실을 알지 못한다. 그는 자산의 수익률만 보았지 사실 그 뒤에 잠복해 있었던 위험도를 보지 못했기 때문이다.

이때 두 자산의 위험도(변동성과 비례)를 전자는 40, 후자는 20이었다고 가정하자. 그렇다면 이때 그가 지는 위험도의 조합은 단일 투자만 했을 경우에는 100%의 이익 뒤에 숨은 40%의 위험도 혹은 50%의 이익에 숨은 20%의 위험도를 안고 있었다고 할 수 있다.

그런데 그가 두 자산을 공평하게 반반 투자했을 때 수익은 75%가 맞지만 위험도는 30%가 아니라 25% 수준이 된다. 이 무슨 황당한 계산일까? 바로 여기에 변동성의 마술이 있다. 자산이 위험에 처하는 것은 기본적으로 변동성 때문이다. 때문에 수익은 자산배분에 의해 산술평균에 수렴하지만, 위험도는 자산배분이 잘될수록(여러 자산에 나누어서 투자할수록) 산술평균 이하로 낮아지게 된다. 같은 관점에서 앞서 예를 든 주식 보유자가 선물매도 포지션을 보유한다든지 합성선물로 헤지를 하고서도 이익이 나는 구조를 설명할 수 있고, 자산배분이 갖는 장기적 이익을 이해할 수 있다.

그래서 기대이익이 낮아지고(특정 자산의 운동에너지가 분산되고) 자산의 위험도가 커지는 시점(변동성이 증가하는 시점)에서는 특정 자산에 대한 지나친 편중보다는 자산배분이, 자산배분 중에서도 적극적 배분보다는 소극적 배분이 유리하다. 일단 배분된 자산의 범주에서는 최대한 투자 대상을 분석하고 이해해야 한다. 그렇게 해서 거품이 잔뜩 낀 큐빅보다는 지금은 진흙이 묻어 자갈처럼 보이지만, 진흙만 닦아내면 언제라도 진면목을 드러낼 수 있는 보석을 고르는 노력이 중요하다.

판단력을
흐리는
이중 잣대

주가의 변동폭이 커지면 투자자들의 마음도 불편해진다. 그래서 투자자들은 증권사들의 시황을 더 열심히 읽고 참조하게 된다.

증권사 리포트를 보면 한 가지 재미있는 사실을 발견할 수 있다. 주가가 상승할 때는 상승의 이유를 설명하면서 기업의 실적 전망과 경기 전망을 전면에 내세운다. 하지만 막상 주가가 하락하면 "60일선 지지가 견고하다."든가 "60일선은 무너졌지만 경기선인 120일선이 걸쳐 있는 1,850포인트 내외는 지지가 가능할 것으로 판단된다."는 식으로 기술적 분석의 입장에서 리포트를 낸다.

이렇게 상승할 때와 하락할 때의 잣대가 다르다는 것은 무엇을 의미할까? 이것이 의미하는 바는 대단히 상징적이다. 주식시장이 기본적으로 본질 가치를 따라 움직인다는 사실은 불변의 진리다(물론 우리는 그 본질 가치의 실체를 한번도 본 적이 없고, 앞으로도 영원히 볼 수 없을 것이다).

그렇다면 기본적으로 100% 맞는 가장 완벽한 예측은 "장기 보유하면 반드시 오른다."는 전망이다. 다시 말해 시장이 나빠 보일 때는 "장기적으로는 좋을 것으로 예상되지만 단기적으로는 불안하다."라고 하고, 시장이 좋을 때는 "단기적으로나 장기적으로 좋다."는 말이 항상 정답이다. 예측 불가능한 핵전쟁이나 행성 충돌 같은 재앙으로 인해 인류가 절멸하지 않는 한 현생 인류는 지속적인 발전을 할 것이기 때문이다.

현재 시장가치와 우리가 믿고 싶은 시장가치

발전, 혹은 진화는 인간이라는 종 그 자체의 생존 원리다. 과거 30만 년 전 인류가 돌도끼를 들고 다니던 시대에서, 우주정거장을 건설하고 달나라에 우주왕복선을 쏘아올리는 지금의 문명으로의 발전은 결코 우연이 아니다. 문명의 진화는 인류라는 생명체의 생존 조건이기 때문이다. 만약 인류가 지금과 같은 문명을 지속적으로 발전시켜오지 못했다면 인류는 벌써 다른 종에 의해 지배당했거나 절멸했을 것이기 때문이다.

이 때문에 만약 30만 년 전 인류의 자산을 지수 0으로 본다면 지금 자산지수는 10억 원 정도는 될 것이고, 이 자산지수는 계속 무한으로 증가할 것이다. 인류는 늘 새로운 기술, 새로운 산업, 새로운 문명을 맞이하면서 부가가치와 그에 따른 자산지수를 늘려갈 것이기 때문이다. 만약이 자산지수가 하락세를 보이거나 급락하는 상황이 온다면, 그것은 현생인류 자체의 위기가 도래한 경우뿐이다.

따라서 인류의 자산가치는 "장기적으로는 항상 증가한다."가 정답이고, 이 때문에 범위를 축소해서 그것을 거래하는 시장, 더 좁게 말하면 주식시장 역시 시장 기능이 존재하는 한 "장기적으로는 항상 상승한다." 는 것이 옳은 답이 될 것이다. 다만 그 과정에서 운이 나쁜 사람은 하필이면 단중기 하락 국면에 시장에 진입해서 큰 손해를 보고, 그가 시장에서 빠져나올 즈음에 시장이 다시 장기 상승추세에 진입하는 사이클에 운 나쁘게 걸린 것일 뿐 장기 전망은 항상 좋아야 정상이다.

이 때문에 시장가치가 오르는 것에는 별 다른 이유를 달 필요가 없다. 그저 오르는 것이 정상이기 때문에 항상 오르는 것이다. 하지만 시장은 크루즈콘트롤(자동속도조절 시스템)을 달고 아우토반을 달리는 메르세데스 벤츠가 아니다. 시장은 때로는 급가속을 하고 때로는 급정거를 하며, 가끔은 후진도 하고 드물게는 정체 구간에 걸리기도 한다.

따라서 우리가 존재한다고 믿고 있는 혹은 믿고 싶은 시장의 적정가치는 항상 현재 시장가치와는 괴리를 보인다. 즉, 현재 가격은 때로는 적정가치 대비 언더퍼폼(underperform)을 하고 때로는 아웃퍼폼(outperform)을 하기도 하면서 우리가 믿고 있는 적정가치를 교차한다. 시장이 적정가치에 머물러 있는 순간은 대단히 찰나적이다. 현재 가격이 적정가치와 일치하는 국면은 아웃에서 언더로, 혹은 언더에서 아웃으로 바뀔 때 겨우 한 번 만날 수 있을 뿐이다. 이 이유를 두고 시장에서는 흔히 '유동성' 때문이라고 한다. 그 말은 맞다.

문명과 산업이 발달하면 부가가치가 증가하고 화폐는 그 증가분만큼 늘어날 것이다. 하지만 이 늘어난 화폐를 적절히 거둬들이지 못하면(상대적 저금리) 유동성은 늘어나고, 너무 많이 거둬들이면(상대적 고금리) 유동성은 감소한다. 결국 시장은 전체적인 맥락에서 유동성의 힘에 따라 적정가치를 상회하거나 하회하는 것이다.

이중 잣대를 피해야 바른 판단이 가능하다

우리가 지금 믿고 있는 그 유동성의 본질은 무엇일까? 이익이나 실적이 상승시의 명분이라면 내릴 때도 그것이 원인이어야 하고, 오를 때 유동성이 문제라면 내릴 때도 그것이 문제여야 하는데 왜 늘 이중 잣대를 들이대는 것일까?

그것은 자산이 늘어나기를 바라는 인간 본연의 심리 때문이다. 즉 현재 가치가 올라야 투자자도 이익이 나고 시장 관계자들의 주머니도 두둑해지며 정부도 기업도 덩달아 한몫 잡는다. 하지만 반대의 경우에는 모든 사람이 손해를 보고 만다. 그 때문에 시장은 오를 때 상당히 타당한 논리를 내세우고 그것이 견고한 성벽인 양 믿게 논거를 제시한다. 마찬가지로 하락할 때도 이 논리를 내세우면 결국 시장 하락을 단단하게 전망하는 결과를 가져온다.

이 때문에 내릴 때는 어지간해서는 상승의 논리와 같은 잣대를 내세우지 않는다. 하락시에 만약 같은 논리가 등장한다면 그때는 현재 가격이 거의 바닥에 이른 경우가 많다. "기업 실적의 추가적인 악화가 전망되고 GDP 성장률은 더욱 우울하며 인플레이션이 더 커질 것으로 우려된다."는 말이 나올 정도라면 시장 관계자들 대부분이 항복 국면에 이르렀다는 의미다.

투자자들이 가장 주의해야 할 것은 바로 이런 이중 잣대를 회피하는 것이다. 만약 유동성에 초점을 맞췄다면 끝까지 그래야 하고, 실적이나 경기에 초점을 맞췄다면 마지막까지 그래야 한다. 같은 논리에서 2008년 초반 시장은 이제 지나치게 아웃퍼폼한 현재 가격이 본질 가치를 향해 움직이고 있는 지점이라고 볼 수 있다. 그동안 실적 증가에 대한 기대

(중국 포함)가 아웃퍼폼을 유발했다면, 이제 시장은 중국의 최대 소비시장인 미국 경기를 눈여겨봐야 하고, 또 미국을 비롯한 글로벌 유동자금이 유입됐다면 그 자금의 최대 주주인 미국 운용시장의 상황을 지켜봐야 한다.

이렇게 본질에 대한 주시를 하게 되면 그것이 기간 조정이든 가격 조정이든 간에 시장의 혼란은 지속될 수밖에 없다. 이런 상황에서 중요한 것은 그것이 적정가치를 가로질러 언더퍼폼까지 유발할 상황인지, 아니면 적정가치에 일부 근접한 다음 다시 2차 아웃퍼폼의 국면으로 들어설지를 살피는 것이다.

금융 시스템을
위협하는
전염성 탐욕

프랭크 파트노이(Frank Partnoy)는《전염성 탐욕 *Infectious Greed*》이란 책에서 현재 우리가 만든 금융 시스템은 완벽하지 않으며 오히려 더 많은 문제를 갖고 있다고 신랄한 비판을 가했다. 그의 이런 주장은 금융 시스템을 바라보는 새로운 시각이며 투자자들에게는 대단히 중요한 시사점을 던져준다.

전염성 탐욕에 숨은 의미

지금까지 우리는 과거 경제학자들의 논리와 투자분석 이론에 따라 기업의 실적, 금리, 환율, 가격 등을 살피며 자산시장에 투자를 해왔다. 문제는 그동안 축적해온 이런 이론적 배경들이 요즘에는 그대로 적용할 수 없을 정도로 금융시장이 빠르게 변화하고 있다는 데 있다.

대표적인 사례로 과거 미국시장은 주가수익배율이 10만 되어도 고평가라고 했지만, 지금은 15 정도를 적정 수준으로 본다. 이 말은 기업의 주식을 샀을 때 그 돈에 대한 원금을 회수하는 기준을 기업이익의 10년 치면 적당하다고 본 것을, 요즘은 기업이익의 15년 치가 돼야 적당하다고 본다는 뜻이다. 이때 우리는 "그저 요즘은 그런가보다."라고 할 수도 있지만, 현명한 투자자라면 "왜?"라는 질문을 던져야 한다.

이 부분에 대해 경제학자들에게 물어보면 "과거 기업들은 성장이 더뎠기 때문에 투자자의 입장에서는 기업의 가치가 커지는 데 대한 기대감보다는 당장 얼마의 이익을 내는 것이 중요했지만, 요즘은 생산성의 향상으로 인해 당장의 이익보다 미래에 기업이 커질 것에 대한 기대가 더 많이 반영되기 때문이다."라고 답할 것이다. 즉 성장성과 생산성 증가에 대한 기대만큼 주식을 평가하는 잣대가 관대해진 탓이라는 말이다.

하지만 파트노이의 관점은 다르다. 그는 지난 20년간 산업 생산성이 증가한 이유는 임금이 싼 저비용 국가로 생산시설을 이전한 결과 나타난 착시이며, 이러한 이전은 곧 해당산업의 생산성이 나아진 것으로 오인된 것일 뿐이라고 주장한다. 즉 생산성 향상은 일시적 불균형에 지나지 않는다는 것이다.

한 나라의 생산시설이 다른 나라로 이전하면 생산단가를 낮출 수는 있지만, 대신 그만큼 자국의 일자리는 줄어든다. 이렇게 되면 기업은 이익을 더 내지만 근로자의 주머니는 가벼워지고 부는 점점 양극화 양상을 띠게 된다. 또 기업의 입장에서는 과거 한 개의 공장을 짓는데 100만 달러가 들었다면, 땅값이 싼 나라로 생산시설을 이전함으로써 50만 달러에 공장을 지을 수 있게 된다. 그래서 기업의 투자는 줄어든 것처럼 보이고 남은 차익 50만 달러는 잉여 유동성으로 떠돌게 된다.

이렇게 잉여 유동성이 넘치면 기업은 생산시설이 아닌 자산투자 대상을 찾아 나서게 된다. 그러나 투자 대상인 자산은 한정되어 있고 돈만 넘치는 상황이 오므로 저절로 자산 가격에 거품이 붙게 된다. 이러한 자산 가격 부풀리기는 부동산, 주식, 나중에는 실물로까지 이어지고, 결국에는 실물, 즉 원자재 가격을 끌어올려 투자 대상인 기업의 원가를 높이는 결과를 초래하게 된다. 그 결과 기업의 생산성 증가는 멈추고 기업의 실적이 악화되어 결국 투자 대상이었던 기업, 즉 주가가 하락하고 이렇게 하락한 주가는 부풀려진 유동성을 가라앉게 한다는 것이다.

결국 우리가 참여하고 있는 시장은 과거에는 기업의 과잉투자와 재고, 구조조정이라는 전통적 시스템으로 움직였으나, 지금은 '기업의 생산성 증가 → 자산 가격 상승 → 기업의 이익 악화 → 자산 가격 악화'라는 새로운 사이클을 만들어내고 있으므로, 시장을 판단할 때 이런 새로운 패러다임으로 보지 않으면 이해가 되지 않을 것이라는 의미다. 그는 이렇게 잉여 유동성이 자산가치를 부풀리고 그것이 극적으로 터져버리는 현상을 '전염성 탐욕'이라 불렀다.

전염성 탐욕의 대표 사례, 서브프라임 모기지 사태

전염성 탐욕. 이 말을 2008년 상황에 대입해보자. 당시 세계는 생산성 향상이라는 우산 속에서 너무 오랫동안 저금리 기조를 유지했고, 그 결과 잉여 유동성이 거의 폭발하기 일보 직전까지 부풀었다. 다시 말해 돈이 지나치게 넘쳐나도 막상 돈으로 살 수 있는 물건이 제한적이다보니 결국 돈은 투자 대상을 찾지 못해 기존 대상에 거품을 만들고, 그것도 모자라 지속적으로 투자 대상을 만들어내는 시도를 지속한 것이다. 결국 잉여 유동성은 원래 위험을 회피하기 위해 고안된 파생시장에서 다시 투자의 기회를 발견하고 그곳에 뛰어든다.

그 결과 엄격하게 관리 가능한 현물시장에 비해 2차, 3차 파생상품이 만들어지면 시장거래 시스템에 감시가 가능하던 시장이 시장통제 시스템을 벗어나고, 파생상품의 특성상 그 가치는 실제 자산에 비해 불가사리처럼 무한 증식을 하게 된다. 그리고 이것은 결국 돈이 돈을 부르는 탐욕이 되고, 이 탐욕이 지배하는 시장에서는 단지 돈을 더 버는 것만이 절대 진리가 되는 세상을 만든다.

이렇게 되면 기업의 CEO는 스톡옵션을 고가에 행사하기 위해 회계 부정이나 부정직한 부실 처리에 대한 유혹을 받고, 파생상품 운용자는 천문학적인 운용 수익을 노리고 점점 위험한 파생거래에 빠져들게 된다. 그래서 처음 1밀리미터의 틈이 나중에는 100미터가 되듯 최초의 작은 부정이 거대한 금융 부정의 씨앗이 되기도 한다. 또한 작은 거래가 거대한 거래로 작은 오류가 전체 시스템을 붕괴시키는 큰 오류로 확장된다. 이것이 2008년 전세계를 흔든 신용위기의 본질이다.

특히 2007년 초부터 미국을 흔든 서브프라임 모기지 사태는 그 대표적인 사례다. 주택으로 옮겨 붙은 투자수요로 주택값이 급등하자 주택가격 상승에 대한 기대심리가 증폭되었고, 투자자들은 자신이 산 주택가격이 떨어질 수 있다는 상상은 추호도 하지 않게 되었다. 이유는 금융기관들로부터 무제한 돈을 빌릴 수 있었기 때문이다.

금융기관 입장에서도 늘어난 유동성을 소화하기 위해서는 전통적인 예대 마진 영업만으로는 감당이 되지 않았다. 금융기관들은 주택 수요자들에게 돈을 빌려주고, 대출채권(빌려준 돈에 대한 권리)을 바탕으로 다시 돈을 빌려 수요자들에게 빌려주는 봉이 김선달식 영업을 계속했다. 그 결과 주택가격이 하락하기 시작하면서 미국 금융기관들이 연쇄부도를 맞게 된 것이 서브프라임 모기지 사태의 본질이다.

이 문제는 은행이 주택구입자금을 빌려주고 주택가격 하락으로 주택을 경매해야 하는 것과 같은 과거의 부실 형태와 다르다. 주택자금 대출채권을 다른 금융기관으로 돌리고, 다시 돌려진 대출채권은 부도 가능성에 대비한 보험(CDO, 부채담보부증권)에 들고, 그 보험증서가 다시 담보가 되는 희한한 거래를 지속했기 때문에 실제 피해액이 기하급수적으로 증가했다. 돈이 넘치다보니 주택 한 채에 대해 은행, 서브프라임 모기지 기관, 보증회사, 재보험사, 펀드회사까지 마치 알을 낳듯 돈을 걸었다는 데 문제가 있었다. 이것이 바로 투자 대상은 제한적인데, 투자 대상의 증가 폭보다 돈의 증가 폭이 커지면서 생긴 비극이다.

그런 면에서 이제 자산투자에는 단순히 수요공급의 문제가 아닌 새로운 시각이 필요하게 되었고, 그 어느 때보다 거시적 판단이 중요한 세상이 되었다.

자본은
금리를 따라
움직인다

전통적으로 주식시장의 기대수익률은 보통 주가수익배율의 역수로 구한다. 하지만 산출수익(Earning Yield)의 개념은 좀더 직접적이고 단순하다. 이 개념은 "내가 투자한 돈으로 얼마를 벌 수 있는가?"라는 직접적개념이다. 이를테면 1억짜리 건물을 사서 연간 1,000만 원의 임대료 수입을 거두었다면 임대수익률은 10%가 되듯, 주식시장의 산출수익 개념은 "시가총액을 기준으로 얼마의 수익을 냈는가?" 라는 개념이라고 생각하면 된다.

투 자 를   결 정 하 는   근 거 ,   산 출 수 익

시가총액에는 모든 변수가 포함되어 있고, 주식의 시장가격은 그 기업의 자산가치와 시대가치, 현금흐름까지 고려해서 매겨진 가격이라고 생각한다면, 사실 시가총액이란 것은 기업의 모든 가치를 반영하는 궁극적 지표라고 볼 수 있다. 내재가치와 시장가치는 항상 괴리가 있게 마련이고 현명한 투자자들이 그 괴리를 취한다. 이것이 주식투자의 근본원리라면, 시가총액은 실시간 검색어 순위 정도의 의미밖에 없다고 생각할 수도 있다.

하지만 "실시간 검색어 순위에 오르는 사람은 대개 우리나라에서 유명한 사람일 가능성이 크다."는 전제가 따르듯, 시가총액을 대상으로 판단하는 산출수익도 상당한 의미를 가질 수 있다. 예를 들어, 삼성전자의 시가총액이 100조 원이라고 가정할 때, 삼성전자의 순이익이 10조 원이라면 산출이익은 10%, 5조 원이라면 5%다. 이때 우리가 여기에서 얻을 수 있는 정보는 다음과 같다.

1. 다른 기업 대비 삼성전자의 산출수익은 높은가, 낮은가?
2. 거래소 시장 전체의 산출수익에 비해 삼성전자의 수준은 어떠한가?
3. 삼성전자의 금리 대비 산출수익은 어느 수준인가?

만약 금리가 5%인데 삼성전자의 산출수익이 5%라면 굳이 위험자산인 주식에 투자할 이유가 없을 것이고, 금리가 2%인데 산출수익이 5%라면 투자가치가 있다고 판단할 수 있다. 반대로 금리가 5%라면 산출수익이 8% 이상은 돼야 삼성전자를 살 이유가 있을 것이다. 주식투자란 금리수익보다 최소 3% 수준의 추가 수익을 거둘 수 있어야 매력이 있음을 기준으로 삼을 경우 산출수익은 삼성전자 주가가 싼지 비싼지를 판단하는 근거를 제공한다.

또 다른 기업에 비해 삼성전자의 수준이나, 거래소 평균 대비 삼성전자의 산출수익을 비교하는 것도 의미 있는 판단 기준으로서 의미가 있다. 이 경우 금리가 낮아지거나 이익이 증가하면, 또는 동일한 순이익 수준에서 시가총액이 줄어들거나 커지면 매수 매도의 근거로 삼을 수도 있을 것이다.

금융불안이 투자에 미치는 영향

'채권왕'이라 불리는 세계 최대의 채권펀드 운용사 핌코(PIMCO)의 최고투자책임자(CIO) 빌 그로스(Bill Gross)는 이미 지난 2007년 8월, 고객에게 보내는 '뉴스레터'에서 이렇게 말했다.

"미국 서브프라임 모기지 사태가 투기등급 채권인 정크본드(부실 채권)로 확산되고 있다. 특히 신용시장이 하이일드 채권 부문에서 갑작스럽게 유동성 위기에 부딪쳤으며, 신뢰가 떨어지면서 대출시장이 경색되고 있다. 그러나 이미 대출업체나 대출자나 소화 능력 이상으로 씹어 넘겼으며, 이미 전체를 먹어버린 이들도 소화에 문제를 겪고 있다. 이 때문에 서브프라임 모기지 사태는 그 영역에만 그치지 않을 것이며 기업 대출업체들도 서브프라임 모기지 파산에 따른 타격이 불가피하다."

이 말은 2008년의 금융위기를 불러온 서브프라임 모기지 사태가 결국 부동산 대출만이 아닌 정규 채권시장에까지 영향을 끼칠 것이며, 이 문제는 결코 단기간에 해결될 수 없음을 경고한 것이다. 실제로 이후 미국의 정크본드에 붙는 프리미엄이 역사적 수준으로 급등했고, 이로 인한 신용경색은 채권시장 전반에 불안감을 불러일으키고 있다. 특히 세계 유수의 은행인 씨티은행이 전환사채를 발행하면서 연 11%라는 금리를 얹어준 것은 현재 자본시장에서 신용위기가 얼마나 심각하게 받아들여지고 있는지를 보여주는 상징적인 사건이다.

세계경제의 글로벌화로 인해 이러한 신용불안이 미국에서 끝나지 않을 것이라는 점에 투자자들의 고민이 있다. 우리나라의 경우 2007년 11월 말 지표물인 5년 만기 국고채 금리가 6%에 진입했다. 이것은 5년 4개월 만에 최고치를 보인 것이며, 자산을 보유한 투자자가 국고채를 사둘 경우 연 6%, AA- 등급의 회사채를 보유할 경우 시중은행의 특판예금을 훨씬 상회하는 6.5%의 금리 수익을 거둘 수 있음을 의미한다.

이뿐만이 아니다. 시중은행들도 수신금리를 경쟁적으로 올리기 시작했고, 이로 인해 상당한 자금이 은행의 특판예금으로 몰리는 상황이 벌어졌다. 더구나 대기업들이 높은 내부 유보율에도 불구하고 시중은행에 대출 자금을 확보하고 나섬으로써 민간 부문에서 신용경색에 대한 우려가 상당하다는 사실을 보여주고 있다.

이러한 금리 불안이 초래할 수 있는 상황은 여러 가지다. 우선은 긍정적 측면에서 그만큼 "경기가 좋아졌다."라고 받아들여질 수도 있고, 적당한 수준의 금리 상승은 인플레이션 억제나 유동성 과열을 예방한다는 측면에서 바람직한 부분도 있다. 하지만 원인에 대한 분석이나 거시경제적 의미는 학자나 전문가의 몫이고, 자산시장의 입장에서는 '현상을 현상으로만' 바라봐야 한다. 즉, 금리 상승의 이유나 대책보다는 "금리가 얼마다."라는 사실 그 자체만 주시하라는 뜻이다.

부자일수록 금리에 민감하다

자본시장에서 금리에 대한 민감도는 자산의 규모에 따라 다르다. 여유 자산이 100만 원인 사람과 100억 원인 사람의 생각은 처음부터 끝까지 차이가 난다. 100만 원의 자산을 가진 사람의 입장에서 금리 차 1%는 한 달 기준으로 1,000원의 차이도 안 되지만, 100억 원인 사람은 1,000만 원 가까운 차이를 보인다. 이 때문에 금리에 대한 민감도는 부자가 훨씬 높고, 그 정도는 일반인의 예상을 뛰어넘는다.

금리는 여러 자산으로 이뤄진 투자수단의 비교우위를 분석하는 데 가장 중요한 지표가 된다. 특히 거대 자산의 입장에서는 주식시장과 채권시장의 기대수익률에 따른 상대적 우위를 평가하는 것이 대단히 중요하고, 그것은 시장의 방향성에 큰 영향을 미친다. 금융시장은 거대 자본의 힘이 방향성을 좌우한다. 미래에셋의 펀드가 주식시장의 가격 형성에 영향을 미치듯 100억 원을 가진 100명과 1억 원을 가진 1만 명은 전체 자금 규모는 같지만 그 힘은 다르다. 전자의 경우는 의사결정이 집중화돼 시장에 강한 영향을 미치지만, 후자의 경우에는 의견의 불일치로 인해 이미 정해진 방향에 가속도를 보태는 역할 이상을 기대하기 어렵기 때문이다.

거대 자산가들의 자산투자는 보통 금리를 중심으로 얻을 수 있는 이익을 중시한다. 금리란 자산이 안전하게 보호되는 상황에서 수동적으로 얻을 수 있는 일종의 불로소득에 해당하기 때문이다. 다른 자산에 투자할 경우 금리보다 더 큰 이익을 기대할 수는 있지만 그만큼 위험도 감수해야 한다.

이 부분은 보통 리스크 프리미엄(Risk premium)이라는 개념으로 쉽게 이해할 수 있다. 가령 채권투자의 기대수익률(여기서는 지표물인 5년 만기 국채를 기준으로 삼자)이 지금처럼 6%라면 그보다 위험한 주식에서는 최소 9~10% 이상의 이익을 낼 수 있어야 투자 메리트가 생긴다. 아무 위험도 없는 무위험 이익이 6%로 물가상승률의 2배나 된다면, 물가상승률을 감안한 실제 자산의 크기는 가만히 있어도 점점 커지는 상황이기 때문이다.

그렇다면 이때 주식시장이 최소 9~10%의 기대수익(이론상)을 올려주기 위해서는 주식시장의 PER이 10~11배 수준 이하일 경우에 가능하다. 그것은 주식시장의 기대수익률이 PER의 역수로서 얻어질 수 있기 때문이다. PER이 10배라면 이론상 $\frac{10}{100}$ =0.1, 즉 주당 10%의 기대수익률을 가진다는 의미다. 예컨대 주식의 주당 기대수익이 9%라면 PER이 약 11배, 기대수익률이 10%라면 PER이 약 10배일 경우에 주식투자의 메리트가 생긴다는 의미다. 채권수익률이 6%인 경우 주식시장이 매력을 가지려면 기대수익률이 최소 9% 수준은 넘어야 한다.

이런 점을 무시하고 만약 우리나라 주식의 2008년 초 PER 12배를 이머징아시아 평균인 15배에 대비, 저평가됐다는 관점에서만 본다면 "다른 시장은 고평가됐는데 우리시장의 고평가는 미미하다."고 보는 것과 같다. 하지만 이는 "거대 자산의 입장에서 주식투자가 매력적인가?" 하는 논점과는 다른 문제다. 그럼에도 굳이 아시아 신흥국가와 우리나라의 PER을 비교해야 한다면, 그것은 우리가 아직도 아시아 신흥시장 수준의 실력과 위상을 가진 나라라고 여기기 때문일 것이다. 그런데 과연 그럴까?

우리는 영광스럽게도 이미 국제 금융시장에서 적어도 신흥시장과 선진국시장의 중간 정도의 평가를 받고 있는 상태다. 그렇다면 우리나라의 적정 PER을 아시아의 신흥시장과 비교해 도출한다는 것은 분명 무리가 있을 것이다. 우선 주식시장의 안정성을 보여주는 변동성만 해도 우리는 신흥시장보다는 선진국 수준에 가까운 변동성을 보인 지 이미 오래다.

지금 시점(2008년 초)에서 금리 대비 우리나라의 주식이 싸다는 이유로 거대 자산들이 매수에 나서는 데는 다음 네 가지의 경우의 수가 존재한다.

첫째, 기업의 이익이 20% 이상 증가하는 것. 그 경우 PER은 하락하고 금리 대비 주식의 매력도가 다시 증가한다.

둘째, 주가가 조정을 받아서 하락하는 것. 이 경우도 PER이 하락함으로써 매력도가 높아진다.

셋째, 기업 이익은 그대로지만 금리가 하락하는 경우. 이 경우 역시 금리 대비 상대적 매력도가 올라간다.

넷째, 차세대 성장산업에 대한 선점이나 자동차, 전기전자 등 우리나라의 주력산업 사이클에 대호황이 와서 기업이익이 장차 크게 불어날 것이라는 확신을 주는 것이다. 이 경우는 주식시장이 강한 모멘텀을 획득함으로써 주가가 지속적인 고평가 국면에 들어선다. 이 경우가 아니라면 거대 자금들이 주식시장으로 이동하기는 어려울 것이다.

경기와 금리를
이해하고
실물경제에
대응하라

    모든 투자는 금리를 보고 판단하는 것이 가장 중요하다. 그 이유는 즉물적인 판단으로 투자의 시점이나 방향을 결정하기에는 우리의 지성이 너무나 불완전하기 때문이다. 따라서 특정 시점을 지칭하기는 어렵더라도 최소한 "우리가 투자를 결정하는 기준은 무엇인가?"라는 질문에 가장 현명한 답을 줄 수 있는 것이 있어야 하는데, 그것은 바로 '금리'다. 그 이유는 다음과 같다.

경기와 금리의 상관관계

    인플레이션(inflation)은 문자 그대로 가격이 오르는 현상이다. 가격이 오른다는 것은 돈의 가치가 떨어진다는 말인데, 그 원인은 수요 인플레이션과 비용 인플레이션의 두 가지 관점으로 볼 수 있다.

먼저 전통적으로 인플레이션의 원인은 총수요가 총공급을 초과하는 경우다. 먼저 총수요가 증가하는 이유는 실물에서 계속 수요가 일어나거나(소득 수준의 증가로 소비가 늘어나는 경우), 과잉 유동성이 공급되거나(저금리) 하는 두 가지다. 특히 개도국의 경우 실물수요는 투자수요가 계속 증가하는 것이 주원인이 되는데 산업시설 투자가 빠르게 진행되는 것을 예로 들 수 있다.

개도국이 아닌 경우에는 재정수요의 증가가 원인이 될 수 있다. 즉, 일본이나 우리나라의 경우 노령화가 진행되어 사회보장에 대한 지출이 늘어나고, 그것은 곧 정부 재정지출의 확대로 이어질 것이다. 이렇게 개도국은 개도국대로 투자수요가 많고 선진국은 재정수요가 많은 상황이 바로 인플레이션의 원인으로 작용한다는 것이 전통적인 개념이다.

둘째, 비용 인플레이션은 원자재 가격의 상승, 임금의 상승, 독과점 구조를 이용한 생산자의 탐욕 등이 원인으로 작용한다. 2008년에 유발된 인플레이션은 전통적 원인인 재정수요의 증가와 개발수요의 증대, 그리고 비용 상승 구조 등이 맞물린 최악의 상황이라고 볼 수 있다.

이렇게 인플레이션이 유발되면 임금 상승률은 느린데 물가상승률은 빨라 임금 소득자의 실질 소득이 감소하며, 이것은 부의 재분배에서 악의 순환고리로 작용하게 된다. 즉, 기업가는 가격 상승을 통한 전가가 가능하지만, 근로자는 정액임금으로 인해 임금을 생산자에게 되돌려주는 상황이 되므로 사회적 부의 재분배가 역으로 이루어지는 결과가 초래되는 것이다. 하지만 궁극적으로는 근로자의 임금이 낮아지면 구매력이 하락하고 최종적으로는 공멸하는 구조가 된다.

이 문제를 해결하기 위해서는 총수요를 억제하는 것이 일차적인 방법이다. 이를테면 통화공급을 줄이고(금리인상) 재정지출을 억제함으로써 물가를 관리하는 것이다. 하지만 이 경우 포퓰리즘(populism)에 휘말리면 재정지출을 늘리고 금리인상을 늦춤으로써 심각한 위기를 초래할 수 있다.

이때 주식 투자자는 여러 가지 경우의 수를 갖게 된다. 현금을 갖고 있거나 금리가 고정되는 채권에 투자하는 것은 최악의 선택이다. 그에 반해 주식을 보유하는 것은 기업가치를 소유하는 실물자산투자와 비슷한 효과를 내므로 일단은 유리한 구조다.

인플레이션이 완만하거나 인플레이션이 성장률을 크게 상회하지 않는 약인플레이션인 경우에는 주식투자에 유리하다. 그러나 역사적으로 인플레이션이 6%를 상회하는 경우에는 주식시장이 심각한 타격을 입었다. 인플레이션을 잡기 위한 정책(금리인상)이 주식투자수익률을 상대적으로 하락시키는 결과를 가져왔기 때문이다.

예를 들어, 인플레이션이 3%일 때 배당수익률이 3%인데, 인플레이션이 6%일 때도 배당수익률이 그대로라면, 주식 투자자의 배당소득이 감소되는 효과가 있다. 뿐만 아니라 주가수익배율의 역수가 주식시장의 기대수익률이므로 주식시장의 기대수익률과 금리의 격차가 좁아지고, 이것은 곧 위험자산인 주식투자에 대한 기피로 이어진다.

따라서 주식 투자자들은 인플레이션의 초기 국면에서는 별 문제가 없지만 인플레이션이 6%를 넘어가고 정부당국이 금리를 빠른 속도로 인상하기 시작하면, 주식시장의 비중을 줄일 준비를 하고 있어야 한다. 다만 실물자산의 경우에는 자산가치의 상승 효과가 발생하므로 금이나 부동산시장에는 상대적으로 유리한 환경이 만들어진다.

인플레이션의 원인이 통화량의 과잉 공급이나 수요 증가일 경우에는 부동산시장에 문제가 없지만, 원자재 가격의 인상 등으로 인한 비용 상승이 직접적인 원인이 됐을 경우에는 부동산시장에 나쁜 요인이 될 수 있다. 부동산은 이미 저금리 상황에서 시작하여 현재는 가격이 오른 상태이고, 인플레이션을 막기 위해 정부가 본격적으로 유동성을 억제하면 부동산시장의 임대수익률이 하락하고 금융비용이 늘어나므로 악재가 된다.

디플레이션(deflation)은 인플레이션과 반대다. 미국식 정의를 따르면 경기침체란 2분기 연속으로 경제성장률이 마이너스를 보일 때를 말한다. 그러나 우리나라와 같이 5% 이상의 성장을 이루는 나라는 잠재성장률(경기부양과 같은 정책을 구사하지 않고 정상적인 투자와 소비 등의 경제원리에 따라 이루어낼 수 있는 성장률)이 4% 후반을 넘기기 때문에 실제 성장률이 3~4% 수준이면 경기침체라고 볼 수 있다. 즉, 디플레이션이란 수요의 감소로 제품 가격이 하락하는 상황으로 기업의 이익이 감소하고 경기는 침체를 보이는 상황을 가리킨다.

1920년까지는 금본위제도의 영향으로 실제 화폐가치는 금을 기준으로 매겨졌고, 제1차 세계대전 중에 불환지폐(不換紙幣)를 무차별적으로 발행한 나라들이 심각한 인플레이션을 막고 화폐가치를 방어하기 위해 통화량 감소와 재정지출 감소를 통해 디플레이션을 유발하기도 했다. 요즘은 세계 모든 나라들이 관리통화체제를 채택하고 있기 때문에 GDP 상승에 따른 적절한 통화량 증대 정책을 사용하여 사실상 인플레이션은 항구적으로 일어나게 되었다. 때문에 개념상의 디플레이션은 실물 경제에서 발생하기 어려운 구조가 된 셈이다.

따라서 최근 각국은 금리인상, 공개시장조작, 중앙은행의 통화관리 등을 통해 디플레이션 정책을 사용하므로 그 자체가 실제 물가하락을 유발하는 경우는 흔치 않다. 그러므로 발행량이 늘어난 화폐로 인해 물가는 지지력을 만들게 되고, 인플레이션으로 오른 물가는 디플레이션 구조에서 가격 지지력을 보이게 된다. 때문에 현대경제 시스템에서는 오른 물가가 제자리로 돌아가거나 하락하기보다는 가격 상승률이 현저히 둔화되는 경우를 디플레이션이라고 정의할 수 있다.

이렇게 실제 디플레이션이나 경기침체가 발생하면 정책당국은 실업을 막고 기업을 보호하기 위해 금리를 인하하고 유동성을 공급하기 때문에, 디플레이션 초기에 주식투자는 최악이 되는 반면 채권투자의 매력이 크게 높아진다. 하지만 금리인하의 막바지 국면에 이르면 부동산, 주식의 순으로 가격이 회복되고 상승 국면에 들어서므로 투자자들에겐 금리인하의 마지막 국면이 항상 투자의 기회가 된다.

마지막으로 스태그플레이션(stagflation)은 최악의 경우라고 할 수 있다. 이 말은 스태그네이션(stagnation)과 인플레이션을 합친 개념으로 경기는 침체에 빠지고 물가는 오르는 상황을 가리킨다. 정상 인플레이션과 달리 원자재 가격과 같은 특정 요인이 작용해서 원가상승 압력이 생기는 경우가 대표적이다. 늘어난 유동성이 문제라면 금리를 인상하면 되지만, 이 경우에는 원자재 가격의 상승으로 제품단가가 높아진 경우이므로 기업의 이익도 줄고 제품도 비싸진다.

더구나 이렇게 높아진 가격은 결국 경기침체가 와서 수요가 대폭 감소하고, 그로 인해 원자재 가격이 하락하지 않는 한 낮출 수 있는 다른 대책이 없다는 점에서 파괴적이다. 기업이익은 급감하고 실질 임금도 하락하여 구매력이 떨어진다. 정책당국은 보통 경기침체를 두려워해서 금리인상을 주저하지만 그로 인해 인플레이션이 걷잡을 수 없이 확대되면 뒤늦게 금리를 파격적인 속도로 인상하는 경우가 많다. 때문에 주식 투자자들은, 처음에는 저금리로 인한 우호적인 환경으로 인식했다가 뒤늦게 급격히 상승하는 금리로 인해 시장에서 빠져나갈 시간도 없이 파탄을 맞는 경우가 많다. 대개 주식시장의 역사적 급락은 이런 시기에 발생한다.

특히 지난 두 차례 석유위기에서 미국의 디플레이션은 주가의 급락을 이끌었고 이 여파는 대개 1년 반 이상 계속되었다. 스태그플레이션이 발생했을 때는 MMF에 투자하는 것 말고는 사실상 다른 투자 대안이 없다고 보는 것이 정확하다.

이러한 여러 경기 상황을 모두 고려하면 우리가 실물경제에서 대응할 수 있는 방안은 다음과 같다.

기본적으로 느린 인플레이션은 주식시장이 가장 좋은 방어처다. 주식이란 기업의 지분이고 기업 자체가 실물자산의 의미를 갖기 때문이다. 하지만 주식시장이 감당 가능한 인플레이션은 연 6% 수준이다. 이 이상의 인플레이션은 주식, 즉 기업에 대한 자산가치 보호를 넘어선다. 6% 이상의 인플레이션은 기업의 순이익이 갖는 성질을 희석하고 기업의 수익가치를 저해한다. 따라서 인플레이션 정도가 연평균 3%일 때가 가장 좋고 6% 수준은 한계 상황이라고 보면 된다.

반대로 디플레이션은 상품 가격이 하락하고 물가상승률이 하락한다는 의미다. 이것은 기본적으로 침체를 의미하고 금리인하를 압박하며, 기업의 입장에서는 수익성의 악화를 가져오는 핵심 요인이다. 따라서 디플레이션은 금리인하의 매력, 즉 채권투자에 유리한 국면이 형성되는 것이라고 볼 수 있다. 다만 디플레이션 역시 너무 급속도로 진행되면 기업의 안정성이 하락하고 기업 도산이 증가해 채권의 안정성을 위협하는 결과를 가져온다. 이 경우 채권투자의 수익은 더 가속화되지만 원본손실의 위험도 덩달아 커지게 된다.

세번째로 스태그플레이션은 최악이다. 주식의 가치와 수익력이 모두 하락하고 채권의 이자율은 금리 상승으로 인해 가치를 훼손당한다. 이

상황에서는 결국 주식이든 채권이든 아무것에도 투자할 수 없는데 그렇다고 현금을 보유할 수도 없다. 특히 스태그플레이션은 경기악화에도 불구하고 금리를 내릴 수 없어 부동산과 같은 실물자산으로의 도피도 불가능하게 만든다. 때문에 스태그플레이션이 발생하면 인플레이션과 동행해서 금리가 움직이는 MMF 이외에는 실제 돈을 둘 곳조차 없어진다. 그야말로 스태그플레이션은 투자자의 최악의 적이다.

인플레이션과 환율

주가가 하락하기 전에는 환율 격변이 따르는데, 그것은 경기가 인플레이션과 밀접한 상관관계를 갖고 있기 때문이다. 주식시장에서 인플레이션의 문제는 상당히 복합적으로 작용하므로 단정하기는 어렵지만, 최소한 우리나라를 포함한 신흥국의 경우에는 선진국에 비해 훨씬 복잡한 함수를 갖고 있다.

인플레이션은 물가가 오르는 것이지만 궁극적으로는 한 나라의 돈 가치가 하락하는 것이다. 하지만 이때 환율 변동이 발생한다면 그것은 단순히 물가상승 이상의 불균형이 발생했다는 신호다. 즉 환율이 움직인다는 것은 돈의 가치가 다른 나라에 비해 상대적 움직임을 보인다는 의미가 되기 때문이다. 통상적으로 환율 변동은 현재의 무역수지에 영향을 받지만, 글로벌 인플레이션이 발생하는 경우에는 외환시장이 미래의 수지를 선반영하게 된다. 즉 환율이 급등하면(자국 돈의 가격이 하락하면), 그것은 상대적으로 자국 경기의 불안 요인이 글로벌 기준보다 크다는 의미가 된다.

특히 신흥국은 수출의존적 경제구조를 갖고 있기 때문에 선진국의 경기변화에 상당히 민감하게 움직일 수밖에 없다. 더구나 차입을 많이 했거나 과잉투자까지 이루어진 상황이라면 급격한 경제위기를 초래할 가능성이 크고, 그나마 부채비율이 안정적이고 산업구조가 합리화된 수준이라면 변동성이 적다. 그리고 이런 모든 요인은 환율에 의해 반영된다.

만약 환율이 급변한다면, 글로벌 투자자들이 추후 해당국의 인플레이션 압력이 가중되고 무역수지가 악화될 것이라는 판단을 하고 있다는 의미다. 그리고 단순히 자본시장뿐 아니라 경기 자체에 대한 부정적 시선이 그만큼 크다고도 할 수 있다. 때문에 글로벌 인플레이션 상황에서 자국의 환율이 하락하는 경우는 상대적으로 안정적인 국가이며, 반대로 자국 환율이 급등하는 나라는 불안정한 상황으로 볼 수 있다. 따라서 글로벌 경기에 대한 우려나 인플레이션 경고가 나오기 시작하면 환율 변동에 대해 예의 주시하는 것이 매우 중요하다.

특히 감가상각이 한창 진행중인 자산을 보유한 국가의 경우에는 환율 변동이 극적인 위기로 작용할 수 있음을 고려하면, 이는 자본시장에서 그 어느 것보다 중요한 지표다. 만약 이런 위기신호가 등장했다면 주식시장에서는 계량적으로 PER을 눈여겨보아야 한다. 특히 신흥시장의 대세 하락 초기에는 PER이 낮아지는 경우가 많다. 신흥국 경기는 선진국 경기에 후행하므로 대개는 선진국에 확연한 불황신호가 나타날 때까지 신흥국의 지표는 별다른 반응을 보이지 않는다. 하지만 선진국의 지표가 확연한 불황을 나타내는 순간 신흥국은 갑자기 빨간 불이 들어오며 급정거를 하게 된다.

이러한 점은 기업 실적에도 같은 양상으로 나타난다. 기업 실적의 악화는 후행적으로 나타나기 때문에 선진국의 경기침체 초기에는 신흥국 수출 기업들의 실적은 별로 영향을 받지 않는다. 선진국의 경기침체는 신흥국에 투자된 자산회수로 나타나는데, 신흥국의 자산시장에서 외국인들의 매도가 일상화되면서 환율이 상승하므로, 수출기업이 중심인 신흥국 기업의 실적은 다소간 착시효과까지 발생한다. 하지만 일정 시간이 흐르면 환율의 도움에도 불구하고 기업의 실적이 예상보다 나빠지기 시작하고 그 우려가 깊어지면 문제가 달라진다.

이 시기에는 기업 실적 전망은 여전히 좋은 상황에서 외국인의 매도로 주식시장이 하락하기 때문에 PER은 저평가되기가 쉽다. 다시 말해 이 시기에는 저평가된 PER에 현혹되어 시장 자체를 잘못 판단하는 우를 범하지 않도록 주의해야 한다. 대개 이런 시기에는 실적 전망은 높고 주가는 하락하면서 낮은 PER이 유지되나, 막상 발표되는 실적은 낮아짐으로써 PER은 다시 적정선이 되고, 주가가 다시 추가 하락하면 PER이 낮아지고 다시 실적 전망이 악화하면서 주가는 결국 적정가였음이 확인되는 후행적 현상이 나타난다.

이것은 주가가 대세 상승기에 접어들 때 PER이 고평가되고 고평가된 PER은 예상 외의 실적 증가로 인해 다시 합리화하고 주가가 오르는 현상을 거꾸로 보여준다고 보면 된다. 때문에 신흥국의 주가가 대세 하락을 보일 때는 낮은 PER은 오히려 추가적인 주가 하락을 시사하는 것으로 판단해야 하고, 반대로 주가가 충분히 바닥을 확인하고 긴 기간의 침체를 벗어날 때 PER이 고평가되는 주식이 사실은 향후 주도주가 될 수 있다. 때문에 가치투자의 논리든 모멘텀투자의 논리든 간에 항상 같은 잣대를 들고 판단을 하는 것은 어리석기 그지없는 일이다. 주식을 판단하는 가치는 늘 유연해야 한다.

지금까지의 내용을 다시 정리해보자. 인플레이션이 발생하면서 환율 상승이 일어나는 것은 신흥국에 위기신호가 나타났다는 뜻이다. 이때 기업 실적은 오히려 대세 하락을 판단하는 데 착시를 불러올 수 있기 때문에, 이때 시장이 아닌 종목을 보는 방식인 바텀업(Bottom-up) 형태로 시장을 판단하는 것은 치명적이다. 이때는 탑다운(Top-down) 방식, 즉 거시적인 판단을 우선시하고 나중에 종목을 보는 방식으로 전환해야 한다. 역사적으로 변동성이 낮고 자산가치가 우량하며 안정적인 배당을 지급하고 필수 소비재를 생산하는 기업을 중심으로 관심을 두는 것 외에, 종목을 고르는 투자는 바람직하지 않았다.

거래자와
투자자를
가르는
위기대처 자세

자산시장에서 투자자와 거래자는 다른 개념이다. 투자자가 자신의 영감과 통찰력을 반영해 자산에 투자하고 그 결과를 책임지는 사람이라면, 거래자는 매매의 기술, 즉 상대적으로 싼 가격에 자산을 매수해 비싼 가격에 파는 기술을 구사하는 사람이라고 할 수 있다. 같은 관점에서 주식시장 참여자들을 구분하면 이 차이는 좀더 명확해진다.

단순히 자산가치가 시가총액보다 많기 때문에 혹은 자본이익률이 금리보다 높기 때문에 그 기업을 매수하는 것이 타당하다는 판단을 내린다면, 그는 투자자보다는 거래자에 가깝다. 이 투자자는 왜 해당기업의 주가가 시장에서 저평가되고 있는지에 대해 고찰하지 않았기 때문이다. 반대로 가치투자 교과서에서 흔히 보는 영감의 사례들은 투자자의 행동에 가깝다. 인스턴트커피 공급업체가 가진 독점적 지배력의 가치를 높이 평가한다든지, 부동산시장의 상승을 보고 부동산 자산이 많은 기업의 주식을 매수하는 것들이 소위 영감에 해당한다. 이렇듯 투자를 결정하는 과정은 투자자마다 다르고 그 영감의 범위도 각각 다르다. 즉 100명의 투자 판단엔 100가지의 이유가 존재하는 것이지, 재무제표를 펼쳐들고 단순히 방정식을 풀듯이 결정되는 것은 아니라는 뜻이다.

그런 관점에서 가치 투자자들이 가장 쉽게 범하는 오류는 거시경제적 요소에 대한 가중치를 낮게 둔다는 점이다. 저평가된 주식을 사서 장기보유하면 된다는 단순 논리에 빠지면, 거시경제적 요소를 지나치게 저평가하거나 무시하게 된다. 예를 들어, 전체 자산시장이 거품 국면에 진입하면 가치 투자자의 투자 대상 역시 절대가치 측면에서는 더 이상 존재하지 않고, 단지 상대가치 측면에서만 저평가 투자 대상이 존재할 뿐이다.

반대로 유동성 축소 국면이나 전체 자산 가격이 하락하는 상황에서는 대부분의 투자 대상이 절대적 저평가 상태로 전환되지만, 그렇다고 모든 자산이 투자 대상이 되는 것은 아니다. 그래서 가치투자의 관점에서도 거시경제 측면의 변수는 상당한 가중치를 두어야 한다.

2008 시장은 위기인가, 기회인가

같은 관점에서 이 글을 쓰는 시점인 2008년 초의 시장은 거시적 측면에서 상당히 악화되고 있다. 물론 유동성의 맥락과 우리나라 산업구조의 재편, 인구문제, 연기금 수익률 문제, M&A, 지배구조 부문에서 촉발된 유통주식의 감소, 퇴직연금제, 자산 비중의 재편 등을 놓고 볼 때 우리나라 유가증권시장의 장기 상승을 의심하는 목소리는 적다. 그 때문에 한국시장에서 현재 가장 매력적인 것은 금융자산이며, 그 중에서도 주식시장에 대한 상대적 매력이 크다는 것은 삼척동자도 아는 것이다.

어떤 풍상을 겪더라도 결국은 과실을 맺을 것이라는 믿음을 갖고 투자하는 것은 현명하지만, 그 과정에서 고스란히 비바람을 맞으면서 견뎌야 한다는 생각은 진정한 투자자의 관점이 아니다.

거시적 측면에서 보면 2008년 자산시장의 환경은 잔뜩 먹구름이 끼어 있으며 언제 천둥번개가 내려칠지 모르는 상황이다. 특히 미국과 중국이 문제다. 미국 서브프라임 모기지 사태는 아직 터널의 끝이 보이지 않고, 달러 표시 자산에 투자한 중국 은행들의 위험자산 규모는 드러나지 않고 있다. 더구나 무역수지를 자본수지로 채워가는 미국이 기축통화 지위 약화로 인해 곤경에 빠지면서 미국 자산에 대한 신뢰도가 현저히 떨어지고 있는 실정이다. 이런 상황은 아무리 신흥시장과 유로 경제권이 상대적인 보완을 한다고 해도 한차례 비바람을 몰고 올 수밖에 없음을 암시한다.

투자자들은 향후에 2008년을 교과서로 삼게 될 것이다. 그래서 나는 2008년 현재 시점을 대단히 중요하게 강조하고 있다. 앞으로 전개될 시장 흐름이 자산시장에서 중요한 공부의 계기가 될 것임이 너무도 분명하기 때문이다.

어쨌든 2008년 이후로도 달러화는 약세 기조를 이어갈 것이고, 인플레이션 압력의 증대는 필연적이다. 앨런 그린스펀 전 미국 FRB 의장의 발언대로 전세계 중앙은행이 인플레이션과 힘겨운 싸움을 벌여야 하는 상황을 맞게 되면 자산시장의 안정성도 흔들릴 수밖에 없다. 결국 투자자들은 인플레이션, 달러 약세, 중국 경기의 둔화 등에 대비해야 한다. 하지만 이런 부정적인 요인들은 대다수의 투자자들에게는 위기를 안겨주지만, 일부 발빠르고 현명한 투자자들에게는 새로운 기회를 제공하기도 할 것이다. 이런 측면들이 자산시장에 반영되면 자산시장의 심리 역시 현저히 불안해질 것이다. 그래서 2008년 초부터 큰 폭으로 하락하는 미국 증시와, 미국 증시의 하락에 연동돼 급락한 전세계 증권시장의 동반 하락은 우리에게 바로 이 점에 대한 강한 시사점을 던져주고 있다.

위기가 주는 기회를 발견하라

2008년 초반부터 시작된 세계 증시의 하락은, 미국이 위기에 빠지더라도 세계 금융시장은 더 이상 미국의 영향을 받지 않을 것이라는 일각의 의견이 틀렸음을 증명한 것이나 다름없다. 미국시장의 불안정성은 전세계 시장을 감염시키고, 미국 경기침체에도 끄떡없을 것이라는 신흥시장의 자산랠리는 미국의 상황 여하에 따라 허공으로 사라질 수 있는 거품임을 분명하게 보여준 것이다. 늙은 호랑이의 포효는 여전히 밀림을 공포에 떨게 할 수 있다. 그나마 다행스러운 것은 미국의 위기는 시장에 수없이 경고음을 울렸고, 시장은 그에 대해 충분히 준비할 시간을 가졌었다는 사실이다. 이렇게 예고된 상황이라는 점에서 일시적인 위기가 닥치더라도 어느 정도 시간이 지나면 혼란이 수습될 것이라는 점은 분명하다.

물론, 그렇다고 해서 당장 닥칠 수도 있는 위험이 사라진 것은 아니다. 투자자들은 앞으로 또 이런 형태의 위기가 닥쳤을 때 무엇을 대비해야 할 것인가를 고민해야 한다. 2008년 많은 투자자들이 미국시장의 불안과 중국 자산시장의 조정으로 불안감에 빠져 있지만 한편으론 그렇지 않은 사람들도 있다. 기회는 위기에서 잉태되기 때문이다.

좀더 단순하게 정리해보자. 2008년을 기준으로 가장 문제가 되는 것은 금융위기와 인플레이션이고, 두번째는 그로 인한 금리 상승과 유동성 위축이다. 이런 위험들이 우리에게 주는 기회는 무엇일까?

그것은 바로 금과 같은 실물자산을 보유하는 것일 수도 있고, 금리 수혜를 보는 상황을 주목하는 것일 수도 있다. 그것은 현재 전세계 통화가치가 균일하지 않고, 그에 따라 각국 통화가치의 재평가(리밸런싱)가 자연스럽게 진행될 것이라는 측면에서 각국의 자산가치 사이에 차익의 기회가 발생한다는 의미일 수도 있다.

그뿐 아니다. 산업 간에도 희비가 엇갈리고 기업들마다 상황이 달라질 수 있는 계기가 마련될 것이다. 자산가치의 상승과 중국 경기의 호황에 기대 지나친 차입으로 사업을 진행한 기업에는 위기가 닥칠 것이고, 반대로 차입이 적고 필수 소비재를 생산해 판매하는 회사의 가치는 상대적으로 부각될 수 있다.

또 한국처럼 통화가치가 저평가 상태에 있는 국가의 자산에는 차익의 기회가 발생할 수도 있으며, 이 경우 예상 외로 중국이나 인도에 투자한 자산들이 우리나라로 느닷없이 이동할 수도 있다. 그리고 실물자산이나 그에 준하는 자산을 가진 기업에는 상대적 메리트가 발생하는 구조가 될 수도 있다. 헤지펀드에도 위기와 기회가 주어질 수 있다. 부풀려진 자산에 무리하게 모멘텀투자를 감행했던 헤지펀드들은 위기를 맞을 것이고, 전통적으로 차익거래에 강하고, 위기를 역이용할 줄 알았던 안목 있는 헤지펀드들에게는 새로운 기회의 장이 될 것이다.

이런 측면에서 위험은 항상 새로운 질서의 재편을 요구하는 계기가 된다. 고민해보자. 만약 앞으로 또 다른 위기를 맞게 된다면 그 위기가 주는 새로운 기회는 무엇인지 스스로에게 물어보아야 한다. 거기에 답할 준비가 되어 있느냐 아니냐가 바로 당신이 거래자인지 투자자인지를 구분하는 기준이 될 것이다.

예측보다
중요한 것은
대응이다

나는 늘 주식투자에서 중요한 것은 매수가 아닌 '매도'라는 얘기를 한다. 우리는 기본적으로 주가의 저점과 고점을 정확히 찾아낼 수 없을 것임을 전제하기 때문이다. 반복되는 이야기지만 주식투자에서 저점과 고점을 정확히 알 수 있다면 그는 신이거나 시장, 그 자체를 배후에서 조종하고 있는 보이지 않는 인격체일 것이다. 그러기에 투자에서는 예측보다 대응이 중요하다. 예측은 기본적으로 주가의 방향성을 염두에 둔 다음 주가가 오를 것이냐 내릴 것이냐를 맞히는 방식으로 투자를 하는 것인데, 성공 가능성은 거의 제로에 가깝다. 시장의 자칭 '비서(秘書)'들과 '고수(高手)'들은 그 방법을 알고 있는 듯 말하지만, 그것에 귀를 기울인다는 것은 결국 무녀(巫女)의 말에 운을 맡기는 것과 다를 바가 없다.

하지만 대응은 다르다. 대응은 하늘에 먹구름이 끼면 우산을 들고 나가고, 아침에 찬바람이 불면 코트를 입는 것과 같다. 다만 이렇게 예측이 아닌 대응을 원칙으로 삼을 때는 기준이 필요하다. 이동평균선을 기준으로 삼든 수백 개나 되는 보조지표들 중 하나를 기준으로 삼든 마찬가지다.

일 관 된 자 신 만 의 대 응 기 준 을 가 져 라

이때 기준이란 가격이 기대를 배반할 때 우리가 스스로 그 상황을 받아들일 수 있어야 하는 것이다. 즉, 우리가 주식을 매수할 때는 그것의 가격이 오를 것이라 기대하고 매수를 하지, 가격이 내리기를 기대하면서 주식을 사들이지는 않는다. 하지만 막상 주식을 사들이면 그것은 종종 우리의 기대를 배반한다. 이때 내가 사들인 주식이 오를지 내릴지는 아무도 모르지만 그것이 오를 때는 지켜보기만 하면 되고, 기대와 달리 가격이 하락할 때는 피해를 최소화하는 것이 핵심이다. 그래서 우리에겐 기준이 필요한 것이다.

모두가 반드시 지켜야 할 기준은 없으며 각자에게 맞는 나름의 기준이 있을 뿐이다. 산 가격에서 오르지 않으면 매도할 수도 있고 정해진 가이드라인에 따라 일정 비율의 하락이 있을 때 매도할 수도 있고, 정해진 이동평균선이나 지표들을 훼손할 때 매도할 수도 있다. 그것이 무엇이든 간에 일관된 기준만 있으면 된다.

하지만 투자에 있어서 단지 내가 사들인 주식이 하락할 때 혹은 기대대로 움직이지 않을 때 매도하는 단순한 대응만 존재한다면, 역시나 어려움에 빠진다. 이익이 날 경우에는 얼마의 이익이 날 때 매도를 해야 하는지 다시 고민에 빠지게 되는 것이다. 예를 들어, 매수한 주식이 10% 상승했을 때 이 주식이 이제 다시 하락하여 매수가에 접근할 것으로 생각되면 여기서 팔아야 할 것이고, 반대로 추가로 상승해서 50%, 100% 상승할 것으로 생각된다면 계속 보유를 해야 한다. 그러나 결국은 또 예측의 딜레마에 빠지고 마는 것이다.

그렇다면 결국 핵심은 "이익을 냈을 때 언제 파는 것이 가장 적절한가?"라는 데 모아지는 것이 정상이다. 매수한 주식이 기대와 반대로 하락을 할 경우에는 '절대로 변하지 않을' 기준을 세워서 대응하되, 이익을 낼 경우에는 절대적이 아닌 '상대적'인 잣대를 가져야 한다는 것이 딜레마인 셈이다. 즉 손실은 물리적이고 기계적인 방식으로 정리하되, 이익은 가능한 한 유연하고 직관적인 방식으로 실현해야 한다는 숙제가 남는다.

이에 대한 해답은 결국 시장의 심리와 체력에서 찾을 수 있다. 여기에 대해서는 시장의 심리도와 이격, 시장 참가자들의 질을 이용하는 방식이 있지만, 사실 일반 투자자들이 시장심리를 유연하게 파악하기란 여간 까다로운 일이 아니다. 하지만 조금만 주의를 기울이면 그리 어려운 일이 아닐 수도 있다.

주 식 시 장 의   신 호 를   예 민 하 게   포 착 하 라

우선 원칙적인 입장에서 생각해보자. 세상의 모든 경제행위는 수요와 공급의 원리를 따른다. 제한된 대상을 두고 사려는 사람이 늘면 가격이 올라가고, 팔려는 사람이 늘면 가격은 떨어진다. 하지만 이렇게 단순한 원리도 주식시장에서는 파악하기 힘들다. 왜냐하면 주식시장에서는 수백만의 참가자가 복수의 계좌를 가지고 거래하는데 과연 이들 중에 누가 매수자이고 누가 매도자인지 알 수 없을 뿐 아니라, 매도자와 매수자는 하루에도 몇 번씩 서로 입장이 바뀌기 때문이다.

시장에서는 이를 알기 위해 간접적인 정보들을 이용한다. 그 중 하나가 고객예탁금이다. 하지만 고객예탁금이란 문자 그대로 계좌에 들어 있는 돈을 의미하는 것이다. 그것이 팔린 돈이든 사려는 돈이든 색깔은 다르지 않다. 그래서 요즘은 기관 투자가들의 역할을 감안하여 기관 투자가들의 주식 편입 비율을 살핀다. 기관 투자가들의 현금 보유 비중이 거의 한계에 다다르면 더 이상 매수 여력이 없다고 판단하는 것이다.

같은 관점에서 펀드의 환매 규모를 보고 판단하기도 한다. 펀드의 순유입 자금이 늘어나면 기관 투자가들의 매입 비중이 늘어날 것으로 예측할 수 있고, 반대이면 기관 투자가들이 환매자금을 마련하기 위해 조만간 매도할 것임을 짐작할 수 있다. 하지만 이런 정보들은 모두 간접적이며 부정확하다. 기관 투자가들은 시장의 일부일 뿐 전부가 아니며, 더구나 시장의 일시적 경향인지 아니면 시중 자금의 소진인지를 구별하기에는 적합하지 않기 때문이다.

시장에서는 이 모든 약점들을 반영할 수 있는 정보를 더 중시한다. 시장의 상승 종목과 하락 종목을 비교한다든지, 시장의 거래량을 포함하여 판단하는 것이다. 종합주가지수가 가파르게 상승하기 위해서는 시장으로 유입되는 자금 역시 가파르게 증가해야 한다. 주가가 오른다는 것은 곧 "어떤 바보가 가진 주식을 그보다 더한 바보가 비싼 값을 치르고 사려한다는 뜻이다."라고 한 코스톨라니의 냉소적인 이야기를 빌리지 않더라도, 주식의 가격이 상승한다는 그 자체만으로도 이미 더 많은 투자자금과 투자자를 필요로 한다는 것은 분명하다.

시가총액이 1,000조 원에서 1,100조 원이 되었다는 말은 다음에 같은 비율의 상승을 위해서는 110조 원이 더 필요하다는 의미가 된다. 때문에 시중자금이 계속 100조 원씩 증가한다 하더라도 다음에는 110조 원, 다음에는 121조 원의 자금이 유입되지 않는 한 더 큰 상승을 이끌어낼 수 있는 조건은 아니라는 뜻이다.

때문에 자금 유입 비율이 유지되지 않고 자금의 절대량만 늘거나 줄어드는 상황에서 주가가 크게 오른다면, 그것은 수요공급의 원리에 충실한 가격 상승이 아니라 같은 자금이 매수와 매도를 반복한 결과이거나 시장 전체보다는 특정 종목이나 업종만 상승하는 상황이라는 뜻이다. 자금 유입이 일정 부분 한계에 부닥치면, 대개 시장은 지수는 상승하되 특정 종목만 상승하는 슬림화가 발생하거나 시장 거래량이 늘어나면서 거래 회전율이 증가하는 양상으로 나타나는 것이다.

따라서 동일자금의 거래 회전으로 인해 주가가 상승하거나 특정 종목만 오르는 경우에는 보유한 주식을 일단 매도하고 다시 수급이 일치하는 시점까지 관망하는 것이 바람직한 기준이 된다. 그런 관점에서 볼 때 상승 종목보다 하락 종목이 늘어나거나 시장의 자금 회전과 거래 회전율이 높아진다면 일단 시장에는 노란불이 켜진 것이다. 만약 이 지점에서 전체 거래량의 증가까지 나타난다면 그것은 일단 정지신호가 켜진 것으로 판단하는 것이 옳다.

시세와의 싸움에서 이기는 법

조금 황당하지만 외계인과 조우하는 날이 온다고 가정해보자. 그리고 이왕 가정하는 김에 그 외계인이 지구를 정복하기 위한 정찰대의 일원이고, 지구인의 지적 능력을 테스트하기 위해 인간으로 변장한 다음 시골 장터에 나타나 '야바위' 게임을 벌이고 있다고 상상해보자. 고도로 지적인 외계 생명체는 우리의 머릿속을 훤히 꿰뚫어보고 있어, 어느 쪽 그릇에 주사위를 숨겨 놓았는지를 절대 맞힐 수 없게 조작한다. 이렇게 되면 우리는 그와 100번, 아니 1,000번 게임을 해도 절대로 이길 수 없다. 그리고 그는 예상대로 지구인의 생각을 모두 읽을 수 있다고 판단하고, 이 미개한 행성을 안심하고 침공해도 좋다는 사인을 본부에 보낼 것이다.

이때 우리가 그를 이길 수 있는 방법은 무엇일까? 그것은 단지 내가 원하는, 또는 선택하기로 마음먹었던 쪽이 아닌 그릇을 짚거나, 아무 생각 없이 동전을 던져서 앞면이나 뒷면이 나오는 대로 고르는 것이다. 그러면 외계인은 혼란에 빠질 것이다. 분명히 상대의 마음을 읽었음에도 불구하고 이 미천한 지구 생명체가 이기는 것을 보고, 자신이 파악하고 있는 것과는 달리 고도로 지적인 사고를 하는 존재로 오해하면서 지구 침공을 포기할지도 모른다.

고도의 지능을 지닌 시장

나는 가끔 시장을 보면서 어이없는 생각을 하곤 한다. 시장은 살아 움직이는 생명체이며, 그 생명체는 고도로 발달한 지능과 우리의 머릿속을 훤하게 들여다보는 독심술마저 갖고 있는 외계인 같은 존재일지 모른다고. 또한 그 생명체는 주사위를 우리가 선택한 그릇이 아닌 다른 그릇으로 옮겨놓으며, 예측을 하기 위해 시도하는 모든 시도들을 무력화시키고 있다고 말이다.

우리는 항상 뉴스를 보고 정보를 읽고 가격을 살피며, 나름대로 합리적인 견해를 유지하고 그에 따른 판단을 한다고 생각하지만, 우리가 한 예측은 절반도 맞지 않는다. 대체 왜 그럴까? 무엇 때문에 정보 전달이 늦고 제대로 된 정보가 존재하지 않던 시절이나, 실시간으로 대량의 정보와 뉴스가 쏟아지는 지금이나 합리적 판단과 예측이 불가능한 것에는 변함이 없을까? 이런 의문이 꼬리에 꼬리를 물지만 결국 정보의 불균형성과 예측 불가능한 변수라는 뻔한 답만 얻고는 한다.

그렇다면 만약 모든 사람들이 동시에 똑같은 정보를 공유하고 세상의 모든 변수들이 상수가 되는 세상, 예를 들어 연방준비제도이사회 의장 버냉키가 연방기금 금리를 정해진 날짜에 정해진 만큼 조정하며, 기업

실적은 자로 잰 듯 예상과 부합하고, 미얀마의 군사정권이 사상자를 정확히 100명으로 산정해 시위를 진압하는 세상이 온다면, 우리는 주식시장의 방향성을 제대로 예측하고 모든 시장 참가자들은 돈을 벌 수 있을까? 대답은 당연히 "아니요."일 것이다. 이제 시장에서 우리가 말하는 예측 요인들이 얼마나 부질없는 것인지는 더 이상 부연설명하지 않아도 될 것이다.

애널리스트들은 시장 상승과 하락의 이유를 항상 완벽하게 설명하지만, 정작 그것에 근거한 예측의 결과는 항상 동전 던지기보다 못하다. 사실 애널리스트의 예상이 높은 승률을 올리는 가장 좋은 방법은 단 한 가지다. 시장이 오르면 계속 오른다고 주장하고, 오르는 이유만 설명하면 된다. 그리고 시장이 내리면 계속 내린다고 주장하며 내릴 수밖에 없는 이유를 내놓는 것이다. 이렇게 하면 그는 최소 9할 대의 엄청난 타율을 기록하는 스타 애널리스트가 될 것이다.

애널리스트나 전문가의 의견을 클릭하는 사람들과 지금 이 글을 읽는 독자들은 모두 자신의 '예단'을 가지고 있을 것이다. 그리고 그 예단에 부합하는 논리에 지지를 보낸다. 이를테면 2007년 중반까지 현대중공업을 보유한 투자자나 중국펀드 가입자들은 당시 끝 모르고 올라가는 중국 기업의 PER에 대한 우려보다는 2008년 이후 중국 기업의 수익성이 더욱 증가해 자연스럽게 PER이 희석될 것이라는 주장에 귀를 기울이고, 반대로 중국 은행들의 감춰진 부실, 불투명한 기업 회계, 치솟는 인플레이션과 금리 등에 대한 얘기에는 귀를 막았을 것이다. 물론 반대의 경우도 마찬가지다.

이렇듯 시장은 설명도 이유도 예측도 필요치 않다. 하지만 사람들은 늘 신묘한 예측을 기다린다. 시장은 오르는 힘에 따라가는 투자자와 내리는 압력에 몸을 맡기는 투자자에게 승률을 높여줄 뿐이지만, 우리는 늘 그것이 특정 정보와 뉴스에 기초한 판단에 따른 것이라 여긴다. 다만 이런 방식의 투자자가 승률이 가장 높은 것은 사실이지만, 그 승률이 결과적으로 결승선에서 테이프를 끊게 하지는 않는다는 사실을 알고 나면 좌절하게 된다.

서 있는 지점을 알아야 나아갈 방향이 보인다

시장에 계속 남아 있으면 열 번을 이겨도 한 번 지면 모두가 무너지고, 반대로 열 번을 져도 한 번을 제대로 이기면 역전할 수 있다. 그러나 최종적인 승리는 언젠가 어느 시점에 운이 좋아서였든 혜안이 있어서였든 간에 투자를 멈췄는데, 정말 그 지점이 대바닥이거나 대천장이었을 경우에만 주어진다. 시장을 이길 수 없는 결정적인 이유는 우리가 늘 시장 참여자라는 점에 있다. 멈춰야 할 지점에 멈추지 못하고 들어가야 할 지점에 들어가지 못한다는 데 실패의 원인이 있음을 자각하지 못하는 한 행운과 불운은 늘 반복될 것이다.

그렇다면 당신에게로 논점을 돌려보자. 투자를 하면서 항상 지금이 멈춰야 할 바로 그 지점인가를 생각해보아야 한다. 그러기 위해서는 먼저 한 가지 알아둘 것이 있다. 시장의 저점에서 보유자는 자포자기 상태에 이르고 매수자는 두려움을 느낀다. 반대로 고점 주변에서 보유자는 불안하고 매수자는 초조해한다. 시장이 연일 오르면 살 수도 없고, 그렇다고 지켜보기에도 고통스럽다. 하지만 그 와중에 주가는 비등점을 넘어버리고 주전자의 물이 금세라도 넘칠 듯 끓어오르면 이 가련한 매수자는 결국 주식투자에 뛰어들고, 주가가 너무 올라서 불안하던 보유자들은 시장에 물량을 던지기 시작한다.

이렇게 몇 번의 공방이 벌어지면서 거래량이 증가하고 주가는 제자리걸음을 하기 시작한다. 그리고 마지막 매수자가 주식을 사고 더 이상 주식을 살 사람이 없는 지점이 오면, 주가는 끝없는 하락을 시작하게 된다. 그리고 시장의 방향성은 그동안의 방향과 반대의 길을 가게 된다. 대바닥을 이루는 시점 역시 마찬가지다.

그래서 우리는 우리가 서 있는 자리가 항상 어떤 지점인지를 돌아보고 그에 답할 준비를 하고 있어야 한다. 자신만의 안목과 판단이 없는 사람은 아직 투자자로서 자질이 없다는 사실을 명심하자.

유동성 조절이
주식시장에
미치는 영향

 '헬리콥터' 버냉키는 미국 연방준비제도이사회(FRB) 의장으로 취임하자마자 공중에서 돈을 마구 뿌려댔다('헬리콥터'는 파격적인 금리인하 정책으로 유동성을 끊임없이 공급한 벤 버냉키에게 붙은 별명). 미 정부는 서브프라임 모기지 사태가 불러온 금융위기를 막기 위해 금리인하라는 폭탄을 퍼붓는 것도 모자라 2008년에는 금융기관의 부실채권에 대해 국채를 담보로 보증까지 해줬다. 심지어 베어스턴스가 JP모건체이스에 매각되는 일에도 FRB가 개입했다. 과거 우리 식으로 말하자면, 민간기업의 구조조정을 정부가 중개하고 공적자금을 투입하는 것과 비슷한 일을 미국 정부가 한 셈이다.

버냉키의 금리인하 정책이 부른 비극

이에 대한 시장의 평가는 극과 극이었다. 원칙론자는 정부가 나서서 신용위기를 구제하는 행위는 '도덕적 해이'를 불러온다고 비난했지만, 폴 크루그먼과 같은 시장주의자는 도리어 만시지탄(晩時之歎)이라고 말했다. 이 경우 시장의 평가는 대체로 우호적인데 금융시장은 기본적으로 수급으로 움직이기 때문이다.

보통의 경우 자산 가격은 경제현상을 반영하는 거울이다. 주가가 오르면 머지않아 경기가 좋아지고, 주가가 하락하면 경기가 나빠지게 된다. 주식의 가격이란 원래 기업의 가치를 평가하는 척도이고, 경기가 좋아지면 기업은 장사가 잘되기 때문이다.

그런데 가끔은 이런 원칙이 어긋날 때가 있다. 주가가 경기 흐름을 그대로 반영하게끔 시장 흐름이 자연스러우면 자산 가격은 건강한 모습을 보이지만, 시장에 인위적인 개입이 이뤄지면 주가는 왜곡되기 때문이다.

기업의 가치가 오르지 않았는데도 시장에 돈이 넘쳐흐르면 주가는 일단 오른다. 자고로 세상 모든 자산의 가격은 돈이 넘치면 오르고, 마르면 떨어진다. 하지만 사람들이 너무 비싼 값에 자산을 샀다고 깨닫는 순간 이야기는 달라진다. 거품이 낀 가격이 일거에 무너질 수 있기 때문이다. 그래서 시장 개입은 적으면 적을수록 좋다.

그럼에도 버냉키는 2008년 5월에도 금리를 인하함으로써 월스트리트 빌딩가에 달러를 뿌려댔다. 그러자 서브프라임 모기지 사태로 주택담보대출 때문에 집을 내놓게 생겼던 사람들의 얼굴엔 화색이 돌았다. 또 그들에게 돈을 빌려주고 떼일까 전전긍긍하던 금융기관들도 안도의 한숨을 내쉬었다. 그들은 그렇게 공중에서 뿌려진 돈을 한 움큼씩 쥐고 축제를 시작했다. 부어라 마셔라 하며 연신 폭죽을 터뜨렸다. 하지만 술에서 깨어난 그들이 버냉키가 뿌린 돈으로는 딱딱한 빵 한 조각도 살 수 없다는 사실을 깨닫는 순간 비극의 서막은 오르기 시작했다.

FRB가 금리를 내리면 내릴수록 중앙은행이 찍어내야 할 돈은 늘어나고, 미국 중앙은행의 조폐기가 돌아가는 속도만큼 물가는 올랐다. 그 결과 미국이 지급하는 원자재 가격과 상품 가격이 속등하는 것은 필연적이다. 이는 다시 소비자 물가상승으로 이어지며 돈 가치의 하락을 부추기게 된다. 돈은 하늘에서 뿌려졌으되, 그 돈이 기존 돈의 가치마저 떨어뜨리는 악순환에 빠지게 되는 것이 바로 시장이다.

버냉키는 2008년 6월 이후 더는 헬리콥터를 타지 못했고 앞으로도 어려울 것이다. 그 상황에서 금리를 더 인하하면 달러 가치의 하락은 불을 보듯 뻔하고, 인플레이션은 그의 통제 범위를 완전히 벗어나버릴 것이기 때문이다. 하지만 헬리콥터를 타지 않으려면 더 이상의 금융위기가 없어야 한다. 만약 앞으로도 주택 가격이 추가로 떨어지고, 그로 인해 금융기관들이 다시 흔들리면 그는 어쩔 수 없이 다시 헬리콥터를 타야 할지도 모른다.

이것이 2008년 현재 미국이란 나라가 처한 경제 현실의 속살이다. 그런데도 처음에 미국 증시는 이런 상황과는 전혀 다르게 반응했다. 다우지수는 1만 3,000포인트를 다시 넘어섰고, 그에 따라 미국 증시 바닥론이 흘러나왔다. 이때만 해도 생각보다 기업 실적이 나쁘지 않고 금융위기도 한풀 꺾였다는 기대가 작용했기 때문이다.

미국 기업의 실적이 미국경제를 정확히 반영하지 않았다(대부분 글로벌 기업이다)는 점을 감안하면, 금융위기에 대한 불안감 해소가 가장 큰 요인으로 작용했을 법하다. 사실 그 이유는 지극히 단순하다. 금리인하로 인한 유동성 공급이 그것이다. 돈이 넘치면 가격은 오를 수밖에 없다.

하지만 시장의 속성은 절묘하다. 종착지를 알면서도 당장의 단물에 혹하는 것이 시장이다. 앞서 말했듯이 투자자들은 절벽을 향해 달리는 마차에 서슴없이 올라탄다. 그리고 절벽에 도달하기 전에 뛰어내릴 수 있다고 믿는다. 이들에게 비극은 마차가 언젠가는 절벽에서 추락한다는 사실이 아니라, 단순히 '운이 나빠서' 하필 내가 내리기 전에 마차가 절벽에 이르는 상황을 맞는 것이다.

다만 이들에게 주어진 우연한 행운은 마차가 언제 절벽에서 떨어질지 모른다는 점이다. 투자자들은 경험적으로 인플레이션 증가율보다 화폐 공급이 빠를 때 당장은 돈이 가격을 끌어올릴 것이라는 점을 알고 있다. 그리고 누구나 마차가 떨어지기 전에 재빨리 뛰어내릴 수 있다고 생각하지만, 실제 그 순간은 마차의 문을 열 시간도 없이 너무나 순식간에 닥친다.

폭음을 한다고 해서 당장 간경화가 오는 것은 아니다. 부어라 마셔라 즐겨라 하며 매일 술잔을 들이켠 다음에야 서서히 구역질이 나고 황달이 시작된다. 하지만 그런 순간을 체험하기 전까지는 훗날을 모른 채 즐길 수 있다. 그러면 '유동성'이란 대체 무엇인지에 대해 한번 살펴보도록 하자.

유동성이란 무엇인가

중앙은행의 기능은 통화의 총량을 적절히 조절하는 것이다. 이때 적정 수준의 통화량을 유지하기 위해서는 '통화량의 크기와 변동'을 파악할 수 있는 잣대가 있어야 한다. 조폐공사에서 찍어내는 돈뿐만 아니라 어음, 수표, 기타 옵션까지 모두 돈이기 때문에 화폐의 실제 총량을 알기 위해선 특별한 지표를 만들어야 한다.

중앙은행은 이를 바탕으로 시중에 유통되는 통화량을 예측하고 통화정책이나 신용정책을 만든다. 통화에는 현금뿐 아니라 예금 등도 포함되므로 각국의 중앙은행은 통화량을 조절하기 위해 발권이나 금리정책뿐 아니라 은행에 대한 검사권 등의 통제력을 발휘한다. 이때 통화지표는 물가안정, 완전고용, 경제성장, 국제수지 균형 등의 통화신용 정책 목표를 구사하기에 적절해야 한다. 지표가 불완전하면 이런 목표를 조절하기가 어렵기 때문이다.

결국 통화지표는 이러한 정책 목표에 도달하기 위해 당국이 직접 행사할 수 있는 총통화량이나 금리정책 수단이 즉각적으로 영향력을 발휘할 수 있도록 정교하게 구성돼야 한다. 만약 통화당국이 잘못된 지표를 보고 금리를 올리거나 통화량을 늘리면 앞서의 통화신용정책의 목표에 어긋난 결과를 가져올 수 있기에 각국의 상황에 맞는 적절한 지표를 개발해서 사용해야 한다.

우선 우리나라는 중앙은행인 한국은행에서 M1(통화), M2(총통화), MCT(금전신탁), M3(총유동성) 등의 통화지표를 활용하고 있다. 연간 통화 공급 목표는 당해연도에 예상되는 경제성장률, 물가상승률, 유통속도의 변화 등을 감안해 정하며, 금융환경, 시장환경, 국제정세 등을 감안해 금리, 환율, 심지어 주가나 주택 가격까지 감안한 통화정책을 편다. 또 최근에는 과거 개별 은행의 자금공급 규모를 한국은행이 결정하는 직접규제 방식에서 탈피해 재할인정책, 지급준비율제도, 공개시장 조작 등의 간접규제 방식을 주로 사용하고 있다. 이는 경제가 글로벌화하면서 나타난 각국 중앙은행의 추세이기도 하다.

통화지표 중에서 M1은 화폐의 지급수단 기능을 중시해 현금과 요구불예금(보통예금, 당좌예금 등)을 포함한 지표다. 가장 단순하며 통계적으로 명확하다.

M2는 통화보다 넓은 의미의 통화지표로, 통화에 포함되는 현금과 요구불예금뿐만 아니라 정기예금, 정기적금 등 은행의 저축성 예금, 거주자 외화예금을 포함한 개념이다. 저축성 예금을 통화지표에 포함시키는 것은, 저축성 예금이 비록 거래적 동기보다는 자산증식을 위한 동기나 미래 지출에 대비한 예비적 동기를 갖고 있지만 약간의 이자소득만 포기한다면 얼마든지 쉽게 현금화가 가능하다는 점에서 요구불예금과 큰 차이가 없다고 보기 때문이다.

거주자 외화예금도 국내의 지급결제 수단으로는 다소 제약이 있지만 요구불, 저축성을 불문하고 언제든 원화로 바꾸어 국내에서 유통될 수 있기 때문에 총통화에 포함시킨다. 우리나라는 총통화가 다른 통화지표보다 경제성장, 물가 등 실물경제와 밀접한 관계를 맺고 있다는 경험적 사실에 근거해 1997년 이래 총통화를 통화관리의 중심지표로 사용하고 있다.

M2A는 M2에서 유동성이 비교적 낮은 2년 이상 만기 정기예금이나 정기적금 등 장기저축성예금을 제외한 단기유동성 통화지표다. 만기에 따라 자금의 유동성이 달라지므로 장기예금을 제외한 지표도 필요하다.

M3는 총통화에 제2금융권의 각종 예수금, 금융채, CD, 상업어음매출과 환매조건부채권(RP)까지 포함시킨 가장 넓은 의미의 통화지표로, 시장의 전체 유동성을 살피는 데 도움이 된다. 그래서 이런 지표들은 한국은행뿐 아니라 일반인들도 신문에서 M2, M3 증가와 같은 기사들이 나오면 시중의 유동성 중에서 어떤 부분이 늘어났고 어떤 부분이 줄어들었는

지를 알 수 있게 해주는 유용한 자료가 된다.

그러나 한국은행이 이런 지표를 분석만 하고 정작 통화량을 조절할 수 없다면 아무 소용이 없을 것이다. 중앙은행은 이런 지표들을 바탕으로 통화량, 즉 유동성을 조절하게 되는데 그 방식은 생각보다 다양하다.

물론 그 중 대표적인 것은 '금리'이고, 다음으로 '재할인율'과 '지급준비율'을 조절하는 방식이 있다. 재할인율 조절이란 한국은행이 금융기관에 빌려주는 자금의 이율을 높이거나 낮추어, 금융기관이 한국은행으로부터 차입하는 자금규모를 조정함으로써 통화량을 줄이거나 늘리는 통화정책을 말한다.

금리는 직접적으로 모든 금융거래자에게 적용되지만, 재할인정책은 은행에 우선 영향을 미친다는 점이 다르다. 예를 들어, 시중에 자금이 필요 이상으로 많이 풀려 있다고 판단되면 중앙은행은 재할인율을 높인다. 그러면 은행들이 중앙은행으로부터 돈을 빌리는 규모를 줄일 것이고, 은행이 중앙은행으로부터 빌린 자금이 적을수록 대출도 줄어들 것이다. 은행이란 이자 마진으로 수익을 내는 곳이므로 차입금리가 높아지면 대출이 줄어든다. 반대로 시중자금이 부족하다고 판단되어 경제가 원활하게 돌아가도록 재할인율을 낮추면 은행을 통해 시중에 공급되는 자금의 양이 늘어난다.

다음으로 지급준비율을 조절하는 방법도 있다. 얼마 전까지 중국의 물가가 상승하고 증시가 과열양상을 보이자 중국 당국이 빼내든 카드가 바로 지급준비율 인상이었다. 지급준비율은 금리만큼 강한 무기는 아니지만, 시중의 유동성을 붙들어두는 데 상당한 기여를 한다.

지급준비율은 고객의 예금인출에 대비하여 은행들이 예금의 일정 부분을 한국은행에 맡겨두는 지급준비금의 적립비율을 말한다. 예를 들어,

은행이 100만 원의 예금을 모두 대출해버렸다면 당장 돈을 찾으러 오는 사람에게 지급할 돈이 하나도 없게 된다. 그래서 은행은 '듀레이션갭(duration gap, 만기가 얼마 남지 않은 예금과 만기가 된 대출금을 비슷하게 조절해서 은행금고에 돈이 고갈되는 것을 막는 것)'이라는 것을 맞추게 된다. 장기예금과 단기예금을 적절히 조절하기도 하고, 단기요구불예금(보통예금)의 경우에는 갑자기 돈을 찾고자 하는 수요가 몰려도 대응할 수 있는 만큼의 현금을 금고에 쌓아두고 있어야 한다.

지급준비율제도는 원래 예금자보호제도에서 출발했지만 오늘날에 와서는 통화량을 조절하는 금융정책수단으로 사용되는 경우가 더 많다. 금리를 올리면 직접적으로 실물경제가 타격을 받고 대출받은 기업이나 개인들의 이자부담이 커지지만, 지급준비율을 높이면 은행이 대출해줄 수 있는 여유가 줄면서 시중의 자금량이 자연스럽게 줄어든다. 금리인상보다는 지급준비율 인상이 후유증이 훨씬 적고, 시중 통화량을 조절하는 데도 효과적인 셈이다.

중국이 2007년부터 금리인상 대신 지급준비율 인상을 택한 것도 이 때문이다. 금리를 올리면 위안화 상승을 자극할 게 뻔하므로 초과 유동성을 억제하기 위해 지급준비율 인상이라는 카드를 꺼낸 것이다. 하지만 이 정책은 총통화 대비 금리 왜곡을 초래할 수 있다는 문제점이 있다. 여신과 수신의 적절한 효율성이 떨어져 금융기관으로선 상당한 부담으로 작용하기 때문이다. 이렇게 지급준비율 조절은 재할인제도 및 공개시장 조작과 함께 3대 통화정책 수단으로 활용된다. 시중에 자금이 너무 많이 풀려 있다고 판단되면 중앙은행이 지급준비율을 높여 통화량을 줄이고, 반대의 경우에는 지급준비율을 낮춰 통화량을 늘리는 것이다.

유동성을 조절하는 또 다른 방식에는 '공개시장 조작'이라는 제도가 있다. 이는 '구매조작'과 '매각조작'으로 나뉜다.

예를 들어, 중앙은행이 시중에 풀려 있는 채권을 사들이면 화폐공급이 늘어나고 채권증서는 중앙은행으로 들어온다. 그만큼의 돈이 시중에 유통되는 것이다. 이로써 통화량이 늘어나는데, 이것이 구매조작이다. 반대로 중앙은행이 보유한 채권을 팔면 그 대금에 해당하는 현금은 중앙은행의 금고 속으로 빨려들어간다. 이것이 매각조작이다. 이때 채권거래를 중개하는 시중은행에는 중앙은행이 채권을 사는 만큼 준비금이 늘어나고, 파는 만큼 준비금이 줄어든다. 금융기관의 지불준비금이 달라지고 여유분을 대출하는 능력에 변화가 생기면서 유동성이 조절되는 것이다.

유 동 성 의   조 절

우리가 흔히 말하는 유동성은 이렇게 정의되고 또 조절된다. 그런데 이런 방식의 유동성 조작이 모두 힘들어진 것이 2008년의 경제 상황이다. 어떤 방식으로든 시중 유동성을 늘렸다가는 물가상승에 기름을 부을 것이고, 그대로 두자니 경기침체 가속화가 우려된다. 지금 한국은행의 고민은 여기에 있다. 선거로 꾸려진 정부는 통치기간 중에 경기가 침체에 빠지는 것을 원하지 않는다. 물가상승은 2차적으로 천천히 발생하기 때문에 대개 경기부양 정책을 우선순위에 놓는다. 당장 굶어 죽느니 우선은 씨감자라도 먹자는 심리가 발동하는 것이다. 그리고 투자자들은 그 틈새를 노린다.

다만 중장기적인 사이클로 자산투자를 하는 사람들은 이 부분을 부정적 시선으로 바라보고, 단기적인 투자 수익에 주목하는 사람들은 긍정적인 시선으로 기대감을 갖는 차이가 있을 뿐이다. 지금 우리나라가 그렇고, 증권사들의 시황관이 그렇다. 결국 이런 싸움에서는 누가 승자가 될지 알 수 없다.

경제는 살아 움직이는 생물이고, 의외의 상황이 일어날 변수는 늘 존재하기 때문이다. 중장기적 건강성을 중시하는 투자자들을 불안하게 하는 것은, 지금 우리나라와 같이 2차산업의 시대가 끝나고 자산시장에 잉여자산이 늘어날 수밖에 없는 구조를 가진 나라가 섣불리 유동성을 늘리는 것은 예상보다 나쁜 결과를 가져올 수 있다는 점이다.

당신이 현명한 투자자라면 단기 유동성 증가가 가져올 위험요인을 고려할 수 있어야 하고, 또 증권사의 매수, 매도 의견보다는 자신의 견해에 따라 결정할 수 있어야 한다. 그러려면 신문에 가끔 등장하는 M2, M3와 같은 말도 흘려버리지 말고, 그와 함께 생산자 물가상승률도 챙겨야 한다. 또한 금융통화위원회에서 금리를 내리거나 올린다고 할 때 그런 움직임들이 이미 시장에 반영돼 있다는 사실도 알아둬야 한다. 그러고 보니 요새는 너무 챙겨야 할 것이 많아서 피곤한 세상이 되어버렸다. 하지만 어떡하겠는가? 피 같은 내 자산을 투자하는 데 그 정도는 알아야 하지 않겠는가.

적정가치와
미래가치

투자에서 가장 중요한 기준은 '적정가'일 것이다. 현재 투자하려는 대상이 저평가인지 고평가인지 판단하여 매도, 매수를 결정하려면 기본적으로 투자 대상물의 적정가를 알아야 한다. 그런데 이 적정가라는 것은 기본적으로는 존재하지 않는다고 보는 것이 옳다. 만약 모두가 동의하는 적정가가 존재한다면 거래가 일어날 수 없다. 모든 사람이 똑같은 가격에 매수하거나 매도하려 하면 가격은 꿈쩍도 하지 않기 때문이다.

적정가치의 예측과 미래가치의 평가

적정가의 예측을 달리 말하면, 장래에 많은 사람들이 동의할 수 있는 가격의 근사치를 추정하는 것이라고 할 수 있다. 이런 적정가를 추정하는 데에는 여러 가지 함수가 포함된다. 현재 이익률과 부가가치, 총자산가치, 장래 이익률과 전망 등이 그것이다. 그런데 이것을 산출하는 것 역시 그리 쉽지 않다.

자산가치는 기업의 고유가치를 말하는 것으로 불변의 가치가 아니다. 설비의 감가상각과 같은 회계상의 문제를 제외하더라도 변수는 많다. 예를 들어, 기업이 10년 전에 공장부지를 100억 원에 매수했다면 그동안 부동산 가격이 상승하거나 하락해서 가치는 달라져 있을 것이다.

또 기업의 영업이익률이 3년간 지속적으로 증가했기 때문에 향후 3년간 증가할 것이라고 생각하거나 또는 이와 반대로 생각하는 것 모두 예측변수에 속하는 문제다. "국내 조선업체가 향후 5년치 물량을 수주받았다는 사실은 향후 몇 년간은 이익이 증가할 것임을 뜻하며, 이러한 사실은 주가에 충분히 반영되어 있어서 추가적인 호재가 발생하지 않는 한 변동이 없을 것이다."라는 판단 또한 옳고 그름을 판별하기가 어렵다.

LG디스플레이의 주가도 LCD 패널이 지속적으로 하락하고 있다는 전제 하에서 고평가라고 하거나, 향후 개선의 여지가 있다는 점에서 저평가라고 단언할 수 없기는 마찬가지다. 만약 현재 논리로만 본다면 전자의 경우 지속적으로 매수자가 나와야 하고 후자의 경우 지속적으로 매도자가 나와야 하지만, 시장에서는 매도자와 매수자 간의 의견이 상충되어 거래가 발생하고 가격이 형성된다.

이때 두 시장의 알려진 재료에 대해 상반된 반응을 보인 매수자와 매도자 중에서 과연 어느 쪽이 어리석고 어느 쪽이 현명할까? 이들의 단기성과와 장기성과는 과연 누가 더 좋을까? 이 문제에 대해 명료한 답을 할 수 있고 매번 그 사실이 증명된다면, 그는 분명 워렌 버핏을 능가하는 세계 금융제국의 지배자가 될 자질을 갖추었다고 할 수 있을 것이다.

투자자들은 늘 현재가치와 미래가치를 동시에 살피는 자세를 가져야 한다. 그렇다면 기업가치 '분석 툴'을 이용하는 것 외에, 미래가치를 평가하는 안목을 가지려면 어떤 것이 필요할까?

성장의 모멘텀을 살피는 업황에 대한 안목이나 미래가치에 큰 영향을 미치는 거시경제에 대한 통찰도 필요하지만, 실은 우리가 몸을 부대끼고 살아가는 사회문화적 요소를 살피는 유연한 시각이 훨씬 더 중요하다.

인류의 미래, 투자의 미래

지금 우리는 특별한 변화의 지점에 서 있다. 지난 1990년대 말 성장주 돌풍과 함께 등장했던 투자시장의 거품은 이러한 사회문화적 변화의 시작을 알리는 자산시장의 나팔소리였을 뿐, 새로운 질서와 체제의 도래를 알리는 변화의 문은 이제 서서히 그 빗장을 열기 시작했다. 인류는 지난 30만년 동안 극적인 발전을 이루었다. 초기 인류는 지구상의 어떤 생명체보다 우위에서 지구의 주도권을 행사했지만 자연은 여전히 경외와 극복의 대상이었다.

뉴턴의 역학은 이러한 자연과 인간의 관계에서 인간이 자연을 발 아래에 두는 시발점이 되었고, 이후 인간은 자연을 정복의 대상으로 여기기 시작했다. 그 결과 산업혁명 이후 인간은 자연에 작용을 가해서 비가역적 생산물(Irreversible products)을 만드는 것을 주저하지 않았다. 원유로 플라스틱을, 석회석으로 콘크리트를, 납, 수은, 구리를 캐어 도금과 야금을 하면서 그 찌꺼기들을 공기와 물로 흘려보냈다.

그 결과 지난 200년간의 문명은 직전 29만 9,800년 동안의 발달보다 빠른 속도로 진보했고, 그 대가로 지구는 극적으로 증가한 엔트로피를 선물로 받았다. 이제 유효하게 이용 가능한 에너지는 감소하고, 무효한 에너지는 대기에 차오르며, 원래의 자연으로 되돌릴 수 없는 쓰레기들이 땅과 바다를 가득 채우기 시작한 것이다.

이대로라면 인류는 그리 머지않아 자신의 숨통을 죄는 너구리처럼 스스로가 만든 올가미에 걸려들지 모른다. 지금 우리는 또 다른 바벨탑을 쌓고 있는 셈이다. 신은 과학으로 인해 그 자리를 위협받고 그의 피조물들은 인간으로 인해 학대받고 있는 것이다. 그런 점에서 지구는 상상 속에서만 등장하던 바로 그 아마겟돈의 전장이 될 가능성이 충분히 있고, 문명은 서서히 그 심각성을 인식하기 시작했다.

하지만 인간에게 신이 내린 가장 큰 선물은 '항상성'이다. 인간에게는 늘 자신의 개체를 유지·보호할 수 있도록 변하는 능력이 있다. 세균이 침범하면 면역체계가 작동하며, 혈압이 낮아지면 심장이 빨리 뛰고, 체온이 오르면 모공이 넓어지며, 오랫동안 금식을 하면 근육을 녹여서 에너지원으로 사용한다. 이러한 항상성은 인간뿐 아니라 사회와 국가, 나아가서는 범인류의 측면에서도 동일하게 작동한다.

그 결과 2000년을 기점으로 우리가 인식하지 못하는 사이 항상성의 콘트롤타워가 서서히 작동하기 시작했다. 지난 200년간 기계문명이 인간을 지배하고 인간은 기계문명의 볼트와 너트가 되어 움직였던 것이다. 기계들은 자연을 파괴하여 비가역적 생산물들을 토해냈으며 인간의 편리를 위한다는 탄생 목적과는 달리 최종적으로 인간을 위협했다. 인간은 스스로 창조한 기계와 기술의 노예가 되어 매트릭스의 세계에 존재하는 프로그램으로 기능했을 뿐이다.

하지만 2000년 전후로 인간은 항상성의 기제를 바탕으로 새로운 자각을 이끌어냈다. 그것이 바로 웰빙(Well-Being), 즉 '제대로 존재하자'는 열풍이다. 인간의 생존을 위협하는 쓰레기들과 엔트로피의 증가, 비가역적 산물의 더미들 속에서 겨우 코만 내놓고 숨을 쉬는 현대 산업사회의 인간들에게 네오(매트릭스의 주인공)가 손을 내민 것이다. 영화에서 편집된 장면에서 네오는 그의 동료 모피어스에게 이렇게 말했을지 모른다.

"기계는 사람이 주인이지, 기계가 사람의 주인은 아니야. 웰머신(Well-Machine)의 시대가 가고 웰빙의 시대가 온 것이라고."

이런 관점에서 미래의 변화에 있어 큰 화두는 단연 '사람'이다. 사람은 기계를 밀어내고 산업과 문명, 그리고 사회나 질서의 새로운 축이 될 것이고, 그것도 엘리트가 아닌 보편적인 사람의 시대가 펼쳐질 것이다. 제2의 르네상스 시대가 열리는 것이다.

그러면 산업은 어떻게 바뀔까? 역시 '인간'에 답이 있다. 인간을 더 행복하게 하는 모든 것들, 의학, 약학, 헬스케어, 환경, 레저, 엔터테인먼트 등의 시대가 열리고, 인간이 지배하는 기계와 기술들은 과거의 비가역적 생산물에서 가역적 생산물(Reversible products)을 만들어내게 될 것이다. 최소한 그런 시늉이라도 해야 새로운 물결에서 도태되지 않고 구석자리라도 하나 차지할 수 있을 것이다.

이 논리는 경영에도 적용될 것이다. 사람을 배제하고 기계를 중시하는 식스시그마와 같은 비인간적인 경영은 버리고, 사람과 개별지성을 아울러 집단지성으로 융화하는 웹 2.0 혹은 웹 3.0 시대에 걸맞은 경영방침을 준비해야 한다. 우리 투자자들이 살펴야 할 핵심적인 미래가치에 대한 고민 역시 여기에서 시작되어야 할 것이다.

미래가치는
무엇으로
평가하는가

1865년 클라우지우스는 그리스어의 'en(알맹이)'과 'trepein(전환)'을 합성해 엔트로피(entropy)라는 말을 만들었다. 《소유의 종말 *The Age of Access*》과 《노동의 종말 *The End of Work*》로 유명한 경제학자 제레미 리프킨(Jeremy Rifkin)이 엔트로피 개념을 환경과 기계문명이라는 대립적 관계에 차용한 이후에는 열역학 분야뿐 아니라 범지구적 환경운동의 관심사로 떠올랐다. 제레미 리프킨에 따르면 열역학 제2법칙을 문명에 적용할 경우, 우리가 만들어내는 모든 생산물들은 엔트로피를 증가시킨다. 즉, 자연의 모든 물질은 분자적 안정 상태에서 무질서의 상태로 이동하며, 자연적 질서는 그냥 두더라도 언젠가는 열평형 상태에 이르게 되는데 여기에 인간이 작용을 가하면 열의 이동이 가속화하여 결국 모든 가용자원은 쓰레기가 되고 만다는 것이다.

이러한 그의 주장은 뜨거운 찬반 논쟁을 불러일으켰다. 반박하는 입장에선 사람들은 그의 주장에 커다란 맹점이 있다고 말한다. 그가 말하는 엔트로피가 최고조에 이른 상태는 외부에서 공급되는 새로운 에너지원이 존재하지 않는 완전 폐쇄계에서 가능한데, 지구는 태양으로부터 열과 빛을 공급받고 있으므로 열역학적으로 폐쇄계(閉鎖系)가 아니라는 것이다. 하지만 이런 주장은 우리의 에너지 소비 속도와 그로 인한 엔트로피 증가 속도가 너무 빨라 결국은 종말에 이를 수밖에 없다는 재반박을 불러왔다.

산 업 분 야 의 새 로 운 패 러 다 임

이러한 논쟁은 환경 분야에서만 일어나는 것은 아니다. 세상의 모든 혁명은 늘 누군가가 새로운 깃발을 들고 나옴으로써 시작된다. 댐의 붕괴는 작은 틈새에서 시작되고 버지니아주를 휩쓴 태풍도 한줄기 바람에서 시작된다. 마찬가지로 엔트로피 개념 역시 환경 차원에서 시작되었지만 이는 새로운 질서를 알리는 신호탄이자 산업 분야에 새로운 패러다임을 가져오는 계기가 되었다. 30만 년이라는 인류 문명을 돌이켜보면 최근 200년간의 발전은 29만 9,800만 년간의 진보를 넘어설 만큼 크고 화려했으며 그만큼 파괴적이었다.

지난 200년간의 산업과 문명은 '기계문명'이라 할 수 있다. 산업혁명 이후 주된 생산수단은 기계였고, 기계는 대량생산과 소비를 가능하게 했다. 인간은 자연에서 얻은 A라는 자원에, B라는 기계를 통해 작용을 가하고, C라 불리는 부가가치를 가진 생산품을 만들어냈다. 그리고 그 C의 역할(부가가치)이 다하면, D라는 쓰레기로 버렸다.

이때 D는 원래의 A로는 돌아가지 못하고 D의 모습 그대로 남는다. 이 과정에서 에너지는 대량으로 소모되었고 엔트로피는 덩달아 증가했다. 처음에는 이러한 구조가 문제되지 않았지만, 지난 200년간 쉼 없이 되풀이 되면서 쓰레기가 턱밑까지 차올라 처치 곤란한 지경에 이르자 비로소 우리는 과거를 돌이켜보기 시작했다.

문제점은 다음과 같다. 첫째, 생산과정에서 대량의 자원과 에너지가 소비되었는데, 그것은 태양 에너지와 같은 무한자원이 아니라 유한자원이었다. 둘째, 처음에는 생산성이 에너지 가격을 극복할 수 있었으나 시간이 흐를수록 생산물의 원가부담은 증가했다. 셋째, 부가가치를 다한 폐기물들이 자연계를 위협하기 시작했다. 넷째, 인간은 점점 대량생산을 가능케 하는 기계에 의존하는 종속변수로 바뀌기 시작했다.

이 결과 문명과 산업은 기계와 기술을 우상화하고, 정작 그것의 주인이 되어야 할 인간은 기계문명의 하부수단으로 전락했다. 기업이익이 줄고 경쟁이 치열해지면 구조조정 대상 1순위는 기계가 아니라 인간이다. 이미 터를 잡고 있는 공장이나 기계를 뜯어다 파는 것보다는 인건비를 줄이는 것이 훨씬 효율적이기 때문이다. 그래서 인간은 늘 생산량과 생산성의 핵심변수가 되었다.

이에 대한 마지막 상징이 바로 '식스시그마'다. 인간은 거대한 공장과 콤비나트를 만들기는 했지만 주인은 되지 못했다. "닦고 조이고 기름치자."라는 구호는 식스시그마의 핵심 어젠다였다. 사람을 줄이고 인건비를 감축하는 것이 더 이상 유효하지 않자 인력을 관리하는 효율적인 경영전략을 도입했고 초기에는 어느 정도 성과를 보이는 것 같았다. 하지만 역설적으로 식스시그마는 해당 산업의 한계를 증명하는 역할을 했다.

식스시그마를 도입했던 GE는 결국 금융기업으로 변신했고 그동안 사업으로 벌어들인 잉여자금을 총동원해 대규모 M&A를 시도했다. 생산기업의 한계를 넘기 위해 투자기업으로 전환한 것이다. 그 점에서 GE의 식스시그마는 기계문명, 즉 생산수단으로서의 2차산업의 한계를 상징하는 사건이 되었다. 이 시대에는 기술이 인간의 우위에 있었다. 기술은 오만했고 인간 위에 군림했다. 인간이 그것을 사용하든지 안하든지 기술은 더 나은 기술을 선보이고 그것을 증명하기 위해 몸부림쳤다. 텔레비전 리모콘의 버튼 수는 많아지고 핸드폰 기능은 점점 복잡해져서 그것에 익숙해지려면 두꺼운 설명서를 '공부'해야 했다. 기술은 혹은 문명은 방자한 진화를 지속했다.

미래의 '부'는 사람에게 달렸다

소비자의 필요와는 상관없이 더 나은 기술을 선보이고 그것으로 가치를 증명했다. 그러나 2000년을 기점으로 우리 자신도 모르는 사이에 이러한 구시대적 발상들은 퇴조하기 시작했다. 웹2.0이 상징하는 수평, 병렬, 개별지성 등을 압도하는 집단지성과 단순히 인터넷상의 일과적 트렌드로 치부하던 기술과 문명들은 서서히 고개를 숙이기 시작했다. 일부 발빠른 선각자들은 이런 흐름을 간파했다. 스티브 잡스는 초등학교 1학년짜리도 설명서 하나 없이 직관적으로 사용 가능한 아이포드(iPod)를 만들어 세계를 제패했다. 또한 아직도 거대 산업단지에서 엔트로피를 증가시키며 식스시그마를 외치는 구시대적 산업질서를 조롱하며 사람이 생산수단이 되는 새로운 사상으로 무장한 선구자들이 때맞춰 등장했다.

국가나 기업의 기준으로 보면 그 선구자는 미국과 같은 강대국일 수도 있고, 거대한 헤지펀드일 수도 있으며, 투자은행, 곡물회사, 제약사, 레저 기업일 수도 있다. 그들은 기업의 생산 수단을 기계가 아닌 사람으로 보았다. 기업의 순자산을 공장과 기계로 평가하는 구시대적 패러다임에 빠져 있는 사람들에게, 자산이래야 전산시설과 책상, 인터넷 전화가 고작일 뿐인 기업들이 엄청난 부가가치를 창출할 수 있음을 보여준 것이다. 이들 기업의 가장 큰 자산은 사람이었다.

사람, 노하우, 네트워크, 지식이 어마어마한 부가가치를 창출한다는 것을 간파한 선구자들은 세계화의 조류를 이용하여 극단적인 부가가치를 만들어내기 시작했다. 그들은 굳이 공장을 짓기보다 이익을 내는 기업을 인수합병하고, 구조조정을 통해 되팔았으며, 산업자본과 금융자본이라는 전통적 기준을 부인하면서 그 영역을 흔들어버렸다.

어느새 세상 화폐의 90%는 다른 자산을 사들이는 데 사용되고, 고작 10%의 화폐만이 물물 교환에 이용되었다. 이러한 변화를 지켜보던 다수의 사람들은 당혹하고 분노했지만 이미 선구자들이 세상의 부를 점령한 후였다. 사람, 노하우, 그리고 지식이 따라잡을 수 없는 엄청난 부가가치를 창출하는 최고 효율의 생산수단이었음을 뒤늦게 알게 된 것이다.

이제 새로운 질서는 곧 사람이다. 2차산업도 더 이상 엔트로피를 증가시키지 말고, '비가역적' 생산물에서 '가역적'인 생산물을 만들어야 한다. 사람을 행복하게 잘살도록 하는 것(Well-Being)이 최선의 가치가 되었음을 하루빨리 알아야 한다. 의학, 약학, 바이오, 나노, 코스메틱, 식품, 로봇, 레저, 엔터테인먼트, 청정에너지, 환경 등은 이제 허황한 꿈이 아니라 현실이 되었다. 그리고 그것이 미래 생산수단의 핵심이라는 사실을 인식해야 한다.

사람을 쥐어짜는 식스시그마와 같은 관리전략은 더 이상 필요하지 않다. 인간이 가진 창의성과 다양성을 귀하게 여기고, 평범해 보이는 1,000명의 사람을 병렬로 묶고 네트워크를 만들고, 시너지를 불러일으키는 기업과 산업이 경제의 중심이 될 것이다. 3차산업에서도 전통적인 가치인 중개와 거래 수수료를 취하는 것이 아니라, 엔트로피를 증가시키는 어떤 생산수단도 동원하지 않으면서 '공장 → 주권 → 파생상품 → 결합상품'으로 이어지는 가상의 거래수단들이 지속적으로 창조하고 거래하는 과정에서 엄청난 부가가치를 찾아나갈 것이다.

우리가 찾고 있는 '성장에 대한 투자'는 단순히 신기술이나 자본이 부족한 신흥벤처에 투자하는 투기가 아니다. 진정한 성장투자는 바로 이러한 패러다임에 충실하고, 그것을 이해하며, 그것의 중심이 될 수 있는 경영자와 비전을 가진 기업을 찾는 것이다. 만약 당신이 지금 이 순간 그것에 주목할 수 있다면, 미래의 어느 시점에서 시대의 부를 손에 쥔 승자의 모습으로 월계관을 쓴 채 미소 짓게 될지도 모른다.

▌서브프라임 모기지 각본

2008년 연초부터 금융시장이 요동치고 있다. 서브프라임 부실의 직격탄을 맞은 미국뿐 아니라 이제는 유럽, 일본, 중국, 인도까지 사정권에 들어 비틀거리고 있다. 하지만 진짜 문제는 이런 상황들이 전혀 예견 불가능한 일이 아니었다는 데 있다. 서브프라임의 여파는 하나의 사례일 뿐 파생상품의 본질상 언젠가는 곪아터져야 할 일이 터진 것뿐이다. 좀 과장해서 생각하면 1차산업의 시대에서 2차산업으로 넘어가는 순간부터 우리는 늘 이런 문제에 부닥쳐야 할 운명을 지고 있었다. 2차산업의 시대는 여러 변화를 가져왔다. 생산력의 증대는 그만큼의 잉여가치를 선물했지만 '잉여'는 문자 그대로 소비할 수 없는(혹은 하고 남은) 찌꺼기일 뿐이다. 2차산업의 잉여(찌꺼기)가 넘쳐나면서 3차산업으로 넘어간 것은 그 점에서 또 하나의 진화일 것이다.

서비스 산업의 잉여는 합당한 가치를 부여하기가 어렵다. 예를 들어, VVIP에게 제공하는 컨시어지 서비스가 그 자체로서 가치를 측정하기 어렵듯이 3차산업의 잉여는 지극히 감정적이고 복합적이다. 돈 역시 그렇다. 선진국에서 2차산업에 투자한 설비와 장치들이 감가상각을 끝낸 시점부터 내기 시작한 거대한 이익은 막대한 자본축적으로 이어졌고, 새로운 장치들은 진보된 기술과 최소비용의 상승작용으로 신흥국에 다시 세워졌다. 하지만 자본의 실제 주인은 다름 아닌 선진국의 투자자들이다.

이렇게 쌓아 올린 막대한 '잉여(화폐)'를 자산으로 '환입(換入)'하기 위해서는 새로운 가치 기준이 필요했다. 주식, 땅, 금, 석유, 구리, 미술로는 잉여재화의 가치환입을 감당할 수 없었던 것이다. 그래서 금융시장(3차산업)은 제3의 대상 자산으로 파생상품을 고안해냈다. 파생상품이 "실물자산 거래에 따른 위험을 회피한다."는 고전적 정의는 그야말로 명분에 지나지 않았다.

그제야 무한의 부, 무한의 화폐가 '태환(兌換)'의 길을 열게 된 것이다. 부는 불가사리처럼 증식한다. 스스로 지능을 갖고, 생존을 위한 진화를 거듭한다. 하지만 암세포가 유전자의 통제를 벗어나 무한증식하면서 결국 숙주(宿主)와 함께 자살(自殺)하듯 구체적인 실물로 환입될 수 없는 태환은 신기루에 지나지 않았다. 그 점에서 지금의 파생상품의 위기는 암세포의 증식과 사멸과정을 그대로 닮았다. 그래서 파생상품의 신용위기를 경고한 버핏의 혜안은 금융 시스템의 이해를 넘어 다분히 철학적이다.

그러면 지금 겪고 있는 위기는 어떻게 해소가 가능할까? 문제를 알면 해법은 단순하다. 먼저 거시적으로 보면 과잉축적된 잉여가 소멸되든지 아니면 그것이 실제로 태환될 수 있는 새로운 시스템을 구축하는 일 뿐이다. 돈이 전자를 선택하면 자폭으로 마무리될 것이지만 후자의 길을 선택하면 상상력이 필요하다. 우주개발이나 지하세계의 멘틀과 같은 자원을 개발하든지 그것이 아니라면 돈 스스로 과잉증식을 억제하려는 유전자의 지배를 다시 받아들이는 것이다.

하지만 미시적인 부분을 보면 우선 당장 해결의 연결고리가 있다. 이것은 한편의 공상이다. 그래서 지금부터 쓰려고 하는 시나리오는 터무니없고 황당하다. 이보다 더좋은 시나리오가 나온다면 좋겠다. 우선 서브프라임 모기지 사태를 보자. 문제는 금융기관의 부실담보대출이다. 세계경영을 외치는 기업에 막대한 자금을 대출한 한국의 은행이나 부동산 가격의 무한상승 시나리오를 믿고 가계에 대출한 미국은행이나 오십보백보일 뿐 본질은 하나다. 다만 한국은 달러화 표시 부채를 갚을 방법이 없었고, 그 상황에서 달러를 추가차입하기 위해서 달러 보유국의 요구를 들어야 했지만 미국은 달러 발행국이라는 점이 다를 뿐이다.

'아직 기축통화의 지위를 갖고 있을 때' 미국정부가 달러를 찍어 은행이나 모노라인에 기관대출을 하거나 출자전환(공적자금 투입)을 하면 문제는 해결된다. 씨티은행이 11%의 이율로 전환사채를 발행한 것은 냉정하게 말하면 '부도직전'이라는 뜻이다. 중국의 국부펀드들이 무모하게 금융투자에 나섰지만, 이미 그들은 블랙스톤에서만 40~50%에 가까운 손실을 기록했다. 만약 씨티의 부도나 그에 준하는 상황이 벌어지면, 중동이나 중화자본들이 미국의 손실에 구원투수가 될 것이라는 기대는 오히려 서로 먼저 배에서 내리기 위한 경쟁으로 바뀔 뿐 실현 불가능한 낭만에 지나지 않을 것이다.

결국 방법은 하나다. 해결의 궁극은 미국 중앙은행 또는 정부의 개입뿐이다. 이제 미국의 입장에서는 동귀어진(同歸於盡)하든지 수모를 견디든지 둘 중 하나만 남았다. 다만 그 경우 '달러 가치의 하락'과 재정부양에 의한 '인플레이션'은 치명적인 2차 파국을 몰고올 것이지만 그래도 그들은 아마 후자를 선택할 공산이 크다.

그렇다면 그 다음에 취할 수 있는 대책은 무엇일까? 미국은 실체적 힘과 자산을 보유한 나라다. 이제 그들이 선택할 수 있는 수단은 '종이로 돈을 찍는 것' 이상의 '실체적인 방안'밖에 없을 것이다. 결국 미국이 선택할 수 있는 유일수단은 '포트녹스(Fort Knox)'에 들어 있는 엄청난 금괴를 방출하고, 멕시코만(灣)의 소금동굴에 가둬 둔 7억 배럴의 전략비축유를 무제한 방출하는 방법뿐이다.

전자는 발행된 달러를 재정부담 없이 회수하는 수단이 될 것이고, 후자는 석유가격에 기생하는 투기거래자들에게 일격을 가함으로써 인플레이션에 가장 치명적인 유가를 합리적으로 재조정하는 결과를 가져올 것이다. 다만 이 경우 중동 산유국들의 반발과 비협조는 의외의 문제를 낳을 공산도 크다.

만약 산유국들이 전략비축유 방출에 대해 대립각을 세우며, 감산이나 새로운 카르텔을 시도할 경우, 양자 간의 싸움은 지정학적 위험까지 불러오는 대립으로 갈 수 있지만 기본적으로 시장의 힘은 합리적인 방향으로 수렴된다. 지금 유가나 원자재 가격에 끼어 있는 거품요인들은 반대의 모멘텀이 제공될 경우 순식간에 투기자본의 이탈을 불러올 수 있다는 점을 생각하면 이 전쟁의 승부는 미국 쪽에 있을 것이다.

그 결과 세계경제를 흔들었던 서브프라임 모기지 손실은 전세계 금융사들에게 파생거래의 위험에 대한 반면교사가 될 것이고, 어느 정도 거품이 빠진 세계경제는 다시 자기 갈 길을 향해 달려갈 것이다. 다만 이 영화의 엔딩은 미국이라는 거인이 석양을 등지고 서서, 저 멀리 동쪽에서 한반도기를 앞세우고 무리지어 달려오는 새로운 영주들을 무기력하게 쳐다보며 고개를 떨어뜨리는 장면으로 마무리될 예정인데, 이 영화가 제대로 무대 위에 올려질지는 자신이 없다.

chapter 7

가치주와 성장주에 대한
논란을 접어라

성장주,
매혹적인 함정

주식시장은 성장주와 가치주가 교대로 주도권을 잡으면서 역사를 이어왔다. 특히 그 중에서 대공황 직전인 1920년대, 1960년대, 1980년대, 그리고 1990년대, 이렇게 네 차례에 걸쳐 나타났던 성장주 열풍은 실로 대단했다.

거품과 함께한 성장주의 역사

1920년대 미국은 과학기술의 발달과 대량 생산시스템의 구축 등으로 인해 자신감으로 가득 차 있던 시기였다. 이 시기에 일어났던 사건들, 예컨대 최초 로켓 발사의 성공, 최초 TV 수상기의 등장, 린드버그의 대서양 횡단비행, 최초의 컬러영화 등장과 같은 것들은 수많은 사람이 미래의 경기를 낙관하게 하는 데 한몫했다. 자신들의 투자가 황금알을 낳는 거위가 될 것임을 의심하지 못하도록 하는 마약과 같은 황홀한 사건들이었다. 특히 당시 신경제 주식에 속했던 RCA는 무려 2,000%, AT&T는 두 달 만에 100%의 주가 상승을 기록하는 놀라운 기세를 보였다. 하지만 그것은 마지막 거품을 알리는 조종이었고, 이후 시장은 역사상 최악의 공황으로 빠져들었다.

이 시기의 투기 열풍은 상상을 초월했다. 1929년 거품이 터지기 직전에 AT&T 주주의 55%가 여성이었는데, 미국의 증권사들은 객장 출입을 꺼리는 여성 투자자들을 위해 호텔을 빌려 따로 여성 전용객장을 마련하기까지 했다. 물론 이 같은 일들은 당시 미국의 보수성을 생각하면 상상도 할 수 없는 일이었다.

뿐만 아니었다. 에반젤린 애덤스(Evangeline Adams)라는 분석가는 점성술을 이용한 파동론을 주장하며 구독자가 10만에 이르는 증권 전망지를 발간했고, 투자자들은 10%의 증거금으로 투자하는 신용거래의 마약에 빠져들었다. 증권사는 1,400개에 이르렀고, 투신사는 하루에 한 개씩 생겨났다.

이런 금융투기는 이미 종말을 예고하고 있었다. 신경제는 꿈을 심어주지만 떡을 안겨주지는 않기 때문이다. 신경제는 아직 성숙하지 않았다. 미국 인구의 5%가 부의 50%를 차지했고, 기업들은 이익을 근로자들에게 돌려주지 않아 실질임금은 미미하게 증가했다. 근로자들의 50%는 불과 150달러의 월급을 받았고, 구매력은 극소수의 전유물에 불과했다. 하지만 기업 생산성은 기하급수적으로 늘어났다. 자동차 생산량은 월 100대에서 1만 대로 늘었지만 구매자는 1,000명에 불과했던 것이다. 결국 거품경제는 무너졌다.

두번째 거품은 1950년대 말에 찾아왔다. 긴 기간 동안 기초체력을 회복한 뉴욕 증시는 서서히 자신감을 얻었다. 과거 대공황을 몰고 왔던 소득 불균형 문제는 급속도로 개선되었고, 중산층은 빠르게 늘어났다. 그리고 이들은 자신의 노후를 안락하게 보낼 방법을 찾기 위해 속속 주식시장을 기웃거리기 시작했다.

때마침 미국은 새로운 산업에 대한 기대감이 잉태되기 시작했다. IBM, 텍사스인스트루먼트와 같은 첨단기업은 우주시대에 대한 기대와 맞물려 미래를 이끌 신성장동력으로 지목되었고, 신경제라는 말은 또 다시 투자자들의 복음이 되었다. 그리고 무엇보다 "대공황 시절과는 다르다."라는 믿음이 투자자들의 주의를 돌리게 만들었다.

그로 인해 불 붙은 주식이 바로 전자업종이었다. 전기전자 업종에 속한 기업이 신규상장을 하면 투자자들이 너도나도 주식을 매입하기 위해 밀려들었고, 소위 '일렉트로닉스 열풍'을 이끌어냈다. 기업의 명칭에 tronics와 onics만 붙으면 주가가 급등하는 바람에 운동화 끈을 만드는 회사나 통조림 회사조차 'ㅇㅇ트로닉스', 'ㅁㅁ소닉스' 등으로 사명을 바꾸었고, 그 결과 주가가 급등하는 희한한 일이 벌어지기도 했다. 특히 IBM 같은 기업의 주가는 얼마나 상승했던지 일부에서 "사후가치까지 할인했다."는 농담이 나돌기도 했다. 하지만 이 기업들을 둘러쌌던 거품은 대공황 시대의 거품처럼 3년 만에 터지고 말았다.

기업의 성장은 여러 단계를 거친다. 한 개의 기업이 태어나 '벤처 창업기 → 자본조달기 → 경쟁심화기 → 성숙기 → 재도약기'라는 과정을 거칠 때 그 중 단 하나에서라도 어긋나면 그 기업은 흔적도 없이 사라지고 만다. 누군가가 탁월한 아이디어로 기업을 창업하면 그 기업에는 투자자금이 몰려들고, 투자자금은 성장의 밑바탕이 된다.

이때부터 기업은 치열한 도전에 직면한다. 새로운 것을 만들기보다는 따라하는 것이 더 쉽기 때문이다. 초기 블루오션일 때는 혼자서 독주하지만, 그 시장이 무르익고 전망이 보이면 기존 자본들이 속속 뛰어들면서 경쟁이 격화된다. 이때 재도약을 해서 살아남지 못하면 기업의 생존은 예측할 수 없게 된다. 그래서 수많은 벤처기업들이 명멸하고 극소수의 기업만이 경쟁에서 살아남는다.

때문에 성장기업에 투자하는 투자자들은 경쟁심화기에 접어들기 전에 주식을 처분할 줄 아는 안목이 필요하다. 하지만 인간의 탐욕은 판단력을 흐리고 역사는 그 사실을 증명한다. 1960년대 전자산업 거품은 투자자들의 그러한 어리석음을 일깨워주는 중요한 계기가 되었다.

역사는 반복된다. 1970년대 니프티피프티의 거품으로 치명적인 손실을 입었던 투자자들에게 하이테크 주식들이 치명적인 유혹으로 다가온 것이다. 이때 역시 "과거와 다르다."는 구호 아래 거대한 거품이 만들어졌다. 바이오와 로봇, 엔터테인먼트 주식이 바로 그것이다. 이 기업들은 생산성이라는 무기를 전면에 등장시켰다. 생명공학 회사들은 암 치료제와 노화 방지제, 인터페론 등으로 투자자들의 희망을 부추겼고, 투자자들은 꿈의 신약이 200세까지 이르는 생명연장과 클레오파트라의 피부를 선사할 것이라 믿었다. 하지만 그 역시 '한여름 밤의 꿈'에 불과했으며, 3년 만에 산산조각 나고 말았다.

그러고 나서 우리도 잘 알고 있는 1990년대의 거품이 생성됐다. 거품은 일본에서 먼저 시작되었지만, 정작 꽃을 활짝 피운 곳은 미국이었다. 1990년대 후반 그린스펀은 다시 신경제를 주창했고, 1990년대의 신경제는 극적인 생산성을 내세워 불황 없는 미래를 약속하는 듯했다. 하지만 거품은 또다시 3년 만에 터져버렸다.

이렇듯 주식시장의 역사는 늘 성장의 거품과 함께해왔다. 성장주의 시대가 열리면 이성은 마비되고, 구경제의 주식들은 쓰레기통에 버려졌다. 그레이엄의 후예들은 어리석은 구시대의 유물로 치부되고 신흥 부자들이 넘쳐났다. 하지만 결과는 늘 신경제를 믿지 않았던 구닥다리 투자자들의 승리로 끝이 났다.

우리는 여기서 어떤 교훈을 얻을 수 있을까? 신경제는 늘 마약이고 성장주에 대한 투자는 항상 폭탄 돌리기로 마무리되는 걸까? 투자자들은 영원히 가치투자를 하고 성장에 대해서는 계속 외면해야 하는 걸까?

그렇다고 말한다면 그것은 틀린 답이다. 세상의 모든 구경제는 한때 신경제였고, 모든 가치주는 한때 성장주였다. 만약 당신이 성장의 초기 국면에 성장주를 발굴해서 지나친 탐욕을 부리지 않고 적당한 때에 물러설 수만 있다면, 당신은 일생에 단 한 번의 투자만으로도 엄청난 수익을 확보할 수 있다. 그러면 주식시장을 떠나도 된다. 하지만 막상 시장에 참여하면 이런 역사적 교훈들이 어둠에 가려지고 인간은 쉽사리 탐욕에 물든다.

경제학적인 입장에서 보더라도 주식시장의 전통적인 가치, 즉 건강한 자본 조달이라는 측면은 주식시장의 존재 이유 중 하나다. 처음 창업한 기업이 투자를 받고 그 투자가 주식시장에서 회수될 수 없다면 아무도 기업에 투자하지 않을 것이고, 그렇다면 신규 창업하는 기업들은 이익을 제대로 내기도 전에 빌린 돈에 대한 이자를 갚다가 쓰러져버릴 것이다. 주식시장은 벤처기업에 자본을 조달하고, 재도약하는 기업에 연료를 보급한다. 그리고 주식시장에서 투자금을 회수할 수 없다면 아무도 기업에 자금을 투입하지 않을 것이다.

결국 주식시장은 끝없는 순환이다. 과학기술과 산업이 발달하면 새로운 시장이 열리고, 그 과정이 인류의 발전에 기여한다. 만약 새로운 도전이 없다면 인류문명은 정체되고 인간은 여전히 수백년 전의 모습으로 살아갈 것이기 때문이다.

우리가 고려해야 할 것은 바로 여기에 있다. 첫째, 특정 산업구조가 오랫동안 한 가지 틀을 유지할 때 누군가가 창의적인 발상을 내놓아 신성장사업이 등장한다. 그 주기는 대개 10년 정도의 사이클을 유지한다.

둘째, 장기간의 경기침체가 이어지면 새로운 돌파구가 모색된다. 이때 돌파구는 대대적인 공공정책에 의해 만들어지고 누군가는 수혜를 입는다. 이것은 새로운 기술일 수도 있고 기존의 사업일 수도 있다. 만약 전자라면 거대한 거품이 생성되다가 결국에는 터질 것이며, 후자라면 중간 규모의 거품이 생겼다가 서서히 사그라질 것이다. 투자자들은 이 국면을 통찰로 이해해야 한다.

이를테면 1800년대 증기기관 발명, 1890년대 소형 내연기관 생산, 오늘날 포드를 있게 한 1900년대 근대적 개념의 자동차 발명, 1930년대 모토롤라의 전신이 된 무전기 발명, 1947년 휴렛팩커드의 IC 발명, 1970년대 반도체 발명, 1980년대 컴퓨터 등장, 1990년대 이동통신에 이르기까지, 늘 산업은 새롭게 진화한다. 따라서 그것이 인류의 문명과 시대를 바꿀 창의성인지를 검토하고 인식하는 눈을 키워야 하는 것이다.

반면 그 과정에서 명멸했던 무수한 발명들과 신기술들의 허황된 가치도 정확히 가릴 수 있어야 한다. 만약 당신에게 이런 통찰이 있다면 스스로에게 물어보라. 그렇다면 IT 혁명 이후 10년이 지난 지금, 미래에 새로 등장할 신기술이나 신산업은 무엇인지, 그것이 실제 산업으로 자리잡을 수 있을지를 대답해보라. 만약 거기에 대한 확신이 있다면 미래 성장산업에 초기 투자하고, 당신의 안목에 승부를 거는 것이 가장 좋은 투자법이 될 것이다.

중국시장에 대한 착각

2008년 문제가 된 중국을 한번 돌아보자. 중국은 2007년 말과 2008년 초까지만 해도 꿈의 시장이었다. 과거에 투자자들이 GE의 주가에 사후 가치까지 할인했듯이 중국의 가치에도 무한의 신뢰를 보냈다. 중국시장의 전체 주가수익배수는 40배에 이르렀고, 그것은 미국의 2배, 한국의 3.5배나 되었지만 투자자들은 중국의 가능성을 회의하지 않았다. 중국 기업들이 다음해에 2배 성장을 한다면 주가수익배율은 20배가 될 것이고, 다시 그 다음해에 또 2배가 증가한다면 약간의 할인을 한다 해도 한국시장과 같은 가치를 부여받을 것이며, 만약 그 다음해에 또 2배의 성장을 이룬다면 중국 주식은 세계에서 가장 싸게 팔리는 셈이 될 것이기 때문이다.

하지만 투자자들은 이런 논지가 과연 얼마나 합리적인지 회의를 품지 않았다. 사실 중국 주식이 지닌 문제점들은 많았고, 그 문제들은 다음과 같다. 이 글은 2007년 10월 초, 중국 주가가 하락하기 직전 〈한경비즈니스〉와 〈신동아〉에 기고했던 것이다.

지난해 하반기 많은 사람이 보따리를 꾸려 중국으로, 중국으로 몰려들었다. 마치 '골드러시'를 따라 캘리포니아로 몰려들던 서부 개척시대의 사람들처럼 그들의 얼굴은 벌겋게 달아올라 있었다. 그러곤 객장에서 이렇게 외쳤다.

"중국펀드요!"

그냥 중국펀드. 그 이상의 말이 필요없었다. 그들의 얼굴 위에 10년 전 "코스닥이요!"를 외치던 사람들의 상기된 얼굴이 오버랩된다. 수조 원을 넘는 자금이 단기간에 그렇게 중국으로 빨려들어갔다. 이런 분위기를 만든 일등공신은 중국 증시다. 쟁기를 이고 온 농군, 몇 시간 후 분만대에 누워야 할 산모, 길거리에서 교통정리를 하던 공안원까지 몰려들어 북새통을 이뤘다. 그리고 그들은 외쳤다.

"주식이요!"

중국의 흥분은 고병원성 AI(조류 인플루엔자)처럼 순식간에 한국으로 전염됐다. '상품 투자의 귀재'로 불리는 헤지펀드 운영자 짐 로저스(Jim Rogers)도 불세출의 헤지펀드인 퀀텀펀드를 떠나 중국 여행길에 올랐다. 그는 그곳에서 엘도라도를 보았다. 10억 인민의 눈에 불타는 부(富)를 향한 갈망을 읽은 것이다. 그리고 그는 세상 사람들을 향해 이렇게 외쳤다.

"중국을 사라! 중국은 향후 10년간 꺼지지 않을 불꽃이며, 중국의 성장은 멈추지 않을 것이다. 중국 인민들이 먹기 시작했고 입기 시작했다. 거대한 중국이 소비하는 한 세상의 모든 자원은 중국으로 빨려 들어갈 것이고, 그 불길은 올림포스 신전의 타오르는 불길처럼 영원할 것이다."

첫 반응은 시큰둥했다. 그러나 얼마 지나지 않아 중국 증시가 급등하고, 뒤이어 원자재 가격이 속등하는 것을 목도한 사람들은 시대를 앞서간 그의 탁월한 혜안에 경의를 표하며 "지금이라도 중국으로 달려가야 한다."는 그의 말을 위대한 복음처럼 여겼다. 국내 금융회사들도 가만히 있지 않았다. 언론은 이 위대한 '구루'의 일거수일투족을 실황중계하다시피 했고, 금융사들은 새로 만드는 펀드의 절반 이상에 '차이나'라는 이름을 붙였다. 그러자 한국 투자자들의 가슴에 불길이 활활 타올랐다. 수익 좇기로 치자면 세계에서 둘째가라면 서러울 이들을 누가 말릴 수 있겠는가? 이것이 우리가 지난 여름 중국 열풍에 빠진 두번째 이유다.

그러나 지구 반대편에 또 한 사람의 위대한 현인이 있었다. 그는 코카콜라를 마시고 맥도날드 햄버거를 먹는 것이 건강 비결이라고 말하는 난해한 노인이었다. 그는 주식투자로 세계에서 둘째가는 부자가 됐고, 그와 점심 한 끼를 같이 하려면 경매에 참가해 수만 달러의 돈을 지급해야 했으며, 사람들은 이를 큰 영예로 생각했다. 그는 네브래스카주 깡촌인 고향 오마하에 들어앉아 '버크셔해서웨이'라는 회사를 차리고 매해 그 회사의 운용보고서를 발표했다.

거부이자 주식투자 대가에게 어울리지 않는 괴팍한 취미였다. 사람들은 그의 말 한마디를 듣기 위해 오마하로 몰려들었다. 그냥 신문이나 방송에서 전해들어도 될 텐데, 사람들은 이 위대한 노인의 정기를 듬뿍 받고자 직접 시골마을을 찾았다. 그들의 열망은 우드스톡 록페스티벌의 열기를 넘어서는 것이었다.

이 노인의 이름은 워렌 버핏이다. 그런데 이 어르신께서 지난해 중반, 중국 펀드로 달려가는 사람들에게 찬물을 끼얹는 말을 했다.

"중국 주식은 주가수익배율이 60배를 넘은 거품 중의 거품이다. 나라면 지금이라도 중국 주식을 몽땅 팔겠다."

그러자 사람들은 이분이 드디어 연세가 드셔서 판단력이 흐려진 게 아닌지 의심하기 시작했다. 하지만 어르신은 말뿐 아니라 행동으로도 실천했다. 자신의 회사가 보유한 페트로차이나 주식을 몽땅 팔아버린 것이다. 짐 로저스의 처지에선 "아니, 이 노인네가?"라며 한마디 쏘아붙일 법한 상황이었다. 하필이면 석유회사인 페트로차이나를 팔았으니 중국과 원자재 주식이 좋다고 한 자신의 말을 정면으로 반박한 셈이었다. 게다가 이 어른은 한창 중국 열풍에 빠져 있던 지난해 10월, 한국을 방문해 이렇게 일갈했다.

"투자자는 주가가 급등할 때 조심해야 한다. 나는 보유하고 있던 중국주식을 모두 팔았다. 중국시장에 버블 붕괴가 올 수 있다."

하지만 우리나라 금융사들은 아랑곳하지 않은 채, 장기투자를 하면 성과가 있을 것이라고 말했다. 물론 이 말이 틀렸다고 하는 사람은 없을 것이다. 결과는 시간이 말해줄 것이고, 또 많은 사람이 중국의 장기성장론을 부정하지 않고 있어 장기적으로는 이 말이 맞을 확률이 높다. 하지만 투자자들은 묘한 비애감을 갖는다. '장기적으로'라고 말할 때 그 '장기'가 얼마나 긴 기간을 의미하는지 모르기 때문이다. 우리나라 펀드들이 펀드투자를 권할 때 자주 사용하는 멘트는 "만약 당신이 9년 전에 이 펀드에 가입했다면 과연 얼마나 높은 수익을 올렸을까 생각해보라."는 것이다.

하지만 1990년대 후반 펀드 열풍에 편승한 사람들이 2001년까지 겪은 고통은 설명되지 않았다. 이론적으로 펀드에 9년간 가입할 경우 낼 수 있는 수익률과, 불과 1년 만에 반토막이 나는 펀드를 보면서 중간에 환매해버렸던 투자자들의 현실은 슬그머니 뒤로 숨어버린 것이다. 당시 버블 붕괴로 엄청난 사람이 펀드를 환매했고, 이는 여러 가장의 죽음을 불러왔다. 아파트 옥상에서 뛰어내렸고, 농약을 마셨다. 그 비극적 결말을 기억한다면 펀드 가입자에게 "장기적으로는 오른다."는 말은 함부로 하면 안 된다.

그 말은 그 돈이 없어도 되는 일부 여유로운 자산가 외에는 해당되지 않기 때문이다. 펀드는 늘 위험관리를 해야 하고, 장기적으로 오를 수 있지만 중간에 눈물을 머금고 환매해야 하는 사람들의 비극을 방지하는 노력도 해야 옳다. 바로 그 점이 오늘날 워렌 버핏을 만들었고, 피터 린치를 있게 한 힘이다. 국내 운용사들은 주가가 하락하면 늘 "장기보유하면 결국에는 이익이 난다."라고 말한다. 이는 맞는 말이기도 하지만 틀린 말이기도 하다. 그런데 그들은 틀린 말이 될 수도 있음을 고지하지 않는다.

다시 본론으로 돌아가 중국을 불안하게 보는 이들의 이야기를 들어보자. 중국이 긴축에 들어간 건 맞다. 은행 지급준비율을 올리고, 위안화 절상을 용인하고 있다. 심지어 이 글을 쓰는 순간 1달러당 환율이 드디어 6위안을 돌파했다. 그렇다면 이제 중국은 경기과열을 막고 연착륙으로 가는 과정을 밟고 있는 것일까? 안타깝지만 그렇게 보지 않는 사람도 많다.

지금 중국과 미국의 금리격차는 무려 5% 포인트다. 미국의 기준 금리가 근원

물가(변동성이 큰 에너지·식품 가격을 제외한 물가) 상승률보다 아래쪽으로 내려 갔다. 인플레이션이 심각하게 대두할 수 있지만 폴 크루그먼과 같은 케인지언의 논리에 따라 통화량을 늘리는 쪽으로 가닥을 잡은 것이다.

미국 연방준비제도이사회는 기본적으로 통화관리에 중점을 둔다. 돈을 풀어 경기를 조절하기보다는 물가를 조절하는 데 더 신경을 쓴다는 뜻이다. 그럼에도 현재 미국은 심각한 물가상승의 우려는 제쳐두고 경기부양책을 연이어 쏟아내고 있다. 그만큼 발등에 불이 붙은 것이다. 미국은 현재대로 가면 주택을 중심으로 발생한 서브프라임 모기지 사태에 그치지 않고 신용카드와 은행도 위기에 몰릴 수 있다는 불안감에 싸여 있다. 그래서 마지노선인 연 2.25%까지 금리를 내렸다. 하지만 중국의 금리는 7%가 넘는다.

이쯤 되면 누구라도 미국에서 돈을 빌려 중국에 맡기고 싶은 마음이 생긴다. 소위 '달러 캐리트레이딩(Dollar-Carry Trading)'의 여건이 마련된 것이다. 그래서 홍콩과 대만의 부자들은 너도나도 중국의 주식이 아니라 중국의 은행에 돈을 맡기려고 난리다. 그뿐만이 아니다. 세상은 하나로 연결되어 있고, 아무리 중국 당국이 핫머니 유입을 막고자 해도 투자는 물 흐르듯 중국으로 향한다. 여기에다 위안화 절상 속도도 점점 빨라지고 있다. 달러를 가져다가 위안화를 사서 예금을 하려 드니 위안화 가치는 둑이 터진 것처럼 오를 수밖에 없고, 치솟는 물가를 잡으려니 위안화 상승이 불가피해진 것이다. 위안화가 강세를 보여야 원자재나 수입상품 가격이 내려가고, 급등한 곡물을 싼값에 사오는 결과를 낳기 때문이다.

여기서 문제가 발생했다. 중국의 수출물가가 오르기 시작한 것이다. 중국 근로자들의 임금이 수년 만에 50% 이상 오르고 중국 기업의 인건비 상승률이 40%를 넘은 상황에서 위안화 강세는 중국 상품의 가격 경쟁력을 심각하게 저해하고 있다. 그 결과 중국의 최근 몇 달간 무역수지 흑자는 햇볕에 녹아내리는 눈사람처럼 줄어들었다. 두 달 연속 무역흑자가 큰 폭으로 감소했다.

미국은 자국의 문제를 해결하기 위해 기축 통화국으로서의 우월성을 충분히 활용, 달러를 마구 찍어댔다. 찍으면 찍는 대로 달러 가치는 하락했고, 투자자들은 금리가 낮은 미국에서 돈을 빌려 중국으로 가져가면 불과 1년 새 환율 상승만으로도 10%의 이익을 내는 상황이 벌어졌다. 미국에서 돈을 빌려 중국에 예금하면 금리 격차와 환율 상승의 이중 혜택을 입게 되는데 어느 투자자가 이를 외면하겠는가.

바로 여기에 문제의 핵심이 있다. 이 문제는 중국 위안화의 상승이 멈추거나(중국이 경기관리나 물가관리를 포기하거나), 미국 달러가 강해지거나(미국의 금융위기가 해결되고 재정적자와 무역수지 적자라는 쌍둥이 적자가 해결되거나), 중국이 금리인하를 시도해야(중국 경기가 침체되어 부양의 필요성이 증가하거나) 해결될 수 있다. 하지만 이 가운데 어느 하나 현실화할 가능성이 감지되지 않는다.

중국으로 흘러드는 핫머니 행렬은 2008년 이후로도 당분간 계속될 게 뻔하다. 연 15%에 가까운 이익을 위험 없이 낼 수 있기 때문이다. 그로 인해 위안화는 더욱 더 상승할 것이며 수출은 점점 더 악화될 것이다. 악순환의 가능성이 활짝 열린 셈이다. 그나마 이 핫머니들이 중국 증시에 투자된다면 외국인 투자자금 유입으로 인한 상승효과를 노릴 수 있겠지만, 안타깝게도 이 돈들은 음성적으로 중국은행으로 흘러들고 있다. 가뜩이나 부실대출로 몸살을 앓고, 지급준비율 인상으로 골머리를 싸맨 중국은행 처지에선 쌍수를 들고 환영할 일이다.

이제 중국이 무역흑자 감소를 감내하면서 성장의 축을 수출에서 내수로 완전 이양하는 흐름이 나타나야 하지만, 최근 부동산과 증권시장의 하락으로 큰 손실을 입은 투자자들의 위축된 심리를 고려하면 이는 쉽지 않은 일이다. 이쯤 되면 "중국에 대한 낙관론은 한 가지 측면만을 보는 것이다."라는 반론이 제기돼야 마땅하다.

산적한 반론은 여기서 그치지 않는다. 한마디로 첩첩산중이다. 이미 2008년 초까지 중국에 들어온 핫머니는 음성적인 부분까지 포함하면 3,000억 달러에 달한다. 그것이 일시에 빠져나갈 때 발생할 금융 시스템의 혼란은 또 어떻게 할 것인가? 중국의 막대한 외환보유고를 감안할 때 외환위기 상황에까지 이르진 않겠지만, 우리나라는 같은 상황에서 이미 외환위기 사태를 맞은 경험이 있다. '디폴트'라는 국가부도 사태까지 가진 않더라도 상당한 타격이 있을 것이라는 점은 불을 보듯 뻔하다. 그러나 모 증권사 상하이 사무소장인 C씨는 당시 언론매체에서 이렇게 밝혔다.

"중국 증시 바닥 확인론이 나오고 있는 과정에서 중국 증시가 불안정한 양상을 이어가고 있다. 중국 증시는 다시금 전저점인 상하이종합주가지수 3,271.29의 지지를 확인할 것으로 보이며, 최악의 경우 일시적으로 3,000을 깨고 내려갈 가능성도 있지만 3,000 아래에서는 강력한 하방경직성을 이어갈 것으로 예상된다. 하지만 반등을 하더라도, 당분간은 4,200의 저항을 뚫고 올라가기에는 매물대가 상당히 두껍다는 점에서 4월에는 증시 바닥을 확인하면서 저점을 높여가는 기술적 반등만이 가능할 것으로 전망된다.

혹자는 정부 당국의 증시 진작책 필요성을 제기하고 있다. 하지만, 인화세(거래세) 인하는 단기적 효과가 있을 수는 있어도 증시의 근본 체력을 강화시켜주는 것은 아니다. 추세적 전환을 위해서는 상장기업의 이익 증가 속도에 대한 확인과 물가안정, 증시 수급 안정, 그리고 이에 따른 투자자들의 심리회복이 수반돼야 한다. 중국 증시가 회복되려면 여전히 '시간'이 필요하며 그 기간은 짧게는 3분기, 길게는 올 하반기까지 이어질 것이다. 그러나 이는 중국 증시의 장기적 상승을 위해 매우 건전하고 건강한 에너지 축적 과정이 될 것이다.

중국 증시는 이러한 과정을 거치며 완전 유통시장 상황에서 거품이 제거되며, 합리적인 가격 수준과 합리적인 프리미엄 간의 조화를 찾아갈 것으로 예상한다.

하지만 올해에는 예년과 같은 가파른 상승을 기대할 수 없다.

따라서 지난해 10월 고점에 차이나펀드에 가입한 고객이라면 시간적 여유를 갖고 냉정하게 시장을 바라볼 필요가 있다. 올해에만 4.3%가 넘는 절상을 이어가고 있는 위안화 강세는 위안화 자산에 대한 투자 매력을 더욱 증대시킬 것이며, 1분기를 정점으로 물가는 안정되고 기업 성장 역시 회복될 가능성이 높다는 점에서 여전히 투자 포트폴리오의 일정 부분을 중국에 둬야 한다는 점에는 변함이 없다. 현 시점은 비중을 축소하기보다 장기적 관점에서 저점 분할매수를 통해 매수 평균단가를 낮추는 전략이 유효하다고 판단된다."

잘 살펴보면 기대를 가지라는 논지의 말이지만 여기에는 '상장기업의 이익 증가 속도에 대한 확인과 물가안정, 증시 수급 안정, 그리고 이에 따른 투자자들의 심리 회복'이라는 세 가지 전제가 깔려 있다. 이 세 가지 전제가 충족되기 쉽지 않다는 사실은 이미 위에서 설명한 바 있다. 그리고 '위안화 강세는 위안화 자산에 대한 투자 매력을 더욱 증대시킬 것'이라는 부분도 현재로선 증시와 큰 연관성이 없음을 지적했다. 이와 관련, 최근 LG경제연구소는 중국 증시가 여전히 과대평가되어 있다고 진단한 바 있다.

문제는 이것만이 아니다. 베이징올림픽은 중국에 대한 전망을 밝게 한 핵심요소였다. 88서울올림픽 이후 국내 증시가 호황을 맞았던 것처럼 중국도 그럴 것이라는 예측이 나왔다. 이 말을 누가 처음 했는지는 모르지만 이는 사실과 거리가 멀다. 최근 20년간 올림픽을 치른 다섯 나라 중 올림픽 이후 증시가 상승한 나라는 한국뿐이었다는 사실을 의도적으로 언급하지 않은 듯하다. SOC(사회간접자본) 투자는 올림픽 전에 모두 집행되는 게 관행이다. 따라서 올림픽 전에는 주가가 오르지만 올림픽이 끝나면 그때까지 창출된 일자리가 사라지고, 오히려 SOC 투자에 대한 부담만 남아, 주가는 하락한다는 게 정설이다.

그런데도 올림픽이 끝나면 중국 소비시장의 문이 활짝 열릴 것이라는 근거 없는 기대를 기정사실화하고 있다. 중국 기업의 현재 실적이 밖으로 알려진 것과 다르다는 사실은 이미 구문이다. 기업 실적의 상당 부분이 유가증권 투자, 즉 주식투자 수익이라는 것도 눈여겨봐야 할 대목이다. 다시 말해 중국 기업들이 은행에서 돈을 빌려 주식투자에 열중했다는 얘기다. 중국의 메이저 은행인 중국공상은행은 미국 서브프라임 모기지 채권을 전혀 갖고 있지 않다는 거짓말이 들통나 주가가 하락하고 주식거래가 정지되는 수모를 당하기도 했다. 중국 기업의 공시나 회계처리는 글로벌 기준으로 보면 낙제점에 가깝다.

그러나 이들보다 훨씬 더 심각한 걱정거리가 있다. 중국에 진출한 외국계 기업들의 중국 탈출이 이어지면서 중국 근로자들이 사장을 억류하고 공장을 점거하는 일이 다반사가 된 점이다. 한국에서라면 하나같이 신문의 한 페이지를 장식할 내용들이다. 중국 근로자들의 권리의식이 신장되면서 사회보장이나 임금인상과 같은 압력뿐 아니라 탈법적인 행동도 서슴지 않게 된 것이다. 만약 이런 불만이 외국계 기업에 국한되지 않고 중국인 기업으로까지 확장된다면, 그리고 중국의 도시지역과 농촌지역의 경제력 격차로 인한 양극화가 본격화하면 중국 사회는 빠르게 불안의 늪으로 빠져들 수 있다.

최근의 티베트 저항운동도 시사하는 바가 크다. 우리나라가 1980년대에 경험한 상황들을 떠올려보면 금방 가슴에 와닿는다. 호구지책에 급급할 때 사람들은 무엇에도 순종한다. 하지만 먹고사는 게 어느 정도 해결되고 나면 인권 등 권리에 대한 자각이 뒤따른다. 우리는 그 과정을 무려 20년간의 진통 끝에 극복했고, 자본시장은 이후에 안정됐다. 이른바 '코리아 디스카운트(Korea Discount)'의 주요인 중 하나가 바로 사회 불안정이었다.

중국은 이제 막 사회불안이 태동하고 있다. 시위가 연간 3만 건을 넘고 있다. 외부로 알려지지 않고 마무리된 소규모 소요사태는 이제 이야깃거리도 못 된다. 그래서 중국 지도부도 바짝 긴장하고 있다. 특히 우리나라와는 달리 다민족사회인 중국의 사회불안이 현실화하는 것은 중국은 물론 세계 어느 나라도 원하지 않는 일이다. 만약 중국이 이 문제를 지혜롭게 해결하지 못하고 한두 군데에서 통제력을 잃는 상황을 맞는다면 그 결과는 상상만 해도 오싹하다.

경제성장과 주가상승 등식은 참이 아니다

사실 중국의 문제는 이것만이 아니었다. 앞에서 언급한 얘기지만, 한 나라의 경제성장이 가속화되면 주가가 같이 오른다는 등식은 참이 아니다. 만약 그것이 정답이라면 과거 1970~1980년대 우리나라 주가는 천정부지로 올랐어야 했고, 지금 우리나라의 주가는 1만 포인트는 넘어야 정상이다. 대개 우리가 하는 착각 중 하나가 GDP 성장률과 주가를 결부시키는 것인데, GDP가 경기호황과 침체를 나타내는 지표이기 때문이다. 하지만 그것은 경제 시스템이 안정되고 시장조작이 합리적인 나라에서나 의미가 있다. 기업으로 치면 성숙기에 접어든 기업에만 해당한다는 뜻이다.

중국과 같이 급속도로 성장하는 나라의 가장 큰 문제점은 성장에 주력한 나머지, 기업과 산업의 확장을 위해 대규모 차입을 일으킨다는 점이다. 성장기에 들어선 기업은 자본시장에서 자금을 조달해야 마땅하지만, 신흥국의 자본시장은 미성숙할 뿐만 아니라 중산층의 자본이 충분하지 않아 증시를 통한 대규모 자본 조달이 어렵다. 이 때문에 일시적으로 증시에서 자본을 조달하려 하면 공급과잉으로 폭락하고, 그렇다고 차입을 통해 기업을 성장시키면 이자부담이 증가한다. 경제가 호황일 경우에는 영업을 통해 이자를 감당하고 기업을 확장해나갈 수 있지만, 만약 조금이라도 경기가 삐걱거리면 이자를 갚을 수 없게 되고 기업과 은행은 차례로 위기에 빠지게 된다.

경기란 늘 선형으로 상승하는 것이 아니라 호황과 침체의 사이클을 가진다. 그래서 중국 자본시장이 처한 가장 큰 위험(대부분의 고도성장 국가들이 겪는 공통적 위험)은 역설적으로 고도성장 그 자체에 있는 것이다. 그럼에도 불구하고 많은 사람들은 중국의 성장률에만 기대어 중국 증시의 무한 성장을 장담했다. 심지어 우리나라 투자자들이 가장 큰 자금을 중국에 투입한 시점이 상하이 증시에 가장 거품이 많이 끼었던 6,000포인트대라는 점은 실로 놀라운 일이 아닐 수 없다.

투자자들이 반드시 명심해야 할 핵심사항 중 하나는 신흥시장에 투자할 포인트는 고도성장 후 침체에 빠졌다가 다시 기지개를 켤 때이지, 고도성장의 초기 단계가 아니라는 점이다.

가 격 분 석 의 역 설

성장 스토리에 기댄 막연한 투자가 얼마나 위험한지 살펴보기 위해 2007년 7월에 월간 〈나라경제〉에 기고한 칼럼을 한번 보자.

우리가 알고 있는 몇 가지 패러독스들은 그 안에 감추어진 이면에 대해 생각하게 만든다.

"모두가 아들을 갖기 위해 남아를 낳을 때까지 출산하고 아들을 낳은 후엔 더 이상 출산하지 않는다는 가족계획을 갖고 있다면, 그 나라의 출생성비(여아 100명당 남아 수)는 증가할 것이다."

이 말은 거짓이다. 언뜻 생각하면 분명 남아가 많아질 것 같지만 이것은 역설이다. 실제로는 첫번째 출산에서 남아와 여아가 태어날 확률은 50%이고, 남아를 낳은 집에서 더 이상의 출산을 하지 않고 여아를 낳은 집만 추가 출산을 한다고 가정해도 결국 첫째 아이들의 성비는 균형을 이룬다. 첫번째 여아를 낳은 후 다음에 태어날 아기의 성별 확률 역시 반반이다. 즉 인위적으로 중절수술을 통해 정해진 성비를 파괴하지 않는 한 자연 상태에서의 확률은 늘 반반이 된다.

이런 패러독스도 있다. "위대한 예술가들은 대부분 장남이 많다."라는 말은 일견 사실로 보인다. 고흐도 장남이고, 모네도 장남이며, 유명 미술가들의 상당수는 장남이다. 이것은 편견이 아니다. 실제 조사를 해봐도 그렇다. 이 명제에서 역설은 바로 원래 사람은 장남일 확률이 높다는 전제를 무시한 것이다. 아이가 한 명인 집안에도 장남은 있고, 둘인 집에도 장남이 있으며, 셋인 집에서도 장남은 있다. 차남, 3남, 4남은 점점 그 비율이 줄어들지만 장남은 그렇지 않다. 이 때문에 위대한 예술가 중에는 장남이 많은 것이다. "살인자 중에는 장남이 많다."나 "위대한 현인 중에는 장남이 많다."라는 명제들은 모두 참의 값을 갖는 것이다.

우리는 알게 모르게 이런 역설의 포로가 되어 있다. 그만큼 인간은 속기 쉬운 존재다. 우리는 그간의 경험칙을 바탕으로 얼추 비슷한 조건을 가진 전제들은 모두 같은 결과를 가질 것이라는 착각과 오해를 하며 살아간다. 그래서 우리는 타인을 설득할 때 그가 겪었던 가장 유사한 상황을 떠올리게 하고 그것을 바탕으로 판단하게 하지만, 사실 그 과정은 이미 '오해'라는 복선을 깔고 있는 것이나 다름없다. 이런 역설적 편견이나 오해들을 벗어나 올바른 가치판단을 하기 위해서는 '늘 새롭게, 늘 다시, 늘 깐깐하게' 상황을 살피는 훈련이 되어 있어야 한다.

주식시장에서도 마찬가지다.

"과거에 이랬으므로 미래에도 이럴 것이다."

이는 기술적 분석가들이 주로 하는 말이다. 가격의 패턴을 분석하고 추세를 살피면서 "예전에 이런 모양을 갖췄을 경우에는 주가가 올랐다거나 과거에 이런 형태를 취했을 때는 주가가 내렸다."라는 것을 전제로 미래에도 그런 움직임이 재현되리라는 기대를 갖고 있는 것이다.

사실 많은 일반 투자자들이 속고 있는 기술적 분석의 오류가 바로 이런 것이다. 고대 그리스 철학자 헤라클레이토스가 "같은 강물에 두 번 발을 담글 수 없다."라고 한 말은 바로 이 점을 간파한 것이다. 우리가 보기에는 강은 늘 그대로이고 흐르는 강물은 어제도 오늘도 마찬가지지만, 사실 어제 흘렀던 강물은 이미 바다로 흘러갔으며 지금 내가 발을 담그고 있는 강물은 어제 산꼭대기에서 만들어져 흘러내려온 새로운 강물이기 때문이다.

주가를 살피는 이치도 이와 같다. 같은 주식이 같은 가격대라고 해서 그 주식의 가치 역시 같다고는 할 수 없다. 2년 전에 10만 원인 주식이 2만 원이 되었다가 오늘 다시 10만 원이 된 경우, 2년 전과 지금의 가치는 같지 않다. 2년 전에는 자산가치를 주목받아 10만 원의 가격대를 형성한 것이라면 현재의 주가 10만 원은 기업의 이익이 많아졌거나 성장이 높거나 혹은 놀라운 재료가 있어서 평가된 가격일 수도 있다. 이 때문에 과거 주가지수 1,000포인트와 2007년의 1,000포인트는 다르고, 2008년 8월의 주가 2,000원과 2008년 10월의 주가 2,000원은 완전히 다른 것이다.

이 때문에 우리가 단순히 2개의 가격을 두고 작대기를 그어서(예를 들면 추세선 작도) 상승추세대를 이탈했다라고 판단하든 혹은 2만 원과 10만 원의 양 가격대에 평행선을 그어서 박스라고 말하든 이미 그 전제가 틀렸다고 할 수 있다. 다시 말해 주식투자에서 가격을 두고 과거의 가격과 지금의 가격을 비교하는 방식, 혹은 과거의 모습과 지금의 모습(오르고 내리는 운동성)의 유사성을 찾으려는 방식이나 생각들은 2년 전과 지금, 유동성과 부동산시장, 세계경제와 경기 등이 완벽하게 같고, 심지어는 그때와 같은 투자자들이 같은 자금으로 참여하지 않는 한 동일한 상황이 아니라는 전제를 무시하는 것이다.

결국은 우리가 주식을 평가하고 그 가격을 매기는 행위에서 몇 가지 유사성만을 갖고 과거의 가격과 비교해서 지금 가격의 적정성을 평가하는 것은 어리석기 짝이 없는 일이다. 그런 점에서 과거 알려진 기술적 접근법은 모두 "참이 아니다."라고 해도 과언이 아니다.

가치를 판단하는 기준 역시 마찬가지다. 가치의 기준은 자산, 보이지 않는 영업력, 혹은 당시 세계 경기와 무역 상황에 따라 달라지므로 자산가치나 기타 가치를 단순 비교해서 싸다 비싸다를 결정하는 것은 오류일 공산이 크다.

이렇듯 우리는 가격을 평가할 때 이미 역설의 함정에 빠져 있다고 할 수 있다. 특히 변수 요인이 고정적이고 변수값의 변화만 대입하면 얼추 비슷하게 가격을 평가할 수 있는 기업 분석은 그나마 나은 편이지만, 많은 개인 투자자들이 믿고 있는 대박의 황금률은 모두 부질없는 신기루에 지나지 않는다.

그렇다면 이런 식의 가격 분석에만 역설이 존재할까? 그것 역시 "아니요."가 정확한 답이다. 예를 들어, "금융공황이나 주가의 급락을 초래한 소위 '블랙데이'는 미국의 쌍둥이 적자가 발생할 때마다 예외 없이 반복돼왔으므로 지금처럼 쌍둥이 적자가 확대되고 있는 상황에서는 금융공황의 위험이 크다."라는 논리를 살펴보자. 당시와는 신흥시장의 상황, 세계정세, 그리고 적자의 성격도 다르기 때문에 설령 당장 공황이 발생한다고 하더라도 다른 이유에서 발생한 우연일 뿐이며, 쌍둥이 적자가 공황의 원인이라고 할 수는 없다.

반대의 경우도 마찬가지다. 2007년 중국의 PER이 평균 30배에 이르고 100배를 넘기는 종목도 수두룩하다는 관점에서 거품이라는 주장도, 중국 기업의 실적 호전이 워낙 빨라서 금세 고평가된 PER을 따라잡을 것이므로 거품이 아니라는 주장도 근거가 없기는 마찬가지다. 이럴 바에야 지극히 단순한 핵심 변수만 보고 판단하는 것이 현명하다.

가격 구성의 기본 원리는 수요와 공급이다. 이 논리는 그 어떤 현학적인 주장보다 시장을 이해하는 데 도움이 된다. 사려는 돈이 넘치거나 팔리는 물건이 적으면 가격이 오른다. 반대로 가격이 비싸지면 살 수 있는 상품은 적어지고, 또 공급량이 많아지면 아무리 유동성이 커져도 가격은 하락한다.

중국의 무역흑자가 빠른 속도로 늘어나는 현재 상황에서는 가격이 오른 중국의 주식이 정당화될 수 있으나, 중국의 물가가 한 해 20%씩 오르고 인플레이션이 생기면 상대방 시장의 구매력이 약해지고 주식의 가격은 하락한다. 게다가 주식의 가격마저 비싸진 상황이라면 두말할 필요도 없다. 그래서 "앞으로도 중국 주식을 사야 하나 말아야 하나?"라는 질문에는 단호하게 "아니요."라고 말할 수 있어야 한다. 그것이 시장의 논리다.

이제 이해가 되었으리라 생각된다. 사실 이 정도가 아니라 필자는 작년 말 이란을 통해 중국 주식시장에 대해 "똥오물밭에 눈이 내린 것."이라는 표현까지 쓰면서 그 거품을 경고했었다. 그 이유는 위에 열거한 사례뿐 아니라 중국 시장에 통용되는 주식은 실제 발행주식의 20%도 되지 않는다는 점, 즉 나머지 주식은 언제라도 시장에 나와 매물로 작용할 수밖에 없는 소위 오버행 이슈(overhang issue, 대량물량 부담)가 상시적으로 존재하는 점 등도 있었다.

이 칼럼은 중국시장에 대한 위험을 부각하려 쓴 것이 아니다. 우리가 성장주에 투자하거나 신흥시장에 투자할 때 그 투자의 근거가 얼마나 역설적인 것인가를 말하려고 한 것이다. 성장 스토리가 대중에게 설득력을 갖기 시작하면 우리는 그 이면에 존재하는 부정적인 요인들은 모두 배제해버리고 긍정적인 부분만 보려고 하는 심리적 함정에 빠지는데, 그것이 결국 패배로 이어진다는 점을 알아야 한다.

대개 사람들이 누구나 죽는다는 사실을 알고는 있지만, 언제 죽을지 모른다는 이유로 흥청망청 삶을 살아가듯(만약 죽는 시점을 모두가 알고 있다면 지금 우리의 삶은 다른 모습일 것이다), 주식시장 역시 성장을 기대하면서도 언젠가는 그것이 터질 것이라는 점도 다 같이 알고 있다. 그럼에도 그 시점을 모르기 때문에 성장 스토리에 도취되는 것이고, 투자자들은 함정에 빠지는 것이다.

성장에 기댄 투자를 할 때는 미리 한계를 정하고 대중이 얼마나 그곳에 몰입되어 있는지 관찰해야 한다. 그리고 모두가 한곳으로 쏠리는 시기를 알아챌 수 있는 시각을 갖는다면 당신은 가장 핵심적인 무기를 확보한 것이다.

성장주투자란
무엇인가

　미국시장에서 브랜디와인펀드(Brandywine fund)는 1985년부터 12년간 운용되면서 미국에서 1년, 5년, 10년 투자수익률에서 모두 1위를 차지한 최우수 펀드다(〈머니*Money*〉지 자료 참조). 이 펀드는 대표적인 성장주투자 펀드인 브랜디와인펀드를 운용하는 포스터 프리스(Foster Friess)는 다음의 세 가지 투자 원칙을 갖고 있다.

　첫째, 개별 기업에 투자하라.

　둘째, 주식의 과거는 잊어버리고 미래에 주목하라.

　셋째, 만약 내가 보유한 종목보다 더 빠르게 성장하는 종목이 있으면, 당장 보유종목을 팔고 그 종목을 매입하라.

성장주투자의 의미

우리가 성장주투자에 대해 가진 가장 전통적인 오해는 현재 기업의 실적이 증가하는 대형 우량주를 사서 바이앤홀드하거나, 아직 미래가 불확실한 벤처기업의 주식을 사서 대박을 터뜨리라는 것이다.

포스터 프리스의 투자 원칙은 성장주투자의 진짜 의미가 무엇인지 생각해보게 한다. 성장주투자의 핵심은 '확실한 성장'이다. 만약 '확실한 근거' 없이 성장을 기대한다면, 증거자료의 불확실성을 상쇄하고도 남을 만큼 당신의 직관이 날카로워야 한다. 하지만 아무에게나 이런 능력이 주어지는 것은 아니다. 그래서 개인 투자자들이 성장주투자를 하려면 반드시 확실한 근거를 갖고 있어야 한다.

이를테면 매출액 성장률, 순이익 성장률, 시장 점유율 등이 업계 평균과 시장 평균 이상이고, 주가 성장률이나 시가총액 성장률은 그보다 낮아야 한다. 즉 성장은 폭발적으로 이루어지고 있으나 아직 주가에는 반영되지 않은 종목이 최선이라는 뜻이다. 특히 성장주투자에서는 가치투자의 핵심 요소인 배당 성향이 오히려 무시된다. 성장하는 기업은 이익의 대부분을 연구 개발에 쏟아붓는 기업이다. 많은 배당은 점유율 확대나 성장성보다는 현실에 안주하고 높은 해자를 둘러친 성벽에 숨어 변화를 싫어하는 기업을 의미한다.

성장주투자가 상대적으로 어려운 이유가 여기에 있다. 가치투자나 성장주투자 모두 명확한 자료를 갖고 해석하지만, 특히 성장주투자는 이익에 대한 재투자가 합당한지 또는 그것이 성공적인지를 판단하기가 쉽지 않다. 그래서 미래에 대한 막연한 기대보다는 실제적으로 눈에 보이는 성장가치를 주목하는 것이 훨씬 합리적이다.

결국 성장주투자에는 실체적 성장과 비실체적 성장, 두 가지가 있는
셈이다. 물론 전자보다 후자가 레버리지가 크지만, 후자의 경우 장기투
자에 따른 위험성을 줄이고 이익을 내기 위해서는 최소한 대중의 동의가
필요하다는 점에서 상당한 직관이 필요하다.

　　이때 중요한 논점은 이것이다. 성장주투자는 성장성에 대해 실체적 가
능성이 높아지면 높아질수록 투자자들의 경쟁은 치열해지고, 치열한 경
쟁은 주가 상승을 유발하므로 주식을 저가에 살 수 없다는 단점이 있다.
또 비실체적 성장은 그것이 실체화할 가능성을 읽는 눈과 실체적 성장
여부와는 상관없이 대중이 가능성에 동의할 수 있는가를 보는 눈이 필요
하다.

　　일례로 새롬기술의 다이얼패드는 실체화할 수 있었지만(최근의 인터넷
집전화) 해당기업은 사라졌다. 아이템은 대중의 인정을 받았지만 가능성
이 실체화하는 데는 극심한 변수가 도사리고 있었다. 때문에 새롬기술의
초기 아이템을 접한 투자자들은 이것이 대중을 흥분시킬 수 있는지, 이
아이템에 대해 대중이 인정할 수 있는지를 읽는 눈이 필요했을 것이다.
새롬기술에 투자한 사람들 중 이 아이템이 대중적인 흥분과 동의를 이끌
어내더라도 이후 기업의 영속성으로 이어지기에는 그 회사의 능력이 부
족하다는 점까지 읽은 사람만 성공적인 결과를 얻었을 것이다.

성 장 주 투 자 의　방 식

　　가치투자도 그렇지만 성장주투자 역시 개념 자체를 정의하기가 어렵
다. 그러면 먼저 성장주에 투자하는 데는 어떤 방식이 있는지부터 살펴

보자.

첫째, 장기보유 방식이다. 그동안 기업의 실적을 비교해서 장기적으로 성장률이 유지되고 최근 몇 년간의 성장률이 가속화되는 기업에 투자해서 바이앤홀드하는 것이다.

첫번째 방식인 안정성장형 주식은 시장에서 많이 찾아볼 수 있다. 어쩌면 워렌 버핏이 찾고 있는 기업이 이런 기업일 것이다. 이렇게 안정적인 성장을 보이는 기업들은 기업의 생로병사에서 볼 때 성숙기를 지나 새로운 혁신을 거듭하면서 쇠퇴기를 극복한 기업으로 볼 수 있다. 그러나 이런 기업들은 사실상 큰 수익을 내기보다는 인덱스펀드의 수익과 비슷한 안정성과 수익성을 보여주는 경우가 많다.

둘째, 성장성에 비해 주가 상승이 낮은 기업, 다시 말해 PER이 낮은 성장주를 발굴하여 투자하는 방식이 있다. 이것은 장기 성장세 중에서 일시적인 실적 악화로 기업의 미래 성장성이 의심받아 주가가 그 이상으로 하락하거나, 성장성은 유지되는데 시장의 무관심으로 성장성이 충분히 반영되지 못한 기업을 찾아 중기투자하는 방식이다. 이 방식은 상당한 통찰을 필요로 한다. 실제 대중의 시선이 이 기업에 몰리기 전에 내가 먼저 그것을 찾아내야 하므로 가치 투자자들의 논리와 비슷한 측면이 있다.

셋째, 가속도에 주목하여 실적이 업계 평균을 추월하거나, 과거 실적 대비 최근 실적이 급격히 가속화하거나, 최근 몇 분기 동안 실적 예상치가 예상을 훨씬 뛰어넘는 기업에 투자하는 방식이다. 이 모멘텀 방식은 윌리엄 오닐이 선호한 방식으로, 오닐은 자신의 저서 《최고의 주식 최적의 타이밍 *How to Make Money in Stocks*》에서 다음과 같은 기준으로 종목을 고를 것을 제안하고 있다.

1. 최근 주당 분기순이익(EPS)이 지난해 동기 대비 급격하게 증가한 종목

2. 최근 10분기 순이익 증가율이 지속되다가 최근 분기 동안 가속화하는 종목

3. 최근 3분기 이상 매출액 성장률이 가속화하는 종목

4. 2분기 이상에 걸친 순이익 감소 기업은 피할 것

5. 연간 순이익 증가율이 20~25% 이상인 종목

6. 최근 3년간 순이익 증가세가 안정적인 종목

7. 연간 순이익과 분기 순이익이 동시에 증가하는 종목

8. 신고가를 기록하는 종목(강세시장에서 주가가 바닥권을 탈출하는 신고가)

9. 신제품이나 새로운 서비스를 개발한 기업 중 실적이 증가하는 시점

10. 발행주식 수와 유통 주식 수가 적은 종목

11. 자사주를 매입하는 종목

12. 부채비율이 낮은 종목(자기자본 대비 장기부채비율이 낮은 종목)

13. 소외주가 아닌 해당 업종 내에서 최고인 주도주

14. RSI(Relative Strength Index, 상대강도지수)가 80~90에 이르는 강한 종목

15. 약세시장에서 이상 강세를 보이는 종목

16. 주식을 보유하고 있는 기관 투자가의 수가 늘어나는 종목

17. 특정 기관 투자가가 과다 보유하지 않는 종목

거기에 몇 마디 조언을 덧붙여보면 다음과 같다.

1. 기존의 기술에 기반을 둔 사업이 꾸준한 성장을 보이면서, 새로 개

발한 기술이나 서비스가 실제 손익분기점을 넘어설 것

2. 기존 사업이라 하더라도 외적 환경의 변화로 급격한 성장이 점쳐질 경우(예를 들어 2007년 말 큰 수익을 냈던 조선기자재사업. 이들은 기존 조선업의 활황과 아울러 단조기술로서 풍력발전 분야에 큰 성과를 냈다.)

3. 매출액 증가율보다 순이익 증가율이 더 클 것

4. 분석이 완벽하려고 노력하지 말 것(완벽한 분석이라는 것은 성장주에는 어울리지 않는다. 성장주투자는 중요한 얼개가 아니라면 세부적인 부분은 적당히 간과하고 큰 맥락을 읽을 수 있어야 한다. 분석의 완전성을 가진다는 것은 항상 대열의 맨 끝에 선다는 의미다)

5. 투자자 자신이 늘 변화할 것

오닐의 방식은 전형적인 성장주투자라기보다는, 가격의 움직임에 주목하고 가격이 싸지는 순간이 아닌 가격이 본격적으로 반영되기 시작하는 시점을 노리는 모멘텀 투자자의 전형을 보여주고 있다. 이런 방식이 대부분의 투자자들이 성장주를 투자하는 보편적 가이드라인이라 해도 그다지 틀린 말은 아니다.

성장주 투자자에게 필요한 것

성장주투자의 백미는 통찰이다. 새로운 기술이나 새로운 서비스가 얼마나 시장에서 받아들여질 수 있을지 혹은 그 새로운 기술이 실제 세상을 지배하는 주류로 성장할 수 있을지를 판단하는 결정적 안목이 필요하다. 이런 투자는 대개 장외에서 이루어지고, 엔젤투자나 벤처투자에서 빛을 발하지만 여기에는 상당한 위험이 따른다. 또한 이런 투자에서 우리가 간과하기 쉬운 오류 가운데 하나는 이런 신기술이 실체화할 수 있을 것인가에 대해 지나친 강박을 가지면 성공하기 어렵다는 점이다.

실제 투자자가 성장주투자에 있어 중요시 여겨야 할 관점은 그 기술이 실체화할 것인가이다. 그러나 어느 순간 어느 국면에서 대중이 그것을 진실로 받아들일 것인가를 포착하는 능력이 이보다 더 중요하다. 만약 후자의 견해로 볼 때 1990년대 말 IT 성장주에 투자했던 사람들은 거품에 뛰어든 어리석은 투자자들이 아니라 놀라운 탁견을 가진 현자들이다. 만약 그들이 IT산업이 얼마나 실체화되고 그 중 과연 누가 살아남을 것인지를 지나치게 의식했다면, 지나치게 늦은 시점에 시장에 진입하여 결과적으로는 실패하기가 더 쉬웠을 것이다. 물론 그가 결정적인 통찰력을 보유한 안목을 가졌다면 이야기는 달라진다.

무엇보다 중요한 성장주 투자자의 자질은 변화를 읽는 능력이다. 변화란 늘 함께하는 것이다. 하지만 변화를 이해하기 위해서는 스스로 변해야 한다. 열차 밖에 가만히 서 있다면 달리는 KTX 열차에 누가 타고 있는지 볼 수가 없다. 무언가가 휙 지나갔다는 것만 알 수 있을 뿐, 그 실체가 무엇인지 그 안에 누가 타고 있는지는 알 도리가 없다.

대개의 사람들에게 변화를 인식한다는 것은 그렇게 KTX를 바라보는 것과 같다. 무엇인가가 빠르게 스쳐 지나가지만 그것이 무엇인지를 모르는 것, 그것이 보통 사람들이 변화를 읽는 방법이다. 하지만 당신이 정말 그 변화의 실체를 알고 싶다면, KTX가 달리는 방향으로 죽기 살기로 뛰거나, 자전거를 타고 뒤쫓아가거나, 그도 아니라면 자동차를 타고 따라가야 한다. 그래도 알 수 없으면 스스로 KTX에 올라타는 수밖에 없다. 그렇게 하면 밖에 서 있을 때는 보이지 않던 열차 안의 모습을 분명하게 파악할 수 있으며, 오히려 가만히 서 있는 바깥세상이 한눈에 들어온다.

변화를 인식하는 것은 가만히 서서 달리는 열차를 구경하는 것이 아니라 변화의 중심에 서서 나보다 느린 세상을 관찰하고 읽는 것이다. 성장에 대한 통찰은 그렇게 이루어져야 한다. 예를 들어, 중국이 성장할 것이라는 차이나스토리는 누구나 알고 있는 이야기다. 이것은 성장주 투자자에게 기회가 아니라 위기다. 진짜 통찰은 변화의 얼개를 이해하고 과정을 짐작하며, 그 안에서 불어닥칠 폭풍우와 혼동까지 꿰는 것이다.

그런 관점에서 성장 스토리를 살피면 세상은 거의 10년마다 새로운 기회를 준다는 것을 알 수 있다. 최근 성장 스토리의 주역은 '사람'과 '에너지'다. 유가가 오른다는 막연한 인식은 "아, 기차가 지나가는구나."라고 생각하는 것이나 다름없다. 여기에 풍력이나 태양열과 같은 대체에너지주에 투자하겠다는 발상은 중국 성장에 기대어 중국 관련주에 투자하는 것과 같다.

통찰적인 성장주 투자자는 그 중 과연 어떤 것이 대중을 확신으로 이끌고, 미래를 대체할 새로운 스토리로 부상할 것인가를 읽어야 한다. 그런 맥락이라면 수소에너지나 핵융합과 같은 새로운 분야의 부상이 필요하다. 누구나 바이오, 풍력, 태양열 등이 완전한 꿈이 아니라는 사실을 알기 때문에, 대중이 인정할 새로운 스토리를 미리 찾아서 선점해야 한다.

나노와 바이오라면 이미 1980년대 미국에서 붐을 이룬 적이 있고, 우리나라에서도 1990년대 말 한 차례 유행을 타고 지나간 소재다. 그렇다면 바이오에서 대중의 지지를 받을 새로운 기술은 기존의 것과는 다른 것이 될 것이다. 기업의 정보를 알고 있는 내부자라면 특정 기업이 신기술을 발표할 것이라는 내용을 미리 알고 투자하겠지만, 제약업에 투자하면서 어떤 기업이 신약을 개발할지를 예측해서 투자한다는 것은 어리석은 일이다. 하지만 그 가능성이 스토리가 되는 시점이 되면 투자자의 신뢰도가 달라진다. 이때 투자자들을 열광하게 만드는 실체는 무엇일까? 그것은 나노와 바이오가 결합하는 것일 수도 있고, 전자공학과 바이오 나노가 한 덩어리가 되는 스토리일 수도 있다. 통찰적인 투자자들은 바로 이런 가능성을 점검하고 투자한다.

그러기 위해서는 무엇을 해야 할까? 일반적으로 가치 투자자들이나 성장주 투자자들이 하는 기업 분석이나 방문 등으로는 부족하다. 앞서 말한 대로 내가 기차를 타야 한다. 업계가 아닌 학계, 산업이 아닌 기술과 네트워크를 형성하고, 우리보다 앞선 미국, 일본, 유럽 등의 학술 정보지나 전문지를 읽고 검토하여 전문가의 의견을 구하고 내가 그 안의 네트워크가 되도록 노력하는 것이다. 우리가 그저 운이나 통찰이라고 생각하는 성장주투자의 신화적 성공담들은 모두 이런 과정을 통해 만들어졌다. 도상연습만으로 전쟁에서 이길 수는 없다. 우리가 상상하는 말과 관념들은 모두 허공에 흩어질 뿐이다.

벤저민 그레이엄은 성장주투자에 대해 이렇게 설명한 적이 있다.

"방어적인 투자자들이 볼 때 성장주에 투자한다는 것은 너무 위험하고 불확실한 측면이 있다. 물론 일부 안목있는 투자자가 바른 선택을 할 경우에는 높은 수익을 올릴 수 있다. 하지만 보통 사람들이 적절한 주가에서 성장주식을 매입해서 고가에 매도할 수 있다는 생각은 나무에서 돈이 자라기를 바라는 것만큼이나 어리석은 일이다."

이를 바꾸어 말한다면 이렇다.

"평생 그 돈이 없어도 될 만큼 부유하고 재무이론으로 무장한 전문 투자자들이 기업의 담당자들을 상시로 방문하는 것이 가능하고, 언제라도 그 기업의 사업에 대해 질문할 수 있으며, 2,000개가 넘는 기업의 리서치 자료를 분석할 전문 요원들을 산하에 두고 있다면, 그들은 가치주들을 포트폴리오에 편입하고 주식이 제 가치를 찾아갈 때까지 브리지게임을 하며 느긋하게 즐길 수 있을 것이다. 하지만 내일 당장 전세금을 올려주어야 하거나 다음달에 아내의 수술비를 마련해야 할 대부분의 투자자들이 그렇게 해서 이익을 내는 것은 길거리에서 우연히 산 로또 복권이 일등에 당첨되기를 기다리는 것만큼이나 어려운 일이다."

성장주투자와 단순한 모멘텀투자와의 차이는 성장하는 가격만을 보느냐, 성장하는 내용을 보느냐의 차이다. 즉 성장률이 주가에 반영되거나 미래 성장률이 가격에 반영되어 주가가 움직이면, 모멘텀 투자자들은 그 움직이는 주가만을 보고 판단한다. 하지만 성장주 투자자들은 주가와 실적 성장의 괴리 혹은 주가가 성장성을 반영하는 데 걸리는 시간적 갭을 이용한다. 보통 기업의 성장성에 대한 예측은 2년 정도가 한계다. 성장주는 대개 경기민감주인 경우가 많고, 경기민감주는 업황에 사이클이 있기 때문에 생겨난다. 성장주투자에서 가장 어려운 점이 바로 이 점이다.

하지만 경기민감주라고 해서 모두가 업황의 사슬에 구애를 받는 것은 아니다. 성숙기업의 성장성, 즉 실적은 업황이나 경기순환의 영향을 받지만, 초기 산업의 성장성은 그것과 무관하게 폭발적일 수도 있다. 성장주투자의 가장 난점으로 꼽히는 주가수익배율의 문제도, 성숙된 성장기업의 주가수익배율이 낮아지면 그것은 기회지만, 성장기 기업의 주가수익배율이 낮아진다면 그것은 도산의 전조가 된다. 즉, 성장주투자는 기업의 사이클, 경기의 사이클, 실적 양상에 따라 기준과 잣대를 달리 할 줄 아는 유연한 투자자만이 할 수 있는 일이다. 기업 실적 역시 불과 2년 앞도 볼 수 없는데, 우리는 미래 실적을 감안해서 주가의 적정성을 매긴다. 아주 고집스러운 가치 투자자가 아니라면 실제 이 부분은 주식 투자자의 한계에 속하는 것일 수도 있다.

성장주 투자자라면 물론 이 점은 더 심각하다. 그래서 성장주 투자자는 대중의 심리적 상황이나 시장 요인에 훨씬 더 민감하다. 성장주투자에 있어서 실체적 성장보다 꿈의 성장이 때로는 더 중요한 가치이기 때문이다. 성장주투자는 성장성의 초기를 알아채는 안목뿐 아니라, 성장성이 막바지에 이를 때 그것을 인지하는 능력이 더욱 중요하다. 기업 실적이 무한 성장할 것이라는 기대는 주가를 폭발적으로 상승시키지만, 그 믿음이 불신으로 바뀌는 순간도 전광석화처럼 오기 때문이다. 그래서 성장주투자는 관념적으로 주가가 성장할 것이라는 생각이 아니라, 언제까지 어디까지 좋아질 것이라는 틀을 먼저 규정하는 것이 가장 중요하다.

또 성장주 투자자는 가격에 대한 잣대도 훨씬 느슨해야 한다. 예를 들어 주가수익배율이 20이면 거품이라는 인식을 가진 가치 투자자에 비해 20이면 진입 시점이라는 인식을 가질 수 있어야 하고, 주가가 2배로 올랐으니 팔아야 한다는 기준보다 오히려 그때 두 배를 살 수 있는 용기도 가져야 한다. 또 포트폴리오 교체에 있어서도 통찰적인 입장에서는 부도를 감안하는 용기가 필요하지만, 실적 성장을 보고 투자한 경우에는 지금 내가 보유한 주식보다 더 성장성이 좋은 주식이 발견된다면, 과감하게 그것으로 교체할 수 있는 판단도 중요하다. 이것은 손절매가 아니라 더 나은 기회를 놓치지 않는 것이다.

시장은 가치와 성장의 영역을 넘나드는 시계추

진화생물학에서는 인간의 개체 번식에 영향을 미치는 것은 기본적으로 현재 상황보다는 미래에 대한 전망이라고 한다. 그래서 출산율은 보통 경제 성장률과 산업구조에 연동된다.

예를 들어 현재 국민소득이 5,000달러밖에 안 되더라도 성장률이 10%에 육박하는 나라는 예외 없이 인구 증가율이 높다. 반대로 국민소득이 1만 5,000달러 이상이더라도 경제 성장률이 5% 이하로 감소하면 출산율은 떨어진다. 사람은 현재가 아무리 풍요롭다고 해도 미래가 지금보다 나아질 것이라는 확신이 없으면 본능적으로 출산을 꺼리고, 비록 지금은 미약하더라도 나중이 지금보다 나아질 것이라 여기면 출산을 늘리기 때문이다.

이런 현상은 기업 활동에서도 마찬가지다. 기업은 미래의 영업 환경이 나아질 것으로 예측되면 설비투자를 늘리지만, 그렇지 않으면 줄인다.

때문에 지금 우리나라의 출산율 저하에 대해 여러 가지 해석들이 구구하더라도, 사실은 우리나라가 고도 성장기를 마무리하고 3차산업이 중심이 되는 산업구조의 재편기에 들어섰기 때문에 출산율 저하는 필연적으로 겪어야 하는 진통이라고 보는 것이 정답이다.

자본시장에서도 마찬가지다. 시장에서 현재보다 미래가치에 중심을 두느냐, 아니면 미래가치보다 현재에 가중치를 두느냐 하는 문제는 시장에서 늘 중요한 논점으로 대두된다. 시장은 때에 따라 현재 눈에 보이는 것을 중시하기도 하고, 미래에 실현 가능한 것들을 더 높게 평가하기도 한다.

성장주에 대한 개념을 바꿔라

증권시장에서 이런 현상은 성장주와 가치주의 선택이라는 흐름으로 반영된다. 향후 지속 성장이 가능할 것이라고 믿는 투자자들이 많을수록 성장주로 축이 옮겨가고, 성장이 정체 상태에 이르거나 후퇴할 것이라고 믿는 투자자들이 많을수록 가치주들이 강세를 보인다.

가치주가 상대적으로 수익률이 높다는 것은 상당 기간 시장이 균일하지 않았고, 절대가치가 낮은 기업들이 매물로 존재했다는 뜻이다. 하지만 가치주가 적정가치를 부여받았을 경우에는(저평가 기업의 주가가 올라서 적정가치가 되었을 경우) "더 이상 가치주는 없다."는 표현이 정확하며 '일시적 조정'이라는 말은 성립하지 않는다.

같은 맥락에서 가치주가 랠리를 보인 후 다시 부각되기 위해서는 어떤 기업의 주가가 하락하거나 이익 혹은 자산가치가 급증할 경우뿐이다. 때문에 가치주를 포함한 포트폴리오들은 일단 주가가 크게 오르고 나서 다시 상당한 폭으로 주가가 하락하지 않는다면, 과거에는 가치주였을지라도 지금은 아닌 것이다. 그래서 투자자들이 알고 있는 가치주들은 대개 성장성이 떨어지는 중소형주일 경우가 많다.

이에 대한 대안으로 성장형 가치주의 발굴이 필요하다는 논리는 그 자체가 이미 가치주 시대의 종언을 알리는 나팔소리다. 예를 들어 특정 기업의 독점적 지배력이 상당한 시장가치를 지닐 것이라는 예상이나 특정 기업의 신제품이 잘 팔린다는 것을 근거로 해당주식을 성장형 가치주라 부른다면, 2008년 초의 현대중공업 같은 굴뚝기업, 신세계 같은 유통기업, 삼성테크윈과 같은 IT 기업까지 지금 우리가 알고 있는 대부분의 기업이 성장형 가치주에 해당된다. 그러나 이들 기업의 자산가치나 주가수익배율은 현재가치로는 이미 올려다보기도 어지러울 만큼 고평가되어 있다. 일정규모의 자산을 가지고 있고 영업이익이 '꽤' 나지만 성장성이 더욱 부각된 상태라고 할 수 있다. 이런 종목에 굳이 가치 성장주라는 이름을 붙이는 이유는 기업의 영속성이 증명되고, 최악의 경우에도 기업이 망할 우려가 없어 보인다는 안전판 논리가 작동한 것이다. 여기서 '가치'라는 말은 사족일 뿐이다.

그렇다면 이런 논리에서 무엇을 순수한 성장주라고 할 수 있을까? 실제 눈에 보이는 자산가치는 보잘것없으면서 영업이익도 적고, 심지어는 적자를 내지만 그래도 성장성은 크게 부각된 기업의 주식을 성장주라 할 수 있을 것이다. 이를테면 태양광에너지의 소재를 생산하는 동양제철화학, 풍력발전의 유니슨, 바이오나 나노 업종에 속한 일부 기업들이 이에 해당한다고 볼 수 있다.

하지만 이 논리를 시장이 선택하기에는 상당한 고충이 있다. 과거 닷

컴버블을 통해 실체가 없는 성장성이 얼마나 허무한지를 이미 학습했기 때문이다. 그래서 시장은 성장주라는 말이 마치 금칙어라도 되는 양 알레르기 반응을 보인다.

그렇지만 지금 시장의 질을 관찰하면, 이런 도식적인 흐름에서 굳이 가치투자나 성장형 가치투자를 고집하는 것이 얼마나 안쓰러운 일인지를 알 수 있다. 중국 관련 펀드로의 자금 유입, 중국 관련주에 대한 열풍, 자원 개발이나 환경 관련 기업의 주가 상승 등은 이미 시장의 무게중심이 '가치'에서 '성장'으로 이전했음을 분명하게 보여준다. 그럼에도 시장은 혹은 투자자들은 성장이라는 말을 입에 올리는 것이 마치 신성모독이라도 되는 듯 한결같이 입을 다물고 있다. 이것은 '성장'을 이야기한다는 것이 그만큼 쉽지 않기 때문일 것이다.

주식시장은 늘 성장과 가치 사이에서 균형을 이루어왔지만, 투자자들은 대부분 가치 쪽에서만 성공을 거뒀다. 가치 측면에서 주식을 보유하고 인내하면 언젠가는 수익을 낼 수 있지만, 성장 논리에서 주식을 장기 보유하면 그 결과가 빗나갔을 때 참혹한 결과를 맞는 경우가 대부분이었기 때문에, 투자자들은 가능하면 성장보다는 가치를 추구하는 것이 건전하다고 여기는 것이다.

하지만 시장의 논리는 다르다. 시장은 항상 시계추처럼 가치와 성장의 두 영역을 넘나든다. 기존의 산업구조가 한계에 이르면 재투자가 줄어들어 유동성이 넘쳐난다. 이렇게 넘쳐난 유동성은 새로운 투자 대상을 찾아 움직이고 그것이 새로운 산업, 즉 꿈을 만든다. 그리고 그 꿈을 실현하기 위해 무수한 시행착오를 겪는다. 하지만 그 중에 살아남은 꿈은 결국 기존 세상의 파이를 키우고, 다시 기존 산업의 구조에 편입된다. 이렇게 산업과 경제의 파이가 자라면 이것은 바로 문명의 발전이 된다. 때문에 성장과 가치, 둘 중 하나를 고집하는 것은 그 자체로 안목의 부재를 증명하는 것이나 다름없다.

결론적으로 시장이 성장에 가중치를 두는 것은 잉여 유동성이 넘치고 기존 투자 대상이 한계에 이르렀으며 시장 참여자들은 흥분하기 시작했다는 의미다. 반대로 시장이 가치에 비중을 둘 때는 단지 시장에 잉여가 축소되거나 정체될 때이고, 시장 참여자들에게 아직 확신이 부족하다는 의미가 된다. 그런 맥락에서 우리가 '가치'와 '성장'이라는 이분법에서 '가치성장'이라는 삼분논리를 갖고 있다는 것은, 이미 시장의 무게중심은 '성장'으로 옮겨진 상태지만 그 사실을 인정하기에는 자신감이 약간 결여되어 있음을 의미한다.

이렇게 성장과 가치의 논리에서 성장의 개념을 수정할 필요가 있다. 과거 성장주가 실체 없이 희망만을 얘기하는 것으로 여겨졌다면, 지금의 성장주는 '이익 성장 기대'와 '안정성'이라는 좀더 정돈되고 계량 가능한 희망이라고 할 수 있다. 즉 최소한 꿈을 이루는 과정에서 완주 가능한 체력을 가진 기업들을 주목하는 것이다. 그것이 지난 10년간 시장이 우리에게 준 교훈이라면 교훈이다.

가 치 투 자 이 론 의 실 제

다음 글은 가치투자에서 대표적인 위상을 갖고 있는 이채원 한국밸류 자산운용 부사장으로부터 의뢰받은 운용보고서를 부분 편집한 것이다. 운용사가 일반인들의 눈높이에 맞춰 가치투자를 잘 표현한 것이라 생각되어 미리 양해를 구하고 소개한다.

가치투자의 아버지 벤저민 그레이엄은 "원금의 안정성과 적절한 수익률을 보장하는 것만이 투자이고 나머지는 투기다."라는 정의를 내렸다. 가치투자는 절대적 기업의 가치와 가격인 주가의 괴리에 투자하는 것이다. 주가가 기업의 가치보다 낮게 형성될 때, 즉 가치주가 되었을 때 매수하여 제값을 받고 파는 것이 가치투자의 기본이다. 이 경우 관건은 어떤 주식이 가치주냐 하는 것인데 여기에 대해서는 오해가 많다.

특히 그 중에 대표적인 오해는 바로 "가치주는 변하지 않는다."는 생각이다. 한번 가치주가 영원한 가치주는 아니다. 즉 지금은 가치주라 하더라도 가격이 상승하여 기업가치를 상회하거나 기업가치가 감소하여 주가를 하회한다면, 그때부터는 가치주가 아니다. 반대로 가치주가 아니더라도 주가가 하락하여 기업가치 이하에서 거래되거나, 기업가치가 증가하여 주가를 상회한다면 새로 가치주로 분류할 수 있다.

투자자들은 종종 좋은 기업과 좋은 주가의 개념을 오해한다. 좋은 기업은 말그대로 이익도 많이 나고 주주정책도 모범적이며 기타 부분에서도 다른 기업의 모범이 되는 회사를 말한다. 좋은 주식은 투자자가 매수하여 더 높은 가격에 팔수 있는 주식이다. 기업가치도 중요하지만 그보다 주가 수준이 더 중요한 결정요인이라는 의미다. 아무리 좋은 기업이라도 너무 고가에 매수한다면 손실을 피할 길이 없고, 별로 좋지 않은 기업이라도 싼값에 매수한다면 이익을 얻을 수 있는 것이다.

삼성전자를 예로 들어보자. 삼성전자는 한국을 대표하는 기업일 뿐 아니라 IT에서 세계를 선도하는 그야말로 좋은 기업이다. 현재(2007년 말) 삼성전자의 주가는 60만 원 후반 수준이고, 주가의 합인 시가총액은 100조 원을 약간 웃도는 수준이다. 2007년의 실적을 감안하면 삼성전자의 주가는 기업가치에서 크게 벗어나 있지 않다고 생각한다. 가치투자의 입장에서는 기업가치와 주가의 차이가 크지 않기 때문에 가치주로 보기 어렵다.

그런데 삼성전자의 순이익이 10조 원으로 증가한다면 삼성전자의 이익수익률은 10%로 상승하며, 시중금리가 5% 내외임을 감안하면(2007년 말 현재) 이제 가치주로 분류할 수 있다. 다른 경우로 삼성전자의 실적이 작년 수준을 유지하는데 주가가 갑자기 50% 정도 하락한다면 기업가치는 변하지 않더라도 가치주로 변하게 되는 것이다.

반대의 경우도 생각할 수 있다. 통신업계의 1등 기업인 SKT의 경우 이익수익률, 자산가치, 배당가치 등을 감안할 때 현 주가에서는(20만 원대 초반) 대표적인 가치주다. 그런데 주가가 현재의 2배로 오르거나 혹시라도 이익이 절반으로 감소한다면 그 시점에서는 더 이상 가치주로 볼 수 없다.

가치주에 대한 두번째 오해는 가치주는 중소형주라는 생각이다. 이런 인식이 널리 퍼진 것은 과거 한국시장에서 대형주가 중소형주에 대해 저평가를 받는 일이 적었기 때문이다. 하지만 앞서 말한 대로 가치주의 기준은 기업가치와 주가의 차이, 이것 하나뿐이고 다른 요인은 전혀 중요하지 않다. 특히 시가총액의 크기는 가치주의 기준과 전혀 관계없다. 대형주는 아무래도 중소형주보다 시장의 관심을 많이 받는 만큼 기업가치와 주가의 괴리가 상대적으로 적은 것이 일반적이지만, 항상 그런 것은 아니다. 우리나라와는 반대로 미국시장의 경우 전통적으로 중소형주가 대형주보다 높은 PER과 PBR에 거래가 이루어지고 있다.

우리나라의 경우 2007년 하반기에 중소형주가 많이 상승하여 가치주 클럽을 졸업하는 중소형주들이 속출했고, 대신 많은 대형주들이 폭락하여 새로이 가치주의 대열에 합류하였다.

이처럼 가치투자의 대상은 시장 환경에 따라 변화가 있으며, 시장에는 언제나 기업가치에 비해 저평가를 받는 주식이 존재할 수밖에 없다. 쏠림 현상으로 인해 주식의 인기는 빈익빈 부익부로 차별되므로 시장의 모든 주식이 적정한 기업가치에서 거래된다는 말은 오직 교과서에서만 존재한다. 즉 시장은 언제나 가치 투자자에게 기회를 주고 있는 것이다.

가치 투자자가 어려워지는 경우는 시장에서 더 이상 투자할 가치주가 남아 있지 않을 때다. 하지만 지금까지 역사적으로 그런 경우는 없었다. 미국의 사례를 들면 워렌 버핏은 수백 조의 주식을 운용하면서도 오랜 기간 놀라운 수익을 기록하고 있다.

장기 투자자가 높은 수익률을 올리기 위해서는 "시장이 오를 때는 같이 오르고 내릴 때는 덜 내린다."는 자세를 지녀야 한다. 몇 년에 한 번 오는 완벽한 상황에서의 높은 수익은 취하고, 약세장에서의 손실은 상대적으로 줄이는 것, 이것이 가치투자에서의 궁극적 목표다. 장기투자의 목적은 주가가 기업가치보다 상승하기를 기다리는 것이지만, 시야를 넓혀 포트폴리오를 구성할 때는 선택한 종목들의 집합이 강점을 드러내는 국면을 기다린다는 것을 뜻한다. 장기투자에서 성과를 거둔 투자자들이 매번 시장을 앞서는 탁월한 수익을 올린 것은 아니다. 워렌 버핏마저도 42년간의 운용기간 동안 종종 시장보다 나쁜 수익률을 기록했으나 자신의 장점이 부각되는 시기에는 높은 수익을 거둬 결과적으로 최고의 수익을 올리는 데 성공했다.

미국의 유명한 가치주펀드 트위디브라운(Tweedy Browne)의 조사에 의하면 "투자 수익의 80~90%는 전체 보유기간의 2~7%의 기간 동안 발생한다." 다만 우리는 이 '2~7%'의 기간이 언제가 될지 모르므로, 좋은 원칙에 따라 보유한 주식을 장기 보유하는 것이 현명한 투자 방법이 될 것이다.

미국의 마젤란펀드가 높은 수익률을 기록했음에도 불구하고 실제로 돈을 번 투자자는 전체 고객의 절반 정도에 지나지 않았다고 한다. 그 이유는 주식시장이 상승한 단기고점에 펀드에 가입하고, 장세가 조금만 나빠지면 손실이 두려워 환매하는 투자자들이 많았기 때문이다. 비록 단기고점에 가입했다 하더라도 투자기간을 충분히 늘려 그 펀드의 장점이 부각되는 시점까지 기다린다면 장기적으로 좋은 수익을 올릴 수 있다. 고점에서 가입하고 저점에서 해지하는 어리석은 투자를 반복한다면 투자기간이 길더라도 손실만 커질 뿐 절대로 수익을 얻을 수 없다.

그럼 좋은 주식을 고르는 방법은 무엇일까? 직접투자든 간접투자든 간에 관심 있는 기업을 조사하고 그 회사의 주식을 사서 보유하는 것이 가장 좋다. 개인 투자자들이 스스로 기업을 조사하면 투자에 대한 안목이 높아지기 때문에 어떤 주식을 고르는 것이 좋은지 어떤 펀드를 고르는 것이 좋은지를 알 수 있게 된다.

주식을 사려면 투자하는 기업에 대해 많은 것을 알고 있어야 한다. 물론 기업을 얼마나 알아야 많이 알고 있는 것인가에 대한 정답은 없지만, 적어도 그 회사가 고객에게 어떤 제품과 서비스를 제공하고 있는지에 대한 정보는 충분히 알고 있어야 한다. 기업을 분석하다보면 처음 듣는 제품이나 서비스를 생산하고 있는 경우도 많다. 이 경우 곤혹스럽지만 오히려 그것을 알아보고 공부하면 그만큼 다른 사람은 잘 모르는 분야에 독점적으로 진출하는 효과를 얻을 수 있다. 모르는 내용일수록 더 알려고 하는 자세가 기업 분석의 기본이다.

이런 원칙은 신기술뿐 아니라 우리가 흔히 접할 수 있는 기업에도 적용할 수 있다. 유통업을 알고 싶으면 매장을 방문해보고, 서비스업을 알고 싶으면 현장에 직접 찾아가보는 것이 중요하다.

그 다음으로는 기업의 재무 상태를 파악해야 한다. 외환위기 직후만 하더라도 우량 기업들이 빚을 감당하지 못해 부도가 나는 경우가 많았다. 진로의 경우 소주가 잘 팔렸고 영업도 잘됐으며 이익도 계속 났지만, 본업인 소주 외에 무리하게 사업을 확장하다가 부채를 지고, 결국에는 파산했다. 그 주식이 휴지가 된 것은 물론이다.

주식을 사기 전에 그 기업의 부채가 감당할 수 없을 정도로 과도하지는 않은

지, 이익은 안정적으로 창출하고 있는지 정도는 반드시 조사해야 한다. 그리고 불안한 요소가 있는 주식은 가능하면 피하는 것이 좋다. 공개적으로 회사가 어려워졌다고 발표하지는 않더라도 환경이 예상 밖으로 나빠졌다면 일단 그 주식은 조심해야 한다.

2007년 말 문제가 되고 있는 서브프라임 모기지 사태만 봐도 그렇다. 한국의 금융기관들은 부실채권을 거의 보유하고 있지 않지만, 미국이나 유럽의 금융기관들은 대부분 큰 손실을 보고 있다. 그 단적인 예가 미국 5대 투자은행 중 하나였던 베어스턴스(Bear Stearns)다. 미국의 씨티그룹이나 프랑스의 유명 은행인 소시에테 제너럴(Societe Generale)과 같은 금융기관들이 천문학적인 손실을 보고하고 있을 때, 베어스턴스 역시 부실채권 보유에 대한 의심을 받고 있었다. 이 때문에 1년 전만 해도 150달러를 상회하던 주가는 끝없이 추락을 거듭해 60달러까지 하락했다. 이런 주가 수준이 정상적인 상황이라면 베어스턴스의 기업가치에 한참 미달하는 수준이다.

하지만 경영환경이 심각하게 나빠졌다는 것을 염두에 둔다면 투자에 주의를 기울여야 한다. 그리고 얼마 후 2008년 3월 17일에 베어스턴스는 사실상의 부도를 선언하고 JP모건체이스(JP Morgan Chase)에 주당 2달러에 매각되었다. 이처럼 불안한 요인이 있는 회사의 주식은 그 요인이 완전히 해결되지 않으면 아무리 주식이 싸더라도 매수해서는 안 된다.

이런 맥락에서 가치투자의 방법론을 정리해보자.

먼저 전통적인 투자방식인 저PER 투자를 들 수 있다. 저PER주는 주식시장의 침체가 깊어질수록 증가하고 호황을 보일수록 감소한다. 때문에 주식시장의 호황이 지속되면 가치 투자자는 고민에 빠지겠지만 이 방식은 금리 대비 수익률을 측정하기 좋은 안전한 지표가 된다.

두번째는 저PBR 투자다. 저PBR주는 재무제표로 알 수도 있지만, 재무제표에는 드러나지 않는 숨은 자산주를 찾는 것이 저PBR 투자의 핵심이다. 토지나 투자 유가증권 등이 실시간으로 대차대조표에 반영되지 않기 때문이다. 그래서 깊이있게 기업을 들여다보는 투자자에게 저PBR주는 상당한 이익을 안겨준다. 다만 이때 이 자산이 정말 가치가 있는 자산인지 자산가치가 언제 현실화될 것인지에 대해 주의해야 한다. 특히 이런 주식들은 투자한 후 오래 기다릴 수 있는 가치 투자자들에게 유용하다.

세번째는 금융주 투자다. 시장에서 지배적인 위치를 차지하고 있는 금융기관들은 여러모로 좋은 기업이다. 금융업은 국민경제에 미치는 영향이 대단히 크기 때문에 경영 전반에 대해 감시 절차가 확보되어 있다. 또 많은 규제와 법령들이 이중 삼중으로 산업을 보호한다. 또한 자격을 갖춘 기업만이 금융업을 영위할 수 있기 때문에 진입장벽이 타 업종에 비해 높다는 것이 상당한 매력을 준다. 그러므로 한국의 금융기관들은 상당한 프랜차이즈 밸류를 갖고 있다고 보는 것이 옳다. 정상적인 금융기관이라면 주가의 하한선은 주당 순자산이 된다. 하지만 주가는 가끔 이 하한선을 하회하는 경우가 있다. 시장의 변덕은 금융주들을 몇 년에 한 번씩 정상 수준 이하로 떨어뜨리므로 이때는 투자자들에게 절호의 기회를 주는 것이라고 보아야 한다.

네번째는 프랜차이즈 투자다. 프랜차이즈는 브랜드, 기술력, 규제처럼 미래의 경쟁자들에게 진입장벽으로 작용하여 기업의 이익을 보호할 수 있게 하는 원천을 가리키는 말이다. 프랜차이즈는 미래에 발생할 이익의 불확실성을 상당히 감소시키기 때문에 비슷한 규모의 이익을 창출하는 기업이라 하더라도 프랜차이즈 가치가 있는 기업과 없는 기업의 기업가치는 비교할 수가 없다. 워렌 버핏이 가장 선호하는 주식이 바로 이 프랜차이즈 주식이다. 특히 프랜차이즈는 장부에 그 가치가 표시되지 않기 때문에 투자자들이 간과하는 경우가 많지만, 그 어떤 자산보다 기업가치를 높일 수 있는 중요한 요소가 된다. 프랜차이즈 투자는 특히 장기투자의 리스크가 낮아 장기 투자자들도 가장 선호하는 주식이다.

다섯번째는 기업지배구조 투자다. 예를 들어, 지주회사는 산하기업의 대주주이기 때문에 최소한 산하기업의 가치 이상의 가치를 가져야 한다. 거기다가 경영권 프리미엄이 있기 때문에 지주회사는 자회사의 가치보다 높은 것이 정상이다. 이러한 프리미엄 가치는 평소에는 잘 드러나지 않으나 지배구조에 변화가 생길 때에는 잘 드러난다. 한국의 기업들은 지배구조가 아직 취약하고 이로 인해 안정적인 경영권을 확보하기 위해서 지배구조를 개편하는 기업들이 늘어나고 있는 상황이다. 이러한 추세는 상당 기간 반복될 것이며 경영권 프리미엄은 투자자들에게 상당한 메리트를 안겨 줄 것이다.

여섯번째로 우선주를 주목할 필요가 있다. 우선주는 의사결정권이 없는 대신 보통주보다 배당을 많이 한다. 의사결정권은 경영 참여의 권리를 의미하므로 우리나라뿐 아니라 외국에서도 보통주가 우선주보다 가격이 높은 것이 정상이지만, 우리나라의 경우에는 그 차이가 너무 큰 경우가 많다. 특히 대주주가 안정적인 지분을 확보하고 있는 기업의 보통주는 개인 투자자에게는 아무런 의미가 없다. 따라서 이런 기업의 우선주는 보통주와 큰 가격 차이가 나지 않아야 정상이다. 결국 우선주 투자는 경영권이 안정된 기업에서 우선주가 보통주보다 현저하게 가격이 낮을 때 투자자들에게 기회를 제공하게 된다. 다음으로 성장주에 대한 투자를 들 수 있다. 성장주투자는 가치투자와 어울리지 않는다고 보는 것이 일반적이다. 주식시장은 보통 성장주에 큰 관심을 보이기 때문에 주가는 미래가치를 반영하여 높은 수준으로 유지되므로 가치 투자자에게 성장주를 매수할 기회는 거의 오지 않는다. 그러나 가끔은 시장의 판단이 잘못되었거나 기업의 성장성을 놓쳐버리는 경우가 생길 수 있다. 해당기업에 대한 무관심과 성장 잠재력에 대한 과소평가가 일반적인 원인이다. 워렌 버핏은 이에 대해 이렇게 말했다.

"이 세상에 모든 투자는 가치투자다. 성장주와 가치주를 나누는 것은 의미가 없다. 성장은 가치의 한 요소에 불과하다. 어려운 일이기는 하나 어떤 기업의 성장가치를 정확히 판단할 수 있다면 그것은 큰 수익을 돌려줄 것이다."

일곱번째는 턴어라운드주(Turnaround stock)에 대한 투자다. 턴어라운드 투자는 현재 시점에서 이익 규모가 작거나 적자 상태지만 경쟁력을 바탕으로 큰 이익을 낼 기업을 찾는 것이다. 하지만 이런 기업은 리스크가 크기 때문에 가치투자의 대상은 아니다. 반면 가치 투자자가 찾는 턴어라운드 기업은 생존에 대한 우려가 없으면서 외부의 사건들로 인해 급격히 상황이 악화되어 있으나, 회생이 확실한 기업을 찾는 것이다. 이런 기업들은 의외의 큰 수익을 안겨준다.

마지막으로 가치투자의 대상에는 원자재 관련 기업이 해당된다. 원자재 관련 기업은 경쟁상대가 모방할 수 없다는 점에서 최고의 프랜차이즈를 보유하게 된다. 자본과 기술력이 있다고 해서 새로운 광산을 바로 찾아내거나 곡물 재배량을 두세 배로 늘릴 수 없기 때문이다. 때문에 원자재 관련 기업에 대한 투자는 가끔 상상을 초월하는 이익을 안겨줄 수 있다.

성장주 대 가치주, 의미없는 이분법

우리는 일반적으로 가치주펀드나 그 운용자의 성장신화에 대해 자주 듣는다. 워렌 버핏이라는 출중한 투자가의 영향 때문이지만, 워렌 버핏이 전통적 의미의 가치 투자자인가에 대해서는 논란의 여지가 있다. 워렌 버핏은 전통적 구분에 따른 가치 투자자는 분명 아니다. 다만 그의 운용에는 높은 수준의 직관과 통찰이 중요한 부분을 차지하고 있어 다른 사람들이 그의 철학을 전부 이해하지 못하고 있을 뿐이다.

그럼에도 가치 투자자들의 이야기가 시장에서 가장 바람직한 투자 방식으로 회자되고 있는 이유는 무엇인가. 영혼이 있는 투자자라 불리는 존 템플턴(John Templeton)이나 가치투자의 아버지 벤저민 그레이엄 등이 쓴 책이나 거기서 제시하는 주장들이 다분히 철학적이고 타인을 이해시키기 쉬운 (혹은 지지를 이끌어내기 쉬운) 논리성을 갖추었기 때문이라 볼 수 있다.

성 장 주 투 자   대   가 치 주 투 자

역사적으로 시장은 다양한 승자를 배출했다. 수많은 사람들이 벤저민 그레이엄의 책을 읽으면서 공부하고 또 기업을 분석했지만, 성공한 사람의 수는 손가락으로 꼽을 정도다. 가치 투자자들이 말하는 "위대한 기업에 투자하라."는 구호도 사실 어떤 기업이 위대한 기업이 될지 모른다는 점에서 공허한 구호에 지나지 않는다.

지금 이 순간에도 가치 투자자들은 그들의 포트폴리오에 수십 수백 가지 기업의 목록을 올려두고, 이제나 저제나 그 기업이 위대한 기업이 되기를 기다리고 있을 뿐이다. 냉정하게 말하자면 가치 투자자들의 원리는 버핏 식으로 어떤 기업이 위대한 기업이 될까를 고민하기보다는(이 점을 보면 버핏은 성장주 투자자다), 가능하면 손실 가능성이 낮은 종목을 골라 그 중에서 한두 개의 '10루타' 종목이 나오기만을 빌며 정화수를 떠놓고 기도하는 사람들일 수도 있다.

성장주투자 역시 마찬가지다. 세상의 모든 기업은 성장을 하려고 하고, 실제로 그 중 몇 개는 평균을 뛰어넘은 극적인 성장에 성공한다. 하지만 그것을 미리 아는 사람은 없다. 사실 가치 투자자 이상으로 많은 성장주 투자자, 펀드매니저, 뮤추얼펀드들이 성공을 거두고 있다. 대표적으로 포스터 프리스나 필립 피셔(Philip Fisher) 같은 이들은 가치주 투자자들의 수익을 넘어서는 압도적인 성공을 거둔 사람들이다. 지금도 미국이나 다른 선진국의 뮤추얼펀드 대부분은 성장주펀드들이 점하고 있다. 따라서 성장주투자는 악이고 가치주 투자는 선이라는 이분법은 당신을 옭아매는 사슬이라는 점을 알아야 한다.

가 치 주 투 자   대   역 발 상 투 자

역발상투자의 아버지라 불리는 존 네프(John Neff)는 가격의 '일시적 불균형'이라는 개념을 주창했다. 가치 투자자들은 시장과 가격이 괴리를 보일 때 괴리가 크면 클수록 기회라고 여기고 차익을 취한다. 그러나 존 네프는 주가의 일시적 괴리, 즉 안정적으로 성장하던 회사가 일시적으로 실적이 악화되거나 주변 여건의 변화로 주가가 하락하는 경우, 그리고 시장의 펀더멘털은 그대로인데 수급 요인에 의해 일시적으로 주가가 저평가되는 시장을 기회로 생각했다. 역발상 투자자들은 판단의 기준을 지극히 단순화한다. 존 네프는 이에 대해 이렇게 말했다.

"지불할 것과 얻을 것을 비교하라."

주식에 대해 내가 지불할 비용과 얻을 수익을 비교해서 얻을 것이 있으면 투자하라는 주장이다. 그는 이익증가율에 배당수익률을 합한 다음 다시 그것을 PER로 나눈 값을 기준으로 삼았다. 얻을 이익을 분자로, 그것에 대해 시장이 매긴 가치를 분모로 사용한 셈이다. 그는 저PER, 높은 배당수익, 자본구조, 이익 증가율 등을 기본적 잣대로 삼아 대중과 반대로 판단하고 행동했다. 심지어 그의 기준은 매수주문이 많으면 팔고 매도주문이 많으면 산다든지, 신저가를 갱신한 종목을 사고 신고가를 갱신하는 종목을 파는, '거꾸로투자'를 기준으로 채택하는 매매를 지지했다.

하지만 역발상투자를 이러한 표면적인 모습으로만 판단한다면 큰 오산이다. 역발상투자가 성공하는 데 가장 중요한 것은 정확한 수익가치 추정이다. 앞서 말한 대로 역발상투자는 무조건 대중과 반대로 가는 것이 아니라, 대중이 일시적 변화에 지나치게 반응할 때 생기는 괴리를 이용하는 것이다. 그래서 어떤 의미에서 보면 역발상투자는, 훨씬 지혜로운 투자자들의 몫이라고 할 수 있다.

역발상 투자자들이 가치 투자자와 다른 점은 성장주에 대한 투자가 주류를 이룬다는 것이다. 가치주들은 변동성이 낮고 시장가치와 대중의 괴리가 일시적이지 않기 때문에 역발상투자의 대상으로는 부적절하다. 하지만 역발상 투자자들의 괴리는 '일시적'인 것에 주목하고 수익을 획득하는 시간도 가치 투자자들과는 다르다.

존 네프가 주장하는 투자의 기준은 이렇다.

1. PER이 시장 평균보다 낮을 것
2. 7% 이상의 가치 성장이 확실할 것
3. 변동성이 40% 이내일 것
4. 자신의 분야에서 경쟁력을 가진 기업일 것
5. 유통물량이 5% 이하일 것
6. 해당기업의 기술과 서비스의 특성을 완전히 이해할 수 있을 것
7. 연간 순이익이 지속적으로 증가할 것
8. 경기순환에 대한 위험 노출이 상대적으로 적을 것

이런 종류의 기업은 정상적인 상황에서는 잘 나타나지 않기 때문에 역발상 투자의 기회를 만나기란 쉽지 않다. 특히 이런 기준들은 과거 1970~1980년대까지 자주 일어나던 상황이므로 현재의 기준으로는 합당치 않은 측면이 있다. 존 네프는 가치투자에 대해서 "그것은 시장 플레이어가 아닌 펀드를 파는 브로커들이 만든 개념이며, 실제 가치투자라는 개념은 모호하고 정의하기 어려운 것이다."라고 평한 바 있다. 같은 맥락에서 어쩌면 역발상투자라는 개념 역시 억지로 분류된 하나의 카테고리

일지 모른다.

역발상 투자자들은 PER을 원론적으로 중시하는 가치 투자자와 의식적으로 무시하는 성장 투자자들과 달리 PER의 성격을 규명하는 추적자라고 정의할 수 있다. 역발상투자는 기본적으로 PER에 상당한 무게가 실려 있다. 하지만 그들은 PER에 현미경을 들이댄다. 저PER주가 있다면 역발상 투자자들은 기업 실적의 악화 요인을 명확히 이해하고 시장이 그것을 반영한 것인지, 막연한 불안감이 그렇게 만든 것인지를 분석한다. PER이 낮다는 것은 시장이 현재가치를 부정하고 있고 PER이 낮아진다는 것은 부정적 판단에 힘이 실리고 있다는 것이기 때문에, 대중이 그렇게 판단한 것이 과연 옳은 것인가를 냉정하게 분석하는 입장이라고 보면 된다. 그리고 바로 그 현미경이 배당수익률이다.

배당수익률은 통상적으로 PER과 거꾸로 움직인다. 이익에 비해 주가가 높아지면 배당 가능 금액이 줄고, 그 반대인 경우는 늘기 때문이다. 가격이 상승하는데 배당수익률이 늘어난다면 그것은 특이한 현상이고, 가격이 낮아지는데 배당수익률이 더 낮아진다면 그것은 정말 위험신호라는 뜻이다. 또 가격이 하락하는 데 비해 배당수익률은 더 높아진다면 그것은 대중의 착각일 공산이 클 것이다.

이런 역발상투자는 상당히 많은 고통과 인내심을 요구한다. 대중의 판단이 무조건 틀리거나 옳은 것은 아니지만, 대중과 반대로 선다는 것은 용기를 필요로 하기 때문이다. 더구나 대중과 달리 서기 위해서는 뛰어난 판단력이 필요한데, 과연 자신에게 그런 자질이 있는지에 대한 의문이 끊임없이 역발상 투자자들을 괴롭힌다.

하지만 역발상 투자자들을 괴롭히는 진짜 중요한 문제는 떨어지는 주식을 과감하게 사는 용기와 인내가 아니라 오르는 주식, 즉 대중이 열광하는 주식을 파는 용기다. 확신만 있다면 싸게 팔리는 주식을 쓸어담을 투자자는 많지만 오르는 주식을 처분하는 것에는 용기 이상의 다른 것이 필요하다. 역발상 투자자들이 매도를 감행하는 시점은 주가가 충분히 더 오를 가능성이 있을 때다. 역발상투자는 가격이 7부 능선에 올랐다고 판단되면 주식을 매도하기 시작해서, 주가가 정점을 찍고 다시 하락해서 고점 대비 30% 정도 하락할 때까지 분할해서 매도를 하는 것이 원칙이다. 즉, 일정 시점부터 분할매도에 들어가서 대중의 환호와 등을 지지만, 마지막 매도는 대중의 절망과 함께하는 것이다.

개인 투자자들의 일시적 승리를 제외하고 논증적이고 실증적 측면에서 볼 때, 주식시장에서 크게 성공할 확률은 500만 분의 1 혹은 1,000만 분의 1 정도다. 우리나라는 과거 1990년대 말 개인 투자자들이 상당히 많은 수익을 거둬들였고 지금도 여전히 그런 듯 보이지만, 시장이 선진화될수록 시장의 편재성은 약화되고 투자자들의 수익은 평균화된다. 미국의 경우 성공확률은 지난 1980년을 기준으로, 거의 1억 분의 1 정도 수준이라고 보는 것이 정확하다(물론 1,000달러를 투자해서 1만 달러를 벌고 바람처럼 떠나버린 텍사스의 사나이들은 제외시킨 계산이다).

투자자들의 양상은 다양하다. 가치주 투자자, 성장주 투자자, 윌리엄 오닐처럼 기업 분석과 차트 분석을 병행한 모멘텀 투자자, 존 네프와 같은 역발상 투자자, 버펫과 같은 집중 투자자와 피터 린치 같은 분산 투자자, 그리고 존 보글(John Bogle)과 같은 포드폴리오 투자자들이 제각각 성공 사례를 보여주었다. 그리고 때로는 데이트레이더, 장기 투자자, 잡주 투자자, 우량주 투자자들 중에서도 성과를 보여준 사람들이 있었다.

이는 주식투자에 정답이 없다는 사실을 확증하는 것이며, 반대로 주식시장에서 최소 10년 이상 장기적으로 승리한 투자자 역시 극소수라는 점을 보여준다. 다시 말하지만 주식투자에서는 황금률이 없다. 성장주 투자자든 가치주 투자자든 승리의 이면에는 투자방식의 승리가 아니라 사람의 승리가 있었다는 점을 꼭 기억하자.

투자의
종합선물세트,
신흥시장

　신흥시장에 대한 투자는 투자의 종합선물세트 같은 것이다. 신흥시장은 변동성이 크고, 수익 기대 못지않게 리스크도 크다. 실제 신흥시장에 투자한 펀드들이 큰 수익을 내는 것처럼 보이지만 대개는 큰 이익을 내지 못한다. 만약 신흥시장 투자가 큰 이익을 보장한다면 지금 미국이나 기타 선진국에서 설정되는 펀드들은 모두 신흥시장에 투자되어야 하지만 실제 비중은 10%도 채 되지 않는다.

　그 이유는 무엇일까. 우선 신흥시장 투자는 일시적으로는 큰 수익을 낼 수 있을지 몰라도 안정적인 수익을 내지는 못하기 때문이다. 신흥시장 펀드는 대개 개방형펀드이기 때문에(투자자들은 불안정한 시장에서 탈출의 기회마저 봉쇄당하는 것은 끔찍한 일이라고 생각한다), 주가가 상승할 때는 붐을 이루고 하락할 때는 매도가 폭포처럼 쏟아진다. 이는 오히려 시장의 거품과 급락을 조장하는 결과를 가져온다.

신흥시장의 흑과 백

신흥시장에 투자하는 투자자들이 주목하는 가장 큰 매력은 성장률이다. 영국은 산업화하는 데 그 기간이 50년, 미국은 40년, 일본은 30년, 한국은 20년, 중국은 10년이 걸렸다. 다시 말해 이미 진보한 다른 나라의 자본과 기술이 성장에 도움을 주기 때문에 신흥시장은 늘 생겨나고 그 성장 속도는 압축적일 수밖에 없다. 이런 압축적인 경제성장은 성장률이 더딘 선진국에 비해 많은 기회를 가져다주는 것이 사실이다. 기본적으로 기업의 성장률은 경제성장률을 앞서고, 상장기업의 성장률은 기업의 평균 성장률을 앞서며, 한국이나 대만의 일부 대기업처럼 그 중에서 부각되는 일부 기업들이 신흥시장에서 압도적 지위를 구축한다면 그 기업은 그야말로 광속성장을 이루기 때문이다.

하지만 이렇게 성장률에만 주목해서 신흥시장에 투자할 때 몇 가지 오류가 발생하는데, 정리하면 다음과 같다.

1. 성장률이 압축적일수록 빈부격차가 커진다.
2. 외환자본 통제가 어렵다.
3. 물가상승률이 높아진다.
4. 과잉투자를 억제하기가 어렵다.
5. 국제기준의 회계 시스템 등 규모에 걸맞은 통제 시스템을 갖추기가 어렵다.
6. 부패와 정치적 급변으로 불가측 위험이 크다.
7. 자본재 수입증가 등 외환의 급격한 이동으로 인한 모라토리움과 같은 컨트리 리스크가 크다.

이런 점이 신흥국 투자에 있어서 맞닥뜨리는 가장 큰 난관이다. 이 때문에 신흥시장 투자는 종종 급등락하는 변동성 증가와 때에 따라서는 부도와 같은 괴멸적인 결과를 가져올 수 있고, 시장 규모가 작아서 경제환경이 급변할 때 자산의 유동화에 문제가 생길 수도 있다.

반면 산업화가 진행되는 국가에 투자할 때의 장점은 다음과 같다.

1. 1차산업에 종사하는 노동력의 이동 여력이 풍부하므로 상당 기간 임금이 싸다.
2. 산업화와 도시화는 부동산 가격의 상승을 불러온다.
3. 산업화 초기에는 국내자본의 부족으로 금리가 높아져 자본 수익이 크다.
4. 국채 등 안전성 높은 채권의 투자 매력도가 크다.
5. 환율과 금리의 격차는 캐리트레이딩으로 인한 차익 거래를 가능하게 한다.
6. 자본시장의 규모가 작아서 시장의 주류 플레이어로서 역할을 할 수 있다.
7. 자본시장의 미숙으로 인해 외국인들이 상대적으로 높은 수익을 낼 수 있다.

결국 신흥시장 투자는 상당한 기회와 아울러 그만큼 큰 대가를 치를 준비를 해야 하는 것이다. 실제 미국에서 설정된 신흥시장 펀드는 우리의 예상과 달리 그리 큰 성공을 거두지 못했다. 그 이유는 대개 자국 투자에서 생기는 오류와 비슷하다. 대개 신흥국에서 이익을 내는 자본들은 주식투자가 아닌 금리 수익이다. 초기에 높은 금리로 신흥국에 대출하거나 신흥국의 저평가된 채권을 구입해서 이익을 내는 것이 일반적이다. 그래서 신흥시장에 투자하는 자금들은 대개 차관성 대출자금이며 실제 펀드에서는 채권투자 비중이 상당히 높다.

반면 주식시장에 투자하는 자금들은 상대적으로 헤지펀드가 많다. 정규 설정된 뮤추얼펀드는 신흥시장 투자에서 큰 이익을 내지 못한다. 선진국 투자자들이 신흥시장에 관심을 보일 때는 이미 경기가 과열 국면에 들어갈 때이고, 신흥국의 경기침체는 급격한 양상을 보인다. 따라서 고점매수 저점매도를 반복하는 경우가 많고, 결과적으로는 투자이익보다 투자손실을 입는 경우가 많기 때문이다.

드물게 프랭클린템플턴의 간판 펀드매니저인 마크 모비우스(Mark Mobius)는 신흥국에 대한 장기투자를 통해 선진국 지수보다 큰 수익을 올리고는 있지만, 그 역시 장기수익률에서 큰 성과를 냈다고 보기엔 어려운 측면이 있다. 반대로 헤지펀드는 일정부분 수익을 내는 확률이 높다. 헤지펀드의 자금은 대개 기간에 구애받지 않고 이익에 충실하기 때문이기도 하지만, 헤지펀드 자신이 시장을 주도하는 성향이 있기 때문이기도 하다.

신흥국 투자의 원칙

앞에서 언급한 신흥국 투자의 오류와 장점을 고려해, 신흥시장의 투자 원칙을 세우면 다음과 같다.

1. 경제성장률은 상대적인 기준이다.

2. 부의 양극화를 주시해야 한다.

3. 임금상승은 단기적으로는 악재지만 장기적으로는 호재다.

4. 해당국의 속성이 원자재 수출국인지 제조업인지를 염두에 둬야 한다.

5. 금리인상 속도가 가파르다면 이것은 위험신호다.

6. 무역수지 추세 변화가 대단히 중요하다.

7. 이자보상배율은 대단히 중요한 변수다.

8. 외환보유고를 상시 점검하고, 핫머니의 유출을 잘 살펴야 한다.

9. 부동산시장이 지나친 호황을 보이는 것은 부정적 신호다.

10. 경기부양 정책을 시작할 때 진입하고, 경기가 호황에 이르면 후퇴해야 한다.

11. 내국인 투자비율이 급속히 늘어나면 부정적 신호다.

12. 정치 사회적 불안 가능성을 점검해야 한다.

13. 경제성장이 지속되면 강압적인 정치체제는 반드시 혼란에 빠진다.

14. 자본 회수의 용이성을 점검해야 한다.

15. 빠른 환율 상승은 극히 위험한 신호다.

16. 빠른 환율 하락은 다가올 위험을 예고하는 신호다.

17. 증시 부양책이 나오면 최대한 빨리 자본을 회수해야 한다.

18. 올림픽과 같은 국가적 이벤트가 확정되면 투자하되 당해연도에는 철수해야 한다.

결론적으로 신흥국 투자는 경제성장률이 서서히 증가하는 시점에서 가속화되는 시점까지를 투자기간으로 잡되, 경제성장률이 정체되거나 감소하는 시그널이 나오면 즉각 투자를 중단해야 한다. 절대적 기준으로 성장률이 높다는 것은 아무런 의미가 없다. 중국의 경우 경제성장률이

9%, 10%, 11%로 증가하는 동안에는 투자 가능국이지만, 그것이 다시 9~10%로 하락할 것으로 예상되면 그것이 현실화되기 전에 빠져나가야 한다.

이렇게 가속화하는 성장률에 대한 기대감으로 신흥국에 대한 PER은 대개 높게 형성되고 성장률 하락이나 정체는 낮은 PER을 매기는 근거가 된다. 즉, 신흥시장에서는 더 좋아지지 않는 것이 최대의 악재가 되며, 이는 중소형 성장주 투자와 그 원리가 같다(선진국 시장에서는 중소형 성장주에 투자할 때 더 좋아지지 않는 것이 최대의 악재가 된다). 극단적으로 볼 때, 주가의 경우 신흥국은 PER 20배가 넘으면 위험신호가 되고 PER 6~7배 이하까지도 하락할 수 있다.

기업의 실적 증가로 경제성장률이 높아진다면 PER에 높은 배수를 매길 수 있지만, 공공부문의 투자나 정부 발주로 인해 경제성장률이 높아지는 경우에는 기업의 실적은 의외로 낮아질 수 있다.

특히 신흥국 기업들은 높은 성장에 도취되어 종종 과잉투자를 하곤 한다. 게다가 이러한 과잉투자는 경영 경험이 별로 없는 전문관료나 포퓰리즘 성향이 있는 정치 지도자들의 오판까지 맞물려 격화되기 쉽다. 이때 선진국 경기가 호황이라면 시설에 대한 과잉투자가 일어나더라도 이자비용을 치르며 이익을 낼 수 있지만, 선진국 경기가 침체에 빠지면 기업의 재고가 빠른 속도로 누적되고 불황기를 이겨 낼 체력이 없는 기업들은 급격히 도태한다. 그래서 신흥국은 선진국의 감기에도 몸져눕는 경우가 많다.

특히 고금리와 환율 매력을 보고 유입된 핫머니들은 일거에 시장을 빠져나가므로 갑자기 시중의 유동성이 증발하고 경제주체들이 그 여파를 가늠하기가 어려워진다. 아울러 무역수지 흑자 기간 동안 나타났던 환율 하락도 무역수지 흑자가 둔화되면 급격히 반대 방향으로 틀게 되는데, 이는 핫머니 이탈의 결정적 동기가 된다.

결국 신흥시장에 투자할 시점은, 신흥시장이 1차 상승 후 위기에 빠진 다음 대규모 구조조정이 일어나고 과잉투자에 대한 조정이 충분히 이루어진 이후다. 이때 투자하면 큰 수익을 거둘 수 있다. 이런 맥락에서 보면 중국, 인도, 베트남과 같은 국가들은 1차 상승이 이루어진 2007년까지가 정점이었다고 볼 수 있으며, 과잉투자가 해소되고 중산층이 확충되어 구매력 있는 내수 소비력이 확보되는 시기가 투자하기에 최적일 것이다.

다만 한 가지 주의할 것은 재진입 시기를 너무 빨리 잡으면 곤란하다는 점이다. 신흥국은 대개 1차 상승으로 국민들의 기대감이 높아진 상황에서 침체에 빠지면 정치사회적 불안이 증가하기 쉽고, 이때는 자칫 통제 불가능한 위험을 겪을 수도 있기 때문이다.

가치투자의 함정

주식투자가 어려운 이유는 기업에 지분을 투자하기 때문인데 이런 역설은 워렌 버핏의 논리에서 나왔다. 아직도 많은 사람들은 이 부분을 착각하고 있다. 기업에 지분을 투자하려면 제일 먼저 자산가치를 살펴야 한다. 그리고 배당을 보고, 배당과 신규투자를 제외한 이익이 유보되어 기업의 가치는 더 커진다는 전제를 만족해야 한다.

기업을 사는 기분으로 주식에 투자하면 그것이 배당으로 돌아오든 기업의 가치 증가로 이어지든 기업 안에는 이익증가분이 녹아 있다고 여긴다는 뜻이다. 그래서 기업을 최초 설립할 때 액면가로 발행된 주권에 대해 사람들은 가중평가를 하거나 할인을 한다. 기업의 실적이 누적되어 기업의 자산이 늘고, 유동성이 확보되어 있다면 그만큼 가치는 할증되어야 마땅하다(발행주식 수가 늘어나는 것은 일단 논외로 하자). 그리고 이것을 시장에서 거래할 때는 지금까지 가치가 증가한 만큼 미래에도 당연히 증가할 것이라는 전제에서 프리미엄이 붙어서 거래가 될 것이다.

전자의 경우에는 재무제표나 실적 자료로서 냉정하게 평가가 가능하다. 하지만 앞으로 실적이 계속 좋을 것이라는 전제는 과거의 성과를 바탕으로 할 수밖에 없다. 이것이 주식 투자자의 고민이다. 피터 린치와 같은 투자자들은 자산은 무조건 주식에만 투자하라고 주장한다. 그가 분석한 70년간의 기간 동안 제아무리 블랙먼데이를 만나고 시련을 겪었다 해도 결국 주식투자가 우월했기 때문에 이런 말이 가능한 것이다. 그는 "채권은 이자소득을 얻지만, 만기일에 원금만 받아갈 수 있다. 하지만 주식은 배당소득뿐 아니라 만기일에 기업가치 증가가 반영된 시세차익을 동시에 얻는다."라고 설명한다. 실제 주식에 투자한 경우(S&P지수 기준) 채권 투자보다 평균 연 1% 이상의 누적 수익에서 유리했다고 말한다.

이는 얼핏 맞는 말이지만 여기에는 중대한 결함이 있다. 피터 린치는 지수를 기준으로 말한 것이기 때문이다. 주식시장에서 기업은 부침을 거듭하고 사라져간다.

우리나라 역시 마찬가지다. 피터 린치의 말을 믿고 1990년대 중반 은행에 투자했던 수많은 사람들은 이미 휴지가 된 주권을 장롱 속에 묻어두고 있다. 하지만 KOSPI는 그때에 비해 4배가 올랐다. 물론 시가총액도 증가했다. 이것이 바로 주식투자가 가진 고유의 위험성이다. 때문에 지수기준을 충족하지 못한 퇴출기업의 가격을 반영한 주식투자의 수익은 지난 100년간 결코 채권투자 수익을 넘지 않았다. 주식 투자자의 수익이 큰 것은, 특히 워렌 버핏의 수익이 큰 이유는 탁월한 안목을 갖고 살아남을 주식만을 보유했기 때문이다.

앞서도 말했지만, 주식투자에서 투기가 개입될 수밖에 없는 것은 미래수익에 대한 판단 때문이다. 최근 3년간 이익이 증가했다고 하자. 그럴 경우 다음 3년간 이익이 좋아질 수도 있지만 오히려 그때가 하락의 시작점일 수도 있다. 또한 살아남은 주식, 계속 기업으로 존재할 수 있는 주식을 골라 장기 보유할 때 채권보다 수익이 나을 경우는 내가 산 주식의 가격이 또 문제가 될 수 있다.

예를 들어, PER 10인 주식을 사서 20년간 보유할 때, 그 기업의 이익 성장성이 유지되면 채권 수익보다 기업의 가치가 훨씬 크다. 하지만 PER 300인 기업을 사서 수익률 5%인 채권투자와 같은 수익을 보장받으려면 문제가 달라진다.

채권투자의 경우에는 복리구입을 제외한 단순계산만으로도 20년이면 원금을 회수한다. 하지만 PER 300인 기업은 300년이나 지나야 기업의 이익으로 그 기업에 투자한 원본을 회수할 수 있다. 이때 투자자들이 채권보다 나은 수익을 낼 것이라는 기대를 충족하기 위해서는 기업의 이익성장이 향후 수년간 계속 2배씩 증가할 경우뿐이다.

그런데 현대 산업사회에서 기업의 이익은 대단히 민감하다. 경기 부침에 따라 몇 년간 초호황을 누릴 수도 있고 그 반대일 수도 있다. 과연 어느 시점에서 기준가를 정해야 하며 또 수익증가의 지속성은 어디를 기점으로 잡아야 할 것인가? 이렇게 문제는 첩첩산중이다.

결국 기업에 투자하는 사람들은 합리적인 견해를 가질 수밖에 없다. 특별한 변수가 작용하거나 경기에 따른 부침을 소거하고 기업의 합리적인 성장의 기준을 세워야 하는 것이다. 그래서 가치투자를 하는 사람들은 성장주를 살 수 없다. 성장주는 미래의 불확실한 가치에 더 비중을 두는 주식이고, 자산주는 기존의 자산가치에 더 가중치가 있는 주식이다. 본질적으로 가치 투자자는 자산주와 배당주를 좋아할 수밖에 없는 구조를 갖고 있는 것이다.

낭만적인 환상을 버리고 이성적인 몰입을 하라

사람은 누구나 필요한 순간 적절한 조언을 해줄 수 있는 현자들이 주변에 있기를 원합니다. 그 점은 나 역시 마찬가지입니다.

나는 복이 많은 사람입니다. 이 책을 쓰고 감수를 청하기 위해 만나뵈었던 몇 분의 말씀을 들으면서 그렇게 생각했습니다. 하지만 여기에 그분들의 이름을 올리지는 않았습니다. 한 가지 이유는 아직은 현업에 몸을 담고 있는 분들이라 이름을 올리는 것이 마땅치 않을 수 있기 때문입니다.

이 책의 에필로그에서는 그분들과 나눈 대화를 통해서 얻은 서로의 영감과 이야기들을 같이 녹이기로 했습니다. 지금부터 하는 이야기는 의례적인 절차가 아니라 하나의 대화라고 여기면 좋을 것 같습니다. 물론 여기에 등장하는 질문자는 나일 수도 있고 독자 여러분일 수도 있으며 혹은 시장이라는 가상의 존재일 수도 있습니다. 또 답변자는 내가 만난 현자일 수도 있고, 나 자신의 답변일 수도 있습니다. 하지만 의미와 사실이 중요할 뿐 그런 것들은 하나도 중요하지 않습니다.

Q 역사적으로 투자이론은 계속 변해왔고, 지금 이 순간도 새로운 이론들이 나오고 있습니다. 언젠가는 이런 이론이 아닌 '원리'가 세워질 수 있을까요?

A 이론은 공식이 없고 정교한 수식과 화려한 수사로 이루어진 교설(教說)에 지나지 않습니다. 투자란 영원히 공식을 찾을 수 없을 것이고, 그 중에서 가장 그럴듯하게 포장된 수사들이 교범으로 불리게 될 것입니다.

Q 주식시장은 체계적인 학습이나 노력에 의해 정복 가능한 곳이라고 생각하십니까?

A 주식은 도박판이라는 사실을 인정해야 합니다. 그게 아니라면 최소한 갬블링 이미지가 지배하는 곳이라는 사실은 인정해야지요. 기관 투자가들은 이곳을 논리의 세계라고 강변하려 들겠지만 실은 허구입니다. 주식투자는 "도박심리가 좌우하고 있는 곳에서 얼마나 이성적일 수 있는가?"라는 명제가 핵심입니다. 기관 투자가라고 해서 이성적이고, 개인 투자자라고 해서 도박심리에 물들어 있는 것은 아닙니다.

Q 투자자는 주식투자에 어떤 태도로 임해야 할까요?

A 피터 린치는 1990년에 은퇴했습니다. 그때 나이가 47세였을 겁니다. 그는 가장 좋은 시기에 운용을 시작해서 가장 좋은 시기에 시장을 떠났기 때문에 영원한 현자로 남을 수 있었습니다. 이 전설적인 펀드매니저의 은

퇴에 대한 변은 우리에게 주식 투자자의 태도는 어떠해야 하는지에 대한 시사점을 남깁니다. "가족과 함께 지내고 싶습니다." 그가 시장을 떠나며 남긴 말입니다. 가족과 함께할 시간을 내기 어려울 만큼 주식시장에 몰입했었다는 말이겠지요. 결국 주식 투자자에게 가장 중요한 자세는 '몰입'입니다. 일반적인 투자자들이나 펀드매니저들은 그렇게 몰입하지 않습니다. 승부 근성이 없지요. 그렇다고 너무 좌절하지는 마십시오. 피터 린치처럼 주식시장에 몰입할 자신이 없다면 가족을 버릴 만큼 몰입하는 펀드매니저를 찾아 그에게 적당한 수수료를 지불하고 투자금을 맡기면 됩니다. 그저 일시적 수익률만 보고 무모한 펀드매니저에게 돈을 맡겨서는 곤란합니다. 도박판에서 계속 판을 키워 큰판을 먹은 사람에게 돈을 가져다 맡기는 것과 같은 이치라고 생각하면 됩니다.

Q 개인들이 자본시장에 뛰어드는 것에 대해서는 어떻게 생각하십니까?

A 저는 반대합니다. 주식시장에서 번다는 것은 이전소득의 개념이 강합니다. 주식회사는 초기에 모험자본을 쉽게 모을 수 있는 장점이 있지만, 그 이후부터 주권을 거래하는 것은 이전소득을 얻고자 하는 것입니다. 투자자들이 시장에 들어오는 낭만적인 이유와는 근본이 다른 것이죠.

Q 간접투자에서 가장 큰 문제는 펀드 자산의 가치평가입니다. 그런데 일반 투자자들은 이 문제를 전혀 고민하고 있지 않습니다. 어떻게 생각하십니까?

A 어떤 대형 펀드의 자산이 3조 원이라고 합니다. 설정 당시보다 수익률은 200%라고 하고요. 그런데 이 펀드의 실제 가치가 진짜 그럴까요? 가치를 평가하는 기준을 시가 평가로 한다고 해서 그것이 진짜 그 펀드의 순자산이 아닙니다. 예를 들어, 결산기준인 월말이나 연말에는 '윈도우 드레싱(Window Dressing)'이라는 것이 있죠. 펀드 가치를 높여 수익률을 맞추는 겁니다. 이것은 무슨 말인가 하면, 예를 들어 펀드들이 주식을 90~95%쯤 채우고 환매에 대응하기 위해 보유하는 5~10% 정도의 현금을 한 순간에 주식을 매입하는 것으로서 펀드의 자산가치를 올리는 것을 말합니다.

이게 무슨 말인지 이해가 되시나요? 즉 펀드들이 나머지 현금으로 주식을 사기 때문에 주가가 오르는데, 이때 오른 주가는 기존에 보유한 주식의 평가익을 내어 주는 것이죠. 아파트 단지에서 한 채의 아파트 값이 오르면 전체 아파트 시가가 오르는 것처럼 말입니다. 그럼 역설적으로 펀드가 돈이 필요해서 주식을 팔면 어떻게 될까요? 주가는 하락하고, 펀드 자산 전체의 시가가 하락합니다.

즉, 시장에서 시장 전체든지 개별 종목이든지 간에 대개 2.5% 이상의 비중을 가지면, 그는 프라이스 테이커(price taker)가 되는 것이 아니라 프라이스 세터(price setter)가 되는 거죠. 자신이 사면 주가가 오르고 팔면 내리죠. 결국 펀드자산은 자신이 쌓은 탑이 되는 겁니다. 그럼 같은 맥락에서 이해를 쉽게 하기 위해 국민연금의 사례를 들어봅시다. 국민연금이 전체 자산의 40%까지 주식을 산다고 합니다. 그래도 2045년이면 국민연금이 고갈된다고 하죠. 그럼 펀드 자산이 늘어나는 데는 정점이 있을 것이고, 조만간 자산을 팔아서 돈을 연금으로 돌려줘야 하겠죠? 그럼 국민연금이 축적되고 아직은 지출보다 수입이 많은 상황에서 주식을 계속 사들이면 그로 인해 주가가 올라가고, 국민연금 평가액이 커져서 연금 고갈시점이 늘어날 것으로 계산됩니다. 물론 계산상으로요.

한데 평가상 아무리 연금자산이 많아도, 조만간 그걸 팔아서 연금을 주기 시작해야 하는 단계가 오면 주가가 급락하기 시작하겠죠. 국민연금의 규모는 프라이스 세터니까요. 주가가 올라서 평가상으로는 분명히 2060년 이상도 갈 수 있다고 생각하는데 막상 팔기 시작하면서 주가가 하락하면 오히려 고갈 시점이 엄청나게 당겨질 수 있죠. 주가가 하락하면 팔아야 하는 주식수가 더 늘어나고 그럼 주가는 더 빨리 하락하죠.

거대 펀드들도 마찬가지입니다. 우선 수익률이 좋죠. 그 펀드에 돈이 들어오면 자신들이 주식을 사들이고, 유통물량을 줄이니까 시가는 분명히 높은 수익이 납니다. 기업지분의 5% 이상을 보유하는 펀드들도 많죠. 문제는 이 펀드들은 돈이 계속 들어올 때는 문제가 아니지만 투자자들이 이제는 많이 올랐으니 내 돈을 돌려달라고 하는 순간에 심각해집니다. 투자자들은 현재 펀드의 가치를 기준으로 생각하겠지만, 펀드에 유입자금보다 유출자금이 늘어나는 순간 그 펀드의 시가는 끔찍하게 변하는 거죠. 기관 투자가들이 의도적으로 외면하는 진실이 이것입니다. 펀드, 국민연금, 기금 등은 프라이스 세터라는 점이 중요해요. 그런데도 투자자들은 환상에 빠져 있습니다. 비극의 뿌리는 거기에 있습니다.

Q 그럼 이러한 문제에 대한 해법은 무엇일까요?

A 글쎄요. 그건 자본주의의 문제입니다. 알면서도 그렇게 하고, 모르면서 따라가는 거죠. 사실 자본주의는 인간의 탐욕에 근거해 만든 제도입니다. 그러니 그곳에 살피는 마음이 사라지면 그것은 그 자체로 맹수의 정글이 되어버리죠. 문제는 이것을 법률로 만들 수도 없습니다. '약자를 돌아보라'는 법이 존재할 수는 없지 않습니까? 그러니 어렵죠. 아프리카 '누우 떼'는 더 신선한 풀을 찾아 악어 떼가 기다리는 강을 건너갑니다. 탐욕 때문이지요. 그리고 그 중 몇 마리는 악어에게 희생이 됩니다.

그래도 주식시장이 부동산시장보다는 공정하다고 생각합니다. 앞으로도 주식시장은 갬블링 논리가 지배하는 틀에 결국 얼마나 페어 게임을 할 수 있도록 룰을 마련해낼 수 있느냐가 관건이 되겠지요. 개인의 투자도 마찬가지입니다. 일반인이 절대 초과 수익을 낼 수 없습니다. 드럼통이 한번 구르는 것과 자갈이 구르는 것은 차원이 다른 겁니다. 똑같이 굴러도 이익은 다르죠.

하지만 개인 투자자의 입장에서 전혀 해법이 없는 것은 아닙니다. 사실 기관 투자가들이 훨씬 단기적이고 단견에 사로잡혀 있거든요. 이들보다 느긋하게 생각하면 됩니다. 기관 투자가는 컨베이어 벨트처럼 계속 돌아가야 합니다. 하지만 개인 투자자는 필요할 때만 연사가 가능하니 그러한 강점을 살리면 됩니다. 하지만 대개는 비교의식이 발동하기 때문에 마음이 조급해지고 기관 투자가처럼 자꾸 컨베이어 벨트를 돌리려 들죠. 비교가 파멸로 이끄는 겁니다. 내가 쏠 자리에서만 쏜다. 이게 유일한 해법입니다.

Q 기관 투자가의 약점이 바로 컨베이어 벨트가 작동하는 원리, 그 자체로 인한 탐욕 아닌가요?

A 국민연금을 예로 들어봅시다. 논을 판 돈을 가지고 있으면 사방에서 꾼들이 몰려듭니다. 국민연금이 수십조 원씩 계속 적립이 되고 있는데, 그걸 누가 그냥 두겠어요? 정부는 정부대로 "다른 목적에 전용할 방법이 없을까?" 고민하고, 금융사들은 "그걸 어떻게 돌릴 수 없을까?" 고민하죠. 200조 원이 주식에 투자된다고 가정해봅시다. 그걸 운용사에 맡기면 성과보수는 둘째 치고라도, 운용보수를 1%만 잡아도 얼마입니까? 2조 원입니다. 그런데 그걸 1년에 네 번만 증권사를 통해 매매로 굴리면 그 매매수수료가 최소 4조 원입니다. 그게 해마다 굴러 떨어지는 거죠.

펀드도 그렇습니다. 사람들이 돈을 맡기면 수수료가 2~3%에, 증권사를 통해 굴리면 자주 굴릴수록 매매수수료가 어마어마한 금액으로 떨어집니다. 그래도 시장에서 돈이 자꾸 들어오면 주가는 오르고 평가자산은 자꾸 올라가고, 그래서 환상에 사로잡힙니다. 거기에 빨대를 꽂고 빼가는 비용은 생각을 안 하게 되는 거죠. 그러나 들어오는 속도보다 나가는 속도가 빠르거나 시가가 오르는 속도보다 돈이 들어오는 속도가 느려지면 순식간에 장부가가 급락합니다. 사실 금융사는 이 시스템의 구조에서 컨베이어 벨트를 돌립니다. 다만 그 중에서 "어떤 금융사가 윤리적이고 합리적이냐 그리고 돌리는 속도를 늦출 줄 아느냐?" 이것을 밝히는 게 핵심이 되겠지요.

Q 그 말씀은 소위 '연못 속의 고래'라는 개념과 맞닿는데요?

A 그렇습니다. '연못 속의 고래'라는 말에 저도 동의합니다. 고래의 개념은 결국 '저수지에 배 띄우기' 게임 아니겠습니까. 배를 띄우려면 저수지에 물이 가득 차야 하는데, 만약 물이 부족한 상황에서 고래가 연못에 들어오면 사람들은 고래가 들어앉아서 수위가 높아졌다고 여기지 않고, 일단 배를 띄우겠죠. 그러다가 고래가 탈출하면 배가 바닥에 가라앉고 맙니다.

같은 맥락에서 우리가 외국인 투자자라는 고래를 붙잡아둘 수만 있다면 기가 막히죠. 물의 양에 비해 큰 저수지에 배를 여러 척 띄울 수가 있습니다. 근데 외국인 입장에서는 바보가 아닌 이상 탈출 시기를 기다리겠죠. 이를테면 외국인이 국내에 달러 자산으로 가지고 들어와서 우리나라 주식을 45%나 가지고 있는데, 이 사람들 평가자산이 얼마나 수익이 나건 아무 상관없죠. 자기 스스로 탈출을 못하니까요. 아까 말한 거대한 프라이스 세터가 되어 있잖아요. 이 사람들 시가배당액이 우리나라 증시에서 고작 2.5~2.8%니까 우리는 귀한 외화자금을 저리로 쓰고 있는 거죠.

그런데 언론은 '올해 외국인 투자자가 빼 간 배당액이 몇 조 원'라는 식으로 시가를 쓰잖아요. 웃기는 거죠. 그 돈을 외화차입으로 쓰려면 이자가 얼마겠어요. 그런데 외국인이 그렇게 하는 이유는 언젠가는 장부가격대로 연못을 벗어날 수 있는 시점을 기다리는 게 아니겠어요? 이를테면 외국인이 아무리 팔아도 주가가 크게 떨어져서 자신들의 장부가치가 급락하지 않는 시점 같은 겁니다. 그게 2006년 말에서 시작된 거죠. 서서히 말입니다. 펀드 붐이 일면서 외국인이 슬슬 팔아도 국내 자금이 받아준 거죠.

그런데 2008년이 되면서 세계경제에 유동성 위기가 왔어요. 이때 탈출하면 고래도 죽고 연못 속의 배도 같이 가라앉아요. 그런데 2008년 초 정부에서 국민연금을 투입해서 시장을 지지한다고 했죠. 사실은 이미 그 전부터 그랬지만요. 외국인 입장에서는 드디어 연못을 탈출한 기회가 온 거죠. 비가 쏟아지는 밤, 고래가 연못을 뛰쳐나가고 물은 파도가 일고 배는 뒤집히죠. 그 결과 외국인의 지분이 2008년 중반 기준으로 30% 대 초반으로 줄어들었어요. 이제 그들이 다시 연못을 들락거릴 환경이 된 거죠.

지금까지 연못 속의 고래를 연금과 외국인이라는 구조로 설명했지만, 사실은 대형 금융사나 펀드의 움직임도 같은 맥락입니다. 비가 퍼붓는 밤이 아니면 고래가 벗어날 수 없어요. 2008년은 펀드가 배고, 고래가 외국인이었죠. 만약 펀드가 고래라면 그 고래는 2008년에 저수지에서 탈출을 못하고 말라비틀어지고 있는 상황이죠. 자기가 나가면 같이 죽고, 안 나가면 더 큰 고래가 나가게 되니까요.

Q 그럼 향후 자산투자에서 가장 중요한 논점은 무엇입니까?

A 국가경제가 쇠퇴할 수 있는 상황도 염두에 두어야죠. 사실 이론적으로 보면 인구문제나 비정규직 문제는 지극히 위험한 일입니다. 기업이 순간 이익을 위해 비정규직을 고용하고 실적을 높이지만, 그것이 국가경제에 족쇄가 되죠. 하지만 이런 문제는 투자자가 마음대로 할 수 있는 일은 아닙니다.

다만 원론적으로는 이를테면 준조세 성격의 수입을 올릴 수 있는 전력, 가스, 회사 같은 데 투자해야죠. 안정적이니까요. 아니면 글로벌 플레이어가 되는 기업들이 안전할 수도 있죠. 물론 우리나라 국민소득이 5만 달러가 되고 기업들이 글로벌 기업으로 변신하면 해결되지만, 그 경우에는 국가권력이 기업권력으로 대치됩니다. 그 외에는 장기적인 부분에서 안정성을 이야기하는 것은 난센스입니다. 그래서 투자자들은 포트폴리오를 조정하는 거죠. 위험 가능성을 자꾸 배제해 나가면서요.

다만 앞으로 부동산 문제가 심각한 위협으로 다가올 것입니다. 부동산의 경우 경제에 너무 치명적이죠. 이를테면 재개발은 과거 1980년대 증권사의 유무상증자와 같은 겁니다. 땅 가진 사람과 거기에 건물을 짓는 사람, 추가로 입주하는 사람이 유무상증자 구조와 같습니다. 부동산은 자꾸 부채를 높이고 소비를 잠식합니다. 인구는 줄고 이 문제가 자본시장에 미칠 영향은 상상하기 어렵습니다. 아마 2008년의 경우 부동산시장은 솔직히 네덜란드 튤립의 거품과 필적할 만한데 사람들은 이에 둔감합니다. 부동산의 가치를 자꾸 옆동네, 옆집과 비교하거든요. 그나마 주식은 자본이익률을 따지지 않습니까. 또 다른 비극의 단초 중 하나입니다.

참고
도서

이 책을 쓰기 위해 참고한 도서의 목록입니다. 국내서나 번역서를 참고한 경우에는 국내서 제목과 번역서 제목을, 원서를 참고한 경우에는 원서 제목을 명기했습니다. 이 책에서 언급한 내용과 관련해 더 자세한 내용을 알고 싶거나 제가 참고했던 문헌을 직접 읽고자 하는 분들을 위해 참고도서를 밝혀둡니다.

국내서, 번역서

1. 이성구 저, 《선물옵션 투자심리학》, 시대의 창, 2002.

2. 츠모리 싱야, 아베 마사키 공저, 홍성수 역, 《재무관리》, 새로운제안, 2007.

3. 벤저민 그레이엄 저, 박진곤 역, 《현명한 투자자 *The Intelligent Inverstor*》, 국일증권경제연구소, 2007.

4. 스타키안 저, 《한 번 배워 평생 써먹는 주식투자의 정석》, 위즈덤하우스, 2007.

5. 제시 리버모어 저, 박성환 역, 《주식 매매하는 법 *How to trade in stocks*》, 이레미디어, 2006.

6. 제러미 시겔 저, 김종완 역, 《제레미 시겔의 주식투자 바이블*Stocks for the long run*》, 거름, 2001.

7. 존 보글 저, 이건 역, 《모든 주식을 소유하라 : 세계 4대 투자의 거장 존 보글의 투자 법칙 *little book of common sense investing : the only way to guarantee your fair share of market ret*》, 비즈니스맵, 2007.

8. 존 네프 외 저, 김광수 역, 《가치투자, 주식황제 존 네프처럼 하라 *John Neff on investing : to invest smarter listen to John Neff*》, 시대의창, 2007.

9. 우라카미 구미오 저, 박승원 역, 《주식시장 흐름 읽는 법 : 종목선택과 매매 타이밍 相場サイクルの見分け方 : 銘柄選擇と賣買タイミング》, 한국경제신문사, 1993.

10. 윌리엄 피터 해밀턴 저, 박정태 역, 《주식시장 바로미터 *Stock market barometer*》, 굿모닝북스, 2008.

11. 이채원, 이상건 공저, 《이채원의 가치투자 : 가슴 뛰는 기업을 찾아서》, 이콘, 2007.

12. 짐 로저스 저, 박정태 역, 《상품시장에 투자하라 *Hot commodities*》, 굿모닝북스, 2005.

13. 앙드레 코스톨라니 저, 정진상 역, 《투자는 심리게임이다 *Kostolanys börsenpsychologie vorlesungen am kaffeehaustisch*》, 미래의창, 2005.

14. 팻 도시 저, 조성숙 외 역, 《모닝스타 성공투자 5원칙 *The five rules for successful stock investing*》, 이콘, 2006.

15. 제러미 시겔 저, 윤여필 역, 《투자의 미래 *Future for investors*》, 청림출판, 2006.

16. 잭 슈웨거 저, 고영술 역, 《기술적 분석 못하면 절대 주식투자 하지 마라 *Getting started in technical analysis*》, 청림출판, 2002.

17. 바턴 빅스 저, 이경식 역, 《투자전쟁 : 헤지펀드 사람들의 영광과 좌절 *Hedgehogging*》, 휴먼&북스, 2006.

18. 존 앨런 파울로스 저, 이상근 역, 《수학자 증권시장에 가다 *Mathematician plays the stock market*》, 까치, 2003.

19. 피터 L. 번스타인 저, 강남규 역, 《세계 금융시장을 뒤흔든 투자 아이디어 *Capital ideas : the improbable oringins of moden*》, 이손, 2006.

20. 장득수 저, 《투자의 유혹 : 투기의 함정인가, 투자의 기회인가》, 흐름출판, 2006.

21. 주석배 저, 《증권경제론》, 거름, 2001.

22. 칼 월렌람 저, 이진원 역, 《주식투자의 군중심리 : 무엇이 똑똑한 투자자를 바보로 만드는가 *Trading with Crowd Psychology*》, 리더스북.

23. 조지프 엘리스 저, 이진원 역, 《경제를 읽는 기술 : 투자의 맥을 짚어주는 경제흐름 읽는 법 *Ahead of the Curve*》, 리더스북, 2007.

24. 버튼 G. 맬키엘 저, 김헌 역, 《랜덤워크 이론 *Random walk down wall street*》, 국일증권경제연구소, 2000.

25. 로버트 B. 라이시 저, 형선호 역, 《슈퍼자본주의 *Supercapitalism: The Transformation of Business, Democracy, and Everyday Life*》, 김영사, 2008.

26. 사쿠라 종합연구소 편, 신한종합 연구소 역, 《세계의 금융자유화》, 고려원, 1992.

27. 피터 린치, 존 로스 차일드 공저, 권성희 역, 《피터 린치의 이기는 투자 *Beating the Street*》, 흐름출판, 2008.

28. 김성철 저, 《경제지식이 미래의 부를 결정한다》, 원앤원북스, 2007.

29. 커크 카잔지안 저, 김경민 역, 《가치투자를 말한다 : 미국 대표 펀드매니저 20인의 투자 비법 *Value Investing with the masters*》, 이콘, 2004.

30. 제임스 알투처 저, 이진원 역, 《워렌 버핏 실전 투자 *Trade Like Warren Buffett*》, 리더스북, 2006.

31. 로버트 해그스트롬 저, 석기용 역, 《지혜와 성공의 투자학 *Latticework : the new investing*》, 이끌리오, 2001.

32. 조셉 E. 그랜빌 저, 김안수 역, 《그랜빌의 최후의 예언 *Granville's last stand*》, 국일증권경제연구소, 2000.

33. 로버트 멘셜 저, 강수정 역, 《시장의 유혹, 광기의 덫 *Markets, Mobs & Mayhem*》, 에코리브르, 2005.

34. 한국밸류자산운용, 〈2008년 2/4 분기 분기보고서〉.

국외서

1. Peter L. Bernstein, 《Capital Ideas : The Improbable Origins of Modern Wall street》, Free Press, 1992.

2. Jerome B. Cohen, Edward D. Zinbarg, and Arthur Zeikel, 《Investment Analysis and Portfolio Management》, 5th Editions, Irwin, 1987.

3. De Bondt, Werner F. M, and Richard H. Thaler, 《Financial Decision-Making in Markets and Firms : A Behavioral Perspective》, In R. Jarrow et al, (Eds), Handbooks in OR & MS, Vol. 9, 1995.

4. Lufkin Donaldson&Jenrette, Inc, 《Common Stock and Common Sense》, Author, 1958.

5. Charles D. Ellis, and James R. Vertin, 《Classics : An Investor's Anthology》, Dow Johns Irwin, 1989.

6. Marc Faber, 《The Great Money Illusion》, Longman Group Ltd, 1988.

7. Peter Lynch, 《Beating the Street》, Nextwave Publishing, 1993.

8. Fred W. Frailey, 《John Neff : Insider Interview》, Kiplinger's personal Finance Magazine, 1994.

9. John K. Gallbraith, 《The Great Crash》, Mariner Books, 1997.

10. Benjamin Graham, 《The Intelligent Investor》, Harper & Row, 1973.

11. Benjamin Graham, and David Dodd, 《Security Analysis》, Reprint, McGraw-Hill, 1934.

12. William H. Gross, 《Everything You've Heard about Investing Is Wrong!》, Times Books, 1977.

13. Henry H. Harper, 《The Psychology of Speculation》, Fraser Publishing, 1966.

14. Ibbotson Associates, 《Stocks, Bonds, Bills, and Inflation : 1997 Yearbook》, Ibbotson Associates, 1997.

15. John M. Keynes, 《The General Theory of Employment, Interest and Money》, Harcourt Brace, 1936.

16. Kirk Kazanjian, 《Value Investing》, Prentice Hall, 2002.

17. Gustave Le Bon, 《The Crowd : A Study of the Popular Mind》, Reprint, Cherokee Publishing, 1982.

18. Gerald Loeb, 《The Battle for Investment Survival》, Fraser Publishing, 1988.

19. Marc Faber, 《Tomorrow's Gold》, Philmac Publishing, 2003.

20. Charles Mackay, 《Extraordinary Popular Delusions and the Madness of Crowds》, Farrar, Straus&Giroux, 1841.

21. Martin Pring, 《Martin Pring on Market Momentum》, Sheridian Books, 1993.

22. Mark Mobius, 《Mobius on Emerging Markets》, Pitman Publishing, 1966.

23. John Neff, 《How I Multiplied Investors' Wealth 45 Times》, Money Guide, 1994.

24. Robert Fisher, 《The New Fibonacci Trader》, 2001.

25. Jeremy J. Siegal, 《*Stocks For the Long Run*》, Irwin Professional Publishing, 1944.

26. John B. Williams, 《*The Theory of Investment Value*》, Fraser Publishing, 1997.

27. Benjamin Graham, 《*The Intelligent Investor*》, Harperaudio, 2005.

28. Frost, A. J, Prechter, and Robert Rougelot, 《*Elliott Wave Principle*》, New Classics Library, 2007.

29. Peter D. Schiff, 《*Crash Proof : How to Profit From the Coming Economic Collapse*》, Lynn Sonberg Books, 2007.

30. Burton G. Malkiel, 《*A Random Walk Down Wall Street : The Time-Tested Strategy for Successful Investing*》, 9th Edition, 2007.

31. Edwin Lefevre, 《*Reminiscences of a Stock Operator*》, Wiley.

32. William J. O'Neil, 《*How To Make Money In Stocks : A Winning System in Good Times or Bad*》, 3th Edition, McGraw-Hill, 2002.

33. Peter Lynch, 《*One up on Wall Street : How to Use What You Already Know To Make Money in the Market*》, Miniature Editions ; Min Edition, Running Press, 2001.

34. Charles P. Kindleberger, 《*Manias, Panics, and Crashes : A History of Financial Crises*》, Wiley, 2000.

35. Jeff Madura, 《*International Financial Management*》, Cengage Lrng Business Press, 2007.

36. Richard Bookstaber, 《*A Demon of Our Own Design : Markets, Hedge Funds, and the Perils of Financial Innovation*》, Wiley, 2007.

37. John F. Carter, 《*Mastering the Trade*》, 1th Edition, McGraw-Hill, 2005.

38. Charles D. Kirkpatrick, 《*Technical Analysis : The Complete Resource for Financial Market Technicians*》, FT Press, 2006.